POUR SGANARELLE

ROMAIN GARY

Frère Océan

★

Pour Sganarelle

RECHERCHE D'UN PERSONNAGE
ET D'UN ROMAN

GALLIMARD

Il a été tiré de l'édition originale de cet ouvrage vingt-sept exemplaires sur vélin de Hollande van Gelder numérotés de 1 à 27 et quatre-vingt-cinq exemplaires sur vélin pur fil Lafuma-Navarre numérotés de 28 à 112.

A Eugenia Lacasta de Muñoz, à cause du XVIIe siècle espagnol

et

à Peter Ustinov, à cause de Sganarelle.

I

Un état d'absence du personnage et du roman. — La Rivalité avec la Puissance : premiers tâtonnements. — Frère Océan.

Commençons par Tolstoï, puisque aussi bien il me tombe sous la main. (Je connais depuis longtemps ces états négatifs de la conscience, cette absence de quelque chose ou de quelqu'un, et ce remords qui me gagne dès que je laisse la réalité s'accumuler autour de moi comme un matériau refusé. Chaque contact avec le monde se fait reproche, frustration, provocation et désir : les hommes meurent pour rien, leurs victoires et leurs souffrances, les peuples et les idéologies, tout est gaspillé, tout passe à côté, manque son but, l'Histoire perd sa raison d'être, l'humanité gesticule en vain, la Puissance de la réalité me soumet, triomphe sur tout le front de la Rivalité, s'empare sous mes yeux de la maîtrise ; si je n'enterre pas sans cesse ce fumier aux sources d'une œuvre, il finit par infecter ma conscience au lieu de la féconder. Je n'existe plus : je me dissous. Un demi-homme, cela vous fiche le cafard, disait Cendrars. Je me sens entouré d'une vie latente que j'empêche de naître, d'une sève que je n'aide pas à s'épanouir et à prendre forme. Je n'obéis plus à la vie. Je me sens avorteur et avorté. C'est tout juste si je ne m'accuse pas de génocide. Une névrose, un état d'absence du personnage et du roman. Et cependant, c'est une présence latente, mais en dehors de moi : je ne parviens pas encore à la saisir, à la concrétiser, à être, je n'arrive pas à sortir de l'esquisse. Mutilé, infirme, incomplet, un poisson hors de l'eau, un romancier sans roman. Au lieu de tirer l'œuvre des limbes, ce sont les limbes qui me tirent, me gagnent, et me font perdre mes contours, le sentiment de ma propre réalité. Une impression de trahir quelqu'un et de me trahir. J'essaie, comme toujours, de tromper ma faim par la lecture. Je viens de relire *Guerre et Paix* et ma frustration augmente : cette œuvre accomplie, victorieuse de la réalité, ne fait que creuser mon désir impérieux de rivaliser moi aussi avec la Puissance, celle du monde authentique. Un besoin dévorant de me diversifier par de nouvelles et multiples identités et de vivre à travers elles une expérience totale de ce qu'il me faut d'abord créer pour pouvoir ensuite le découvrir, sortant ainsi de l'habitude et de la claustrophobie d'un état individuel, de mon petit Royaume du Je. Pour parler le jargon de l'époque, c'est une névrose individualiste : mais on peut en dire autant de toute aspiration à la collectivité, à la totalité, depuis le marxisme jusqu'à l'amour. Avouons : c'est un besoin de jouir de la vie jusqu'à possession totale, d'être *tout*. Voilà pourquoi les romanciers font vivre les objets eux-mêmes avec une telle intensité : pour *les* vivre. Et aussi pourquoi Balzac accumulait sans cesse son bric-à-brac légendaire : c'était encore une façon de créer, une volonté de posséder bien autre chose que des richesses, signes d'un appétit insatiable non de biens de ce monde, mais du monde. Il les aurait bouffés. Ce qu'il faisait d'ailleurs puisqu'il en encombrait son œuvre. C'était un romancier total, mort d'un excès de vocation.

Je note tout de suite ce malentendu qui limite la notion de technique dans l'art, dans le roman, à l'agencement, à la forme : le roman est en lui-même une technique, la forme, le fond, les valeurs, la vérité, la sincérité, la source d'inspiration, tout est intendance, tout est arsenal, procédé de mainmise, de possession, de Rivalité. Les genres eux-mêmes — littérature, peinture, musique, théâtre, philosophie, cinéma, — ne sont que des arrangements, des mises en œuvre, un choix de moyens et d'artifice, la nature du terrain psychique, et non une différence de but ou d'aspiration, déterminant le choix de l'outil.

La création artistique naît de ce que l'homme n'est pas, de ce qu'est la réalité. Elle est une technique d'assouvissement, illusoire et fugace, d'un désir de maîtrise et d'affirmation que l'œuvre ne fait que pallier, faisant renaître une frustration encore plus grande et un besoin d'authenticité vécue encore plus tyrannique, pouvant aller, par souci de réalisme, jusqu'au refus de la création. Tout art aspire à finir, ce qui est la raison même de sa naissance. Il est un reproche constant, un témoin de l'imperfection de l'être, il scelle notre caractère prématuré, irréalisé. Dès que l'œuvre est accomplie, plus elle est réaliste et plus elle devient irréelle, elle témoigne de son propre échec, elle se fait parodique et dérisoire. Elle souligne l'absence en nous d'une Puissance, d'une liberté authentiques. Si l'œuvre pouvait rêver, elle se verrait réalité. La volonté de changer la réalité est ainsi inhérente à la nature même de l'art. C'est une volonté de placer la source de la Puissance dans l'homme, une chute du désir au niveau du chef-d'œuvre. Tant qu'il y aura art, tant qu'il y aura Roman, cela voudra dire que l'homme n'est pas arrivé, qu'il n'a pas encore eu lieu entièrement : en ce sens, c'est un acte de barbarie, un aveu de préhistoire. On conçoit donc pourquoi l'art dès son premier balbutiement se mit à parler de Dieu et pourquoi il était fatal qu'il cessât d'en parler dès qu'il prit conscience de lui-même. Personne n'est encore parvenu à expliquer le génie — l'habileté, le « réalisme » consistent aujourd'hui à éviter ce terme — ce qui autorise tous les espoirs, sauf sans doute celui d'une explication. La bonne foi la plus élémentaire devrait cependant nous obliger à reconnaître qu'il s'agit d'une déformation par rapport à ce qui est admis comme le critère de l'être « normal », d'une différence, disons même d'une monstruosité, et à partir de là il est extrêmement curieux qu'on puisse songer à lui adresser des directives et à formuler des exigences à son égard. Quant à l'impulsion créatrice, on ne peut s'empêcher de penser ici à la métaphore première de la vie, à la variété infinie des manifestations qu'elle obtient, depuis le moindre bourgeon jusqu'à *Guerre et Paix*, à la lumière et la chlorophylle, à l'océan originel qui nous a donné naissance, et à la culture, ce nouvel océan ambiant, fraternel et nourricier, où commence à peine une étape de l'évolution qui cherche à faire de l'homme sa propre œuvre. *Frère Océan*. Je tiens peut-être là un titre. *Les Couleurs du Jour, les Racines du Ciel, la Promesse de l'Aube, le Mangeur d'Étoiles, ...Frère Océan*. C'est dans la ligne. Et pourtant, je n'ai jamais eu à les chercher, ces titres, il n'y a jamais eu de choix, d'alternative : ils disaient simplement mon nom, ce que je suis, et ils ne pouvaient pas être différents. Ils me désignaient, et ils ne pouvaient donc que désigner ce que je poursuis. *Frère Océan*. Je tiens là peut-être mon déclencheur. Il me faut maintenant trouver le roman, la seule chose qui compte. Tout le reste est littérature.)

II

Encore une belle figure spirituelle. — Le transfert d'art : de la beauté de l'œuvre à celle de l'auteur. — « Ce qui n'est pas ». — Le Royaume du Je et la littérature du dépit individualiste. — Roman total et roman totalitaire. — Première rencontre avec Sganarelle.

Partons donc de Tolstoï, puisque je ne sais littéralement à quel saint me vouer. Et le prophète de Iasnaïa Poliana était toujours prêt à vous montrer le chemin de tous les saluts, en n'y engageant, du reste, que son index.

J'ai lu Lev Nikolaïevitch pour la première fois à l'âge de vingt-six ans, alors que mon œuvre était déjà commencée. Je ne me suis nourri ni de sa technique, ni de sa philosophie et je n'ai pas cherché à l'imiter. Il n'a pas enrichi mon art : il a enrichi ma vie. Et en me rassasiant comme lecteur, il a creusé ma faim comme romancier. Un écrivain ne saurait contracter de dette plus grande.

L'homme lui-même ne m'a jamais séduit. A tort ou à raison, il m'a toujours paru mesquin, méchant, tyrannique et étroit d'esprit jusque dans son libéralisme, égoïste et obsédé par lui-même jusque dans sa générosité, plus proche finalement des personnages de Dostoïevsky que de ceux de sa propre œuvre. Ses exigences et son manque d'indulgence envers l'humanité m'ont paru aller contre cet humanisme dont il ne cessait de se réclamer. Son auréole de sainteté, à la fin, avait un éclat fortement aristocratique. J'ai l'impression qu'il lui manquait surtout d'être Dieu, il fallait donc se contenter de sainteté. Il s'agit là d'un phénomène typique de l'aristocratie russe : les tsars les plus autoritaires rêvaient de finir comme *stranniks*, c'est-à-dire comme vagabonds, allant de monastère en monastère sur les routes de la sainte Russie, vivant de pain sec. Il y a déjà dans Tolstoï quelque chose qui sent fortement Raspoutine et Dieu seul sait ce que le *staretz* de l'impératrice serait devenu si l'Histoire avait laissé à sa barbe le temps de blanchir. Je trouve d'ailleurs bouleversante cette contradiction entre les ténèbres et la tourmente d'une âme, et la clarté, la sérénité d'un art, entre les faiblesses de l'homme et la puissance de l'œuvre. Tolstoï m'a confirmé dans mon idée que non seulement il n'y a pas d'identité entre une œuvre et son auteur, mais qu'un abîme parfois les sépare. On écrit ce qu'on est : parfois avec rancune, avec nostalgie d'une autre identité; on écrit, alors, *contre* ce qu'on est, mais ceux qui vous déduisent de votre œuvre ne s'aperçoivent pas de la supercherie, de l'imposture : il nous est difficile de croire qu'un beau poème, un beau roman puissent être l'œuvre d'un beau salaud. On cherche souvent à échapper par la beauté créée à ses laideurs intimes, et l'idéalisme peut être une façon de se fuir. Si les personnages de Tolstoï doivent tout à son génie, ils me semblent devoir fort peu à son authenticité humaine. Je crois qu'ils étaient en partie nés de son besoin de posséder totalement les êtres, mais il se peut que tout art procède de ce besoin tyrannique et enfantin de possession du monde. J'ai trouvé douteuse la découverte tolstoïenne, comme celle de Gandhi, de l'ascétisme et de la « pureté », coïncidant avec le déclin de leurs forces viriles. Et la tentation des romanciers de se faire un piédestal spirituel de leur œuvre, pour tenter d'accéder ainsi à une grandeur, une dimension autre que celle de la littérature, m'a toujours inspiré, grâce, un peu, à l'ancêtre de Iasnaïa Poliana, une dose de scepticisme et une pointe d'écœurement qui suffiraient à me mettre à l'abri, même si la question se posait.

Ceci dit de l'homme, et on ne peut que se tromper, en voulant passer des jugements définitifs sur soi-même ou les autres, jamais son œuvre ne m'a paru plus imposante qu'aujourd'hui, plus agissante, aussi, par l'influence qu'elle n'exerce pas, si je puis dire, par le rôle qu'elle joue dans la fuite éperdue devant elle et devant ce qu'elle exige du romancier, de tout ce qui cherche à se dérober aux critères qu'elle pose au roman. C'est une véritable débandade de tout ce qui craint à la fois d'être mesuré par le génie et forcé à se mesurer avec la réalité. Car le souci dominant du romancier de cette mi-temps du siècle et de la littérature est de ne pas défier la Puissance — ne parlons même pas de lutte, de victoire — mais uniquement d'éviter la rencontre avec ce que le vieux avait si tranquillement affronté, imbibé, avalé, possédé : la réalité et « la foule horrible des hommes », comme le disait jadis Behaine, ce qui nous donne un roman sans personnage, sans terre, sans action, sans histoire, c'est-à-dire, et peut-être l'aveu est-il là, *sans Histoire*. Roman sans visage, sans chair et sang, sans ces « viscères » qui inspirent, de son propre aveu, une telle horreur à M. Robbe-Grillet, un roman où l'objet inanimé devient « une rêverie du repos » de ces têtes coupées — coupées de la vie, cette trivialité, coupées du corps, des sens, de toute cette « bestialité » viscérale, et coupées de la réalité populaire, cette banalité, en même temps que ce péril mortel. On se réfugie alors dans le roman de l'oubli, dans le roman de la littérature, fait à partir d'elle et pour elle, dans le langage, dans les puzzles, devinettes et jeux littéraires, envie amoureuse de la pierre en tant que non-souffrance, et non-responsabilité, retraite intimiste dans le Royaume du Je, d'où le regard se glisse prudemment vers les abords immédiats de la forteresse-conscience, l'écri-

vain — on n'ose dire le romancier — réduisant au simple
rapport de surface à surface ses contacts avec le monde
que le regard se borne à frôler, pour tenter de retrouver,
par exclusion et abstraction, par « non-voir », quelque
virginité perdue de la perception du primate, ou bien encore
s'absorbant dans la contemplation et la description de
quelques détails magnifiés de telle façon qu'ils vous bouchent
l'horizon, et vous ne risquez plus, ainsi, de percevoir le
monde où vous vivez dans son « horrible » et menaçante
totalité.

Cet effort d'abstraction ou de concentration est une
entreprise totalitaire : en réduisant la complexité d'exister
à un seul de ses aspects, fût-il essentiel, en enfermant le
lecteur et le roman dans une seule situation — que ce soit
l'absurde, le « néant », l' « incompréhension », la coupure
des rapports de l'homme avec le monde, l'« incommunicabilité », l'aliénation ou le marxisme, — c'est à la fermeture
dans la rigueur d'une condition absolue et donc totalitaire
que nous sommes ainsi réduits. Car l'homme n'a pas d'aspect
essentiel, si ce n'est qu'il est condamné à mourir individuellement, ce qui ne saurait être la préoccupation « essentielle » de ce qui ne meurt pas individuellement avec lui,
à commencer par l'humanité et le Roman. La situation
humaine est caractérisée par tout ce qu'elle est et nos rapports avec le monde ne sont rien exclusivement. Mais tout,
dans le roman individualiste totalitaire du *Procès* à *La Nausée*,
à *L'Étranger* et au fantastique de l'aliénation, procède par
choix arbitraire d'un rapport élaboré en absolu : c'est la
dictature du *Nez* de Gogol coupé du visage et décrétant
que l'homme, tout l'homme et tout dans l'homme, c'est lui.

Chaque univers romanesque est arbitraire, l'art est
toujours un choix subjectif : mais il est difficile de parler
d'univers, romanesque ou non, si on ne parle pas d'un
tout, de la complexité et de la totalité du camp de la réalité
où se trouvent aussi bien nos ennemis que nos alliés. Je
note tout de suite que le roman totalitaire ne reconnaît

à l'homme que des ennemis, auxquels il fait toujours appel pour « collaborer », si je puis dire, à son œuvre, il ne se reconnaît aucun allié. L'art a tous les droits de nous choisir comme il lui plaît, et de nous dépayser, mais la supercherie cesse d'être simplement artistique lorsque le choix délibéré d'un rapport de l'homme avec l'univers prétend nous définir et nous contenir, lorsque cette entreprise de dépaysement prétend nous révéler l'authenticité de notre patrie. Elle devient alors un charlatanisme philosophique qui consiste à élaborer la singularité psychique individuelle de l'auteur en une définition fondamentale de la « situation » humaine. Il ne s'agit plus d'arbitraire dans un but d'art : il s'agit d'art dans un but arbitraire. On traite la réalité comme Picasso : mais on affirme qu'il s'agit encore d'authenticité non artistique et d'un Sens absolu. Le monde est *tout* ce qu'il est : voilà pourquoi le nom de Tolstoï, dès qu'on parle du roman *total*.

Car Tolstoï fut sans aucun doute, et il me semble, plus que Balzac — peut-être parce que ce dernier fut un « parvenu » — le plus grand romancier de tous les temps. Balzac collait parfaitement à la société dans laquelle il avait amoureusement pénétré, comme un naturalisé accepté par une nation tend à l'accepter à son tour sans discriminer, si bien qu'il s'identifiait si complètement avec elle et avec ses valeurs qu'il ne s'élevait pas au-dessus d'elle délibérément dans le roman, la transcendant instinctivement par la nature de son génie plus que par intention de lutte avec la Puissance. Subjectivement encore, en me plaçant uniquement à mon point de vue de rivalité consciente, l'œuvre de Balzac est dans une certaine mesure un partage de la Puissance, — on pourrait presque parler de coexistence pacifique — l'intégration de l'œuvre dans la société et de la société dans l'œuvre établissant ainsi un rapport d'égalité, de coïncidence presque parfaite, et faisant en ce sens de Balzac le premier et peut-être le seul romancier à tenir la gageure de « réalisme socialiste ». La « coexistence pacifique » n'est du reste que subjective et illusoire : la culture dans laquelle se jette l'œuvre la mobilise et continue le combat. Tolstoï, peut-être parce qu'il fut un aristocrate, fut un romancier autocratique visant *délibérément* à une domination : son œuvre exerce une sorte de souveraineté sereine, de suprématie sur ses éléments, utilisant comme de simples ingrédients, comme des moyens et des armes : l'Histoire, les êtres, les groupes sociaux, les valeurs, les philosophies, lesquels ne sont jamais servis, comme dans le roman totalitaire, mais asservis, annexés, réduits, excluant tout rapport d'égalité, toute coïncidence. La puissance, la perfection, la vie, la beauté de l'univers romanesque créé réduisent ainsi tous les aspects de la réalité, aussi bien les concepts que le monde physique d'où l'œuvre a pris son essor, au rôle *d'accessoires*. La vie, l'Histoire, la philosophie *ne sont plus qu'une technique d'expression du génie, des moyens de création d'un univers romanesque*. On conçoit qu'à la fin de sa vie cette façon de « jouer Dieu » ait mené Tolstoï à la création d'une religion. La réalité n'est plus là qu'un engrais de l'imaginaire, un facteur déterminant dans la contamination de l'imaginaire par l'existence « authentique » dans un but de vraisemblance, c'est-à-dire de réalisme. L'œuvre règne sournoisement par son mensonge romanesque aux allures de réalité, elle possède le monde et se possède totalement hors de toute soumission à ce qui l'a inspiré : c'est en ce sens que je parle ici et que je continuerai à parler d'un roman *total*.

Ce détournement absolu et sans scrupules est non moins apparent chez Proust : toute la recherche du temps perdu est création, à partir de ce qui fut ou ne fut pas perdu, de quelque chose qui ne l'a certainement pas été et ne pouvait donc être « retrouvé » : une œuvre d'art, un univers romanesque hors de toute coïncidence, et où l'authenticité, la « vérité » de ce qui fut perdu joue le même rôle dans ses rapports avec la réalité que le chauffeur Albert lorsqu'il devient Albertine.

Dans un roman total, le personnage ne saurait être fixé dans aucune situation, dans aucune conception idéologique, concentré dans aucune rigueur déterministe exclusive, il ne peut être invité à obéir au Cérémonial d'aucune certitude intronisée, à aucun désespoir : l'œuvre étant son propre but souverain et supérieur, le désespoir n'est concevable que comme une impuissance créatrice, un désespoir devant le Roman ou devant la mort du Roman par quelque destruction physique de l'espèce. Tout arrêt définitif, toute fixation concentrationnaire du personnage dans une situation ou dans une idéologie est inconcevable : s'il n'y avait qu'une situation de l'homme, qu'une idéologie, si l'on pouvait accepter un définitif quelconque, si l'homme pouvait être définitivement *exprimé* dans une philosophie, dans une société, si la situation de l'homme pouvait être définitivement saisie, le roman serait entièrement tenu, asservi, par cette vérité totalitaire, arrêté en elle et par elle, il ne lui resterait plus qu'à se coucher au pied de cette Raison cachée enfin dévoilée, se rouler en boule et mourir. La vérité totalitaire est incompatible avec le roman. La rigueur d'une vérité absolue est la seule chose capable de le tuer. Le roman ne peut pas à la fois servir et être son propre maître. Mais dans l'absence heureuse d'absolu, les vérités et les erreurs, les valeurs vraies et les valeurs fausses ne sont pas un critère de l'authenticité et de la valeur des œuvres d'art : de toutes les valeurs fausses, aberrantes et réactionnaires de Dostoïevsky, il ne reste que l'œuvre de Dostoïevsky, une valeur en soi, et qui agit puissamment, à travers la culture, contre ses propres valeurs « empoisonnées ». Les valeurs « fausses » ou « empoisonnées » ne pourraient agir que si elles dominaient l'œuvre, si le roman ne transcendait pas, ne possédait pas ses propres ingrédients, si le rapport était inversé par médiocrité artistique. *Il est donc dit ici que dans le roman total tout ce qui n'est pas l'œuvre elle-même en tant que valeur en soi n'est jamais délibérément servi mais délibérément utilisé comme élément et technique de création d'un univers romanesque.* Commence ensuite, à travers la culture, c'est-à-dire, hors de tout passage direct et spécifique, un retour de l'œuvre dans la réalité dont je chercherai tout à l'heure de me représenter le caractère, afin de me stimuler dans la poursuite de mon roman, mais dont je dirai dès maintenant qu'il obtient le changement de toutes les situations remédiables, même lorsque l'œuvre ne les vise pas spécifiquement, lorsqu'elle ne s'en occupe pas, et même lorsque ces situations ne sont pas de son temps mais dans l'avenir, devenant incompatibles avec l'œuvre existante lorsqu'elles se produisent, ce qui nous amènera à examiner la question de ce que Giotto peut accomplir contre la sous-alimentation et les régimes policiers. Que les valeurs « authentiques » soient donc *ensuite*, par le retour de l'œuvre dans la réalité à travers la culture, ou bien authentifiées ou réactivées, ou même créées — il n'est pas d'idéologie qui n'ait pris naissance ailleurs que dans ce fonds fraternel de l'espèce formé par les œuvres individuelles, qui ne s'occupait pas d'idéologie et cessait d'être individuel — ne change rien au fait que le roman total n'utilise les valeurs ou les concepts que dans le seul souci de lui-même. Au départ de l'aventure, le romancier Sganarelle est un Valet au service d'un seul Maître, qui est le Roman. Les valeurs, les idéologies, les situations, les sociétés, les mondes habités, l'Histoire sont utilisés, *exploités* par le romancier à vocation totale selon la nature de son talent et les exigences de l'œuvre qu'il entend accomplir, comme un peintre choisit les couleurs dominantes dans un souci qui n'est pas celui de servir les couleurs, mais uniquement le tableau. S'il y a philosophie, celle-ci frappe par son absence de caractère totalitaire : elle est élaborée *à l'intérieur* de l'œuvre, elle ne domine ni l'ensemble ni même tous les personnages, mais seulement certains d'entre eux, une contre-philosophie apparaît toujours devenant source du conflit, les idées sont beaucoup plus celles des personnages que celles de l'auteur et sont « séparables » de l'œuvre, en ce sens seulement que l'œuvre leur survit.

Je dis bien roman *total* et non totalitaire : c'est cependant le roman totalitaire qui domine l'histoire de la fiction en Occident depuis Kafka. Totalitaire, c'est-à-dire à l'opposé du total : soumission au lieu de maîtrise. Kafka, Céline, Camus, Sartre enferment l'homme et le roman dans une seule situation, une seule vision exclusive. Ils nous clouent dans la fixité absolue et donc autoritaire, irrémédiable, de leur définition sans appel, dans une « condition » sans sortie : Kafka dans l'angoisse de l'incompréhension, Céline dans la merde, Camus dans l'absurde, Sartre dans le néant et tous leurs disciples combinés dans l'aliénation, l'incommunication, ou dans une irréalité littéraire recherchée par névrose obsessionnelle de la réalité historique. La soumission de l'œuvre à une directive philosophique absolue qui exclut ou minimise tout autre rapport de l'homme avec l'univers en tant que source possible d'un « sens » est implacable. Voilà le roman totalitaire et concentrationnaire de nos apôtres de la liberté : l'homme est pris dans un huis clos dont toutes les issues sont soigneusement bouchées. Que Sartre en déduise la nécessité de l'action et du choix, Camus de la révolte, ne change rien à cette situation de l'œuvre : celle d'une définition irrémédiable en elle-même dont on *doit* tirer certaines conséquences, mais que l'on ne peut réfuter, et encore toutes ces conséquences idéologiques sont-elles jouées à l'extérieur du roman lui-même et ne peuvent rien pour lui. Car ce qui caractérise ces conclusions idéologiques tirées d'une vision philosophique totalitaire, c'est que « l'action » recommandée ne peut en aucune façon remédier au caractère absolu de la définition tragique dont on la fait découler. Ce roman nous emprisonne ainsi dans un univers concentrationnaire, derrière les murs de l'Escurial d'une Vérité intronisée et nous impose son Cérémonial implacable. (Notons tout de suite que le roman totalitaire — c'est particulièrement apparent dans la beauté de chaque page de Camus — contredit toujours sa propre définition philosophique : « l'incommunicabilité » est communiquée,

21

l'absurde n'empêche pas la recherche et la réalisation de la perfection artistique, les objets établissent un rapport entre eux en dehors de l'homme mais dont l'auteur s'aperçoit, les objets « insoumis » devenant soumis à l'œuvre, « l'homme est une passion inutile », mais inspire une idéologie et une action, « l'homme est une bête frappée de catastrophes » mais qui se pose la question « Que peut la littérature? »)

Le roman total ne reconnaît à aucun des rapports de l'homme avec l'univers un caractère essentiel, concentrationnaire et dominant. L'œuvre est là le seul absolu. Tout est intériorisé, possédé, mimé, imité, « bouffé », en quelque sorte : la rivalité avec la Puissance de la réalité va des grands ensembles jusqu'à la notation minime, de l'Histoire à un reflet de soleil sur un brin d'herbe. La création d'un monde se fait ici avec tous les moyens de la création d'un monde. Rien ne peut dominer une telle entreprise, sinon le souci de la victoire artistique. Le monde extérieur ne peut commander que la rivalité. Dès qu'une autre priorité apparaît, c'est la Puissance de la réalité qui commence à dicter ses conditions. Le romancier à vocation totale est un Valet éternel de l'éternel Roman, un Sganarelle aux gages du chef-d'œuvre. Gages qu'il réclame toujours mais qu'il obtient rarement.

Que Kafka ait raison, que la situation de K. dans *Le Procès*, dans laquelle il nous enferme, soit notre situation historique essentielle, ne peut rien contre le fait que cette situation ne saurait nous contenir entièrement parce qu'elle ne rend pas compte de la quasi-totalité des préoccupations et espoirs réalisables des psychismes de la quasi-totalité des hommes. La situation de l'homme dans la vie peut bien être en partie celle d'un infirme, mais l'homme ne peut être totalement situé dans cette infirmité. Les rapports de l'individu et des sociétés avec l'Histoire et l'univers ne peuvent être définis par un seul de ses rapports, comme sous Hitler, lorsqu'on était juif. Pour Kafka, l'homme juif était entièrement contenu dans « Juif ». L'homme n'est pas seulement mortel : il est *aussi* mortel. La complexité de l'être ne saurait être comprimée dans un résidu concentrationnaire. Le romancier totalitaire érige un trait, dominant ou pas, irrémédiable ou non, de l'aventure humaine, en son caractère total. La vérité se fait mensonge par sa systématisation. L'art sert au déséquilibre des rapports de l'homme avec la réalité au profit de *l'autre*. On ne peut parler ici que de masochisme et de dépit scorpionesques, après la chute du désir métaphysique. Attitude d'autant plus étrange qu'on pose toujours ici l'absence de *l'autre* en tant que conscience, observation et accessibilité, et que l'on voit donc fort mal à qui peuvent s'adresser ces appels du pied métaphysiques.

Le roman total ne voit dans tout Escurial d'une Vérité concentrationnaire et dans son Cérémonial totalitaire qu'un simple point de repère de sa propre topographie intérieure, de son propre univers habité, et dans cette « vérité » irrémédiable et intronisée, un simple gîte d'étape de notre aventure picaresque, une identité éphémère, une péripétie de cette Histoire sans fin possible qu'il est avant tout. Un tel roman vise évidemment à intérioriser l'Histoire, signifiant ainsi l'espoir de l'homme de dominer son destin. Il exige l'humilité absolue du romancier, un renoncement à tout ce qui n'est pas ce don au service des hommes : il exige que tout ce qu'il y a en lui de plus humain et de plus fraternel aille à l'œuvre et non à la satisfaction personnelle de son besoin d'humanité et de fraternité.

Il se peut que le tempérament autocratique, monstrueux, la volonté de possession aient joué dans cette rivalité avec la Puissance un rôle déterminant chez Tolstoï, et qu'il y ait eu chez lui une volonté égo, mégalo et monomaniaques de domination, bref, comme on dit, la volonté de « jouer Dieu » : mais on voit mal comment on pourrait demander au génie d'être normal. On voit encore moins ce que l'histoire des civilisations peut bien vouloir dire si ce n'est la volonté de l'homme de jouer Dieu, c'est-à-dire de se rendre maître de ses conditions de vie et de lui-même, dans le changement, et peut-être un jour la recréation, de sa propre donnée. Tout reproche de cette nature, toute accusation jetée au romancier qui « veut jouer Dieu » est une naïveté vraiment curieuse ; un tel reproche peut aussi bien être adressé à Pasteur qu'à Lénine, à Einstein comme au primate descendu de l'arbre et découvrant le feu. On ne joue jamais Dieu *légitimement* : cela ne veut rien dire.

Ce que Tolstoï était ou n'était pas a été dévoré par son roman total, comme la campagne de Russie et les paysages des *Cosaques*. Il nous a donné tout ce qu'il était, et il nous l'a donné totalement. Je dirais même qu'une des caractéristiques du roman total est qu'il nous restitue, par définition, puisqu'il intègre et absorbe, toujours plus que ce qu'il nous prend, et que le roman totalitaire nous rend toujours *moins*, puisqu'il nous situe et se situe lui-même dans une dépendance absolue, qu'il dérive et nous fait dériver d'un jugement concentrationnaire sans appel.

Lorsque, au lieu de servir son roman, Tolstoï essaya de s'en servir pour devenir d'abord un réformateur social et ensuite un saint, il versa dans la médiocrité sans parvenir à aucun rapport direct d'action sur la réalité. Son effort pour inverser le rapport réalité-Œuvre dans un sens œuvre-Réalité se solda dans *La Sonate à Kreutzer* par un échec de l'œuvre sans aucun profit pour la société. Son roman cessa aussitôt d'être total pour devenir tyranniquement totalitaire : une volonté, non de l'œuvre, mais de la réalité pétrie comme un matériau, une soumission à une conception du monde, à un point de vue unique, absolu, exclusif, et, comme toujours dans ce cas, à la volonté de création artistique s'est substituée la volonté de dicter son point de vue. Il ne cherchait plus à rivaliser avec la Puissance mais à se substituer à elle dans un domaine où il était impuissant. Lorsque la névrose de la « solution » par le roman et dans le roman de la « condition humaine » à partir de la Vérité qu'il croyait détenir s'est emparée de lui, il cessa d'être un grand romancier : c'est ainsi que Tolstoï devint l'ancêtre du roman d'aujourd'hui.

III

Les romanciers de la mi-temps. — Kafka et le roman totalitaire. — Pour un roman total. — Lutte avec la Puissance. — Nouvelle rencontre avec Sganarelle : une « objection de conscience » au roman « traditionnel ». — L'Escurial et son Cérémonial. — La littérature du repli.

Car il n'y a qu'à nous lire : nous nous sommes soumis entièrement. Nous avons été à ce point dominés, écrasés, possédés par la réalité, par le monde, que nous avons fini par être chassés de ce monde : notre roman se réfugie dans le fantastique, dans le bizarre, dans le maniérisme, dans le refus de voir, d'aborder, de se battre, d'affronter, il fuit dans le formalisme, dans l'informe, dans l'informel et dans l'informulé. Et lorsque même ces dérobades ne permettent pas au romancier de se libérer de sa terreur du réel, il cherche alors à se libérer du roman lui-même : il annonce « la mort du roman », cette euthanasie.

Nous avons été piétinés, mutilés, réduits en bouillie par la Puissance, avalés et digérés par la réalité pour être ensuite éliminés sous forme de spécimens littéraires, simples signes cliniques de notre semi-existence terrorisée : la création littéraire n'est même plus un « conditionnement », c'est une défécation sous l'effet de la torture. Tout ce que Lukacs a jamais pu dire en 1937 sur le roman historique et les psychismes conditionnés n'est qu'un balbutiement optimiste comparé à l'état de névrose concentrationnaire, totalitaire dans lequel l'élimination romanesque — on ne peut même plus dire la création — est tombée. Le roman est devenu une pathologie historique, un fournisseur de diagnostics psychiatriques plus encore que sociaux, et, pour finir, la seule « guérison » possible de l'homme et de son Roman semble être leur suppression : c'est tantôt « la mort du roman », tantôt le « roman sans personnages », rêve d'un lambeau de chair encore palpitant, encore vivant, d'une tête coupée encore rêveuse et qui se voudraient objets hors de tout « souffrir », de tout « sentir », à l'abri de l'angoisse de penser.

Le rapport s'est inversé. Il n'y a plus de possession romanesque, plus de victoire sur la Puissance par cette marge de perfection artistique dont elle est incapable et qui crée le dynamisme de l'aspiration et la course de la conscience-poursuite, continuant la lutte sur le terrain de la réalité. Il n'y a plus création d' « ensembles », uniquement de terriers à justification d'être philosophique dans un sous-sol, dans un recoin d'un souterrain de la réalité, d'un de nos rapports avec elle érigé en corridor métaphysique sans issue de notre « situation ». Il n'y a même plus effort de création d'un monde romanesque souverain et dominant l'*autre* par la perfection artistique, transcendant : qui plus est, toute tentative de ce genre est « récusée », disqualifiée en tant qu'usurpation par l'homme du trône de Dieu — dont on nie d'ailleurs l'existence, ce qui devrait au moins rendre le trône vacant — le romancier « jouant Dieu » étant remplacé par le romancier jouant l'esclave et la victime, dans un arbitraire philosophique non moins grand. La botte du réel nous a écrabouillés, l'un ou l'autre des aspects de la réalité nous a absorbés, avec notre collaboration, nous a digérés et nous a évacués sous forme de romanciers et de romans. Je le dis : le romancier d'aujourd'hui n'est pas simplement « conditionné », il est déféqué par la réalité. Il est mis au monde en tant que créateur par ce réflexe spasmodique bien connu que provoque la terreur, la confrontation avec le danger. Tout roman est historique, intention ou aveu, mais il ne l'a jamais été jusqu'à présent au point de devenir un signe clinique relevant de la pathologie. Les rapports de puissance ont changé radicalement et le génie juif et tuberculeux de Kafka fut le premier à s'enfermer dans un résidu concentrationnaire de la servitude métaphysique, dont il ne fait qu'accentuer par les moyens artistiques l'horreur et le caractère totalitaire, au point de travailler ainsi à sa Puissance et à son règne, la magnifiant hors de toute proportion avec son caractère authentique, une véritable collaboration avec l'ennemi. La justification philosophique de l'œuvre tend ainsi à disparaître, même pour sa part authentique, puisque l'œuvre nous enferme entièrement dans une phobie et un cauchemar dont elle est elle-même l'instrument. L'omission systématique de tout ce qui ne sert pas le caractère totalitaire de l'entreprise, de tout ce qui fournit des raisons de vivre et d'espérer ainsi que des moyens de lutte tangibles, l'omission de toute la part remédiable cesse de rendre compte de la réalité humaine. La plaie métaphysique est élaborée en Tout, en une seule et universelle infirmité. L'œuvre perd ainsi de vue ce qu'elle prétend être : une prise de conscience rigoureusement réaliste. Elle se met à pencher vers le fantastique littéraire, dans la névrose et la phobie : la déformation systématique par un seul éclairage rejoint toute la tradition du fantastique de Prague. Et c'est seulement dans la mesure où le fantastique s'accentue au détriment de la « vérité » que la création échappe à la vision métaphysique « authentique » qu'elle veut servir, pour devenir de l'art. Kafka parvient ainsi à être créateur d'un monde romanesque dans la mesure relative où il échappe à l'authenticité non artistique de sa propre vision totalitaire, où il échoue en tant que « donneur de sens », dans la mesure où il ne parvient pas à s'intégrer entièrement dans sa « vérité ». Je dis dans une mesure relative : son univers demeure soumis, et ce qui agit aujourd'hui — il n'en sera pas toujours ainsi — ce n'est pas son roman, c'est sa « vérité », « la » vérité. Son œuvre géniale fut la première manifestation dans le roman de la soumission totale de l'art et du roman à une névrose métaphysique obsessionnelle, renforcée et rendue agissante par l'art. Le rapport est entièrement inversé au profit d'une « Réalité », d'une « Réalité » qui écraserait l'homme, *si celui-ci était Kafka*.

On peut certes dire de Cervantes, de Tolstoï, de Balzac qu'ils étaient, comme nous tous, conditionnés par leur temps. Encore faut-il ajouter, sans aller écrire tout un livre sur ce sujet qui le mériterait, que si le conditionnement par le groupe social était ce qu'on en fait parfois aujourd'hui, l'homme n'aurait joué aucun rôle dans son Histoire, et, d'ailleurs, il n'y aurait pas d'Histoire : on ne voit pas comment dans un tel absolu déterministe l'homme aurait pu évoluer. Les mécanistes ne nous intéressent pas ici, mais il faut tout de même constater ce paradoxe de la pensée révolutionnaire qui lutte pour un changement radical du milieu alors que le pouvoir conditionnant quasi absolu qu'elle attribue à celui-ci ne permet pas de concevoir quelle serait la source du changement révolutionnaire. Toutes les prises de conscience à l'origine du marxisme ont reconnu une part royale à la liberté qu'ignore toujours le maximalisme des suiveurs aveuglés par la lumière, comme toutes les taupes.

« Soumis » donc à leur époque, Tolstoï et Balzac l'étaient à sa totalité, ils restituaient donc cette totalité et rivalisaient avec elle dans leurs romans, sur l'ensemble du front de la réalité humaine. Vaincus toujours par elle, ils laissaient des œuvres qui étaient des victoires, en ce sens qu'elles donnaient infiniment plus aux hommes que les situations individuelles écrites leur eussent pu donner si elles avaient été vécues dans la réalité : d'abord, parce que la part d'art et de perfection ne peut être vécue, et ensuite pour une raison encore plus évidente : le lecteur aurait pu, à la rigueur, être Bezukhov ou Natacha ou Rastignac, mais il n'aurait en aucune façon pu être tous les trois, sans parler des mille autres identités qu'il acquiert pendant la lecture. Le roman totalitaire ne fournit qu'une seule identité et une seule situation. Voici donc la victoire difficilement contestable du romancier « conditionné » mais total, non mutilé, sur la Puissance conditionnante : il est un seul personnage, mais il se multiplie dans l'œuvre, le lecteur est un seul personnage, mais il est multiplié, il ne cesse d'acquérir des identités que la Puissance de la réalité lui interdit et cela dans une perfection artistique, une beauté, qui transforment les souffrances infligées par la Rivale en source de bonheur artistique, c'est-à-dire en culture.

Ajoutez que le romancier total, même si l'on parle « conditionnement », même si on le déclare lui aussi « soumis », l'était dans son rapport avec la totalité, avec l'Histoire et non avec son historicité. Ni Balzac, ni Tolstoï, ni Cervantes, ni Stendhal n'étaient les *victimes* réduites à l'infirmité par leur prise de conscience, et s'ils étaient des « produits », ils n'étaient pas des sous-produits, en ce sens qu'ils n'étaient pas déterminés dans leurs œuvres par *un* des aspects de leur rapport avec la réalité, et toujours celui du désespoir irrémédiable; leur lutte sur l'ensemble du front n'ignorait rien de ce qui, à l'intérieur même du camp de la Puissance, fournit des alliés incontestables et agissants à l'homme. Le romancier totalitaire ne reconnaît l'existence d'aucun allié. Enfin, le romancier total ne transformait pas une situation historique extrême, plus exactement encore, un cas extrême d'une historicité extrême, c'est-à-dire, par définition, exceptionnelle et donc susceptible de changement, en métaphysique, en irrémédiable, et, plus exactement encore, il n'érigeait pas un des aspects extrêmes d'une historicité individuelle elle-même particulière — Juifs du ghetto de Prague, tuberculose, Auschwitz, l'occupation, les exécutions d'otages, la crainte du Père, sentiment de culpabilité, péril nucléaire — en désespoir métaphysique situé dans l'absolu, intronisé dans l'Escurial du Sens universel, hors de toute historicité ou obsession personnelle avouées, hors même de l'Histoire avouée, sans même mentionner la véritable nature du conditionnement par la terreur, s'absorbant ainsi dans un des rapports de l'homme historique avec son moment pour l'ériger en Sens, en universel, en absolu et totalité, hors de toute notion de temps individuel, historique et donc remédiable. Incapable de faire face à sa situation particulière dans l'absence du partage culturel qui aurait changé radicalement sa situation autant que celle des sous-privilégiés, l'individu d'élite menacé effectue un transfert de responsabilité sur l'irrémédiable métaphysique.

Prenez n'importe lequel de ces romans totalitaires depuis Kafka : le rapport personnel particulier n'est pas avoué, il n'est même pas mentionné ou sous-entendu, il est transféré. Ce n'est pas à leur moment historique particulier et individuel, à une étape, une péripétie du Roman que M. Le Clézio, M. Faye, M. Robbe-Grillet déclarent avoir affaire : c'est à une permanence non historique dans sa Situation irrémédiable. C'est un camouflage du Moi névrosé, Moi juif ou Moi élite menacé, ou Moi intelligence supérieure et pourtant incapable de révéler, en universel, en Sens, par son absence totale, un transfert que l'on n'avoue jamais, tout comme si un ouvrier d'avant le syndicalisme et la grève érigeait sa situation en « condition humaine », ce que tout, du reste, le poussait à faire. On élabore en Situation de l'homme un cas extrême dans la particularité et la nature de sa sensibilité et de sa conscience, et encore à partir d'un seul aspect des rapports de cette conscience exceptionnelle avec la Puissance, en mettant entièrement de côté l'ensemble, contradictoire dans sa complexité, *des* situations. Cela est aussi vrai pour *La Nausée* que pour *L'Étranger*, et pour les plus intéressants des auteurs de cette mi-temps romanesque : M. Claude Simon et l'obsession de la durée, Marguerite Duras et l'incommunicabilité, M. Robbe-Grillet et la neutralité. Que ce qui fut autrefois dans la littérature une recherche poétique soit entré dans le roman ne saurait être critiqué, mais que le souci légitime d'effet littéraire fasse de chaque frémissement individualiste de la conscience une authenticité monopolisant la Situation humaine et son Sens, me paraît une imposture philosophique qui situe d'une manière arbitraire le désespoir hors de la littérature. L'art n'est plus utilisé ici — et les proclamations, les « manifestes », les « justifications d'être » hors de l'œuvre le montrent suffisamment — qu'à boucher les trous de l'arbitraire philosophique, tantôt pour le rendre plus agissant hors de la littérature, et augmenter ainsi l'importance artistique de l'œuvre en insistant sur son importance non artistique, tantôt, au contraire, sans références philosophiques avouées, comme chez le très doué M. Sollers, pour chercher refuge dans le bellettrisme à l'abri de toute confrontation avec la Puissance, une littérature d'autruche et d'oubli. Les « traditionnels », comme ils disent, qui « jouaient Dieu » — tout à fait exact — ne transformaient pas leur « conditionnement » particulier en « condition humaine », mais en un point de départ du roman et du lecteur à la conquête d'une et toujours provisoire situation, d'une autre identité historique. Leurs rapports avec la réalité, comme ceux de Proust, étaient des rapports de profiteurs, ceux du *picaro* avec la société qu'il exploitait sans aucun scrupule et sans aucun souci de « justification d'être » autre que le Roman. Ils étaient, tous, complètement sans excuses, le savaient et ne mentaient pas. Le conditionnement ne changeait pas les sens du rapport entre l'œuvre et la Puissance au profit de cette dernière, bien au contraire : il était lui-même intériorisé, réduit, situé dans l'ensemble des rapports entre le « conditionné » et la réalité : l'œuvre se trouvait des alliés dans le camp de l'ennemi, rendait compte de la totalité complexe, avec toutes ses contradictions et donc possibilités et sources d'espoir, et la perfection artistique assurait la transcendance de la Puissance du romancier, de l'homme, et non de *l'autre*.

Kafka est déjà perceptible dans *Notes écrites dans un souterrain*, et même dans *Le Nez* de Gogol, ou le *Journal d'un Fou* : mais le caractère exceptionnel, particulier, malade, névrosé ou aliéné n'est pas dissimulé : le fou est défini comme tel, il n'est pas universalisé, proclamé Père du Sens. Le contraire est vrai pour l'œuvre de Kafka : spécialisée dans une angoisse particulière, elle se fait essentielle, elle se déclare notre Situation. Elle est, par rapport à la création romanesque de Dostoïevsky, de Gogol ou de Proust, ce que la spécialisation est à la culture, mais cette spécialisation se veut culture, sens de la vie. Que « le néant soit au cœur de l'homme », on ne peut pas situer tout l'homme et tout son Roman dans ce néant. Tout, chez les « grands » du roman est toujours autre que ce qui les avait inspirés, plus et autre chose que la somme de tous les éléments identifiables. Il y avait transcendance par le roman, pour le roman. Au point que leurs « vues philosophiques », leurs conceptions personnelles ne nous intéressent plus en elles-mêmes, mais seulement comme prétextes au roman. Mais séparez Kafka de sa métaphysique : il ne reste plus qu'un fantastique mi-gothique, mi-baroque, celui de *L'Étudiant de Prague*, de *Golem*, du *Juif Errant* et des *Contes* d'Hoffmann.

L'œuvre est une libération provisoire du romancier aux prises avec la Puissance, libération, d'abord, du romancier menacé, provoqué, assiégé, et ensuite du lecteur tout autant prisonnier. L'art et le roman sont une conquête de la liberté, une création d'œuvres libératrices, dans un but toujours frustré de libération absolue de l'homme dans la réalité. Le romancier s'érige en maître de son univers romanesque, et aspire à une liberté hors de l'œuvre, une liberté vécue, ne parvenant lui-même qu'à l'œuvre et à la culture, cette source unique de toute libération authentique, c'est-à-dire vécue.

C'est ici que nous tombons de front sur une des objections les plus hypocrites, les plus impudentes et les plus malhonnêtes, sans doute, de toute l'histoire étoilée du charlatanisme littéraire, et il me semble qu'il ne soit guère possible d'aller plus loin dans l'escroquerie intellectuelle, lorsqu'il s'agit de l'imagination et de l'imaginaire. Et il va sans dire que cette « objection de conscience » au roman « traditionnel » est formulée au nom de l'intégrité, de l'honnêteté et de la vérité. Imprimée d'abord par M. Robbe-Grillet, elle a recueilli la bénédiction de Mme Nathalie Sarraute et de Sartre, et l'on ne parlerait là que de jeu, de naïveté, ou de sophisme si ces auteurs ne mêlaient à cette pitrerie la question de l'honnêteté et de l'intégrité du romancier, de la «vérité» et de l'«authenticité», ce qui en fait une assez infâme tartuferie. Comment, se demande M. Robbe-Grillet, ce dernier représentant parmi nous de « l'art-honnête homme », comment un romancier, qu'il soit Tolstoï, Stendhal, Dostoïevsky ou Balzac, ose-t-il essayer de nous faire croire qu'il est partout et en tout, qu'il sait ce qui se passe dans la tête de Fabrice et de tous les Karamazoff, à Waterloo et dans dix lieux à la fois, bref, de quel droit, se demande notre romancier de l'honnêteté, ose-t-il *jouer Dieu?* Un tel roman, un tel romancier « jouant Dieu » doivent être — goûtez ce mot — « récusés ». Désormais, nous informe avec un aplomb imperturbable notre corpuscule littéraire parfaitement ahurissant, ce n'est plus un romancier-Dieu qui nous fera du roman, c'est un homme, un romancier-homme.

Je reconnais humblement, étant un peu cosaque et tartare, mâtiné de Juif — une sorte de Gengis Cohn — que l'injure me monte aux lèvres devant une telle impudence dans l'escroquerie intellectuelle au nom de l'honnêteté — de quelle « honnêteté »? De quelle « vérité »? D'une fiction sans fiction? D'un imaginaire sans liberté totale de l'imagination? D'une invention sans droit d'inventer? Mais d'abord occupons-nous un peu de l'intégrité intellectuelle personnelle de M. Robbe-Grillet, logicien : *a)* notre auteur condamne la littérature « engagée », l'envoie gentiment au rancart et affirme — bravo, bravo —, que l'art ne doit servir que l'art; *b)* à quelques pas, c'est-à-dire à quelques pages de là, il proclame tout aussi tranquillement que la littérature doit rompre avec la tragédie, et annonce que, libérée ainsi des chaînes de l'irrémédiable, elle nous aidera à vaincre la tragédie hors de toute littérature et à libérer l'homme de ce qui fut pendant trop longtemps son

33

destin — bravo encore. Seulement, je demande à notre théoricien de répondre à ces deux questions que j'adresse à son intégrité intellectuelle, petit *a* : si la littérature que vous proposez peut rendre un tel service à l'homme, si elle peut se situer ainsi à la pointe d'un tel combat prodigieux contre ce qu'il y a eu jusqu'à présent de moins remédiable dans son destin, peut-il s'agir d'autre chose que d'une littérature *engagée* comme aucune littérature ne le fut jamais, puisqu'il s'agit d'une révolution sans précédent? Petit *b* : si le romancier peut ainsi aider à vaincre la tragédie, bouleverser radicalement la donnée humaine, une telle aspiration ne revient-elle pas à vouloir « jouer Dieu » comme aucun autre romancier, aucun philosophe, aucun entrepreneur littéraire ne l'a jamais osé, et ce *dans le roman* et *par le roman?*

Ainsi, ce romancier scrupuleux qui nous annonce que, désormais, le romancier ne sera plus qu'*un* homme, et que le romancier jouant Dieu doit être « récusé », et qui condamne avec autorité la littérature « engagée », nous informe que sa nouvelle littérature, entre autres choses, aidera, en passant, à libérer l'homme de la tragédie : si ce n'est pas là jouer Dieu, si ce n'est pas là de la littérature engagée et enragée, alors, comme dirait l'immortelle Zazie, mon truc est un métro. Oui, Monsieur, le romancier joue Dieu, comme vous le faites vous-même lorsque vous créez un monde, à partir, comme nous tous, d'une certaine réalité, un monde ensuite organisé, arrangé par vous, éclairé, choisi, présenté par vous, enveloppé et livré par vous, légitimement déformé par vous comme par Picasso, personnalisé par vous, pénétré de vous, rendu à l'aide de *vos* mots, de *votre* psychisme, de *votre* singularité, de *vos* moyens, de *votre* regard, un monde qui est vous et vient de vous et qui n'est pas plus authentique, vrai, pas plus existant objectivement dans la réalité hors de votre *décision*, de votre optique, de votre propos *délibéré* que celui de James Bond ou du Vicomte de Bragelonne. Vous choisissez votre forme de mensonge romanesque et votre façon de jouer Dieu d'une manière différente de celle de Tolstoï pour créer votre

34

propre domaine littéraire, sur lequel, ambition légitime, vous entendez régner, mais votre mondicule, votre universicule littéraire est non moins arbitraire que celui de n'importe quel Jules romancier, et si vos ambitions vous paraissent plus mesurées, plus modestes, plus microscopiques que celles de Balzac, voilà qui ne change rien à l'affaire; mettons que, dans votre roman, vous jouez Dieu plus modestement que Balzac, avec des résultats plus modestes, et que vous avez une idée juste de votre Toute-Puissance.

Et, du reste, il n'y a pas que le romancier. L'homme lui-même joue Dieu, je ne connais pas d'autre ambition à celui qui crée, explique, découvre, se libère, construit, cherche à surmonter sa donnée première, à se transformer, à remédier. L'expression de cette volonté historique se retrouve dans le roman, le romancier l'assume, l'incarne, joue Dieu, incarne le désir de l'homme et le creuse, le nourrit ainsi, témoigne par sa mimique de cette aspiration des hommes à se rendre maîtres de leur destin.

Et si vous voulez seulement dire que le roman « traditionnel » joue Dieu d'une manière à nos yeux trop perceptible — sornettes, Monsieur, ou on ne lirait plus les « classiques » — alors, parlez-nous honnêtement de supercheries et de ruses plus habiles, de nouvelles façons de gruger, de faire croire, d'emporter la conviction, de forcer la crédulité, tromper la vigilance du lecteur — mais ne venez donc pas nous annoncer vertueusement que « l'omniscience-omniprésence » du romancier « jouant Dieu » doit être « récusée » — au nom, Monsieur, de quelle « légitimité », ou de quelle « France réelle » du roman ? Sans oublier que lorsque le légitime mensonge romanesque se réclame d'une intégrité non plus simplement artistique — c'est-à-dire celle où tous les moyens sont bons, sauf ceux qui échouent — mais d'une intégrité intellectuelle hors fiction, ce n'est même plus d'une littérature « engagée » qu'il s'agit, c'est d'une littérature aux gages des valeurs « authentiques », d'un produit éternellement dérivé, d'un cirage à faire briller des valeurs autres que celles de l'art, bref, mentalité petit-marxiste ou bourgeoise, c'est de cet art-honnête homme de Sganarelle, Valet honnête et fidèle de la société, qu'il s'agit, dans ce que cette conception a de plus traditionnel, de plus asservi, et que toutes les autorités de rencontre ont toujours voulu imposer ou maintenir pour se mettre à l'abri des « dévergondages » incontrôlables de l'imagination.

N'importe quel ouvrier, Monsieur, lorsqu'il refuse de baisser la tête, joue Dieu, tout comme Tolstoï : il cherche à se rendre maître de sa vie, de la vie, à être autre chose qu'un reçu, qu'un accusé de réception. Le roman est né de ce désir infini dont il assouvit un instant d'une manière illusoire le besoin, pour le creuser encore davantage, pour communiquer un goût encore plus impérieux de ce qui n'est pas *encore*. Le romancier joue Dieu pour que les hommes puissent jouer les hommes.

Nous reprocher, romanciers ou poètes, ingénieurs ou savants, de vouloir jouer à la Toute-Puissance, c'est nous parler d'un Dieu innommable : celui qui chercherait à protéger son domaine absolu par la non-Histoire, par le non-Roman, par la non-réponse, par la non-question.

Mais chaque fois que Sganarelle braille avec trop d'assurance qu'il connaît le chemin et qu'il n'y a qu'à le suivre, il y a gros à parier que le bougre est paumé.

Malraux fut sans doute, en France, le dernier romancier à vocation totale : son marxisme était utilisé comme une technique de création d'un univers romanesque, ses « valeurs authentiques » servaient la priorité du roman, au point que la question de l'authenticité de la foi de Malraux-romancier en ces valeurs pouvait se poser — on y reviendra — l'univers romanesque « profitant » avant de servir, avant de faire profiter. Le roman de Malraux n'était pas marxiste : il exploitait le marxisme dans un but de roman, comme Proust exploitait « la mémoire », il n'était pas englobé par et dans le marxisme. Proust n'écrivait pas pour retrouver le temps perdu mais pour créer un monde romanesque hors de tout temps, perdu ou retrouvé.

La Puissance aujourd'hui « obtient » l'œuvre par le commandement totalitaire qu'exerce un de ses aspects, ou par la terreur, par l'écrasement, elle « sous-produit » à la fois l'œuvre et l'auteur par un conditionnement impitoyable, le roman n'est plus qu'un déchet de la réalité, une chute de l'angoisse dans des œuvres de phobie. La littérature devient un traumatisme. L'œuvre est intériorisée par la réalité, entièrement conditionnée par elle. Il n'y a même pas coïncidence : il y a déchet, sous-produit, ce qui n'interdit certes pas la qualité, mais établit un rapport hiérarchique de soumission absolue : la qualité est au service de la Puissance, de ce qui écrase l'homme. Dans la mesure où il y a encore roman, c'est, au sens argotique du mot, un roman de « possédé ». Il n'est plus question d' « embrasser » la réalité, le monde, il ne s'agit plus que de clinique ou de fuite. Et dans la mesure où un tel roman ne fait que vous enterrer davantage dans votre angoisse, la seule rupture du lien possible avec ce monde « odieux » et intolérable qui s'introduit jusque dans vos tentatives d'évasion, c'est de renoncer au roman, c'est-à-dire, annoncer « la mort du roman », ce qui offre à la fois la rupture finale avec la réalité et son alibi.

Les raisons de ce renversement des rapports sont donc claires, si l'on peut employer le mot clarté à propos de ce règne des ténèbres et de l'angoisse.

Précisons quand même : jamais le romancier ne s'était senti plus dominé, moins libre devant son art et devant la vie que depuis vingt-cinq ans. Torturé, blessé par la machine de la réalité « moderne » où se retrouve toute l'inhumanité de la mécanique, en même temps que la bestialité préhistorique, refusant de lui faire face par manque de ressort intérieur, lui-même déjà « cassé » dans ce processus d'écrasement du civilisé par sa civilisation, torturé par un désir impossible qui devient tantôt névrose métaphysique, tantôt chute dépitée dans un « réalisme » des yeux fermés, ou des œillères, où l'on s'accroche à une « certitude » idéologique enfermée dans un Escurial au Cérémonial rigoureux et qui dicte ses conditions à l'œuvre, le romancier ou bien intériorise entièrement son art à son choix politique, n'ayant pas assez de vocation, de foi romanesque pour inverser le rapport et intérioriser l'idéologie à l'œuvre, ou bien se réfugie dans le roman de la littérature, dans le langage et l'abstraction formaliste, ou bien dans la « réelité », cette sorte d'hypnose par les aspects les plus superficiels et les plus extérieurs de la proximité du monde, dont il nous restitue les pelures aussi minces que possible, le but de toute l'opération étant de ne pas se heurter soudain à la réalité, de ne pas l'interpeller, ou de ne pas se laisser interpeller par elle. La question d'embrasser, d' « avaler » le monde, comme disaient les grands « naïfs » qui voulaient jouer Dieu, de le « digérer », ne saurait plus se poser : toute la préoccupation du romancier est d'éviter de se laisser complètement désintégrer par la réalité, ou de se laisser « satelliser » par l'Histoire, mais si le romancier parvient ainsi à éviter la confrontation, son œuvre, elle, ne l'évite jamais : elle n'est plus que le signe d'un traumatisme historique, elle ne parvient plus qu'à raconter l'histoire d'une élite terrorisée et déroutée, qu'à témoigner de la défaite de l'homme par tous les moyens qu'il met en jeu pour tenter de se libérer, y compris son art. Je dirais même qu'elle ne fait plus que contribuer à cette défaite. Il n'y a plus de victoire romanesque sur le monde, parce que le romancier défaitiste névrosé ne croit plus à la victoire de l'homme, ne la cherche pas, ne croit donc plus à son art et à la culture. On ne peut pas être créateur, romancier à vocation entière sans croire à la valeur de l'art en soi, au roman en tant que valeur en soi, absolue et non dérivée d'aucune autre « valeur authentique », et on ne peut croire de cette façon totale à ce qu'on fait sans être saisi de force, d'optimisme, de bonheur, de confiance, de gratitude, de respect, d'espoir et de volonté. Je dis simplement qu'il n'est pas possible de croire vraiment à ce qu'on fait et d'être désespéré. Il y a là une contradiction fondamentale. On ne peut pas aimer passionnément dans un don de soi total et proclamer en même temps l'insignifiance, l'insuffisance ou l'absence de l'amour et le néant au cœur de l'homme. Le néant ne se place au cœur de l'homme que lorsqu'il n'y a pas de cœur. Une telle attitude rappelle l'exaspération épuisée et obsessionnelle de la sexualité mécanique sans affectivité. Une philosophie qui ignore le caractère décisif de la passion amoureuse de la vie ne s'intéresse pas à la vie mais aux excréments individualistes. Il n'y a pas d'art passionnément aimé et servi sans volonté de servir et de défendre ce qui le rend possible, et ce qui le rend accessible et aimé. Si bien que, lorsque l'art devient pour le créateur une valeur en soi, absolue et non dérivée, il perd par là même sa priorité, il renonce à être prioritaire ailleurs que dans les rapports du romancier avec l'œuvre et refuse d'élaborer l'attitude d'une société envers la liberté artistique en critère déterminant de la valeur authentique de cette société. Sacrifice de l'œuvre? Nullement et en aucun cas : sacrifice de soi au besoin, en dehors de l'œuvre, afin que « ma joie demeure ». Ce qui rend le « jouir » de l'art possible passe avant l'art, et la faim et l'ignorance diminuent les chances et les possibilités d'alliance et de victoire du romancier dans sa rivalité avec la Puissance de la réalité.

Mais la vocation du romancier d'aujourd'hui n'est pas capable de cette fraîcheur de la passion créatrice, de ce dynamisme, de cette voracité, de cet appétit sain du *picaro* sorti des couches sociales « inférieures », « basses », sorti de la « canaille » et de la « racaille », pour ne pas dire du peuple — il y a des mots qui font frémir — et où palpite cette vitalité irrésistible de ceux à qui la vie n'a pas encore tout pris en leur donnant tout. Le roman de nos marquis bourgeois est en pleine préciosité, en plein « fi donc! » La vitalité est inexistante et récusée : elle sent le peuple, la tripe, la couille, la sueur et l'érection. Fi donc! Le physique n'est acceptable que lorsqu'il est inanimé. La fonction organique est proclamée ennemi public. Manger est monstrueux : une romancière allemande vient de faire tout un roman là-dessus. Le viscère est déclaré odieux, la tripe récusée comme capable d'espoir. Le cœur bat, vit, frappe : c'est une frappe. Pour un Gascar qui ose affronter l'animal, dix merveilleux et merveilleuses transforment le roman en arabesques autour de cet innommable. Le personnage ne peut être signifié que par des fioritures et des ornements, une boutique Dior littéraire où les articles suggèrent l'existence du corps : on ne peut passer devant les vitrines, rue du Faubourg Saint-Honoré, sans penser au « nouveau roman », à Mᵐᵉ Nathalie Sarraute et à M. Robbe-Grillet.

Ce qui demeure et domine, c'est l'absence, dont on attend sans douter qu'elle gagne les hordes populaires, afin qu'elles se volatilisent, que l'état de siège prenne fin, la réalité recule, la Puissance s'évapore toute seule et qu'on puisse retourner dans le Parc sans souillures de ce Versailles du Moi. Règne sur cette rêverie du repos, dans la marge, une assez écœurante pitié de soi-même, la terreur de perdre ses investissements dans ses pierres précieuses intérieures, une conscience de coffre-fort que tout menace d'effraction et qui complique de plus en plus son chiffre jusqu'à le priver de tout sens. C'est un narcissisme de la blessure d'être qui réduit l'univers à la dimension de la plaie, une intimité douloureuse avec chaque écorchure du Moi, perceptible, pour citer des exemples concrets, dans le rapport de l'œuvre de M. Claude Simon avec la notion du temps individuel, avec l'aspiration à la durée, chaque phrase devenant une véritable course contre la montre. C'est une vision où la sensibilité et la délicatesse extrême de l'épiderme et l'angoisse de l'éphémère magnifient chaque seconde du temps individuel et où chaque détail de la proximité matérielle des choses l'emporte en importance sur la Puissance géante et terrifiante ou réfractaire à l'intelligence historique de la réalité totale que cette auto-hypnose, cette fascination par les abords immédiats de la conscience, permet d'ignorer complètement. Pour faciliter la distinction, j'opposerai désormais cette « réelité » à la « réalité », le réelisme au réalisme. Opération qui s'accompagne toujours du transfert d'un procédé personnel de

recherche et mobilisation artistique en définition philosophique de l'authenticité du monde et de la « condition
humaine », seule raison de ma violente et inconciliable
opposition. Il ne me viendrait pas à l'esprit de mettre en
cause une intimité artistique quelconque — le rapport du
créateur avec ce qui le mobilise — si l'opération ne cherchait
à tirer le plus clair de son « importance » et de sa « justification d'être » d'un transfert de cette vision totalitaire des
rapports du Moi avec le monde hors de toute littérature,
pour se réclamer de l'authenticité d'une Situation de l'homme.
Jamais, dans l'histoire déjà souvent assez douteuse d'un
certain humanisme névrosé — car c'est bien d'un pourrissement humaniste qu'il s'agit chez ces prétendus destructeurs
des ponts avec la « tradition humaniste » — le petit royaume
individualiste du Je n'a sué son dépit et son désarroi avec
plus de rancœur, de frustration et de prétention philosophique. Jamais, dans l'histoire du roman, des efforts philosophiques plus acharnés n'ont été accomplis pour justifier
son œuvre. Jamais la pensée n'a abouti à un défaitisme plus
apparent que ce repli vexé, désespéré, devant l'Histoire,
hors de tout contact intolérable avec « l'événement », cette
retraite intimiste de la conscience à l'intérieur d'une coquille
littéraire d'où elle contemple la matière inanimée, l'objet,
avec toute la fascination nostalgique d'une denrée périssable
pour ce qui ne meurt pas, ne souffre pas. Le romancier
refuse de voir, ou ne voit plus de la vie que l'angoisse qu'elle
lui inspire et ne cherche plus l'humanité que dans ses plaies.
C'est un art de collaboration avec l'ennemi par dépit et dans
le dépit : avec l' « absurde », avec la peur, avec la mort.
A peine éclairé par une vague et confuse aspiration dont on
n'ose pas dire le nom, et que l'on qualifie tantôt d'absence
de Dieu, tantôt de liberté, dans un hermétisme qui prétend
renfermer un sens nouveau, mais cherche surtout à éviter
quelque aveu honteux.

Il va sans dire que dans une telle situation, l'œuvre de
Tolstoï devient tout simplement insupportable. Passe encore

41

pour le halètement fiévreux de Dostoïevsky, mais le souffle créateur puissant et régulier du maître de Iasnaïa Poliana nous révèle des choses pénibles sur l'état de notre propre cœur et de nos poumons. La santé et la plénitude de son œuvre, la possession sereine du monde qu'il accomplit, sont d'une puissance et d'une lucidité qui nous mettent profondément en cause. Il s'agit alors de rompre avec elle à tout prix, afin de ne pas se laisser mesurer et anéantir par ses dimensions, par ce qu'elle exige du romancier. On ne peut la nier, mais on s'efforce de s'en libérer en déclarant son art et ses méthodes périmés, ou même, comme on le verra, charlatanesques dans leurs rapports avec les personnages, et en élaborant ses propres limitations et ses propres infirmités en règle d'un nouvel art romanesque, lequel consiste essentiellement à éviter le roman.

Kafka fut le premier à imposer arbitrairement un caractère universel à ses terreurs les plus intimes de Juif persécuté. Arbitrairement, car l'angoisse, redisons-le, n'est ni la seule, ni la plus communément ressentie des expériences humaines : cette oppression tuberculeuse de la poitrine de Kafka n'est pas un état typique de la respiration. Encore son « incompréhension », par la nature même de l'incompréhension, laissait-elle quelques chances à l'avenir historique de la pensée. Aujourd'hui, la fermeture philosophique est absolue. La seule question posée, ouverte, est alors celle de la technique : le romancier de l'âge nucléaire ne cherche même plus en lui-même ou dans la complexité de ses rapports avec l'univers ce qu'il a à dire, il cherche ce qui n'a pas encore été *fait* dans les œuvres accomplies. Curieuse attitude, à la fois fascinée et négative : ce n'est pas le monde que l'on regarde, ce sont les espaces blancs dans les marges et entre les lignes de ce qui a déjà été écrit. Phénomène de stagnation culturelle et de stérilité d'une élite épuisée qui veut faire de l'art à partir de l'art et non de la vie.

Une telle saturation finit évidemment soit dans une volonté de rompre avec la culture, ce qui nous a déjà valu le ralliement de Drieu la Rochelle au Dr Goebbels, soit dans le désespoir artistique, mais que l'on présente astucieusement comme une attitude non devant l'art, mais devant la vie. Et qui cherche le remède dans la technique au nom du progrès. Mais il n'y a pas de progrès dans l'art. C'est une notion complètement dépourvue de sens. Cézanne n'était pas un progrès sur Vélasquez, ni Tolstoï sur Gogol. L'art est aussi peu progressiste que l'était Lénine. Il n'y a pas de progrès : il y a des révolutions. Toutes les grandes œuvres sont des révolutions, mais elles ne se font pas contre les œuvres : elles se font contre leur absence. Céline ne s'empoigne pas plus avec Proust que Tolstoï avec Cervantes : ils s'empoignent avec eux-mêmes et avec leur temps. Lorsqu'on parle alors de « technique périmée », qui « a déjà tout donné », ou bien on ne parle de rien, ou bien on parle de médiocrité. Il n'y aura jamais de remise en question sérieuse du « roman de papa » par une *théorie* du roman. Jamais dans l'histoire littéraire une révolution n'est sortie du roman ou de sa critique. Elle a toujours été faite par une œuvre. Mais tout ce qu'il y a d'introspectif dans la littérature d'aujourd'hui parle justement du roman comme si le génie n'existait pas.

IV

Les romanciers du souffle coupé. — Le maniérisme. — La retraite intimiste. — Le narcissisme. — Le réelisme fantastique. — La recherche des blancs dans la littérature. — Retour au Parnasse. — « Le vase où meurt cette verveine d'un coup d'éventail fut fêlé. » Encore Sganarelle-honnête homme : « l'omniscience » ou comment l'imposture fait le procès du charlatanisme au nom de l'honnêteté intellectuelle. — Le manque d'imagination met en accusation l'imaginaire. — Quelques autres « objections de conscience ». — Qu'est-ce que la vérité romanesque ? — Retour « progressiste » à la morale bourgeoise.

Voyons tout de même d'un peu plus près ce que nous vaut cette recherche délibérée du « différent » qui rappelle ce qui s'était passé à la fin de la Renaissance, lorsque les Pontormo, Mabuse et toute une cohorte de peintres, pour échapper à la hantise de l'œuvre immense qui venait de s'accomplir, se perdaient dans les délices de la technique et finissaient dans le maniérisme.

D'abord, on escamote tout fond perceptible pour créer une illusion de profondeur, puisque l'hermétisme met toujours l'intelligence du lecteur en accusation, et permet, par la mystification du sens caché, d'échapper en même temps au reproche de formalisme, de l'art pour l'art; ensuite on

44

fait porter tout son effort sur l'objet, sur l'inanimé, décrit avec une minutie obsédante, de préférence dans ses détails les plus insignifiants, ce qui : *a*) crée un effet de bizarrerie, de « jamais vu », par un changement de proportions, un agrandissement démesuré du minime, comme dans ce procédé photographique aujourd'hui courant, lequel, en magnifiant un détail, donne l'illusion d'une œuvre nouvelle ou vous permet de prouver que Giotto était déjà tachiste; *b*) fascine par la répétition et la monotonie, ce qui nous donne « le caractère fantastique du réel », et *c*) l'application extrême de cet effort descriptif ne pouvant, l'objet étant irrémédiablement hors de nous, aboutir à aucune pénétration ou compréhension autre qu'un constat d'existence, permet d'introduire Kafka et « l'aliénation de l'homme face à un monde indifférent et insondable », en soulignant le caractère « fermé » de la matière, et donc de l'univers, « cet étranger ». Ce dernier effet littéraire est particulièrement recherché, il est en fait le *sine qua non* de ce roman. L'anonymat de l'anti-héros — c'est en réalité cet « homme de la rue » de tous les romans de Simenon, mais avorté, larvé, ce qui donne le mystère métaphysique — est soigneusement préservé par l'absence de tout soin descriptif que l'on accorde uniquement à l'inanimé, absence donc de toute identité ou de visage perceptible, ce qui vise à donner à ce non-personnage un caractère universel, mais réussit seulement à le supprimer; enfin, le temps est aboli, ce qui nous procure l'éternité — parce que tout le monde sait qu'Einstein a fait quelque chose là-dessus — et relève encore de cette mystification à la profondeur, et, autre postulat indispensable de cette littérature, vous permet de souligner un peu plus « le caractère hallucinatoire du réel ». On exclut évidemment la société, parce que sa complexité et sa brutalité vivantes sont incompatibles avec le raffinement mallarméen de votre art et la délicatesse de votre touche, mais on prend le soin de le justifier comme un choix délibéré, un refus de tout engagement idéologique depuis Budapest. Voilà donc bien un art romanesque qui ne doit rien à Tolstoï et ce dernier ne peut se vanter d'avoir exercé sur lui la moindre influence.

Certes, en littérature, il n'y a pas de petits bénéfices. Et nous avons bien là quelque chose de nouveau : c'est la première fois dans son histoire qu'un art est en même temps fasciné par le réel et sans rapport avec la réalité. Ce qui est certain aussi, c'est que ce roman, qui prétend rompre avec le passé, se bouche les yeux et les oreilles devant le présent et l'avenir, et se réfugie dans des jeux de sensibilité qui rappellent singulièrement ceux que le siècle avait déjà connus à ses débuts.

Car la vérité est que notre roman fait aujourd'hui une retraite intimiste. Assourdi, assailli, malmené de toutes parts par une réalité cruelle, tout ce qu'il y a de raffiné dans notre littérature se réfugie dans l'intimisme, raccourcit délibérément les distances de perception, et se détourne de l'horizon. Le romancier refuse le risque d'une compétition avec l'Histoire parce que celle-ci témoigne à tout moment d'une puissance dramatique dans l'invention qui semble exiger l'impossible de son art; il exclut l'événement, l'action, les péripéties, car il y a déjà trop de ces brutalités autour de nous, protège sa sensibilité en s'absorbant dans la contemplation fascinée du détail, afin de ne pas voir ce qu'il y a d'insupportable dans le tout, se replie dans l'intimité de sa conscience et de ses sens, considérés comme des buts en eux-mêmes, se protège comme il peut contre l'incertitude du devenir en limitant délibérément le champ de sa vision; il rejoint aussi étrangement la poésie intimiste du début du siècle, ce qui explique, en passant, pourquoi ce roman, qui rêve au fond d'être un poème, donne presque toujours dans la prosodie. Qu'on lise *La Narratrice* de Burguet : nous sommes ici en plein dans cet intimisme-là. Ou relisez Sully Prudhomme. *Le vase où meurt cette verveine d'un coup d'éventail fut fêlé le coup dut l'effleurer à peine aucun bruit ne l'a révélé mais la légère meurtrissure gagnant du terrain chaque jour d'une marche invisible et sûre en a fait lentement le tour...* A la rime près, ne sommes-nous pas chez Robbe-Grillet, chez Burguet, et, en suivant sur cent, deux cents pages, pas à pas, la marche inéluctable, imperceptible, feutrée de cette fêlure de la conscience que rien ne révèle jusqu'à la cassure finale, ne sommes-nous pas dans ce qu'on appelait encore hier le « nouveau roman », sans oublier ce qu'un tel art du roman doit aux poèmes en dix lignes de Francis Ponge ?

Par son narcissisme, par son repli sur lui-même, sa fixation fascinée sur sa propre conscience, c'est une littérature plus monstrueusement individualiste que celle de Tolstoï, alors qu'en théorie elle s'insurge contre l'individualisme de ce dernier. Ce n'est évidemment plus le héros qui est individualiste, c'est l'auteur, lequel se réfugie entièrement dans son intimité avec lui-même, se voue entièrement à sa propre conscience et à ses jeux délicats avec ses propres reflets : égocentrisme absolu du romancier qui ne saurait s'accommoder de l'existence d'un autre personnage que lui-même. C'est une sorte de cancérisation du réel par la conscience de l'auteur. Car si l'individualisme de Tolstoï consiste à créer des héros fortement marqués, celui du romancier intimiste se manifeste par son refus de sortir de lui-même, et de fraterniser avec qui que ce soit. Je reviens ici pour ma seule joie à cette remise en question du « postulat » du roman dit traditionnel qui ne serait qu'un sophisme scolaire amusant pour les élèves de 3e, si elle n'était typique de la convention faisant le procès de la convention, de l'imposture s'attaquant au charlatanisme au nom de l'honnêteté intellectuelle et du manque d'imagination mettant en accusation l'imaginaire. Nous avons déjà tiré de là quelque plaisir : mais la beauté nous invite toujours à recommencer.

Comment Tolstoï osait-il être partout et dans tout à la fois, connaître toutes les pensées et le fond de tant de cœurs, se substituer à mille cerveaux et âmes, en un mot, jouer Dieu ? Une telle connaissance des autres ne pouvant être qu'une imposture, elle enlèverait au roman du XIXe siècle toute plausibilité. Bref, Tolstoï et *tutti quanti* étaient des charlatans. On songe aux iconoclastes détruisant les figures humaines sur les chefs-d'œuvre de la peinture byzantine, le droit légitime de créer le visage étant réservé à Dieu seul. Cocasses balivernes. Tolstoï connaissait les états d'âme d'Anna Karénine parce qu'il les avait *inventés*. Mais les systématiques du roman de flanc-garde, qui avancent en crabe vers la marge de la littérature où il reste encore des blancs à remplir, se méfient de l'imagination et de l'invention, soit parce qu'elles les excluent, soit parce qu'elles leur semblent incompatibles avec l'intégrité, avec la probité du romancier « honnête homme » : ils reprennent ainsi à leur compte le plus vieux préjugé petit-bourgeois contre les « artistes », contre les « fantaisistes » et leurs « fabrications ». Un puritanisme du vide, qui en vient à condamner l'art au nom de la vérité !

Imagination, invention, donc « fantaisie », donc « manque de sérieux » : nous nous heurtons bien là à la morale de la petite bourgeoisie ne reconnaissant de valeur qu'aux biens concrets, parlant de « poètes » avec ce sourire indulgent que nous connaissons tous, et dont le roman réaliste, celui de l'objet, et celui qui accuse le romancier de « mentir », est sur nos rivages, la dernière vague, assumant l'héritage des comptables honnêtes et des inventaires scrupuleux. « *Le romancier*, dit M. Robbe-Grillet, *le romancier perpétuellement omniscient et omniprésent est... récusé. Ce n'est plus Dieu qui décrit le monde, c'est l'homme, un homme.* » Voyez-moi ça. Voilà ce dont l'honnêteté intellectuelle est encore capable.

Le premier souci du valet, dit-on, lorsque le maître n'est pas là, est de revêtir sa défroque. Car ce Sganarelle reprend ici entièrement à son compte la morale du siècle passé, il répète ce que cette morale, au nom de la probité, de la réalité, de l'ordre, du sérieux, a toujours reproché au romancier : il *invente*, ce n'est pas *vrai*, il nous raconte des histoires, c'est un saltimbanque, un malhonnête, un foutriquet. C'est bien là le retour à l' « art-honnête homme », lequel n'existe pas, n'a jamais existé, et n'existera jamais, cependant qu'après

48

avoir réclamé ainsi la vertu, on pose en même temps, et solennellement, un nouvel arbitraire, on part d'une convention aussi complète que celle de la rime, et infiniment plus tendancieuse que celle du roman classique, puisqu'elle se pare d'une prétention à l'objectivité, c'est-à-dire que cet arbitraire-là pousse le charlatanisme jusqu'à vouloir faire passer *sa* fiction comme pure de tout arbitraire. Car, dès qu'on parle d'imagination, dès qu'on parle de roman, dès qu'il y a un *auteur*, c'est toujours d'une convention qu'il s'agit, et il ne saurait s'agir d'autre chose, d'une règle du jeu acceptée par le lecteur et l'auteur, mais qui ne correspond à aucune *nature*, à aucun ordre naturel : il n'y a pas de roman naturel et de roman contre nature, d'invention *vraie* et d'invention *fausse*, seule distinction qui pourrait excuser les farfuelleries de notre postulant. *Il n'existe pas d'autre critère d'authenticité et de vérité dans la fiction que le pouvoir de convaincre.*

La règle d'arbitraire dans le roman ne souffre aucune exception, et le sentiment d'objectivité que l'auteur peut procurer à son lecteur, est lui-même une imposture de la subjectivité, un procédé au deuxième degré de cette imposture, comme chez Daniel Defoe lorsqu'il décrit comme un reportage l'épidémie de peste à Londres qui avait ravagé la capitale et que Defoe n'avait pas vécue. Tout est permis, dans l'art, sauf l'échec, et ce n'est pas un roman quel qu'il soit qui doit être « récusé » : ce sont les justifications d'être, faites soi-disant au nom de la « vérité », de l' « intégrité », mais qui visent, assez honteusement, en fin de compte, à ériger en vertu la nature de votre propre talent, ou de ses limites. Lorsque l'art n'échoue pas, son mensonge est honnête, lorsqu'il échoue, aucune « vérité » ne saurait l'empêcher d'être un mensonge piteux. Tout ce qui vous mobilise est valable, même une fallacieuse théorie, même des valeurs fausses : mais lorsqu'on sort du roman pour se réclamer ensuite d'une « vérité » en soi, non romanesque, lorsqu'on élabore ses propres valeurs en étalon-or, on n'est plus que dans l'égomanie. Lorsque M. Robbe-Grillet décrit sa banane au lieu d'un personnage, c'est *sa* banane qu'il décrit, cette banane est M. Robbe-Grillet, comme tout autre personnage, il en fait ce qu'il veut, et voudrait-il s'abstenir de la maltraiter et de la déformer, qu'il ne le pourrait : cette banane a cessé d'être n'importe quelle banane, lorsqu'elle a été filtrée à travers la conscience de l'auteur, c'est une banane unique, privilégiée, douée de moyens d'expression littéraires conférés par l'enseignement secondaire et les humanités, c'est une banane qui a beaucoup lu, et qui prend position contre les personnages non-bananes, bref, quand M. Robbe-Grillet dit « banane », cette banane, c'est *lui*, et il devient Dieu de cette banane-là à nulle autre pareille. Tout est magnifié, déformé, tendancieux, monstrueux dans ce passage de la banane dans la littérature : la banane, gagnant toujours en présence, grandissant démesurément, pénètre M. Robbe-Grillet dans toute la profondeur de son être, c'est-à-dire qu'après avoir fait un très court séjour dans sa conscience, la banane est ensuite éliminée sous forme de personnage-banane, de Banane, devenu fantastique par ce procédé classique qui consiste à insister sur quelque aspect familier de la réalité, jusqu'à lui conférer un caractère hallucinant et obsédant. Lorsque M. Robbe-Grillet décrit une fenêtre ou un mur, ou lorsqu'il écrit « Un Tel pensait, craignait, fut pris de panique », il détourne ce que nous savons du mur ou de la fenêtre, l'univers commun à lui et au lecteur, pour élaborer un univers qui n'existe que dans sa fantaisie, il invente Un Tel et sa panique, il invente dans toute la mesure de ses moyens, et si cela ne va pas jusqu'à Raskolnikoff, mais s'arrête à Un Tel ou à la banane, c'est à cause de certaines différences entre M. Robbe-Grillet et Dostoïevsky. Mais c'est un problème personnel de M. Robbe-Grillet, qui se pose entre lui et le roman, ce n'est pas, comme il le prétend dans la justification d'être de son imposture légitime, un problème du roman ou pour le roman. La seule façon vraiment honnête de procéder dans ce domaine, serait pour lui de se réclamer *honnêtement* d'une forme de supercherie qui lui est personnelle, au lieu de récuser l'omniscience du romancier « Dieu » dont il est le premier à se réclamer et qui en est une convention indissolublement liée à la nature de toute fiction.

Sganarelle est toujours honnête lorsqu'il sert le Roman dans toute la mesure de ses moyens, quelle que soit leur nature spécifique, leur singularité, mais lorsqu'il érige la singularité de ses moyens en règle de l'art romanesque, lorsqu'il se met à « récuser » les moyens des autres, non seulement il cesse de servir le Roman, mais il ne sert même plus son roman : la théorie vise là à boucher les trous dans les moyens de l'auteur, dans l'œuvre, à la faire changer de dimension, à la compléter par le commentaire; c'est à son Moi que l'auteur travaille.

V

Sartre : « On sait depuis Einstein qu'il n'y a plus dans le monde d'observateur privilégié. » — Première rencontre avec « la mort du roman ». — K., le Christ de l'incompréhension. — Une nouvelle aventure de Don Quichotte. — Puisqu'il y a arbitraire dans la fiction...

C'est plus grave avec Sartre, lequel est déchiré d'honnêteté, et ne peut s'empêcher de nous aider à nous orienter par ses positions même les plus contradictoires. Lorsque Sartre se trompe, il se passe quelque chose d'autre, de plus que l'erreur : un mouvement vivifiant de la pensée et de la pulsation cérébrale, une galvanisation de l'intelligence au fond même de l'erreur, un phénomène qui rejoint la nature même de ce que la culture donne à l'homme, et où elle s'arrête, à partir d'où elle ne peut plus rien pour lui. Mais il arrive aussi à Sartre de faire tout simplement le zouave avec un naïf culot. Car enfin, lorsqu'il écrit : « Dans le vrai roman, pas plus que dans le monde d'Einstein, il n'y a de place pour un observateur privilégié », s'il voulait condescendre à se relire, il verrait bien que dans le monde d'Einstein, il y a bien un « observateur privilégié » : c'est Einstein. Et qu'il n'y a même, dans le monde, que des observateurs privilégiés : autant d'observateurs, autant de personnages, autant de romans, autant d'univers romanesques : l'existence d'un observateur non privilégié réduirait l'homme à une seule identité et signifierait la fin à la fois des civilisations, de tout progrès et des univers romanesques dans une seule source d'observation. C'est parce que tout homme est un observateur privilégié de *son* monde à travers *son* identité unique que l'expérience des autres nous concerne et nous complète, que l'homme a un besoin *pratique* et non sentimental de la fraternité et de la société, et que le roman et le personnage sont possibles. Tout homme est un personnage de roman par ce en quoi il n'est pas l'Homme, c'est de ce qui, en moi, n'est pas les autres, c'est de ce qui, dans les autres, n'est pas moi, qu'à partir de notre donnée commune se développe le besoin de fraternité et s'ouvrent toutes les possibilités du roman dans une variété toujours changeante de situations, de péripéties et d'identités. Il n'existe pas de romancier, aussi médiocre soit-il, ou aussi souverain dans les manifestations de son génie, capable d'échapper à l'unicité de sa vision privilégiée, ce qui en fait, quels que soient les vagissements intellectuels que pousse M. Robbe-Grillet à ce sujet, un Dieu de son univers romanesque. Lorsque Hossémine dit que la démocratie est une conception qui coordonne des « privilèges uniques », qu'elle est une « égalité entre différences », que la société assure « l'égalité de ce par quoi chaque homme, dans son identité, est spécialisé dans la connaissance de son monde, lui assurant une supériorité sur tous les autres dans cette connaissance exclusive », il pose d'une manière pratique la fraternité comme un besoin naturel, hors de tout souci de sentiments louables. L'individualisme a toujours sévi à partir de la formule primitive homme = homme. Toutes les monstruosités de l'individualisme, dans la tribu comme dans le fascisme, sont nées d'une volonté d'échapper à cette identité commune, cette coïncidence rigoureuse : ce n'est pas ce qui rend les hommes différents, mais ce qui les rend identiques qui a toujours donné naissance à toutes les tentatives monstrueuses de séparation, de transcendance et de suprématie. Tout l'effort des civilisations consiste à créer, dans la culture, et à partir de la culture, une donnée commune de l'homme différente de sa donnée première et identique, et qui placerait en somme son centre psychique, ou si l'on préfère son surconscient, en dehors de lui-même, dans cette conscience collective, cette âme collective, la culture. L'individualisme n'a jamais été autre chose qu'une absence d'un univers culturel personnel, où chaque homme, observateur privilégié de son monde, pourrait être le maître de son identité unique et puiser l'assurance tranquille de son identité : le besoin de puissance, le besoin de s'affirmer, d'affirmer sa suprématie, est typique de l'homme en perte d'identité, et qui veut s'élever par n'importe quel moyen au-dessus *de lui-même dans les autres.*

Il faut cependant reconnaître que l'individualisme fait aujourd'hui en littérature un retour dû à la saturation et à la lassitude avec le roman réeliste de l'auteur-personnage unique, où la conscience atteinte de gigantisme du romancier envahit tout, excluant le personnage qu'elle ne conçoit même plus comme possible, refusant le partage de l'univers romanesque avec tout ce qui n'est pas matière et objet inanimé, choisissant de toutes les conventions et impostures romanesques, celle qui élimine toute autre identité hormis celle de l'auteur-Dieu à part entière. C'est un roman entièrement basé sur la notion homme = homme, univers = univers, qui voudrait rompre avec la culture par souci de retrouver la perception vierge d'avant la conscience, nostalgie adamique du primate, une volonté de table rase qui permettrait à votre millimètre de littérature, d'occuper, sur cet espace blanc, un maximum de visibilité. Rien de tel, en effet, que de rompre avec la culture, avec la « tradition » du roman « classique » qui « a déjà tout donné », pour permettre à votre genre de talent d'échapper à ces étalons de mesure qui s'appellent Tolstoï, Cervantes, Balzac, Dostoïevsky.

L'Histoire est un changement de péripéties, une création d'identités nouvelles tant du personnage que de la société. Concevoir la fin du Roman, ou la fin du personnage, est tout aussi impossible que de concevoir la fin de l'Histoire, un arrêt de l'Histoire dans une identité finale de l'Homme et de la société. Qu'une péripétie historique puisse, à la rigueur, sembler avoir « déjà tout donné », voilà qui paraît indiquer l'épuisement de ses élites plus que l'épuisement de la matière romanesque. Il ne saurait être question pour mon personnage, ni de ce retour au rapport bestial du premier regard de l'homme avec le premier arbre, à la perception d'avant la conscience, ni d'un arrêt désolé devant sa propre mortalité, dans le saisissement prématuré de cette seconde pétrifiée, ni de succomber à aucune paralysie par conscience du caractère infinitésimal de sa propre durée. Un tel chagrin intime est, d'ailleurs, pour peu qu'on veuille y réfléchir, un pressentiment optimiste et positif d'un devenir humain dont on se sent exclu, et le « néant » ne peut être autre chose qu'une claustrophobie de ce Moi tout entièrement voué à la méditation sur sa denrée périssable. La « mort du roman », qui a déjà « tout donné », la « mort du personnage », « qui a déjà épuisé toutes ses possibilités », comment ne pas reconnaître dans ses accents funèbres, dans ses funérailles, une méditation sur elle-même d'une absence de moyens, l'appréhension, l'angoisse, d'une élite à bout de souffle, d'une classe qui n'a pas su élargir la souche de son recrutement? C'est à se demander si l'on parle là encore de littérature, ou de renouveau social et d'élimination des paralysés.

Il y a, à tout moment de l'Histoire, un infini de personnages en devenir, une création continue de matière romanesque et de péripéties. Face à ce vertige du changement, il est évidemment possible de se réfugier dans un refus de poursuite, et cette littérature du refus existe : elle est faite d'une douloureuse et intelligente constatation de ce que le monde et le roman demandent à son impuissance. C'est une littérature où la tête tourmentée par l'intelligence aspire à la décapitation, un défaitisme devant l'immensité des constructions exigées du monde réel, et encore plus, infiniment plus, de celui de l'imagination. C'est une lassitude qui précède, dans l'Histoire, tout départ de pionniers. Les romans réeliste et néantiste sont des phares utiles sur les lieux du naufrage du désir métaphysique, leur lumière clignotante indique une absence de profondeur qui ne permet pas le passage des navires de haute mer. Il n'y a pas de « mort du roman » ou de « fin du personnage », il n'y a qu'une aspiration à finir.

Le génie de Kafka a brûlé les ailes de tous ces papillons de sa nuit. K. du *Procès*, est le Christ de l'incompréhension, un Christ assez astucieux, par souci d'art, de roman, pour ne pas voir que Dieu existe : c'est Kafka. S'il y a jamais eu imposture de l'auteur-Dieu, c'est bien celle de Kafka, puisqu'elle assigne aux rapports personnels et intimes de Kafka avec sa condition de Juif de Prague tuberculeux, un rôle absolu et universel : Kafka veut régner totalement sur la plaie-angoisse de son psychisme, érigée en condition humaine. Mais il échoue. Il n'a fait que fixer le personnage dans une situation de mutilé : celle de l'angoisse et de l'incompréhension. Le personnage de Kafka est une universalisation d'un seul aspect de la vie, celui de l'angoisse, que son personnage habite exclusivement : c'est un choix de l'angoisse-valeur littéraire absolue, comme l'argent dans le roman de Balzac. Ce n'est pas que cette universalisation littéraire soit « abusive », lorsqu'elle ne se veut pas situation authentique totalitaire de l'homme — une telle conception morale est étrangère à l'art, au roman —, mais il est d'autres spécialisations possibles, comme par exemple celle de Klee, qui est un Kafka de la joie. Me serait-il permis de prétendre — je n'ose pas dire affirmer, pour ne pas vexer les anxieux — que l'angoisse ne saurait être le seul caractère, ou le caractère dominant de la vie, et que toute conception de la vie bâtie à partir d'un seul de ses aspects, et non des plus typiques, ne sera jamais qu'un universel relatif d'un observateur privilégié entièrement absorbé dans la contemplation de *son* univers. Il est d'autres romans, et notamment ceux qui feraient une part plus grande à l'expérience la plus communément ressentie de vivre qui explique pourquoi les hommes aspirent à vivre et non à l'euthanasie. Le Christ de l'incompréhension de Kafka demeure celui *d'une* incompréhension. La lecture de cet écrivain de génie joue là un rôle extraordinaire : cette terre d'angoisse a été colonisée par le génie de Kafka d'une manière qui rend pour moi l'angoisse une préoccupation lointaine. Son univers m'est devenu familier et son angoisse est sur le point, pour moi, de devenir une source de comique, un point de départ d'une nouvelle péripétie du roman. Hossémine a souligné dans son étude sur Cervantes l'influence que celui-ci a eue sur Kafka. Le chevalier de l'angoisse a repris Don Quichotte, dans le personnage de K. en empêchant le moulin à vent de devenir tout à fait un dragon, en lui conservant une part de son aspect familier, mais en lui communiquant déjà tout le côté terrible de ce dragon latent. *Il lui a révélé le caractère fantastique de la réalité.* Il a contaminé Sancho par le pouvoir persuasif de l'imagination de Don Quichotte, le frappant à la fois d'horreur, de consternation et d'incompréhension, devant ce moulin qui a perdu son côté familier, mais en lequel il n'arrive cependant à reconnaître du dragon que l'angoisse qu'il lui cause déjà. Cependant que notre Don Quichotte-Sancho moderne, le K. du *Procès*, est lui aussi terrorisé par ce moulin d'un réalisme implacable, sans trace de dragon, sans trace de rêve, de transcendance, de surnaturel, de salut possible, de mythologie, ce moulin qui nie tous les espoirs de transcendance que la vue d'un seul dragon rendrait à notre imagination. Faut-il aller encore plus loin, à partir de Don Quichotte, et mener mon personnage à attaquer par la lance de son ironie et de sa dérision le réalisme implacable de la réalité, de *ce qui est*, ce renversement de la situation du chevalier de la Manche ? Le personnage de K. est né lorsque Sancho s'est suffisamment rapproché de

Don Quichotte, sans pouvoir saisir cependant ce que son maître voyait, mais tout en croyant profondément qu'il y avait là quelque chose d'autre qui échappait à son regard. C'est la première grande rencontre romanesque avec l'incompréhension : c'est par un acte délibéré, en empêchant Sancho de devenir Don Quichotte, mais en le menant assez près de ce rêveur pour faire naître en lui l'angoisse de ce qui n'est pas là, et qu'il essaya désespérément de voir, que Kafka a fixé Sancho K. dans sa situation qui en fait un Christ de l'incompréhension. Acte arbitraire, convention qui fige l'homme dans une seule situation, elle-même ressentie surtout depuis la création de l'œuvre : tout grand art, tout chef-d'œuvre, procède de cet arbitraire-là. Mais sur le plan d'authenticité philosophique, cet arbitraire est totalitaire et ne saurait être justifié. Remarquons aussi qu'on ne trouvera nulle part dans les écrits de Kafka une proclamation d'intention, une volonté d'ériger son infirmité, sa singularité, sa monstruosité, en ce que doit être l'art des autres. C'était un génie assez puissant pour ne pas avoir à se soucier de boucher ses trous, ni à craindre l'ombre des génies « traditionnels ».

Il n'y a jamais eu dans l'histoire de la littérature une œuvre romanesque sortie d'une théorie du roman. Il n'y a pas eu de révolution littéraire faite par un commentaire. Les questions de technique sont sans intérêt, des questions d'intendance, comme l'est le faux problème du héros et de l'anti-héros, cette étape de la déchéance du personnage : héros, anti-héros, sans héros, sans personnages, sans hommes, sans roman, voilà les étapes de cette « évolution ». Il ne s'agit pas de savoir si le personnage d'une œuvre doit être exemplaire, typique, s'il doit être « plus grand que nature », ou « comme tout le monde », s'il doit transcender notre condition ou la subir, de choisir entre Fabrice del Dongo ou K. ; mais seulement s'il nous concerne, c'est-à-dire s'il signifie, si les impostures de l'auteur, ses supercheries et ses arbitraires, ses préméditations et ses inventions parviennent ou non à créer un monde, un roman au sein du Roman, et à lui conférer ce pouvoir de convaincre qui est ce réalisme sans réalité dans lequel réside l'authenticité romanesque, et cela unit dans la même fraternité le prince Bezukhov et l'épicier du coin.

Quant au roman réeliste, au roman de retrait dans le fantastique du réel, au roman de soumission à la présence élémentaire de la proximité du monde extérieur, hors de tout effort de création d'un monde concurrent à partir du monde de l'expérience commune au lecteur et à l'auteur, quant au refus de compétition à la fois avec la réalité et les génies qui se sont déjà mesurés avec elle, pourquoi pas? Il n'y a pas d'art « récusable ». Une petite musique de fin *d'un* monde, une mi-temps de la littérature et du siècle, un roman de la dernière heure, une dernière heure qui n'est ni celle du roman, ni celle du monde, mais seulement d'un monde, d'un souffle, d'un épuisement, d'une couche de recrutement, peut-être d'une société, une littérature de mutilé et de la mutilation, où l'infirme, au lieu de tenter de se réadapter à l'univers, cherche à réduire l'univers à ses infirmités. Pourquoi pas, en effet. Mais comme un renoncement : pas au nom du nouveau ou du renouveau, au nom, seulement, du petit royaume du *Je* féodal, au nom du Moi et de la fin du Moi, mais non au nom de la « mort du roman » et de la fin du personnage. Kafka lui-même s'était figé dans une seule situation : se figer dans une sous-situation kafkaesque marginale, ce n'est même pas un retour en arrière, ce sont des obsèques qui ont déjà eu lieu. Que l'on justifie cette suppression de l'homme dans le roman d'aujourd'hui par les besoins du cadavre, ou, plus symboliquement, par son annihilation dans les systèmes totalitaires, par le périssement désolé de l'individu dans « l'anonymat de la masse », ou, suppression plus radicale encore, par le péril nucléaire, on parle toujours d'abdication. Abdication sociale, morale, artistique, culturelle, spirituelle, idéologique, devant ce qui nous menace, c'est-à-dire devant ce qui nous appelle en avant, ce qui nous invite à affronter et à surmonter. Encore une fois, nul ne saurait prononcer d'interdiction, ou critiquer au nom de l'espoir, au nom d'une vision plus complète et moins mutilée du rapport du créateur avec la réalité, et le seul critère des œuvres est un critère artistique : la morale, l'idéologie, la philosophie, l'optimisme ou le pessimisme, tout cela ne concerne que le préjugé des objecteurs de conscience au roman, le besoin d'une « justification d'être » étrangère au roman, nés du puritanisme petit-bourgeois ou petit-marxiste qui est une des grandes putasseries de ce temps. Ce qui est dit, c'est que l'on ne saurait élaborer en règle pour les autres les particularités et les singularités de son talent, ou de son tempérament, que l'on ne saurait, n'en déplaise aux babillages égomaniaques de cet objecteur de conscience qu'est M. Robbe-Grillet, « récuser » aucune vision romanesque, aucune convention, aucun rapport du créateur avec son univers, aucune situation d'observateur privilégié, ni instaurer une épuration philosophique ou idéologique dans le roman au nom de son propre arbitraire, de la forme de son propre nombril. Il n'y a pas d'autre critère au roman que le pouvoir de convaincre de l'œuvre elle-même, et non de son commentaire : toutes les attitudes désolées devant « ce qui a déjà été fait » relèvent du pourrissement dans une seule identité et une seule péripétie sociale, et ne sont qu'une façon pathétique de se tortiller pour éviter le défi de tout ce que le génie a déjà accompli pour la fiction romanesque. Et puisque ces habiletés qui consistent essentiellement à éviter la rencontre, qui vous permettent d'éviter d'être mesuré par les chefs-d'œuvre du passé, se réclament du « renouveau », il est permis de croire que le renouveau est ailleurs, qu'il ne viendra pas d'une ruse qui vous dispense du génie, qu'il jaillira tout naturellement de la vitalité et de la fraîcheur des souches sociales nouvelles, dans une vision du monde qui situerait l'homme et son art ailleurs que dans la mutilation et le néant. Il n'y a pas d'art sans imposture, sans supercherie, il n'y a pas d'imagination

« valable » et d'imagination qui doive être « récusée », et puisque aucune fiction ne pourra jamais, et quelles que soient les justifications d'être morales de son auteur, sortir de la convention et de cet arbitraire qui fait passer ce qui n'est pas pour ce qui est, autant choisir ses impostures et ses supercheries d'une manière qui ne clouerait pas pour toujours et arbitrairement le Christ sur sa croix de l'incompréhension, mais qui ferait de ce Christ, par un acte ni plus ni moins arbitraire, un personnage fuyant en avant toutes les polices d'un ordre métaphysique, sautant par-dessus tous les « néants » et faisant crouler sous sa légèreté tous les murs d'incompréhension et toutes les prisons de « vérité » définitive dans lesquelles on essaie de l'enfermer. Puisqu'il y a arbitraire, puisqu'il y a imagination, qu'il y ait au moins arbitraire hors du cachot.

VI

Tout ce qui parle de roman parle de convention et d'arbitraire. — Choix d'un seul angle et d'une seule distance focale d'observation : procédé type du roman totalitaire. — Le roman total : aucun angle, aucune convention ne sont exclus, aucune technique n'est exclusive. — Un roman nouveau qui vient d'Espagne. — Le « happy ending » : loin d'être une facilité, il s'agit là au contraire d'un rapport optimiste fondamental du personnage avec ses identités sociales transitoires et les péripéties traversées. — Le roman « ouvert » et le roman « fermé ». — Pressentiments d'un roman picaresque moderne de la conscience-poursuite. — Identités et péripéties.

Dans la fiction, l'arbitraire de l'imagination ne requiert aucune autre justification que l'existence d'un roman convaincant : c'est ce qu'on appelle la vérité romanesque. Le romancier utilise les éléments d'une expérience commune du monde, le quotidien et le familier, le « connu », pour rendre intelligible et persuasive l'existence d'un monde toujours différent, toujours *autre*, pour rendre « réaliste » une dimension de l'imaginaire par une mimique rigoureuse de la réalité. C'est une contamination de ce qui n'est pas par ce qui est : Kafka, romancier par excellence de la ruse réaliste, retient toujours une pièce de puzzle, une pièce à laquelle son absence ou plutôt son Absence et en même temps l'envahissement de cet univers par le familier, confèrent un caractère métaphysique saisissant par un procédé de réalisme rigoureux. Il n'y a pas d'autre réalisme qu'une impression saisissante de réalité, que le pouvoir de convaincre : le monde imaginaire se met à exister dès qu'il emporte la conviction. Dans les tendances actuelles du roman, dérivées de l'école américaine du comportement (behaviorisme), le romancier choisit la distance à laquelle il se place par rapport au personnage ou à son univers et s'interdit de la modifier dans ses évolutions : il prétend ainsi réduire au minimum son rôle de Dieu de ce personnage et de son monde. En quoi consiste là « l'objectivité », la rigueur de l'examen auquel est soumis un tel univers romanesque ? En un maintien arbitraire de l'angle et de la distance d'observation choisis, procédé type du maniérisme. Il s'agit bien d'une convention non moins tendancieuse que celle de Tolstoï ou Dostoïevsky, ou de Proust, lesquelles changent constamment leur distance par rapport au personnage, et l'angle de l'observation-création, utilisant toute la gamme de l'arbitraire au lieu d'un seul unique et fixe, se rapprochant ou s'éloignant, allant du panoramique jusque dans la pénétration dans le psychisme, inventant aussi bien « l'introspection » du héros que son « inconscient » : tout au plus peut-on dire que le changement de la distance focale, bien que résolument conventionnel et arbitraire, est plus proche, cependant, des conditions de l'expérience authentique des rapports de l'homme avec son monde et les autres, cependant que le maintien rigoureux de la fixité de la distance focale introduit immédiatement un élément de bizarre, et de fantastique, interdisant toute compréhension et toute pénétration, réduisant la multiplicité des rapports à un seul procédé qui est la base même de ce roman de l'aliénation. Ce sont là deux arbitraires, dont l'un, classique, « traditionnel », est une supercherie dans l'usage de l'imagination qui mime la réalité, la complexité, aussi complètes que possible des rapports de l'homme avec son univers, et l'autre, procédé type du roman totalitaire, cherche à donner le sentiment d'une vision nouvelle en mutilant les éléments visuels, en excluant « l'habitude » des moyens auxquels la conscience de l'observateur a recours, un procédé d'optique parfaitement valable lorsqu'il s'agit d'effet artistique, mais qui ne saurait parler au nom d'aucune « authenticité », d'aucune « intégrité », et toute « récusation » de l'artifice « des autres » n'intervient là que comme un artifice particulièrement outrecuidant par sa prétention, ou particulièrement naïf. Quant aux interprétations « sociologiques » que l'on serait tenté de tirer de cette réduction de l'infini des regards à un seul regard fixe et délibéré, si cet effet littéraire signifie autre chose que la littérature, c'est la peur de voir et la volonté de fermer les yeux.

Dans la fiction classique, tout le souci du romancier, tous ces incessants et innombrables changements de la distance focale, visaient à communiquer au lecteur la plénitude du monde imaginaire, que le lecteur n'avait plus qu'à subir délicieusement. C'était un roman d'une visibilité parfaite, où tout était « fini », réalisé, découvert, achevé, dans une perfection qui ne demandait au lecteur que sa jouissance, mais ne sollicitait aucun effort de création. Il me semble que ce roman « fixe », souverain et qui règne sur le lecteur en maître absolu, tend à s'éloigner de nous, pour revenir sans doute un jour, lorsque nous aurons retrouvé le secret des assises à toute épreuve et des ensembles harmonieux, à quelque étape historique future, où la société aura trouvé une identité provisoire heureuse dans ses réalisations, avant le départ vers une nouvelle péripétie et une nouvelle identité. Nous devons surtout ce dépassement du roman classique et ce signe de renouveau au jeune romancier espagnol M. Cervantes, qui a succédé, avec l'éclat que l'on sait, au roman balzacien et tolstoïen « fini » du xixe siècle, avec l'apparition soudaine à notre horizon littéraire de ses deux personnages continuellement ouverts à toutes les interprétations. Je crois que la publication de *Don Quichotte de la Manche* est un phénomène extraordinairement encourageant pour l'avenir du roman : ni la conception de la relativité, ni celle de l'indétermination, ni le « fantastique du réel », ni l' « angoisse métaphysique », ni aucun des problèmes philosophiques modernes de la nature de la réalité, de la matière, et de l'objet offert à notre perception, ne lui sont étrangers, et le conflit Don Quichotte-Sancho Pança, si typique de la fissure de la conscience contemporaine, et qui rencontre, au passage, le conflit est-ouest, donnant aussi, avec le côté parodique très marqué, toute son importance au délire interprétatif de notre époque, délire interprétatif qui tend à créer des éléments de sa propre analyse (rapport de Don Quichotte avec le moulin-dragon, ou de Freud avec l'inconscient), tout cela fait bien du roman de M. Cervantes, dont je ne connais ni l'âge, ni l'origine sociale, ni les opinions politiques, une œuvre qui ne pouvait être conçue à une autre époque que la nôtre, peut-être la seule œuvre dominante que la deuxième moitié du XXᵉ siècle ait vu apparaître. Tout, dans l'œuvre de ce jeune romancier espagnol, s'ouvre sur l'avenir. Même la soumission finale de Don Quichotte reconnaissant ses « erreurs », est une habile dérision, une ironique soumission à l'autocritique marxiste. Cette réconciliation ultime, à l'article de la mort, de Don Quichotte avec le réalisme socialiste, sa soumission à la « réalité » rigoureuse, ne ferme rien, bien au contraire : le parcours romanesque est accompli, la vision communiquée, la subversion consommée, la mise en cause véhémente de la Puissance jusqu'à ses plus banales, ses plus familières apparences est faite par le personnage à chaque péripétie nouvelle de l'œuvre, cependant que son suiveur écarquille désespérément les yeux devant ce caractère secret et dangereux de la réalité que tout, dans la science moderne, dans l'Histoire, lui révèle comme entièrement différente de ses habitudes de penser, de voir, et d'imaginer, mais dont cette nature secrète échappe à son entendement, dont il ne distingue aucun trait précis, qu'il ne peut concentrer en aucune image, en aucun ennemi bien

65

défini, si bien que ses rapports avec le monde le plus familier sont devenus angoissés sans aucun changement perceptible de la réalité. L'influence de Kafka sur Cervantes est ici évidente. La situation de l'homme moderne est cependant exprimée par le jeune romancier espagnol dans une forme picaresque où la joie, la santé, l'ironie, et la tranquille assurance de l'auteur transcendent à tout moment les péripéties qui menacent à chaque tournant ses personnages de quelque culbute définitive, de quelque suppression radicale par cette « force de dissuasion » qui signifierait la seule fin concevable du roman.

La conversion du chevalier *in extremis* à la réalité est une ruse légitime du romancier soucieux avant tout d'atteindre son public et qui fait semblant d'accepter la convention des valeurs en cours afin de ne pas être interdit par l'Inquisition; sans doute était-il soucieux du précédent de Pasternak, et décidé à éviter à son personnage le sort du Dr Jivago; l'influence de Jivago sur Cervantes me paraît claire, le jeune romancier espagnol ayant pris au héros du roman soviétique ses deux aspects si profondément liés pour en faire deux identités séparées, celle de Don Quichotte et celle de Sancho. La soumission *in extremis* du chevalier à la réalité est beaucoup plus une habileté de l'auteur face aux forces de l'ordre, devant lesquelles on peut bien s'incliner respectueusement à la fin du roman, maintenant qu'elles ont été trompées, et pour que l'œuvre continue son chemin. En quoi il est fidèle aussi à une tradition : celle de Sganarelle. Notre Valet éternel a toujours été sans scrupule, sans pudeur, d'une mauvaise foi entière, et ne reculant devant aucune supercherie lorsqu'il s'agit de servir au mieux les intérêts de son Maître, même s'il faut pour cela tromper, ruser, mentir, et se comporter parfois comme un domestique obséquieux, sans honneur, et sans amour-propre : Sganarelle me paraît réunir en lui tous les caractères essentiels du *picaro*, il est inséparablement lié à tous les personnages de notre aventure picaresque, il y a entre lui et la survie de

notre Roman un extraordinaire rapport de confiance,
d'optimisme, de cynisme, d'opportunisme, d'amour, de joie,
et de créativité. On ne cherchera pas, ici, à en faire le portrait,
mais à retrouver à travers lui à la fois un personnage et un
chemin pour le roman ; plus je m'intéresse à mon *picaro* et plus
il me semble correspondre à ce que je cherche, aux traits
éternels du mythe humain. Tout, pour lui, est transition, profit, bourse remplie, gîte d'étape, péripétie : depuis son premier feu, l'humanité a toujours cherché à faire les poches de
l'inconnu. Il sera donc dit plus loin que le règne féodal du
chef-d'œuvre individuel doit finir ; que ce féodalisme du
Royaume du Je soit le génie du Christ, de Marx, de Gandhi,
les opposer les uns aux autres devient aussi absurde, pour le
roman total, que de vouloir opposer Euclide à Lobatchevski
ou de renoncer à l'enseignement de l'arithmétique à cause de
l' « indétermination » de Heisenberg. En ce sens, le roman
total correspond bien à cette chute des frontières entre les
chefs-d'œuvre individuels, à leur noyade heureuse dans ce
nouvel océan originel dont l'image vient à l'esprit dès qu'on
parle de cet espoir. Mais si c'est bien la culture que Sganarelle
sert ainsi finalement, c'est sans intention délibérée : s'il fallait
le démasquer et le démystifier, toucher du doigt ce qui
le détermine, c'est à un « jouir » de la vie dépourvu, dans
sa manifestation première, d'aucune justification d'être,
d'aucune morale, philosophique, idéologique, dans un
amour émerveillé de l'extraordinaire variété de toutes
les manifestations de la vie dont il imite la création et la
créativité, rivalisant ainsi avec sa Puissance, que l'on peut
situer la véritable et irréductible authenticité du bonhomme. A partir de là, tout ce qui lui permet de continuer
est son souci dominant, à moins que, saisi de dignité,
convaincu par les « hommes à part entière » de sa malhonnêteté, il renonce à sa singularité essentielle, à sa monstruosité féconde, trahissant le Roman par besoin d'authenticité, faisant ainsi passer le souci de son Je, l'esthéticisme de
son Je, le beau souci de sa beauté morale avant la joie des

hommes. Il va finir alors dans la vertu, dans le renoncement à la fiction au nom de toutes les plaies du Christ, des rebelles du Venezuela, du Congo, de la famine en Inde, mais que peuvent donner à l'histoire son « honnêteté », son Lambaréné moral, son « sacrifice », comparés à ce que sa canaillerie sacrée, son exploitation sans scrupules de l'horreur et de la souffrance, bref, sa monstruosité, pouvaient fournir aux hommes comme valeur en puissance, en suspension, comme source de changement de leur destin remédiable. Curieuse affaire : en faisant passer le souci du monde, des autres, avant celui de son œuvre, Sganarelle fait passer le souci de sa conscience avant ce qu'elle peut accomplir pour le monde, pour les autres.

M. Cervantes a d'ailleurs donné très clairement les raisons de l' « abdication », ou du « ralliement » de Don Quichotte — selon la soupe que l'on mange — lors d'une réunion du Congrès pour la liberté de la Culture, à Madrid, sous la présidence d'honneur du général Franco, et du cardinal Segura, en 1964 : « Don Quichotte se rallie *in extremis* à la fin du roman à la réalité et confesse ses erreurs, d'abord, pour me concilier la bienveillance de l'Inquisition, et ensuite pour me permettre de rassurer le lecteur bien pensant — l'autre lecteur, malheureusement, est hors d'atteinte de mon roman, puisqu'il ne sait pas lire, et que la culture, en attendant son partage, est une opération entre privilégiés — pour me permettre, donc, d'endormir le soupçon de mon lecteur, lequel ne s'aperçoit guère que ce que j'ai voulu exprimer par ce « ralliement », est une vérité assez horrible et assez effrayante, à savoir que le monde imaginaire du chevalier de la Manche est devenu une réalité menaçante, que le moulin à vent est bel et bien devenu le dragon de la bombe H que Sancho, prisonnier de sa vision traditionnelle, refuse toujours de voir, si bien qu'il continue à ne voir dans le dragon qui crache le feu et nous menace à tout moment de destruction *qu'un moulin à vent.* » Les rôles sont donc inversés : le « réaliste », conscient des périls véritables et de la transformation de la nature même de la réalité dans les conceptions de la science moderne, c'est Don Quichotte : c'est donc à l'authenticité de sa vision, c'est donc à lui-même que Don Quichotte se rallie, à ce qu'il y avait de plus rigoureux et de plus réaliste dans ce dragon qu'il était le premier à voir et à révéler. C'est avec une féroce et, pour lui, toute nouvelle dérision, avec une moquerie qui nous vole au visage comme un véritable crachat, qu'il nous lance à la fin ce mot, suprême ironie dans la moqueuse humilité de celui qui avait vu juste, mais dont personne, jusqu'au bout, n'avait accepté d'écouter l'avertissement :

Je possède à cette heure le jugement libre et clair, et qui n'est plus couvert des ombres épaisses de l'ignorance que la lecture triste et continuelle des détestables livres de chevalerie avait mises sur moi... Je reconnais leur extravagance et leur duperie. Je n'ai qu'un regret, c'est que cette désillusion soit venue si tard et qu'elle ne me donne pas le loisir de réparer ma faute par la lecture que je ferais d'autres livres qui serviraient de lumière à mon âme...

Tout est dérision, dans ce « ralliement », tout est venin dédaigneux dans cette « autocritique », ironique anathème jeté sur nos œillères, persiflage moqueur où retentit le tonnerre d'un génie blessé, jusqu'à ce « regret que cette désillusion soit venue si tard, *et qu'elle ne me donne pas le loisir de réparer ma faute* » — refus, même *in extremis*, même dans la mimique de la soumission, de renier l'authenticité de sa vision, la réalité du dragon — jusqu'à ces mots « ma faute », dont il sait bien qu'elle n'existe pas, mots que l'on sent gonflés d'un soupir rageur et, enfin, couronnement suprême et presque ouvertement haineux dans le persiflage, la réparer comment, cette faute ? *Par la lecture que je ferais d'autres livres qui serviraient de lumière à mon âme...* une façon d'expier sa faute par la lecture qui n'est pas précisément un ralliement expiatoire très convaincant à la réalité. « D'autres livres... » Je me rallie, dit Cervantes, *à votre fiction...* Le monde de Don Quichotte est devenu réalité périlleuse autour de Sancho, mais ce dernier refuse de s'en apercevoir, il ne voit que les formes familières du passé, il se rassure par leur aspect quotidien, il peut les toucher du doigt, les caresser, mais déjà c'est l'angoisse de K. qui est en lui, si bien que, pour se rassurer, Sancho refuse de voir ce qu'il y a derrière, il choisit et fixe délibérément l'angle et la distance focale de sa vision pour morceler délibérément sa vision, pour *ne pas voir*, et il se fait lecteur du roman réeliste, et refuse d'explorer autre chose que la proximité immédiate de son Royaume du Je.

Il est intéressant de noter que M. Cervantes, si longtemps et si tragiquement engagé, me dit-on, dans la guerre d'Algérie, et qui a fait une expérience si cruelle de la captivité, ne semble présenter aucun signe de cette névrose historique dont ses prédécesseurs immédiats dans le roman des années 1950-1960 portent une telle marque. Il semble avoir résisté admirablement à tous les poids écrasants de la réalité, à toutes les horreurs auxquelles il avait assisté et qu'il avait subies. Il faudrait tout de même se demander si certains « traumatismes » et « névroses » des personnages et des auteurs, si généralisés dans le roman de ce moment, juste avant l'apparition de M. Cervantes à notre horizon littéraire, ne sont pas délibérément assumés, mimés, et exploités, par épuisement d'imagination romanesque, par besoin de clou auquel accrocher son vestiaire littéraire, sa fiction, et que la pathologie de la conscience offre si complaisamment comme une facilité, en même temps que comme une convention confortable et louable de la conscience morale, bref, s'il ne s'agit pas dans cette névrose du roman de l'équivalent d'un évanouissement chez les âmes sensibles devant les spectacles dégoûtants, et si cet « ébranlement de la conscience », ne se passe pas en réalité dans un état de santé aussi complet que celui du Picasso peignant, dans la même vision artistique, tantôt un compotier, tantôt les horreurs de Guernica. Préoccupation mineure : les questions de bonne foi, d'authenticité du « ressenti », de la source d'inspiration en tant qu'authenticité ou en tant que mimique d'authenticité, les questions de vertu, de pureté, et de morale, de cynisme, ou d'amour fraternel, ne sauraient concerner l'œuvre d'art, ne sauraient lui fournir un critère de valeur, ne sauraient la mettre en cause ou la justifier.

En ce qui concerne l'œuvre que je cherche, je conclus qu'il n'existe que deux formes romanesques discernables : d'abord, celle d'un ordre temporaire provisoirement atteint, où le ralentissement historique donne, à l'échelle de la vision et de la notion « temps » d'une ou deux générations, le roman qui aspire à la fixité, au définitif, au fini, typique d'un ordre installé, classique, dans ce sens que l'imagination du lecteur, comme celle du spectateur devant une statue de Phidias, n'a plus rien à désirer, n'a plus rien à chercher, à ajouter, c'est-à-dire à découvrir, où tout lui est servi au point « fini » maximum de la perfection, où les personnages sont entièrement accomplis et frappés d'une sorte d'éternité d'eux-mêmes, dans leur identité achevée et irrémédiable à l'étape donnée de la péripétie historique, jusqu'à ce que cesse la stagnation d'un ordre social réalisé, période où la réalité attend ses erreurs, sa remise en question, et dont le roman correspond au ralentissement relatif de la conscience-poursuite à la limite d'une étape de l'exploration, ralentissement que la notion du temps individuel dans le psychisme d'une génération fait apparaître comme un arrêt, comme une « arrivée ». Une telle forme romanesque se manifestera toujours à l'étape du ralentissement de la conscience-poursuite avec, comme phénomène symptomatique, l'élévation du langage au rang de valeur en soi.

La deuxième forme est un roman « ouvert », bouillonnant d'une puissance intérieure qui refuse de se figer dans un « fini », en mouvement constant, en changement constant de vérité, de vision, de sens, de point de vue, où le personnage, tantôt entièrement formé, tantôt s'ouvrant, soudain, par un côté, sur une identité nouvelle, ou sur l'inconnu, comme hésitant au bord de ses propres possibilités de se réaliser et de se réincarner, dans l'accélération de l'Histoire, du progrès, de la conscience-poursuite, témoigne d'un changement latent de péripétie et d'identité sociale, et où le mouvement de la pensée exclut tout choix définitif, toute fixation. Que Cervantes, Dostoïevsky, Proust, Joyce, soient plus proches de cet univers de formation continue du personnage, que Balzac, Tolstoï ou Flaubert, est évident; mais le roman du personnage à identités multiples et dont aucune ne saurait l'emprisonner, le contenir, le fixer, n'a pas encore été tenté. Sous un angle simplement poétique, et dans le seul but de faciliter l'inspiration, on dira ici que l'humanité entière sera le « Je » de ce roman, se manifestant dans un infini d'identités en évolution et changement constant, par mouvement de l'Histoire et de la conscience-poursuite, sur les chemins de l'univers. Dans une telle conception, chaque identité atteinte du personnage sera évidemment dévorée par le besoin et le pressentiment de toutes les identités autres qui pourraient venir la compléter par le privilège de leur expérience unique; et ce besoin constant de changement d'identité du personnage lui permettrait de parvenir à une somme d'expériences qui le rapprocheraient toujours davantage d'une plénitude de vie et d'une possession de la totalité de l'expérience humaine, — comme si l'humanité, sans finir dans une conscience unique, pouvait communier avec un infini de consciences dans leur rapport avec la singularité de chaque univers psychique, aspiration qui ne peut être réalisée que dans la conscience collective de la culture dans ses rapports avec les œuvres individuelles.

Loin de se fixer arbitrairement à une seule distance d'observation-création, c'est en variant, au contraire, les angles et les distances que le personnage se présentera au lecteur dans un changement d'identité constant, chaque aspect permettant au romancier d'exprimer un de ses rapports avec la réalité, de la mimer, la parodier, la combattre, la discréditer, la provoquer dans le seul but de création d'un univers romanesque. Peut-être faudra-t-il prévoir, pour le lecteur, la possibilité de choisir son univers au sein de l'œuvre, et l'identité sur laquelle il décide, à la lumière de ses propres rapports avec l'époque et avec lui-même, de fixer ses rapports avec le personnage. Un tel roman laisserait, en quelque sorte, au lecteur la liberté de choisir le personnage, l'aspect dominant sous lequel il déciderait d'aborder, de voir la situation de l'humanité à son étape historique. Il ne s'agit nullement de fournir au lecteur un magma, un matériau, mais une totalité d'expériences qui lui laisserait la possibilité de décider du sens dominant de l'œuvre, de désigner, parmi toutes les identités mimées par le personnage, celle qui lui paraît correspondre le plus à la nature de ses propres préoccupations. Kafka est à l'opposé d'une telle conception romanesque : il a fermé son univers sur une seule situation, celle de l'angoisse de son Christ de l'incompréhension ; aucune interprétation du lecteur ne peut parvenir à libérer ce Christ-là de sa croix ; il n'est cependant pas certain que l'œuvre de Kafka ne soit pas révisée un jour par le comique, et que le Christ ne soit ainsi finalement libéré. Ces aspects « ouverts » au choix et au jugement du lecteur sont au contraire très marqués chez Proust, bien que celui-ci se substitue constamment au lecteur, coure partout, et serve lui-même à table, et, assez étrangement, dans *Les Voix du Silence* de Malraux, une épopée romanesque où les pensées de l'auteur semblent chercher des personnages qui pourraient les exprimer, où toute la dimension de l'intelligence déployée demeure frappée d'une sorte de subjectivité romanesque qui rendrait la pensée infiniment plus juste dans cette dimension de la fiction où elle sert davantage à créer le psychisme du personnage, à le circonscrire, qu'à exprimer une vérité objective : en lisant *Les Voix du Silence*, on ne peut s'empêcher de sentir qu'il s'agit de la création d'un univers romanesque complet, mais où les personnages ont été arbitrairement empêchés de pénétrer. Ce qui reste finalement de l'œuvre, ce n'est pas quelque vérité possédée et révélée, mais le prolongement d'un extraordinaire mouvement de la pensée, d'une pulsation de l'intelligence et de la puissance créatrice qui semble rejoindre quelque bouillonnement premier, à l'origine non du sens, mais de la vie. C'est le roman du bouillonnement de la pensée : jamais le travail intérieur de l'océan culturel n'a été aussi artistiquement mimé dans une œuvre littéraire, dans une sorte de communion intime avec l'essence même de ce bouillonnement créateur qui fait de l'œuvre un poème épique de la vie de l'esprit.

Cette œuvre de Malraux vibre au rythme même de la conscience-poursuite; elle communique à l'intelligence un dynamisme énergétique qui n'a plus aucun caractère spécifique, comme l'essence même de la culture, qui laisse loin derrière elle son propre sujet, la nature du rapport de l'art avec le génie, qui ne fait que déclencher tout ce qui dans l'homme aspire à la poursuite, à la pénétration, à la possession par la compréhension, à la création.

VII

Éloge de l'absurde. — La mort et le néant, ou comment le Royaume du Je perd ses investissements. — Le roman picaresque se précise.

En dehors de Cervantes, le seul à ma connaissance, parmi nos jeunes romanciers, qui entre en lice avec la Puissance par la parodie, l'ironie et surtout par la création de personnages incomparables que la Rivale ne peut que lui envier, le roman de ces dernières années est surtout celui de la conscience-fuite qui se replie dans la littérature neutraliste, hors de tout contact avec l'ennemi, soit cherche à se protéger par une mutilation délibérée de la vision réduite au minime et au marginal contre sa terreur de la totalité, soit tente de justifier le refus du combat et de la compétition par un chant de soumission totalitaire, un véritable hymne à la grandeur de l'ennemi, où une curieuse et défaitiste conception de l'absurde introduite par Camus scelle l'« incompréhension » de Kafka du sceau final, celui de l'irrémédiable.

Jamais, dans l'histoire de la pensée, la chance unique de l'homme et du romancier n'a été plus méconnue et plus vilifiée, que dans cette facilité lyrique qui situe dans l'absurde la perte sans espoir de la « condition humaine » littéraire, et fait de la beauté de l'écriture — on ne saurait parler de roman, rien, là-dedans, n'étant soumis au roman, et tout l'étant à ses funérailles, c'est-à-dire à l'inhumain — du langage, de l'art, un dandysme vide de sens de ceux qui mettent la rose du style à la boutonnière dans le seul souci d'élégance, avant de se clouer eux-mêmes à la croix du non-sens. Il ne reste plus au Christ de l'incompréhension que le souci de savoir quelle robe il va porter sur la croix.

On peut se demander si ce qui est dénoncé ainsi est bien l'absurde lui-même, ou au contraire cette chance qu'il offre à notre liberté, si ce n'est pas encore l'angoisse de la liberté qui aspire ici à finir. Tout le monde sait ce que le désespoir absolu peut offrir comme soulagement, et la volonté dostoïevskienne de toucher le fond de l'abîme est avant tout crainte de la chute et rêverie du repos.

On ne peut que s'émerveiller à l'idée qu'il vous faille encore rappeler timidement que si l'absurde n'existait pas, il n'y aurait pas d'homme. On peut se vouloir d'une autre espèce, c'est-à-dire hors de l'humain, mais alors, il ne faut pas hésiter à donner son vieux nom religieux à un tel désir. Si l'absurde n'existait pas, il n'y aurait pas d'homme : c'est donc finalement contre l'homme lui-même et contre le roman, cette futilité suprême, que se retournent ces désespoirs scorpionesques du dépit amoureux et du désir métaphysique. La rupture avec le roman, la condamnation du roman sont toujours pratiquées au nom de l'authenticité, du réalisme, contre la naïveté : se livrer à la fiction est présenté comme le comble de la futilité face à ces « rigueurs décrétées contre l'homme ». Kafka lui-même n'évoque jamais l'absurde, puisqu'il évoque le « décret ». La Puissance de la réalité n'est pas celle qui l'épouvante : c'est celle du visage masqué qu'il cherche derrière elle.

Même si l'on va jusqu'au bout dans la vision paranoïaque, comme dans l'existentialisme, cette Présence dépersonnalisée de l'être où l'on parle à chaque mot de l'inexistence au point de la faire vivre d'une vie mystique, l'absurde et le chaos demeurent encore la *raison* de notre naissance, surtout si l'on nie logiquement toute intention, et offrent sa seule chance à notre Roman, celle qui nous fait échapper à une Loi et nous permet de *passer*. Le poème paranoïaque de Hossémine se réfère constamment à l'absurde comme à l'unique complice de ce qu'il appelle notre « larcénie », c'est-à-dire une tentation de pénétration prométhéenne et donc criminelle aux yeux de *l'autre*, c'est-à-dire de la Puissance rivale : il ne s'agit nullement de personnaliser cette dernière ni de lui prêter une intention à notre égard, son existence est simplement celle des conditions que l'homme trouve dans les lois de l'univers et dans celles de sa propre donnée première qu'il n'a pas élaborées, sur lesquelles il n'a pas été consulté, et qu'il commence à peine à vouloir mettre en question. Il parle encore quelque part dans son poème, dont la traduction en anglais est sans doute plus pédestre que le texte urdu, de « l'expansion illimitée du virus humain dans un organisme dont il ignore la nature fondamentale, mais au sein duquel il découvre peu à peu des anticorps chargés de neutraliser notre compréhension, anticorps qu'il parvient lui-même à neutraliser ». C'est une tragédie optimiste, toutes les interprétations de l'univers, toutes les découvertes étant librement créées et imaginées en posant arbitrairement l'homme pour centre et toujours dans l'ignorance des explications qui procéderaient des centres situés ailleurs, ce qui tend à faire de la science et de l'homme lui-même une création artistique arbitraire de sa propre imagination. On conçoit donc pourquoi je parle de Hossémine dès que je parle du Roman.

L'absurde signifie donc pour le romancier total une certaine absence de surveillance, le contraire de l'univers de Kafka, une fermeture défectueuse de l'univers, ou bien une indifférence, ou bien une faille heureuse dans le cercle paranoïaque de la préméditation et de la persécution. C'est la fin de l'organisation de *l'autre* et le début de notre tentative d'organisation. C'est la fin de la Vérité et une création de vérités. Que l'on pose un sens ou que l'on n'en pose aucun, c'est-à-dire des milliards de sens, l'absurde, toujours, continuera à signifier, puisqu'il nous a d'abord permis d'être et ensuite de continuer. Que l'on imagine une hostilité de l'univers ou une absolue indifférence, il nous sauve du totalitaire; présence ou absence du Père, c'est avant tout une absence de sanction, de surveillance, une *chance;* possibilité de s'infiltrer, de s'insinuer, de pénétrer sans être aperçu, de continuer frauduleusement, d'être frauduleusement libre, de s'enrichir de *l'autre,* de le gruger, d'en tirer parti : c'est bien la chance, cette alliée du *picaro,* la définition même de notre aventure picaresque, de la création des univers et de l'enrichissement de la culture. Je répète que les termes *l'autre,* la Puissance n'ont aucune signification métaphysique : qu'il s'agisse d'un Ordre totalement prémédité mais frappé de l'imperfection de l'absurde, ou de Rien, cette chance offerte à la perfectibilité humaine, à la poursuite, on ne parle ici que des conditions matérielles que l'homme n'a pas élaborées et qu'il trouve à son arrivée. La Puissance, c'est la réalité ahistorique, étant bien entendu que la réalité historique en tant que perpétuation d'une vérité, d'une certitude, d'un état de choses, c'est-à-dire intronisée dans un Escurial et entourée d'un cérémonial rigide, devient également Puissance et ne saurait être acceptée par le romancier total qui se trouve immédiatement en rivalité avec elle. La position de l'homme au sein de l'univers est celle du *picaro* dans la société, ce qui définit un roman picaresque universel.

Ainsi, quel que soit le point de vue auquel le créateur se place, l'absurde est une chance humaine. Lui seul permet et inspire la création artistique, la recherche illusoire de la perfection et la course de la conscience-poursuite. Il crée les conditions de l'aspiration. Si *l'autre* était une perfection, l'homme, à supposer qu'il pût exister, serait un prisonnier pétrifié du bloc de glace d'un Ordre implacable qui le priverait de tout soupçon de liberté et de toute aspiration. Aucune question ne saurait se poser et toutes les réponses seraient inconcevables. On ne peut dénoncer l'absurde qu'absurdement ou en dénonçant Dieu, en évoquant un

Dieu au-dessus de toutes les contradictions et en lui reprochant de ne pas nous avoir faits absolus et tout-puissants, c'est-à-dire de ne pas nous avoir mis à sa place. Persécuter l'absurde, c'est vouloir la fin de la liberté et de l'aventure dans l'autorité irrécusable de l'Ordre, du Père, c'est une jérémiade qui place le sens et le sort de l'homme dans d'autres mains. C'est une attitude qui me paraît inconciliable avec un amour authentique de l'art et du roman. Le caractère farouchement individualiste de ce cri du Royaume du Je n'a pas à être souligné. Une attitude inacceptable pour un romancier à vocation totale qui voit dans le fonds collectif inépuisable de l'espèce une source infinie de personnages et de romans, dans l'absurde, l'événement, la péripétie et le rire, et dans le fonds collectif en création constante de la culture, le passage de la lutte hors de l'art et dans la réalité et ainsi une création continue d'identités nouvelles du personnage et des sociétés.

En ce qui concerne le Roman, qui est ici la chose qui nous intéresse par-dessus tout, puisque c'est de cette recherche qu'il s'agit dans ces pages, Sganarelle ne parvient à être le serviteur de l'homme à travers la culture et à l'aider ainsi à transférer la lutte contre la Puissance hors de l'art dans la réalité que s'il demeure le Valet exclusif de son seul Maître, qui est le Roman, du moins dans son effort premier et délibéré. Le *picaro* s'est toujours mis au service de tous les maîtres de rencontre dans le seul but de remplir sa bourse, c'est-à-dire d'enrichir son Roman, ce qui veut dire donc une richesse offerte en partage. L'absurde, cette absence d'absolu dans la Puissance, à moins d'attribuer à celle-ci des goûts littéraires — mais on a déjà dit que l'on ne parle ici rigoureusement que de *ce qui est* — est à l'origine même du roman, de l'art, de l'aspiration, de la maîtrise créatrice, de la rivalité face à l'inacceptable, de la poursuite de ce qui n'est pas : ce qui rend l'individu si précaire, si exposé, si ballotté et vulnérable, « jouet de la fatalité », etc... etc..., est ce qui rend le roman possible. La plénitude, la beauté, la puissance et la perfection de l'œuvre d'art se voudraient vécues.

Tout art appliqué, ou comme on disait après la dernière guerre, « engagé » est un avortement lorsqu'il veut d'abord servir autre chose que lui-même : la création artistique ne s'occupe pas de remédier spécifiquement, individuellement dans ses rapports avec les situations, mais de les détourner à son profit : elle crée ainsi et développe la seule puissance humaine dont la collectivité dispose dans sa lutte contre la Puissance : la culture, seule force qui puisse être appliquée, engagée, transformée en une énergie, en actions, applications, remèdes spécifiques, idéologies et révolutions, assurant ainsi l'élaboration des identités nouvelles des sociétés et des individus. La rivalité artistique de la création avec la réalité contribue ainsi à créer des moyens d'action et de lutte *réalistes* et spécifiques qui cherchent à changer au profit de l'homme ses rapports avec la Puissance, c'est-à-dire aussi avec sa propre donnée première.

Il faudrait donc en finir avec les gémissements de l'incompréhension et de l'absence — Kafka, en posant et systématisant l'incompréhension, laissait tout de même une faille dans son univers totalitaire, puisqu'il n'excluait pas la possibilité de comprendre — avec ce romantisme petit-lyrique Del Duca ou Tino Rossi, genre *Courrier du Cœur, Toi et moi, Confessions,* avec de tels miaulements philosophiques. Ce qu'il y a d'effarant dans ce chagrin totalitaire, c'est que cette lamentation élève son bêlement dans le roman en faisant comme si le bonheur, le rire, la santé, le « jouir » de la vie n'existaient pas, comme si le « négatif » existait sans le « positif ». De toutes façons, le chaos ne peut être que la fin de l'impossible.

L'individualisme est d'abord un manque d'amour authentique de la vie en elle-même et pour elle-même : les vrais amants aiment l'autre plus qu'eux-mêmes, ce qui a toujours modifié leur rapport avec leur « finitude » personnelle. Du reste, tous les vrais jouisseurs finissent toujours par aimer la jouissance plus que leur propre « jouir » : « que ma joie demeure » ne pose pas la question du Moi. En réalité, tout triche et « transfert » dans les philosophies de l'absurde, de l'existence-inexistence et du néant. Ce que ces théories s'abstiennent si soigneusement d'avouer, c'est qu'il s'agit toujours d'une obsession de mortalité personnelle qui s'habille pour sortir. La culture a joué là un rôle curieux, en augmentant la conscience, en quelque sorte capitaliste, qu'a l'individu d'élite des investissements qu'il a faits dans les valeurs culturelles et dans le Moi-valeur dont il ne veut plus se séparer. On aboutit ainsi à un mélo que Heidegger, Sartre et Camus couvrent admirablement d'intelligence et de style mais qui ne vous parle jamais, finalement, que de l'orphelinat. L'équation Del Duca et *Veillées des Chaumières*, celle qui pose « finitude » = absurde a pour corollaire inconnu = connu, alors qu'on ne peut parler d'autre chose que de connu ou d'inconnu historiques, de compréhension ou d'incompréhension historiques, et même des limites actuelles, c'est-à-dire également historiques, de notre cerveau. Mais on retombe toujours ici sur un individualisme bêlant, sur le Royaume du Je qui se lamente de finir. Lorsque le Royaume du Je se fait chef-d'œuvre — Marx, Jésus, les Écritures, France d'abord, Freud d'abord, Rationalisme, la Relativité, Darwin, Existentialisme —, il veut toujours coloniser le monde; seule la disparition des chefs-d'œuvre individuels dans la culture peut nous aider à rompre avec notre Histoire totalitaire, et c'est seulement aujourd'hui que nous commençons, en parlant de culture dans un sens qu'ignoraient les siècles des chefs-d'œuvre-Royaumes, à prendre conscience de la présence océane de notre nouveau milieu ambiant.

Il est certain que le personnage du roman souffre de se sentir préhistorique. Son optimisme même, sa confiance dans l'avenir de notre aventure picaresque accentue son caractère *prématuré* et le rend impatient, moqueur, agressif à l'égard de tout ce qui est.

On peut dire aussi que la « finitude » du personnage appartient à une étape romanesque dépassée, celle du roman individualiste et non de l'espèce, figé dans les rapports du personnage avec le bien précieux de son identité unique.

81

C'est une convention fatiguée, incompatible avec le fourmillement d'identités du personnage-espèce que seul un événement à l'échelle planétaire pourrait interrompre. En dehors de tout ce que la métaphore commode de *Frère Océan* peut suggérer, et d'abord, la fin dans la culture du chef-d'œuvre individuel totalitaire, ensuite, impatience, tumulte, changement constant, grondements et vie du personnage lui-même, l'image d'un océan inépuisable d'identités ne pouvait manquer d'inspirer une imagination romanesque.

Jamais une époque n'a réuni des conditions plus favorables à la création picaresque. Le romancier n'a plus à « faire connaître », à se perdre dans les méandres descriptifs de la réalité du lecteur, cette base de départ de la larcénie de l'imaginaire, dont la connaissance s'est accrue immensément, grâce au document, à la presse, à la télé, à la radio, à la rapidité et à la force d'impact de l'événement livré à domicile, aux conditions accentuées et accélérées de la prise de conscience. Le romancier n'a plus à fournir constamment ses références, il n'a plus besoin de lutter autant pour inspirer confiance au lecteur avant de le tromper. La Puissance fait de plus en plus ses aveux, cache de moins en moins son jeu, ses moyens, sa technique, ses intentions, sa nature, les formes qu'elle prend : l'imagination peut partir d'une base de départ beaucoup plus avancée qu'il y a encore une ou deux générations. Dès qu'on dit, par exemple, « Amérique », « Américains », le cinéma a fait une bonne part de notre travail préparatoire. Le vocabulaire marxiste et freudien traîne dans toutes les consciences : on peut en abuser royalement dans un but de parodie, de rivalité avec la puissance de ceux qui en abusent royalement dans la réalité. Et tout à l'avenant. Si Tolstoï décrivait la bataille de Stalingrad, il regarderait les actualités de l'époque avec un bon sourire : rien de tel pour redonner confiance au romancier que de bien observer les moyens de l'ennemi. Cela vous redonne confiance dans vos moyens. Plus le lecteur est renseigné et plus le romancier est renseigné sur ce que le lecteur tient pour acquis et plus il est facile d'exploiter cette connaissance commune de la réalité pour augmenter la puissance convaincante de l'imaginaire. Plus la réalité est connue et plus il est facile à Sganarelle d'être réaliste avec une absence de scrupules totale dans sa rivalité avec la Puissance au service du Roman. Jamais l'imagination du romancier n'a eu à se charger de moins de bagages qu'aujourd'hui : c'est le lecteur qui les lui porte.

Pour en finir avec l'absurde : c'est, en fin de compte, une notion purement artistique d'une perfection vécue qui échappe. C'est une fixation délibérée de la distance focale de la pensée au profit d'une forme de lyrisme littéraire, une école entièrement acceptable comme toutes les impostures artistiques lorsqu'elles réussissent, mais qui procède toujours d'une conception totalitaire des rapports de l'homme avec l'univers, et à l'avantage de *l'autre*. Elle n'est pas compatible avec le roman total, qui inverse ce rapport. Du point de vue philosophique, non romanesque, elle ne saurait prétendre à être autre chose qu'une coquetterie dans les rapports avec Dieu qu'elle nie expressément : elle est une incantation magique par l'œuvre d'art — « le pouvoir des cris, dit Kafka, brisera les rigueurs décrétées contre l'homme » — sommant la Raison cachée de se révéler à nous, espoir de voir le Père céder à la provocation et apparaître devant nous. C'est, dans ses gloussements, une déviation du désir métaphysique, dont M. René Girard a si bien parlé à propos du masochisme, dans son ouvrage passionnant : *Mensonge romantique et vérité romanesque*.

C'est à l'ombre de cette nostalgie toujours déçue que tous les poètes romantiques ont fait de la mort une perfection, un chant d'amour masochiste du dépit amoureux du scorpion. C'est à l'abri de cet exquis chagrin que s'est élaborée toute la conception, si typique du romantisme allemand, du « néant » de Heidegger, qui aboutit aujourd'hui, dans le roman, à la retraite intimiste à l'intérieur des limites immédiates, que l'on cherche à retrouver, de la perception virginale aculturelle, adamique dans sa nostalgie inavouée de quelque innocence perdue. Voilà de quoi rêve ce roman qui veut « rompre avec le passé ». Le passé de l'homme étant au moins les neuf dixièmes de son héritage psychique, on ne peut rompre avec le passé qu'en cessant de lutter contre lui, c'est-à-dire en rompant avec l'homme, enjeu de la lutte de l'imagination aux prises avec la réalité.

Dès qu'on situe le centre de la Puissance en dehors de l'homme — et il n'est guère possible de le situer dans l'homme, lorsque toutes les tentatives de compréhension de l'univers parlent en termes de milliards d'années-lumière — c'est alors l'homme qui devient l'absurde de *l'autre*, de quelque chose, de quelqu'un, ou de Rien. Le moins qu'on puisse dire, c'est que tout se met à parler ici d'une chance exceptionnelle, ou, en langage romanesque paranoïaque, d'une « erreur » de *l'autre*, à laquelle l'homme ne peut « remédier » que par sa propre destruction. L'absurde est un héros humain : je ne sais plus qui l'a dit.

On ne voit donc pas d'autres limites à notre Roman que la destruction de la base de départ avancée de l'imagination romanesque par la bombe à hydrogène, laquelle est sans doute une découverte prématurée, résultat d'un déphasage fréquent dans les mouvements de l'Histoire avec le niveau et le degré de partage de la culture, et donc du développement des consciences sur l'ensemble de leur front, et non seulement sur celui de la science, si bien que l'avenir intervient soudain en même temps que le passé ancestral dans le présent, ce qui crée à la fois le progrès scientifique et technique et le met au service des psychismes attardés, pour ne pas dire demeurés. C'est donc la bombe à hydrogène — dont je me garderai bien de parler trop directement ou de m'occuper exclusivement, par souci de tout autre chose qu'elle, c'est-à-dire de l'œuvre — qui me fournira la péripétie du Roman, puisque je veux avant tout qu'il continue, et que la destruction de centaines de millions d'êtres humains, et des assises mêmes de la civilisation, rendrait la composition et la publication des œuvres romanesques extrêmement difficiles.

VIII

*Les rapports de l'œuvre avec sa source d'inspiration. — Où l'on voit
les cadavres de Guernica jouer le même rôle qu'un compotier. —
Le roman ne peut pour les hommes que ce qu'il peut pour le roman. —
La convention de la culture. — Ce qui agit. — L'art abstrait et
la guerre d'Algérie. — Encore le charlatanisme individualiste de
Sganarelle. — Ce qui agit. — La convention de la culture. — Le
« jouir ». — Frère Océan.*

On ne peut associer un seul titre de chef-d'œuvre à un
changement significatif d'une réalité qui l'ait inspiré : il n'est
pas d'exemple d'un apport artistique individuel, quelle que
soit la volonté appliquée du créateur de changer un aspect
du monde, qui ait changé autre chose qu'un aspect de l'art.
On peut dire plus : dès qu'une situation sociale inspire une
œuvre, cette situation devient, au sens le plus cynique du
mot, une source d'inspiration, c'est-à-dire fait naître la
beauté de *Guernica* à partir des cadavres, et ne fait pas naître
autre chose : dans les rapports directs et spécifiques du
tableau avec la société, la guerre civile et ses horreurs ne
jouent plus dans l'élaboration et l'effet de l'œuvre de Picasso
que le rôle du compotier chez Braque ou de la viande dans
le *Bœuf écorché* de Rembrandt.
   La plus grande découverte du siècle dans le domaine

artistique vient ainsi d'être faite en Amérique, préparant sans doute un essor culturel qu'il est déjà possible de pressentir : il n'y a pas d'œuvre d'art « dangereuse » pour « l'ordre des choses ». Qu'il y ait là un malentendu profond, et que l'on oublie complètement que toutes les révolutions, tous les bouleversements de l'ordre établi ont été provoqués non par ce qu'il y a d'intolérable dans *ma* condition, mais dans la condition des *autres*, c'est-à-dire à partir de la culture, importe peu, dans le rôle extraordinaire, si favorable au progrès social, joué par cette « découverte » en soi parfaitement fondée, lorsqu'on part du rapport individuel des œuvres avec des situations spécifiques : quels que soient ces rapports spécifiques, directs et individuels, avec des situations historiques, le roman ne peut pour les hommes que ce qu'il peut pour le roman.

C'est seulement lorsque la montée de la sève culturelle change la nature même d'une sensibilité et du regard, faisant monter le seuil de la conscience, — Mozart joue là le même rôle que Schiller ou Leonardo — que toutes les ressources de l'intelligence de Marx sont mobilisées au service de sa sensibilité. Toutes les prises de conscience révolutionnaires ont d'abord été un changement de la façon de sentir, avant d'être un changement de la façon de penser. La culture ne peut accomplir pour les hommes que ce que, d'abord, une minorité de privilégiés peut accomplir pour la majorité encore exclue du partage culturel. Lorsqu'une idéologie parle de cadres politiques, des éducateurs et des propagandistes, elle parle des élites privilégiées. Ce qui, dans le collectif des œuvres, dans le musée imaginaire, ne parle pas du sort du mineur des Andes, travaille infiniment plus et plus directement à changer son sort que n'importe quel roman que sa situation aura inspiré. Ce qui est en train de rendre la condition du noir intolérable aux privilégiés de la culture américaine, ce ne sont pas les romans sur ce crime social aux États-Unis, c'est la poussée triomphale des musées d'un bout à l'autre du pays. Ce n'est même pas à partir de la culture, c'est déjà à partir de l'acceptation de sa convention, c'est-à-dire, de son acceptation en tant que valeur « louable », qu'agit le commandement culturel : un nouveau conformisme est en train de naître aux États-Unis, celui de la culture, et lorsqu'on paye un million de dollars pour un Rubens, ce n'est pas la beauté de la toile qui est en jeu, c'est la non-valeur de l'argent, c'est l'acceptation d'une convention de valeur qui ne s'arrête plus au musée. Ce qui est célébré par les foules américaines dans les salles de concert, et dans de véritables palais dédiés à l'art par chaque ville qui « se respecte », ce n'est pas le culte de la beauté à laquelle, dans une immense majorité, elles sont encore insensibles, c'est la convention de la culture, premier aspect de son action et du début du partage, c'est un changement du centre de gravité des valeurs en préparation et la naissance d'une société nouvelle, tout comme en Russie soviétique : un « révisionnisme » par la culture, où la beauté des œuvres d'art ouvre les yeux sur tout autre chose que l'art. La réaction des jeunes intellectuels français à la guerre d'Algérie doit plus aux impressionnistes et à l'art abstrait qu'à n'importe quelle œuvre spécifique, roman, théâtre, cinéma ou tableau, consacrée à la situation du peuple algérien. La culture obtient des changements spécifiques qu'elle ne semble pas exiger spécifiquement, l'art pose des questions qu'il ne formule pas, et exerce ainsi, aussi bien chez de Gaulle que chez l'étudiant de gauche, un irrésistible commandement : le Louvre a fait plus pour l'Afrique que les romans les plus scrupuleusement « engagés ».

Aucune situation particulière, aucune stagnation historique n'est à l'abri de ce bouleversement par ce qui l'ignore. Je dis donc que *Guerre et Paix* fait plus pour la construction du socialisme soviétique qu'aucune des œuvres commandées dans le but de faire hâter la construction d'une société nouvelle. Rien n'est plus puissant que cet océan nourricier qui fait, et fera de plus en plus sortir de ses profondeurs une humanité à chaque poussée plus exigeante envers elle-même. Il n'est pas d'exemple, répétons-le, qu'une œuvre romanesque ait changé autre chose que l'art du roman, mais c'est la culture qui crée une communauté de conscience d'où sort toujours une communauté d'action. A partir de là, toute la question de l'œuvre « engagée », comme on disait il y a encore vingt ans, ou « appliquée », est aussi indifférente que de savoir si les dieux grecs qui avaient si puissamment inspiré la culture classique existaient vraiment. Ce n'est plus qu'un problème individuel de l'auteur dans son rapport avec ce qui l'inspire, avec lui-même, avec ce qui le mobilise ou le laisse froid, c'est une affaire de « déclenchement » individuel, ce n'est pas un problème pour la société ou pour le roman. Tout ce qui cherche à définir la « vocation » intentionnelle du roman, de l'art, ou à leur en assigner une, toujours délibérée, dominante dans le psychisme du créateur, met par là même de côté le fait pourtant médicalement établi que la création artistique est en elle-même une vocation obsessionnelle, totale, une *compulsion*. Son caractère « monstrueux », « anormal » n'est pas nié. Discuter ensuite de ce qu'on en fera, lui imposer des normes ne saurait donc changer les rapports entre ce qui utilise et ce qui est utilisé, entre ce qui sert et ce qui est servi : la priorité absolue est pour ainsi dire cliniquement à l'œuvre. Que le créateur contribue à l'enrichissement et donc à l'action idéologique, politique, ne témoigne de sa part d'aucune « vocation » délibérée autre que le roman ou l'art : quel est le romancier qui écrit, le peintre qui peint pour « enrichir la culture »? Lorsqu'il s'agit de son authenticité, Sganarelle est au service d'un seul Maître, tout le reste est une plus-value. C'est la nature même de sa rivalité avec la Puissance qui le situe du côté de tous ceux qui luttent contre elle et cette nature profonde est avant tout une recherche et une poursuite de la perfection. Le créateur devient ainsi l'allié naturel de tous ceux qui sont aux prises avec la réalité, avec les réalités, avec la Puissance. On ne peut rien lui *demander*. Le reste est une affaire d'information, de choix idéologique et de lutte politique, c'est-à-dire de réalisme culturel.

Jaurès, de Gaulle ou Castro sont sortis, comme Mao, de ce qui, dans Cervantes, dans la littérature du XIXe siècle, dans la peinture de la Renaissance, dans l'art sacré, dans Shakespeare, n'est plus ni Cervantes, ni le roman, ni la peinture, ni la poésie, mais qui oppose d'une manière irréductible une qualité changée de la conscience avec le sort inchangé des hommes. La culture est la fin heureuse du chef-d'œuvre individuel et de son aspiration totalitaire, celle qui a jusqu'à présent déterminé toutes les civilisations. Sganarelle restera un charlatan tant qu'il ne reconnaîtra pas que ses rapports avec ses sources sociales d'inspiration sont uniquement et exclusivement ses rapports personnels avec l'art, et qu'il emprunte la justice à une cause juste comme Cézanne saisissait la lumière du Midi. Les rapports *individuels* du romancier avec ses valeurs, avec les concepts qui l'inspirent, sont ceux du peintre avec ce qu'on appelle si bien *valeurs* dans son tableau; dans son roman qui s'occupe du Vietnam ou du Venezuela, ce qui agit ou agira sur la situation du Vietnam ou du Venezuela, ce n'est ni le Vietnam, ni le Venezuela, mais une transcendance de tout thème et de toute situation de départ, une dimension autre qui crée une qualité humaine à partir de la qualité des œuvres, et ne permet plus à ceux qui s'en sont pénétrés de revenir tranquillement dans leurs foyers d'infection. Qu'il faille à partir de là choisir une action, lutter ou se battre, ne change rien à ce fait historique que Trotsky lui-même reconnaît : c'est à partir de la sensibilisation de la conscience par la culture, avant toute intervention de l'idéologie, que naissent les idéologies. Ce que Tolstoï a fait pour le roman, et uniquement pour le roman, il l'a fait pour Lénine. Dès qu'on est dans le bonheur de l'art, dès que son épanouissement dans les consciences élève le niveau de la qualité humaine, on ne peut plus se tromper d'ennemi.

Lorsqu'on lit cette phrase lamentable d'Antonin Artaud : « Le plus urgent ne me paraît pas tant de défendre une culture dont l'existence n'a jamais sauvé un homme du souci de mieux vivre et d'avoir faim », on comprend comment, grâce à quelle astuce née de la même ineptie, la liberté la plus totale est laissée au créateur en Amérique, *puisque la culture est inoffensive* : alors qu'il n'est pas une victoire syndicale, et la naissance du syndicalisme lui-même, qui ne soient sorties de ce commandement implacable et informulé qu'elle adresse à la société d'une manière aussi organique que la lumière solaire impose ses lois de croissance à la terre. Tout ce qui, aux États-Unis, à coups de milliards, favorise cette culture « inoffensive », et compte remplacer par le musée le progrès, se trompe sur la nature véritable de cette poussée de sève à travers les murailles des états sociaux les plus fortement retranchés. Les symphonies font soudain retentir, hors des salles de concert, des échos et des chœurs que les bailleurs de fonds des plus beaux centres philharmoniques du monde n'avaient pas prévus. L'imagination des architectes se donne libre cours dans la construction des bâtiments universitaires de plus en plus hardis : c'est une action politique que la beauté de ces formes nouvelles prépare ainsi, comme vient de le prouver, et avec quelle violence, la campagne d' « obscénité » des étudiants de Berkeley, en lutte contre la ségrégation. La culture ne peut être contenue dans aucun domaine réservé, et que la vertu de Sganarelle ne vienne donc pas condamner le roman au nom d'une souffrance indienne : la liberté de l'Inde doit autant à ce que les poèmes « impérialistes » de Kipling ont fait pour la présence de l'Inde dans la conscience britannique qu'à ce que Shakespeare et Oxford avaient fait aussi bien pour les Anglais que pour Nehru. Il n'est pas possible de se gorger d'architecture et d'art sans aboutir à la décision, qui vient d'être prise, de raser et rebâtir Harlem. Les romans traitant de la condition du noir n'ont eu d'effet que sur quelque zéro virgule cinq pour cent de libéraux américains, mais lorsqu'on achète chaque jour par millions les chefs-d'œuvre littéraires dans les livres de poche *qu'on ne lit pas,* ou lorsque cinq mille Américains font la queue à

Los Angeles pour voir une rétrospective de Bonnard, dont les œuvres ne les touchent pas encore, — j'ai écouté les commentaires — on accepte la *convention* de la culture — Freud en a fort bien parlé — d'une manière qui ouvre aussitôt, par le jeu du même conformisme, les écoles américaines aux enfants noirs. Lorsque Malraux construit quelque part une Maison de la Culture, et fait éclater Braque sous le nez des bourgeois encrassés, il consolide ainsi les droits syndicaux d'une manière plus puissante que la Constitution, et si la petite bourgeoisie de province en est encore à s'indigner contre le cubisme, c'est qu'elle sent planer sur elle confusément une menace dans ce qui, apparemment, ne s'occupe nullement de ses privilèges et de sa situation. Lorsque M. Pierre-Henri Simon, contre son milieu social, dénonce la torture dans l'armée, ce n'est pas une révolte : c'est une fidélité aux chefs-d'œuvre. Le conscient collectif culturel ne peut être récusé sans perte de conscience, sans abaissement du niveau de la conscience dans tous les sens du terme. Dès que le théâtre classique se met à être joué régulièrement devant les foules des usines, la « directive » du goût personnel de quelques demeurés culturels parmi les dirigeants soviétiques se trouve soudain non moins menacée que les positions retranchées du patronat français. L'action de la culture est invincible, si ce n'est par le silence culturel : une société qui exige uniquement des œuvres d'art spécifiques exige le silence culturel et tous les régimes obscurantistes, depuis Savonarole, jusqu'au tsarisme et jusqu'à l'Eglise espagnole d'aujourd'hui, ont toujours reconnu dans la beauté et dans la jouissance culturelle leurs ennemis naturels. Condamner au nom du respect de la souffrance sociale ou de celle du Christ la jouissance artistique, c'est perpétuer le malheur de ceux-là mêmes auxquels elle est pour le moment inaccessible. Le bonheur de la culture lutte pour le bonheur, et la jouissance artistique obtient le partage d'une joie qui ne s'arrête pas à l'art. Il n'y a pas d'idéologie qui ne soit sortie de ce qu'il y a de moins idéologique dans la culture, pas de progrès social qui soit sans rapport avec la poursuite de la beauté.

Il va sans dire qu'un tel rapport avec ce qui agit et commande l'action diminue singulièrement le rôle personnel, l'importance individuelle de Sganarelle, « solutionneur » de ce monde, pape sauveur et Schweitzer guérisseur par ses œuvres des maux sociaux : lorsqu'on reconnaît ainsi la puissante action du collectif culturel, on empêche cette supercherie individualiste qui permet à notre homme de caracoler fièrement à la Mutualité comme si *Le Feu* de Barbusse avait fait quoi que ce soit pour empêcher la deuxième guerre mondiale, comme si Zola avait changé le sort des mineurs ou comme si Feydeau, Labiche et Courteline avaient brisé le cou, par le ridicule, de la bourgeoisie et de l'armée : comme si la peinture révolutionnaire mexicaine, toujours aussi révolutionnaire, n'allait pas finir sur les murs des nouveaux Hilton. La fin heureuse du chef-d'œuvre individuel dans la culture enlève à Sganarelle toute « importance » déterminante personnelle, en même temps qu'elle limite sa responsabilité et augmente sa liberté. Du reste, lorsque le génie parle de lui-même, qu'il parle des fleurs, des jeunes filles rêveuses, et de la passion amoureuse, ou de Turlupin, il fait infiniment plus pour ce qui change les rapports de l'homme avec le monde que *Le Mur* de Hersey. Il y a soixante ans, l'absence du document, des statistiques, le caractère limité de l'information, de la photo, de la diffusion du renseignement, l'absence de la radio, de la télévision, du film, de l'enregistrement, des moyens inouïs et quasi instantanés du compte rendu sous toutes ses formes, pouvaient encore expliquer pourquoi le romancier *renseignait* sur la réalité, comme Gorki ou Zola : c'est à cette époque qu'en sont restés, dans leur rapport avec le roman, les « engagés » littéraires de chez nous, en retard d'un monde, comme les dirigeants soviétiques : la nouvelle génération en U.R.S.S. se moque de ces demeurés dont les rapports avec la culture sont des rapports avec le XIXe siècle. La névrose d'un Sartre, laquelle consiste à voir dans la jouissance artistique une insulte à tout ce qui souffre serait, si elle n'était une maladie, ou une pitrerie, une insulte à tout ce qui souffre : les aveugles ne réclament pas un monde des yeux crevés, ceux qui ont faim ne veulent empêcher personne de faire l'amour; pour que le bonheur, la joie et la beauté puissent être partagés, il faut d'abord qu'ils existent, et que leur création continue; faire de sa morbidité personnelle une exigence puritaine envers la création artistique est une enflure du Moi que l'on peut désigner d'un terme plus clinique. Il y a, du reste, dans cette violente volonté de changer le monde, une volonté de puissance personnelle qui crève les yeux, Sartre donne l'impression de porter l'imaginaire comme une plaie à son flanc, et si ce n'est qu'une attitude, si c'est de l'art, une façon de travailler à sa beauté schweitzérienne, à son piédestal, bref, si c'est une habileté de Sganarelle-charlatan, alors c'est un géant : il parvient à faire du renoncement à la création artistique une œuvre d'art. Dès que l'œuvre cesse d'être le but de l'œuvre, dès qu'elle vise autre chose que *son* monde, la convention du moralisme de la « vallée de larmes » et de la « condition humaine » est si pieusement respectée que la « vallée de larmes » et la « condition humaine » n'en tirent aucun profit et que la vertu finit par triompher du bonheur des hommes.

Pour en finir avec les pantalonnades de Sganarelle, lorsqu'il vient nous dire : « Il ne sert à rien de parler de culture à un paysan des Andes qui crève de faim ou dans les villages vietnamiens pulvérisés, il faut *agir* », *c'est ici la culture qui parle, c'est déjà la culture qui agit.*

IX

Le « jouir ». — *Une victoire posthume de la bourgeoisie.* — *La mentalité petit-marxiste : ou comment on transforme le prolétariat en singe fidèle de la bourgeoisie.*

Je vais donc m'efforcer de bâtir *Frère Océan* autour d'un personnage qui ne sera ni peintre, ni musicien, ni romancier, mais qui jouera, avec le plus de violence possible, avec le plus de passion dans l'affirmation, dans le défi et la dérision, ce rôle essentiel qui fut de tous les temps celui de l'art, et qui en fait un ennemi naturel de tout « ordre des choses » : mon personnage sera un agent provocateur. L'art est une scandaleuse et salutaire provocation. Il faut qu'il continue à être un scandale, dans un monde où l'on crève de faim, d'ignorance, d'hébétude et d'abandon. Je ne peux en aucun cas toucher directement ceux qui me touchent le plus, ceux-là même qui me font écrire, lorsque j'éprouve le besoin de m'excuser, *pour qui* je crois écrire, lorsque je me cherche une justification d'être et des gants blancs : les sous-privilégiés de la culture. Ils sont au départ exclus aussi bien de l'art que de l'organisation de leur destin. Tous les « penseurs » de toutes les révolutions, ses « auteurs », ses « organisateurs », ses « cadres » appartenaient toujours à une élite privilégiée qui se mettait à lutter contre ses propres privilèges. La

94

jouissance culturelle impose une éthique de la beauté. Les rapports personnels de Baudelaire avec la société, son indifférence à la misère populaire, son égoïsme absolu importent peu ; ce qui compte, c'est que ses *Fleurs du Mal* soient libérées du pourrissement social qui les a inspirées pour que leur beauté se fasse pure, qu'elles n'aient pas plus de rapport avec un état social qui les a fait naître que ce masque nègre avec le cannibalisme et les ténèbres : ce que cette statuette rituelle du Mali a emprunté à la cruauté tribale et au sacrifice humain, elle nous le restitue aujourd'hui sous forme de culture et de valeur authentique qui doit tout à la barbarie.

Il n'existe pas d'ouvrage sur le roman ou sur la peinture qui reconnaisse le caractère du « jouir » esthétique dans la formation de la conscience sociale : c'est pourtant à partir de la jouissance culturelle d'une élite privilégiée que s'est préparée la révolution d'octobre, et ce qui empêchait les princes des xviiie et xixe siècles de faire pendre les auteurs « dangereux », c'était le plaisir qu'ils prenaient à les lire. Toute allusion au rôle de la jouissance dans la culture est soigneusement évitée par le puritanisme de tout poil, et l'acoustique même, si je puis dire, des mots comme « volupté », « jouir », « plaisir », « délectation », « jouissance » résonne d'un écho cynique, dégoûtant, « décadent ». Ces mots nous paraissent chargés d'une sorte de douceâtre et ignoble salive. Le puritanisme de « la vallée de larmes », et de la « condition humaine » exige d'autant plus énergiquement un silence austère sur ce qui est pourtant aux sources mêmes de la vie et de tout épanouissement humain qu'il fait moins pour assurer le partage du « jouir » : c'est un moralisme qui dispense d'une morale et d'une action. A droite, il y a évidemment la peur du progrès, mais à gauche, dans le marxisme triomphant, il y a quelque chose de plus effrayant. Car le premier « bien » que les serfs libérés ont toujours pris à leurs maîtres, ce sont tous les signes extérieurs de leur « respectabilité », complément indispensable de leur « dignité ». Les maîtres ayant toujours proclamé que leurs serfs, noirs, *moujiks* russes, coolies chinois, indiens, ouvriers « colonisés » sociaux, étaient des sous-hommes, les serfs, dès qu'ils se libèrent, se parent immédiatement de ces préjugés, postulats et conventions qui faisaient des maîtres des « hommes » à part entière. Ils leur empruntent immédiatement ce qu'il y avait de plus hypocritement puritain dans leur morale, de plus « choqué » par le « jouir » de l'art ou de la sexualité, que la classe libérée assume comme la preuve de son statut, de son accession au rang des maîtres. Il se crée ainsi une mentalité pudibonde et étroite petit-marxiste qui s'offusque aussi bien de l'explosion de lumière, de nudité — on vient d'interdire l'exposition d'une Vénus du Titien et d'un Apollon à Moscou — de « paganisme » et de volupté de l'impressionnisme que de toute description sexuelle dans le roman, et qui mène les punaises des sacristies communistes à une conception de la « décence » ou du « péché » dans l'art qui ne diffère en rien de celle du cardinal Segura. Il ne faut pas chercher d'autre explication à tout ce qu'il y a de plus typiquement bourgeois dans le puritanisme actuel des sociétés marxistes, leur caractère le plus odieux, et qui est une véritable soumission aux « valeurs » les plus formelles, les plus cérémonieuses, creuses et protocolaires de la classe des maîtres vaincus. C'est une victoire posthume de la bourgeoisie : les « goûts » artistiques de Khrouchtchev sont très exactement ceux de ses anciens *barines* tsaristes. La révolution a vraiment trop pris à ceux qu'elle a renversés : plus exactement, elle leur a trop emprunté.

X

Le croupissement occidental. — Le Moi-Dieu, ou la chute du désir métaphysique. — La beauté de l'œuvre, cette insulte à tout ce qui souffre. — Sganarelle à l'Unesco : « Comment peut-on vouloir faire du roman dans un monde où l'on crève de faim ? » — Encore une belle figure spirituelle : Gandhi a fait la grève de la faim toute sa vie, mais pour finir il a fallu l'abattre à coups de revolver. — Le schweitzerisme du Moi ineffable et le Royaume du Je en tant que conscience universelle. — Peut-on être un homme entièrement honnête et un grand écrivain ? — L'œuvre d'art transforme le monde même lorsqu'elle ne le touche pas.

Et nos élites occidentales ? Prises entre la métaphysique et le remords culturel, entre l'angoisse et la névrose, elles ne sentent plus la littérature que comme une plaie au flanc de la charogne-univers, ce néant où bourdonnent les mouches. Leur Moi délicat, exquis et précieux est sublimé au point que tout est pour lui une douloureuse blessure. C'est un raffinement de la sensibilité et de l'intelligence qui ne parvient plus à se réconcilier ni avec la « finitude » de l'homme, avec l'obligation de mourir, ni avec la réalité. Un tel gonflement du Moi ne peut plus que rêver d'absolu : tout bonheur, toute joie sont ressentis comme un rideau de fumée jeté sur la nature tragique de l'Être. Le roman devient ainsi une névrose,

97

œuvre d'un infirme méditant sur l'infirmité d'exister. Allez donc parler de jouissance et de bonheur à de tels aliénés de l'absolu. Le besoin d'absolu n'est même plus le rêve d'un Dieu, mais d'un Moi-Dieu, régnant dans la perfection et la possession totale et éternelle du bonheur d'être Moi.

Plus la beauté est grande, et plus elle parle au monde de ce qui n'est pas là. Elle ne prépare pas *une* réalité spécifique, mais le changement et le dépassement continus de toute réalité. C'est le partage de la culture par l'éducation et à partir du bien-être matériel que le bonheur de l'art exige. On ne peut traiter les masses comme si leur avenir était une lutte éternelle contre leur présent, contre la servitude, l'ignorance et la faim, comme si leur avenir était un présent infini. Le marxisme chinois traite l'art comme si le socialisme ne devait jamais se réaliser. Toutes les objections de conscience au roman, à la fiction, sont une obsession du Moi, d'une identité de l'individu ou de la société, un gigantisme individualiste de la conscience. Sans doute en est-il de même de la conscience ou de l'inconscient du romancier. Vouloir agir ne peut être que vouloir s'affirmer. Mais lorsqu'on condamne un égocentrisme au nom d'un autre, il convient tout de même de savoir de quoi on parle, et de quelle logique, de quelle bonne foi il s'agit. Les musiques secrètes des psychismes, lorsqu'elles mènent à servir le devenir, n'intéressent que les musicologues du psychisme; dans le domaine de la lutte révolutionnaire contre la Puissance, c'est le résultat qui compte : tout est louable qui contribue au transfert du centre opérationnel de la réalité dans le secteur humain. Il est dit simplement ici que l'objection de conscience au roman et à la création artistique non appliqués est irrationnelle, aculturelle, fratricide et d'autant plus destructrice et inepte qu'elle se réclame exactement de la même intention et de la même volonté, du même combat, et des mêmes objectifs que le romancier « désintéressé » ou « inconscient ». Ce qui fournit alors le critère du «jugement» ce n'est pas le souci des contributions authentiques que chacun apporte selon ce qu'il est, mais le moralisme du motif psychologique premier et déterminant, celui qui ne s'occupe plus de lutte, de révolution, de victoire sur la Puissance, mais de savoir si Maupassant était syphilitique, Dostoïevsky épileptique, Lénine « dégénéré », Thorez déserteur, Swift impuissant, un « j'accuse » qui s'efforcerait de discréditer l'œuvre de Leonardo en évoquant la pédérastie. On ne souligne ici le gigantisme du Moi-conscience universelle que parce qu'il est un problème personnel comme celui, analogue, de tout romancier, et ne saurait se prévaloir de la supériorité morale dont il se couvre.

Il y a aussi ce que le puritanisme ressent si violemment : la jouissance esthétique n'est pas associée à un jugement moral. Elle n'est pas différenciée en noir et blanc, en positif et négatif : elle *est* d'abord, quitte à s'organiser ensuite dans une civilisation, à s'arranger avec ce que la culture exige de toute joie : son règne, son partage, sa durée. La société, les hommes, le monde sont absents du contact fugace avec ce bonheur, au moment où il a lieu : c'est précisément parce que ce contact est fugace que la société, le monde, les hommes sont ensuite redécouverts par nous, que nous les regardons autrement : ce qui leur manque, c'est aussi ce qui manque à l'œuvre *en tant que réalité vécue*. Ce « quelque chose » dans l'œuvre manquera toujours à toute réalité, mais il contribue au mécanisme du changement : c'est un dynamisme en soi. Que le puritanisme petit-marxiste ou exquis ne se fasse donc pas de cheveux blancs : c'est précisément parce que l'horreur de Guernica nous arrive du tableau comme une beauté, un « jouir », que tout ce qui en nous toujours choisit la beauté et la joie décide : plus jamais de Guernica.

C'est ainsi que l'homme témoigne à la réalité sa gratitude envers l'art.

La presse affirme cependant qu'après une conférence à l'Unesco, Sganarelle vient de déclarer : « Comment peut-on vouloir écrire des romans dans un monde où l'on crève de faim, d'ignorance et de silence ? » Je voudrais poser à ce sublime cette question : comment, dans un tel monde, accepte-t-il de jouir sexuellement? Comment accepte-t-il le déshonneur de ce délice en un tel lieu de malheur? Son niam niam niam de délectation sexuelle n'est-il pas au moins autant que le roman, un outrage à tout ce qui souffre? De quel droit, le lâche soulagement du coït? Où finit, où commence le scandale et la provocation du jouir? Pourquoi seulement au roman, à la beauté dans l'art? Où doit s'arrêter, dans quel respect, le crime de la joyeuse angoisse d'être? Quelle est cette sale vertu? Pourquoi ce Sganarelle enflé de son Je arrête-t-il au roman le délit de lèse-humanité? Pourquoi pas à cette choucroute qu'il déguste sans aucun profit pour l'Algérie? De quel droit autre chose qu'un morceau de pain sec, un verre d'eau, la robe de bure et la sainteté?

Narcissisme, en réalité. Un éléphantiasis de la conscience individualiste. Un sentiment enivrant de Son importance, de Sa grandeur, de Son rayonnement spirituel, de Sa beauté morale, de Sa portée, voilà de quel bêlement petit-lyrique il s'agit dans cette politique du Moi universel de Sganarelle, de ce Moi qui se gonfle de Sa conscience ineffable jusqu'à vouloir incarner en lui la conscience du monde, et où l'humanité, toute l'humanité, se voit toujours offrir la place d'honneur dans chaque noble ride de votre illustre front. Finalement, cette exigence intraitable relève de la tyrannie, de l'intolérance et de la frustration d'un tyran. Lorsque Sganarelle reproche au roman de se désintéresser du Venezuela en même temps que de la misère africaine, qu'il le fasse au nom de la vertu n'empêche pas que ce maximalisme de la conscience soit typique d'une volonté de puissance du tyran qui exige un monde tel qu'il le veut, et que ce soit un monde digne ne change rien au fait qu'il relève du césarisme totalitaire d'une conscience monstrueusement individualiste, totalement obsédée par elle-même. Pour parler comme « ils » parlent, c'est une aliénation au Moi aussi obsessionnelle que l' « aliénation » du romancier à vocation totale à son œuvre : on en reparlera. La création du Moi passe alors avant la création romanesque. On ne passerait ici aucun jugement moral s'il n'était continuellement passé sur le romancier, si l'objection de conscience n'était continuellement évoquée. Narcissisme, donc, romantisme bourgeois humanisant, puritanisme de l'absolu, chute du désir métaphysique, orgueil, le monde entier transformé en un chagrin intime, dans une délectation délirante et égomaniaque de toutes les enflures du Moi, l'humanité possédée par ce Royaume du Je sur lequel règne votre beauté sublime et sublimisée. Un esthéticisme, finalement : l'écrivain ne travaille plus qu'à la beauté de son propre portrait. Qu'on veuille bien croire Sganarelle lorsque je dis qu'il ne s'agit pas de Sartre là-dedans. Je ne parle ici que de Sganarelle, ce valet involontaire de la culture à travers le roman, c'est-à-dire de l'humanité; mais on ne peut parler de tout ce qu'il y a de contradictoire, de faux, d'authentique, d'exaspérant, de hâbleur, cabot, fécond, pirouettant, déchirant et chaleureux chez ce personnage éternel, sans parler de Sartre, le plus grand « exprimeur » de ce temps et qu'il aurait fallu inventer dans le roman picaresque d'aujourd'hui, s'il n'existait pas. Sartre doit savoir qu'il n'y a pas de réconciliation possible entre la littérature et la réalité : on ne peut que fournir à la littérature et au roman des excuses, des justifications d'être, simples règlements de comptes éthiques avec soi-même, poses avantageuses au bord de l'impossible, soumission à la morale bourgeoise réincarnée. On ne peut pas être un homme tout à fait honnête et un grand écrivain. La volonté de servir l'homme dans ce que sa souffrance a de plus immédiat est incompatible avec la nature même de l'art, que ce soit musique, peinture, ou roman, avec toute recherche de forme, de style, de perfection artistique, avec cette part inévitable de flaubertisme inhérent à l'usage même de la grammaire et du mot. Pour commencer, on ne parle qu'à ceux qui ont déjà eu accès à la culture, qui ont déjà participé à son partage, ce qui leur rend votre œuvre compréhensible. On ne peut la faire descendre à aucune « commune mesure », à aucun commun dénominateur : les huit dixièmes de ceux qui vous concernent demeurent en dehors; ils ne savent pas lire, ou à peine. On reste entre privilégiés : la réalité de ceux qui souffrent nous *inspire;* cette inspiration, directement, ne leur rend rien. Tout souci de style, de langage, de grammaire, de technique, d'art, toute recherche d'effet écartent la plus dure réalité du monde. Le style en lui-même est là un luxe hiératique, une royauté : il ne faudrait pas écrire, mais gueuler comme des bêtes, renoncer au sceptre du mot, et même pas gueuler : lever des armées. Et le langage en lui-même est chargé d'un sens toujours anachronique : il n'évolue qu'à peine, il ne connaît pas de révolution. Il est irrémédiablement prisonnier du passé qui l'infecte de ses « valeurs », de sa « pensée ». Il faudrait pouvoir demander au cerveau ce qu'on demande au langage : seule une révolution biochimique pourrait permettre la création d'une dimension nouvelle de la pensée. Tout ce qui utilise le langage œuvre, dans une certaine mesure, à remplir les blancs du passé, c'est à une éternelle « réalisation » du passé que le langage nous condamne.

Comme créateur d'art, de jouissance, de beauté, tout romancier sait donc qu'il est un monstre : rien ne saurait rompre ce rapport ignoble entre Rome qui ne cesse de brûler dans chaque enfant qui souffre, et d'inspirer, ou de laisser indifférente notre « lyre », ce qui revient au même. L'homme, dans Sartre, me semble être ainsi en révolte constante contre la littérature, au nom de ce qu'elle ne *peut* accomplir, et pour toucher ceux qu'elle ne *peut* toucher. Mais lorsque les autres vous manquent à ce point, ce ne sont plus les autres, ce n'est même plus le Sur-Moi social, c'est une sublimation de votre conscience, de sa beauté, c'est un manque d'humilité qui établit un tel rapport affectif entre vous et l'univers. Pour sortir du monstrueux égoïsme de la création artistique, vous sombrez dans un Moi non moins monstrueux.

Il s'agit au contraire de s'accepter, d'accepter cette anomalie, ce quelque chose d'humiliant dans votre nature qui, d'une certaine façon, vous sépare de la réalité de la souffrance des autres, mais qui vous permet tout de même de jeter peut-être votre œuvre dans ce nouvel Océan, si différent de l'océan paléolithique qui nous a donné naissance, mais qui assure, lui aussi, tout comme cet océan originel, la formation et la naissance d'un être et d'un monde nouveaux. On ne peut pas travailler en même temps pour la culture et y renoncer au nom de la fraternité. Ce n'est pas une attitude hiératique, une pose de seigneur; c'est une humble acceptation de ce qu'on est, de ce qu'on peut, de ce qui vous rend provisoirement monstrueux, de sa sécrétion.

J'aime Sartre presque physiquement : je l'imagine souvent à son époque, celle qui l'a vu naître, robe de chambre, bonnet de nuit, plume d'oie et chandelle, en train de gratter, pendant que la servante-maîtresse gueule que la soupe se refroidit ou que le créancier est venu réclamer ses écus. Comme celui de Malraux, très « dix-neuvième », ce n'est pas un physique moderne, ça vous sent son Diderot, son Descartes, l'Encyclopédie, le château, l'humanisme. Je le vois sortir du XVIIIe, pour se rendre au XVIIe — XVIIe siècle, je veux dire, — donner sa leçon de rhétorique au petit de Gaulle, et finissant sa vie bibliothécaire au château, écrivant son traité de Métempsycose, non sans pourchasser dans le couloir quelque soubrette qui se défendra à coups de balai. C'est de la grande tradition. J'ai pour lui la même douce affection que pour le physique de de Gaulle et pour les mêmes raisons : ma francophilie se nourrit de ces profils de médailles sur la couverture des classiques Garnier. Il ne leur manque que la perruque. C'est la France, la grande France traditionnelle, ah, que c'est beau, ah, que c'est permanent, ah, que c'est toujours là, ah, que mon âme de cosaque se réjouit d'être admise, de flairer, de remuer la queue, de jouir de son patrimoine : elle a acquis du bien, un trésor culturel, une Histoire, c'est si bon, si bon de se sentir chez soi, d'avoir appris son *home* spirituel en classe et de pouvoir ensuite y pénétrer sur la pointe des pieds, le chapeau à la main, le croupion en l'air, les portraits de famille, nos ancêtres les Gaulois, c'est si bon! Vous êtes accepté, autorisé à fournir, vous pouvez gueuler « Algérie française » et « Algérie indépendante » avec conviction — elle est aussi la France, elle a droit à la liberté française — on ne vous a pas menti, ça existe, on peut toucher, les portraits de famille ont une ressemblance extraordinaire, c'est tout à fait le nez et les oreilles de de Gaulle, la perruque et l'armure en moins, c'est tout à fait Sartre, le neveu de Rameau, et, voyez, voyez, ils ne sont même pas antisémites, que peut-il y avoir de plus beau?

Ce qui peut séparer aujourd'hui Sartre et de Gaulle, Malraux et Aragon, ne sera rien comparé à ce qui les unira lorsque la France et la numismatique s'empareront de leurs profils valeureux.

Revenons à Sganarelle. Il reprendra ses esprits. Le sceptre humaniste-humanitaire-humanisant lui tombera des mains, la couronne, bonnet d'âne, tombera de sa tête. Il cessera de régner, il cessera d'être « Je », « Moi », « les Autres », « Homme », il redeviendra Valet et acceptera sa vocation. Dès qu'il cesse d'être Valet de son Maître unique, il devient soit un charlatan authentique, soit une pute. C'est lorsqu'il se rend compte de son humilité, de sa petitesse, de son insignifiance, comme « Je », comme Tolstoï, comme Malraux, comme Cervantes, comme Stendhal, comme éternel cocu de la réalité, c'est lorsqu'il redevient valet du Roman fournisseur *involontaire* de la culture qu'il peut contribuer à ce qui change le sort des hommes. Ce que le romancier peut faire pour une société dans sa rivalité avec la Puissance, c'est seulement ce qu'il peut faire pour le roman. Il n'est jamais en situation, il ne reste jamais en situation : ou bien, il traverse le présent, et se jette dans la culture, ou bien il ne va nulle part, n'accomplit rien. Il n'est jamais ni universel, ni hors du temps : il est toujours, d'abord, un contact avec une situation d'époque qu'il quitte, il naît du contact d'une biographie, d'un impondérable — le talent, le génie — avec l'Histoire, avec la Puissance : il ne peut recevoir aucune directive qu'il n'ait déjà reçue, avant la lettre, de ce qui est et — qui donc peut définir le génie? — de ce qu'il est, et que tout ce qu'il y a d'impondérable en lui accentue, magnifie, et exploite. Qu'elle le veuille ou non, l'œuvre romanesque agira toujours contre son temps — au besoin contre elle-même — et pour l'avenir : même Balzac, qui donnait à son monde une amoureuse approbation, nous a légué un témoignage toujours agissant *contre* une société impitoyable. Lorsqu'on parle d'un personnage « balzacien », on parle de monstrueux.

Il n'y a pas de chef-d'œuvre rétrograde. Il n'y a jamais eu de génie romanesque réactionnaire ou seulement conservateur *dans l'œuvre* : la beauté de l'horreur dostoïevskienne appelle à grands cris, à travers la culture, un monde nouveau et différent; l'ordure célinesque, alors que Céline guculait, mais ne réclamait rien, réclame, elle, des consciences qu'elle écœure, une réalité qui serait la fin de l'ordure. Les « idées » primaires de Tolstoï ne nous touchent plus, mais son œuvre continue à nous mobiliser. Ce que réclame « la décadence » des *Fleurs du Mal* baudelairiennes, lesquelles ne réclament rien, c'est un air où l'on n'étouffe plus, la fin du frelaté, la fin du « Mal »; l'euphorie et le bonheur que *La Chartreuse* me procure rechargent, libèrent mon énergie de romancier comme celle d'un ingénieur soviétique dans notre lutte commune contre la Puissance : elles ne nous ordonnent aucune tâche spécifique, mais nous encouragent à la chercher, et à la tenter, et il en est de même de n'importe quel lecteur *cultivé*. Stendhal renouvelle ainsi mes ressources intérieures : mais ces ressources, je ne vais les chercher ni dans ses idées, ni dans son œuvre, ni dans ses blancs : je vais les chercher en moi-même et dans mes rapports avec mon temps. C'est lorsque Dostoïevsky, Cervantes ou Stendhal, avec les mathématiques et la peinture, ne se distinguent plus les uns des autres, lorsqu'ils ont disparu dans une dimension autre, celle du conscient collectif, que ce qui nous parvient d'eux nous pousse à vouloir un monde qu'ils ne pouvaient ni prévoir, ni annoncer, ni choisir. Et pourtant, c'est une sommation à peu près irrésistible : tout ce que la culture change dans notre conscience et dans notre regard commande à la réalité de changer. L'œuvre d'art transforme le monde même lorsqu'elle ne s'en occupe pas.

XI

*Le retour du regard. — La beauté des œuvres : un scandale qui
aspire à finir. — La hernie heideggerienne et le dynamisme du
changement. — « Ce qui n'est pas » et son action sur ce qui est. —
Les temps blancs de la culture, calmes plats de l'Océan. — Le
pessimisme et le roman total sont incompatibles : l'espoir est le
caractère dominant du roman picaresque moderne. — Le roman
total, sa rivalité avec la Puissance.*

La plénitude du chef-d'œuvre, pour détourner un vers
de Valéry, « sonne dans mon âme un creux toujours futur ».
C'est lorsque je quitte le tableau, lorsque je referme le roman
que ma vie un instant remédiée s'ouvre vraiment sur le
monde : mon regard est revenu changé, il n'est plus le fils
obéissant de la réalité qu'il a quittée, c'est maintenant un
regard de *connaisseur*. Le vide, ce « creux toujours futur »,
chacun le remplit selon ce qu'il est, selon ce qu'il peut.
Si mon roman parvient à se jeter dans le fonds culturel de
l'espèce, il agira, et d'une façon que je ne puis lui assigner
ou prévoir : parfois contre lui-même, contre moi-même.
Les contre-valeurs qui m'auraient inspiré se mettent soudain à lutter contre elles-mêmes et pour des valeurs authentiques.
   A l'époque de Balzac, on croyait que le monde existait

depuis six mille ans. Introduisons le temps : l'art est un scandale qui aspire à finir. Sa beauté se voudrait inutile, entièrement vécue : plus de culture, plus d'art. La voilà, cette fameuse plaie, cette « absence », cette hernie heideggerienne de Sganarelle : c'est un « manque », un vide que la culture creuse en nous et ne cesse d'entretenir; c'est de ce « néant au cœur de l'homme » que naissent toutes ses aspirations, la conscience-poursuite, les civilisations. C'est un « néant » qui change le monde, parce qu'il aspire à se remplir de réalité vécue. Tout chef-d'œuvre est d'abord *ce qui n'est pas :* c'est une absence dans la réalité dont il nous fait prendre conscience.

Il n'y a rien d'irrémédiablement compromis par un passage à vide de la culture : les Russes ont perdu trente millions d'hommes dans le dernier conflit mondial, l'art abstrait peut attendre, et s'ils ont perdu un Tolstoï, ce n'est probablement pas sous les directives jdanoviennes : c'est sous les balles allemandes. Mais en refusant d'amasser sans souci d'expédients un fonds culturel pour l'instant inutilisable et inintelligible aux masses, mais qui le deviendrait si la société se réalise, la Chine condamne son avenir, ou bien à son propre passé, ou bien à celui de ses « ennemis », ou à l'un et à l'autre. L'état d'urgence chinois se comporte envers la culture comme si l'avenir de sa société sans classes ne comptait pas ou n'allait jamais avoir lieu.

J'en tire, en ce qui concerne mon roman, une conclusion très nette : il n'y a pas de pessimisme possible. Dans la littérature, c'est-à-dire hors du roman, le pessimisme est encore agissant comme une certaine convention jeune-fillesque et petit-poétique, une convention par souci de joli effet littéraire, d'ailleurs, depuis l'Ecclésiaste, passablement éculé. On peut encore habiller avec beaucoup de style son futur cadavre. Mais je ne vois pas comment on pourrait faire encore une œuvre romanesque pessimiste, négative, « néantiste », réeliste ou nihiliste qui ne relèverait pas d'un individualisme forcené lequel s'absorbe en effet entièrement dans la mortalité, *Ma* mortalité. Tout dans cet anti-roman, ou pseudo-roman, est un paradoxe : on dépose sa signature au bas de son insignifiance métaphysique en même temps qu'on la proclame d'une très haute importance en tant que littérature. On décrète l'absurde, et on en tire un sens, une action, un « engagement ». On décrète un état d'absence et on lui donne dans le roman un caractère si totalitaire qu'on en fait une présence et un « mystère », un état de pré-révélation fantastique. On affirme des rapports entre les objets qui excluent l'homme, alors que la conscience-poulpe de l'auteur dévore et restitue ces objets dans un rapport halluciné du romancier avec l'inanimé. On interdit à l'auteur omniscient et omniprésent d'être nulle part, alors qu'on le fourre partout, jusque dans les natures mortes. On pose l'incompréhension, l'absurde et la futilité alors qu'on continue à travailler le style. Je vous dis : une plainte forcenée et paradoxale de l'individualisme, un dandysme du Moi mortel, mais élégant jusqu'au bout. Le pessimisme ne peut plus chercher refuge que dans la paix du non-être, dans le roman de l'inanimé, de la mortalité, de l'angoisse de la liberté qui aspire à finir dans l'autorité d'un Père retrouvé, aux traits du Logos que l'on nie et dont on décrit de mille façons l'absence pour le forcer à se manifester : c'est un néant fortement incantatoire. La conscience heideggerienne y bourdonne comme une mouche qui se nourrit de la charogne du Moi : son « néant » est la dernière fleur baudelairienne. *La Nausée* c'est *Les Fleurs du Mal*, les fleurs en moins.

En ce qui concerne le roman du devenir, le roman de notre aventure picaresque, je suis donc condamné au *happy end :* les péripéties n'ont pas de fin. Le personnage ne peut pas mourir : son identité finale n'est pas concevable à l'échelle du Roman, mais de la mort du soleil. Le Roman ne peut pas finir mal; lorsqu'il le fait, il feinte : c'est une lâcheté de Sganarelle qui accepte la convention du roman individualiste. Il s'agit là de quelque chose de plus que d'une réconciliation dans un certain optimisme vital, comme M. René Girard le dit dans son *Mensonge romantique et vérité romanesque* — c'est un *sine qua non* rigoureux : dès qu'il n'y a pas d'espoir, il n'y a pas de Roman total, pas de rivalité possible avec la Puissance, il n'y a plus que soumission totalitaire, il n'y a plus que de la littérature romantique, s'il y a quelque chose. La rédemption dostoïevskienne ou tolstoïenne sont une contrepartie indispensable, ce n'est pas une convention : l'auteur fait ses excuses à la vérité romanesque, ou à la nature même du Roman, que son pessimisme a un instant trahie. M. René Girard dit là-dessus des choses irréfutables. Il faut ajouter que, dès qu'on sort de l'individualisme humaniste, c'est-à-dire du romantisme bêlant, il ne saurait y avoir de fin du personnage : tout parle ici de changement d'identité, celle des sociétés entraînant celle des individus. Ou alors, parlez-nous donc encore de votre mort, comme sous Hernani. Il y a évidemment une menace, la bombe à hydrogène, ce qui fournit une excellente péripétie au roman picaresque de ce temps. Tout est bon à prendre, il n'y a pas de petits bénéfices, la bombe, pour le roman, c'est une veine. Je ne manquerai pas de m'en saisir : *rad staratsa*, comme on dit en russe, heureux de pouvoir vous être agréable.

Dans *Frère Océan* le personnage assumera donc, en les mimant comme un comédien, toutes sortes d'identités sorties de notre péripétie historique actuelle, dont il parodiera en même temps les caractéristiques démentielles : il sait qu'il n'y aura pas de fin, que la suite est toujours au prochain numéro, qui est à la fois votre prochain et votre numéro : celui qu'exécute sous nos yeux Sganarelle. Toujours au prochain numéro : il me faudra passer par le roman-feuilleton, dans un des volumes, d'abord pour remercier le feuilleton, seul humble refuge, aujourd'hui, du roman chassé hors de la littérature pour cause d'imagination, c'est-à-dire, d'incompatibilité avec des auteurs. Ce sera la tâche la plus difficile : Sganarelle est pourri de littérature.

Il en est tout rongé. La pratique du français l'a rendu cérébral, conceptualiste, introspectisant, analysomaniaque, bistourisant, morgueux, morbidiste, camembéro-roqueforiste, sublimisant, autopsiant. Il faudra peut-être avoir recours à un instrument moins subtil et qui ne risquerait pas de s'arrêter à lui-même, c'est-à-dire au langage, car le narcissisme de l'écrivain aujourd'hui se prolonge par le narcissisme du langage, un délice tel qu'il devient une fin en lui-même, le narcissisme du Moi se manifestant par l'adoration de tout ce qui m'exprime, donc amour du langage en soi, puisqu'il est Moi, puisque c'est par lui que je jouis, oh combien, de mon exquise conscience. Le langage-objet est typique du narcissisme égomaniaque et du masochisme individualiste du roman de « Ma » dernière heure, c'est l'obsession du Moi poussée jusqu'au chérissement. Pas étonnant que ces féodaux enlisés du Royaume du Je choisissent Flaubert pour ancêtre, incarnation d'une classe complètement couchée dans la stagnation : ce grand bourgeois a été le premier romancier du culte du Royaume, fasciné par la contemplation sado-masochiste de ses moindres suintements, c'est-à-dire des mots, un Moi inexprimable de beauté autrement que dans la perfection du style, un culte du Moi-Dieu qui ne pouvait qu'aboutir à une religion du langage, dont chaque mot, chaque pied est amoureusement baisé, léché.

L'introspection du langage, langage-objet et objet du culte n'est qu'un nouveau pourrissement accentué du roman « psychologique », cette exquise fleur du Mal du Moi, il est une nouvelle et amoureuse exploration périphérique du Moi, de l'à-fleur-de-peau-du-Moi, une nouvelle caresse à tout ce qui M'exprime, M'annonce et Me signifie, une nouvelle intronisation de Mon-Illustre-Présence, encore un pas en arrière dans la retraite intimiste vers Mon bien le plus précieux.

Débarrassons-nous-en une fois pour toutes : tout est imagination *et* réalité dans l'œuvre romanesque et donc rien, ni le concept, ni le monde authentique représenté ne peut, ne saurait être réalité.

Le réalisme est une illusion de réalité, le personnage est toujours l'auteur, l'objet est personnage, il est l'auteur, cet arbre que je regarde et décris est touché par la culture, il est Jeanne d'Arc et la retraite de Moscou, nos ancêtres les Gaulois, la Joconde, il est mon œil. Le roman psychologique, si on parle de vérité authentique, n'existe pas, n'a jamais existé et n'existera jamais, pas plus que le roman « objectif » en général. *L'autre* est totalement inabordable s'il ne passe pas par le miroir culturel de ma conscience, et à partir de là les subtils distinguos ne peuvent intéresser l'usurpation romanesque totale que comme une discussion entre sardines sur la qualité de l'huile. Il n'est pas concevable que l'imagination puisse coexister pacifiquement avec la réalité, qu'elle puisse la respecter. On peut seulement quitter la réalité avec le maximum de discrétion, c'est-à-dire de réalisme, en emportant dans ses bagages la connaissance familière du monde commune au lecteur et au romancier. On n'utilise *ce* monde que pour authentifier celui de la fiction, afin que le lecteur ne s'aperçoive pas du passage de la frontière de l'imaginaire : son adhésion pendant la lecture témoigne de la victoire du romancier sur la Puissance de la réalité. Le visionnaire ne peut s'offrir et offrir que sa vision, et c'est l'œuvre seule qui la recueille, qui en bénéficie, et à partir de là, tout commence, tout est culture.

La réalité dans le roman est une mise en scène réaliste de « ce qui n'est pas » par le moyen de ce qui est. Lorsqu'il s'agit de seule réalité, d'authenticité, d'objectivité, il n'y a rien, il n'y a personne. L' « objectivisme » des romanciers américains du « comportement » est une technique artistique de la subjectivité, un réalisme de l'imaginaire. C'est un choix d'éclairage et de distance focale d'observation de l'imaginaire.

Je ne sors jamais de ma particularité, de ma singularité, mais j'utilise à la fois le conscient collectif de la culture et

ma connaissance de la réalité pragmatique et conventionnelle pour tromper la vigilance de mon lecteur et de la
censure que la réalité exerce sur moi par son intermédiaire.
Je choisis de le tromper par le personnage qui est à la fois
lui, moi et celui qui n'existe pas, celui que je fais naître.
Cette marge de différence fait de l'homme un personnage
futur. Tout vise ici une réalité future à laquelle on ne parvient jamais, ce qui permet au chef-d'œuvre de demeurer
toujours actuel, au Roman de continuer, et à la culture
d'agir sur la réalité. Je choisis d'identifier le lecteur avec ma
conscience-personnage et non avec ma conscience-objet
parce que le lecteur se veut lui-même comme personnage,
il ne se veut pas comme objet. Il n'aspire pas à l'inanimé. C'est donc à ce qu'il attend de lui-même que je
m'adresse, à ce qu'il n'est pas encore, à son aspiration au
devenir, au changement d'identité : c'est à sa disponibilité
que je vais, à cette liberté qui n'existe encore que comme
une certaine ouverture possible, à la clarté dans les yeux
fermés. Le roman libère le lecteur de l'emprisonnement
dans l'identité que lui a imposée la Puissance, qu'il n'a
pas choisie, pour l'ouvrir au changement en lui donnant
l'expérience des identités multiples, toute lecture de roman
étant changement d'identité, comme l'Histoire. On ne
saurait concevoir de lecteur libre : un tel lecteur n'aurait
rien à demander au Roman.

113

XII

Aspects de la rivalité avec la Puissance. — *Première rencontre avec le personnage.*

Je ne peux jamais sortir de ma conscience, mais je peux, et combien, *sortir* ma conscience, la vomir, la projeter, la décharger, la jouir : c'est dans le roman que je me libère d'elle, je ne m'occupe de moi-même que pour me réinventer sans cesse, pour me quitter et, de toute façon, de qui se moque-t-on lorsqu'on parle du roman « psychologique » et de l'introspection ? C'est toujours d'une introspection *imaginée* qu'il s'agit et d'une introspection de et par l'imagination : donc, toujours de l'imagination. Dès que vous introduisez l'imagination dans ce qui est, il ne s'agit plus que d'imagination : on ne voit pas comment la réalité pourrait intégrer ne fût-ce qu'une parcelle d'imagination et demeurer *vraie*. Le mélange de réalité et d'imagination ne peut se réclamer d'aucune autre authenticité que celle de l'œuvre. Lorsque Proust se penche sur lui-même, il s'invente : il ne découvre pas sa vérité psychologique, il crée Proust, un personnage. Bloom n'a jamais existé, ni Stavroguine, ni Sorel : on nous l'a assez dit, et pourtant on fait toujours comme si le roman psychologique était le roman d'une réalité. Si M. de Charlus est Proust, si Bloom est Joyce, Proust ne saurait être Proust

114

pas plus qu'il n'est Joyce dans son œuvre : il est un personnage ayant imaginé son introspection, il s'est livré à l'introspection de son imagination, ce qui ne donne jamais une
connaissance, mais un imaginaire arrangé en psychologie,
comme tout art est arrangé en vraisemblance, c'est-à-dire
en pouvoir de convaincre, le réalisme ne pouvant être autre
chose. Il y a le roman de l'imagination, ou il n'y a pas de
roman. De quelque côté que l'on se tourne, du côté de l'auteur,
de l'introspection, de l'analyse, de l'objet, de l'extérieur, de
l'intérieur, quelle que soit la position que Sganarelle adopte
pour rivaliser avec la Puissance, ce n'est jamais la vérité ou
la réalité de l'auteur ou du lecteur que l'on découvre, c'est
toujours l'imaginaire. On ne voit pas comment le mélange
d'imagination et de réalité peut être autre chose qu'une
création. A partir de là, le reproche vériste adressé par
Mme Nathalie Sarraute au « personnage » dans *L'Ère du
Soupçon* — le lecteur soupçonnerait désormais que les personnages ne sont que l'auteur — ne peut s'adresser qu'à une
imagination incapable de *convaincre*, c'est-à-dire à l'absence
de talent du romancier. C'est encore un objecteur de conscience qui récuse ici le personnage en tant que non-vérité,
au nom de la morale de la vérité, convention arbitraire, qui
peut se réclamer d'une condamnation de la fiction au nom
du puritanisme, mais pas au nom de l'art de la fiction. A partir de l'apport involontaire du lecteur antérieur à la lecture, à
partir d'une certaine connaissance familière *d'un* monde,
tout est fiction, arbitraire, convention, détournement, abus,
imposture, charlatanisme, larcénie artistique, tout est talent,
génie ou médiocrité. Tout est entièrement libre, il n'y a pas
de police, il n'y a pas de loi, il n'y a pas de règle, il n'y a pas
de vérité, d'erreur, il n'y a qu'une surveillance sévère exercée
par la Puissance de la réalité par l'intermédiaire du lecteur-
censeur qui n'est jamais libre, mais esclave du seul monde
qu'il connaît, d'une seule identité historique qui le tient.
Sartre se trompe lorsqu'il parle de la « liberté » du lecteur à
laquelle s'adresserait le romancier. La censure et la vigilance

du lecteur sont celles d'un serf de la Puissance, d'une réalité et d'une identité sociales du monde dont il est prisonnier, ne connaissant rien d'autre, et qu'il s'agit de tromper par tous les moyens — « réalisme » — pour le libérer, pour l'aider à s'évader, lui faire passer la frontière d'un « ailleurs », le rallier d'abord à l'œuvre et le renvoyer ensuite, après métamorphose, le censeur de l'œuvre devenant le censeur de la réalité.

Tout est donc permis. Il n'y a aucune règle, aucune technique « honnête » ou privilégiée, rien ne peut être récusé au nom d'aucune vérité, d'aucune objectivité. Il n'y a qu'une impitoyable censure de la réalité, qui exige la vraisemblance. Le réalisme est une manière particulièrement rusée de faire passer pour réalité ce qui ne l'est pas, et amener le lecteur à vouloir une autre réalité inaccessible, une autre identité historique, qui n'est ni celle qu'il connaît ni même celle du roman. Une autre Histoire, il faudrait dire : un changement. Nous délivrons provisoirement le lecteur esclave de la Puissance, qui n'est dans le roman qu'en liberté surveillée, mais nous ne l'enfermons pas dans le monde du roman : ce qu'une œuvre laisse comme goût à ses lèvres, c'est le goût et le pressentiment d'un monde qui n'est ni celui de sa réalité ni celui du roman. Je l'ai dit : l'art fait toujours de l'homme un personnage futur. C'est ainsi qu'agit la vérité artistique : comme une poussée vers « ce qui n'est pas » au goût de beauté, de plénitude, vers un « ailleurs » qui ne saurait être atteint et qui est la condition même de la course de la conscience-poursuite et de l'Histoire. C'est un ébranlement vers l'avenir sans désignation spécifique de cet avenir : aucun romancier ne le connaît, aucune œuvre d'art ne peut le faire voir. C'est essentiellement quelque chose qui n'existe pas, une aspiration, au sens de la dynamique, mais qui est liée au bonheur, au jouir, à la beauté, à l'assouvissement. Et la familiarisation du lecteur avec la multiplicité, avec la variété kaléidoscopique des personnages est à la fois expérience fraternelle, et survie : je ne sais si je l'ai dit, ne m'étant guère relu, puisque je n'écris ces pages que pour m'aider à trouver un roman, que toute cette histoire de « finitude » n'est pas compatible avec l'amour authentique de ce qui ne meurt pas, à commencer par la vie.

Si le réalisme voulait dire réalité, il est bien évident que le roman n'existerait pas. L'art vit de rivalité et de différence. On ne peut pas être *l'autre* et identique à lui. Ou bien l'art serait indiscernable, ou indéchiffrable : le romancier serait alors un aliéné au sens clinique du mot : il ne percevrait pas la réalité, l'imaginaire serait inabordable parce que sans références. Lorsque nos chercheurs d'alibis disent que l'extrême connaissance du monde rend aujourd'hui le roman impossible, ils ne font qu'avouer une absence de vocation romanesque. Tout ce qui augmente la connaissance du matériau, du gibier et de son habitat rend la chasse plus facile et plus fructueuse. Jamais la mauvaise foi de l'inexpression n'a plus fortement proclamé le règne des impuissants. Cette attitude de Tolstoï défaillant condamnant la sexualité à l'âge de soixante-dix ans dans *La Sonate à Kreutzer* est typique de l'anti-roman, non-roman, et pseudo-roman des non-romanciers de la capitulation romanesque et de la plainte-râle d'agonie de cette mi-temps de la littérature. Qu'on y prenne goût est une affaire de goût, les « récuser » comme créateurs serait injuste et absurde, mais puisqu'ils se réclament d'une théorie, d'une philosophie, d'une « vérité », il faut bien s'occuper de celles-ci pour leur dire qu'un roman de fœtus dans son bocal est parfaitement valable, à condition de ne pas faire du fœtus l'homme, et du bocal l'univers, et de cette situation une vision exclusive de la situation humaine, c'est-à-dire totalitaire.

Le point de départ de toute fiction, qui est une connaissance commune d'un certain monde, ces « romanciers » capitulards de la débandade du roman le prennent, dans leur naïveté, ou dans leur absence d'imagination, dans la ruse de ce qui leur manque, pour un point d'arrivée : l'information, l'avion, la connaissance du monde rendent donc pour eux le roman impossible.

Il n'y a donc pas de théorie, il n'y a pas de respect, tout est possible, tout est permis, ouvert à l'art, au Roman. Il n'y a pas plus de directive que de récusation. Nous ne sortirons jamais de la fiction. Si la réalité pouvait envahir le roman, elle ne pourrait plus rien pour lui et nous ne pourrions plus rien contre elle. La culture serait ou bien depuis longtemps *arrivée*, ou bien totalement sans action sur le monde : il n'y aurait plus qu'une vie lente, pragmatique, tâtonnante, aveugle, la même vie que celle que nous avons trouvée à la sortie de l'Océan, l'autre, lorsqu'il nous a fallu acquérir des poumons pour vivre hors de l'eau. Pour vivre hors de la culture, il nous faudrait retourner vers cet océan originel, réapprendre à ne pas aspirer ou à respirer avec les yeux. C'est de la nostalgie de cette virginité-là que se réclame la littérature du « regard » — retrouver la virginité d'une perception non souillée par la culture, par la conscience historique — c'est de ce puritanisme qui refuse le roman parce que le roman lui refuse la main de la réalité dans une union légitime, honnête, et bénie par la Vérité, ou par son inaccessibilité sacrée, qu'il s'agit dans « la mort du roman ». Tout ce qui semble se dégager clairement d'une telle Vertu, c'est un très bel avenir pour les putains.

Pour échapper donc au culte du langage, culte du Moi ineffable et de tout ce qui l'exprime, à ce souci de l'habit-style qui irait bien avec mon genre de beauté, pour mieux résister aux extraordinaires sensations de raffinement, de nuance, d'élégance que vous offre le langage le plus subtil et le plus cérébral que je connaisse — le français vous saisit, vous pousse, et, pour peu que vous vous laissiez aller à cette heureuse griserie, à cette délectation en soi, c'est la roue libre de l'abstraction, les plumes déployées du paon qui vous guettent, si vous ne parvenez à vous arracher à ce jeu aux délices infinis avec vous-même — il me faudra m'accrocher à une action de l'ordre du feuilleton, ou me délivrer en elle dans la dernière partie ou le dernier volume, demander toujours tout à l'imagination et à la péripétie, forcer la littérature à servir le roman, empêcher ce serviteur de devenir mon maître, échapper coûte que coûte aux délices du langage, à ses entraînements. Au besoin, recourir dans cette dernière partie, dans le premier brouillon à un langage que je ne connais plus très bien, comme le russe ou le polonais, ou qui ne saurait prendre le dessus sur moi par la richesse de ses possibilités dans l'analyse et l'ivresse conceptuelle : l'anglais me paraît tout indiqué pour le brouillon et le premier jet du flot narratif, ainsi que je l'ai déjà fait à plusieurs reprises. L'anglais se prête mal, de l'aveu même des écrivains anglo-saxons, aux entraînements conceptuels, aux mille et une caresses du Moi, il est réfractaire aux abstractions, aux cheveux et aux mouches; de plus, mon vocabulaire en anglais est plus limité, je serai infiniment moins tenté d'explorer les possibilités de la langue que celles de mon imagination, de l'Histoire, de l'aventure, du mouvement, de la vie. Je gagnerai en réalisme, en communication directe, en expérience vivante, ce que je perdrai en subtilité et en abstraction : mais c'est maintenant, ici, en ces pages que je fais la part de l'abstraction, du schéma, du concept. Ce que je perdrai en littérature, je le gagnerai en réalisme, en participation plus directe du lecteur à la péripétie, et en puissance réaliste de l'imaginaire dans ma rivalité avec la Puissance.

La littérature se dresse de plus en plus entre le lecteur et le roman. Elle n'est plus un instrument du romanesque : elle est devenue un but en elle-même, elle aboutit aujourd'hui au roman de la littérature. Elle procède à partir de la lecture, cherche les blancs dans les œuvres accomplies, ou cherche à exclure le monde, terre commune du lecteur et de l'auteur, et finit dans le langage. C'est une évolution que l'on remarque partout : les moyens deviennent des buts en eux-mêmes, comme les syndicats américains, ils s'érigent en fins et en absolus, petits royaumes féodaux qui assurent la puissance de ceux qui règnent sur eux. Dès qu'on détient, par la spécialisation, le « secret » des moyens, on en fait sa patrie : la science, par exemple, est devenue aujourd'hui une place forte imprenable où seuls sont admis les initiés : elle se transforme déjà en une féodalité nouvelle dont les gouvernements sont les témoins impuissants.

Il me faut réduire la littérature à sa place de servante-maîtresse que le roman peut utiliser comme il veut. J'irai donc jusqu'au roman-feuilleton, en essayant en même temps, bien entendu, de le détourner, ce mineur, c'est-à-dire d'aller au-delà, là, exactement, où ni moi ni personne ne pouvons arriver.

Le contexte social, évidemment, ce sera la bombe H, puisque c'est elle qui menace, à la fois, le contexte social et le roman. Mais je ne puis me limiter à dénoncer mon thème : nous avons déjà vu que c'est précisément par tout ce qui n'est pas dénonciation directe et spécifique que l'œuvre agit comme une dénonciation, qu'elle prend sa portée : pour lutter efficacement contre la bombe, il faut que ce qu'il y a de plus fortement dirigé contre elle dans mon roman se présente comme si *la bombe n'existait pas*. Sans cela, mon roman perdrait son caractère total pour devenir totalitaire en s'absorbant entièrement dans un seul aspect, fût-il essentiel, des rapports de l'homme avec son temps. Débrouille-toi à partir de là, Sganarelle. C'est difficile, mais sans cette difficulté-là, il y a longtemps que l'art serait remplacé par l'alphabet. Mon roman doit donc triompher de son sujet, il ne peut se permettre de lutter contre la bombe que s'il parvient avant tout à utiliser à la fois la bombe et sa lutte contre elle au profit du roman.

— Et c'est moi qui dois faire tout ça ?

Je ne m'y attendais pas, mais il est là. Comme toujours, c'est la difficulté qui l'a fait surgir : lorsque je cherche par quel biais attaquer la Puissance, le personnage se présente tout de suite. Dès que la colère me monte aux yeux, dès que mes poings se serrent, dès que je sens que je vais éclater si je ne décharge pas ça, dès que j'ai envie, mais alors envie, envie! de me colleter avec la réalité, de lui mettre des bâtons dans les roues, de la réduire à n'être plus que le fournisseur de mon roman, de notre Roman, le personnage se précipite : c'est un appel auquel, depuis que le roman existe, le *picaro* n'a jamais pu s'empêcher de répondre. Il est, ce chenapan, toujours prêt au pillage de toutes les réalités de rencontre.

— C'est moi qui dois faire tout ça ? Eh bien, mon salaud !

Je m'y attendais. Dès que vous êtes dans le roman picaresque, c'est le genre de fréquentations auquel vous vous exposez. Il n'y a pas trace de respect pour qui que ce soit ou quoi que ce soit chez ces gens-là. Tout ce qui les intéresse, c'est de se remplir les poches de tous les biens et de tous les maux de ce monde.

Je hausse les épaules.

— C'était infiniment plus compliqué jadis. Aujourd'hui, il y a l'acquis.

— L'à quoi ?

— L'acquis. L'information. Tout ce que le lecteur sait déjà avant d'avoir lu le roman. La presse. La télé. Le ciné. La proximité, la visibilité de toutes les situations qui nous crèvent les yeux. Tout ce qui pour les pseudos, rend le roman « impossible » en lui « faisant concurrence ». La connaissance instantanée de l'actualité, l'Histoire sous votre nez, l'abondance, la disponibilité extraordinaire du matériau, de l'événement, que les délicats et les terrorisés fuient comme la peste dans le bellettrisme d'autruche. L'information a libéré le roman de l'exposition, laquelle se fait maintenant tous les jours toute seule, à dose massive, dès le petit déjeuner, l'*Huma*, le *Figaro*, le transistor. La base du départ du roman a singulièrement avancé. La bombe, on aura à peine besoin d'en parler : c'est de l'acquis, on sait. On part de là.

Il m'écoute. Il sait bien que j'ai un trac énorme, comme chaque fois que je le rencontre. Au fond, je ne sais pas du tout à qui j'ai affaire. C'est peut-être un agent secret que des « valeurs » m'envoient pour se servir de moi. Pour me voler mon roman.

Ce n'est même pas la peine de le regarder plus attentivement : je ne vois encore pas grand-chose, ou très mal. Il y a bien une plage — naturellement, puisqu'il me faut un océan — j'ai pris le titre *Frère Océan* bien avant d'avoir la moindre idée de ce que je vais fourrer dedans, simplement parce que ça va bien avec *La Promesse de l'Aube*, *Les Racines du Ciel*, ça se tient, « ça fait œuvre », m'a dit un cher confrère. Mais une plage où? Une île : qu'il y en ait le plus possible, d'océan, je vais toujours jusqu'au bout, je pousse vers l'horizon. Tahiti? J'y suis allé, il y a tout ce qu'il faut, même si elles ont des dents noires : le mélange de Chinois, de Tahitien, de Norvégien et de tout ce qu'on veut, ça donne des résultats parfois assez étonnants. A partir d'un certain âge, on ne déteste pas être étonné. Décidément, Tahiti fera l'affaire; d'ailleurs la Puissance y a fait crever Gauguin, on va lui faire payer ça. J'ai même une idée : la variété de touristes de toutes les latitudes et de toutes les attitudes va permettre à mon salopard de mimer, parodier, et attaquer toutes les déformations et malformations que la Puissance impose aux hommes d'un pôle à l'autre, en même temps que de se livrer à une forme d'escroquerie, d'abus de confiance dont je vois déjà clairement le principe, si j'ose dire, profitable à la fois au roman et à mon *picaro* financièrement, car il ne faut surtout pas qu'il ait l'air désintéressé ou, Dieu nous garde, idéaliste.

J'essaye de le voir mieux, mais rien, ça ne vient pas, j'hésite, je n'en sais trop rien. Pas de gueule, encore, mais ce sera une assez sale gueule, peu recommandable, joli garçon tout de même, pour plaire aux dames, il faut bien vivre. Ah, tiens, déjà des yeux : bruns, gais, sombrement moqueurs, je vois même le sourire. Une casquette de marin — toujours l'océan — et puis, il y a vingt ans que j'ai envie d'une casquette de marin, mais j'étais diplomate. Tiens, il lui vient soudain une barbe. Pourquoi? C'est simple : je me suis coupé fortement ce matin en me rasant. On se regarde. Il ne me plaît pas tellement. Je crains ce genre de gars. Ils sont totalement incapables de respecter leur auteur. Après quoi, on ira dire encore que je me moque toujours de moi-même.

— Qu'est-ce que je fous à Tahiti?

— Qu'est-ce qu'on fout à Tahiti?

— Bon, d'accord, mais à part ça?

— Ça, mon vieux, c'est ton affaire. Je t'ai mis au monde, tu te démerdes. C'est le personnage qui décide. C'est bien connu.

— Ça, mon vieux, c'est de la littérature.

— Je te donnerai des idées.

— Et si t'en as pas?

— J'en ferai un scénario et je le vendrai à un producteur. Comme chaque fois que je suis à court d'idées. Moins on a d'idées, et mieux on vit.

— Ça promet. Se trouver à Tahiti sans savoir qui on est, d'où on vient, qu'est-ce qu'on fait là et où l'on va... Tout ce que ça peut donner, c'est encore un film sur l'amnésie.

Bon, on va lui faire sentir qui est le patron, ici.

— De quoi tu te plains? J'aurais pu te coller au Vietnam, ou à Auschwitz.

Il me regarde avec admiration. Je sens qu'on commence à s'entendre. Avec moi, c'est au doigt et à l'œil.

— J'aurais pu faire de toi un noir en Alabama.

— Tu es content de toi?

— Ben, on vit, quoi.

— Et moi? Tu vas me laisser là, en panne? Tu appelles ça créer un personnage?

— Je te donnerai des idées.

— Ça veut dire que t'en as pas.

— Tape-toi des filles, en attendant...

— Eh ben, mon vieux, comme imagination!

Il a raison. Il vaut mieux battre en retraite. Je ne veux pas le perdre. Il est là, il ne peut plus filer, je n'ai qu'à le laisser mijoter un peu, cuire un peu dans son jus. Dès que les yeux commenceront à lui sortir de la tête, dès qu'il se mettra à gueuler comme un écorché, j'aurai un roman picaresque de ce temps.

Je vais quand même, avant de le quitter, lui faire bonne impression. Le rassurer un peu.

— J'ai un sujet en or.

Il s'anime tout de suite. Ce n'est pas tellement le sujet, c'est l'or. Le *picaro* est incorrigible. Tout ce qu'il veut, c'est se remplir les poches. Seule compte la richesse, celle du Roman.

— Qu'est-ce que c'est, ton sujet ?

— La bombe à hydrogène. C'est la vraie Puissance, quoi. Cervantes n'avait pas ça.

Il lui vient un de ces sourires que je peux seulement qualifier de déplorable.

— Tu crois que ça va faire un beau roman ?

— Je l'espère. Bien sûr, la bombe ne suffit pas, il faut encore savoir s'en servir. Le talent, quoi.

Il ferme un œil à demi. Je sens qu'il me vise.

— Autrement dit, mon joli, si la bombe n'existait pas, il faudrait l'inventer ? Pour faire un beau roman, une belle... Histoire ? C'est grand, c'est puissant, ça permet d'élever le ton, de viser haut, de faire dans « l'important » ? Il n'y a pas de petits bénéfices ?

Je suis indigné.

— Je ne vois pas du tout ce que vous insinuez...

— Tu me dis « vous » maintenant ? On prend ses distances ?

— Vous êtes écœurant, mon jeune ami. Je n'aime pas les cyniques.

— C'est quand même beau *Les Horreurs de la Guerre ?* Ça vaut bien une petite guerre ?

— Goya a peint ces horreurs pour qu'elles ne se reproduisent pas.

— Je sais, je sais. Allez, mon Maître, avouez. C'est quand même une chance, hein ?

— Quoi ? Qu'est-ce qui est une chance ?

— Le bruit et la fureur, l'Histoire et ses horreurs... Qui vous permettent de profiter ?

— De pro... Moi, de profiter ?

— De dévorer le monde à belles dents, la bombe comme tout le reste ?

— Je ne dévore rien du tout. C'est-le-monde-qui-me-dévore... Je souffre énormément.

— Bien sûr, bien sûr... Ça n'empêche pas l'appétit...

— Pardon, pardon...

— C'est ambivalent, quoi. *Très* ambivalent... L'éthique, chez le romancier, c'est les larmes de crocodile de l'esthétique...

— Mon bon ami, vous êtes un dégénéré. Je dirai même pis, un décadent. Une élite.

— Mon Maître, il me vient un soupçon affreux.

— Quoi, encore un?

— Vous l'avez déjà formulé il y a plus de vingt ans, quand vous étiez jeune...

— Jeune, moi? Je ne me souviens pas.

— *L'homme est-il allemand?*

— J'ai dit ça?

— Oui. C'était sans doute une prise de conscience *artistique*. Un cri du cœur. Tant qu'il y aura du désespoir, il y aura de l'art? Que l'art n'est concevable que comme un signe de barbar...

Je lui coupe la parole. S'il commence à se rebeller contre son auteur, s'il se met à me traiter comme une Puissance quelconque, il ne me restera qu'à fonder un parti politique pour tenter de me réhabiliter.

XIII

*La parfaite bonne foi du romancier. — Où l'on voit réapparaître
la sinistre figure du baron du Devant. — Où Sganarelle se fait
Nostradamus, Cagliostro, jouisseur en Suisse, Judas, socio-
traître. — Il fait une névrose. — Ce qui agit.*

Le dépassement de la bombe exige un dépassement sur
un front infiniment plus vaste : social, idéologique, moral
et matériel. Attaquer spécifiquement la bombe est sans
intérêt : elle ne représente rien par elle-même, mais uniquement parce qu'elle nous représente. Tout le monde s'accorde
pieusement pour voir en elle l' « ennemi », ce qui est inepte,
mais pour libérer nos fœtus culturels de leurs bocaux idéologiques il faut une élévation du niveau de l'ensemble du
conscient collectif qui équivaudrait à un véritable raz de
marée culturel révolutionnaire. Il faut que l'Océan déborde,
balaye, remplisse et façonne. Le roman ne peut s'occuper
de la bombe qu'à son profit, au profit de la culture. Qu'il y
ait un état d'urgence ne peut dispenser de la lutte contre
la Puissance sur l'ensemble du front; parer au plus pressé
ne saurait être la tâche inconcevable du romancier, si l'on
veut sortir des gestes symboliques bien pensants et extrêmement satisfaisants, mais sans aucun résultat pratique.
Comme il ne peut de toute façon pas remédier individuelle-

ment et spécifiquement, autant continuer à demeurer fidèle à la nature de sa lutte totale sur l'ensemble du front contre le *diktat* sous tous ses aspects. Le romancier avance dans un infini : la bombe est une apocalypse-repère discernable, une péripétie; si elle ne l'était pas, ce serait la fin du Roman et cela ne me concernerait plus : on ne pourrait plus publier. Je ne suis pas capable de fin du roman, et comment finir n'est pas pour moi une inspiration. Je laisse à la mortalité individuelle la plainte littéraire sous mille formes recommencée du dernier soupir : cela ne nous concerne pas. Je vais donc procéder avec une mauvaise foi d'autant plus complète qu'elle ne doit pas être remarquée, pour traiter le sujet de la bombe sans me laisser prendre, c'est-à-dire sans ennuyer et nullement pour obtenir la suppression de cette arme de la Puissance, mais pour m'enrichir à ses dépens, c'est-à-dire pour en faire profiter mon roman : tendancieux jusqu'au bout des ongles, sans trace d'honnêteté intellectuelle et encore moins d'objectivité, ma sincérité de Sganarelle est si foncière, si totale, ma conscience-éponge à ce point imbibée de réalité, ma bonne foi de romancier si proche de l'absolu, mon intégrité si inattaquable, mon honnêteté intellectuelle au service de ma vocation tellement évidente, que je m'arrangerai pour qu'il n'y ait rien de perceptible dans mon roman de ce qui y est le plus tendancieux, délibéré, traître, prémédité, voulu, et que tout soit d'une sincérité, d'une authenticité, d'une générosité et d'une impartialité irréprochables, emportant la conviction et l'adhésion dans la mauvaise foi la plus totale et la plus scandaleuse, la plus abusive, la moins fabriquée et la plus pure, rayonnante de sincérité et d'amour de l'espèce dans le détournement le plus monstrueusement délibéré et monomaniaque au profit du roman dans chaque choix du mot, dans chaque tour de phrase, une traîtrise, une séduction, cent mille entourloupettes, un illusionnisme, une larcénie, un abus de confiance de tous les instants dans la pureté souveraine et immaculée de l'art aux prises avec une autre Puissance que celle de la culture. Débrouille-toi à partir de là, Sganarelle. C'est facile.

Le romancier porte en lui son identité historique comme une inacceptable limitation, une claustrophobie de l'imagination, de la conscience. Il aspire par tous ses pores à sortir de ce Royaume du Je, par tous ses pores, c'est à dire, par tous ses personnages. Ce faisant, et jusqu'à ce que sa contribution à la culture parvienne à modifier la réalité, il ne parvient qu'à changer de Je, avec cette différence que cet autre Royaume de son Je est cette fois ouvert et offert à d'autres que lui-même, qu'il n'est plus le seul à l'habiter et que ce Royaume s'ouvre sur, et se jette dans ce qui change et libère celui de l'espèce entière. Prouvez-moi donc que ce n'est pas vrai et je renoncerai au Roman pour me consacrer comme vous à la littérature.

Le non-passage de l'art, de l'imagination dans la réalité, à la dimension du temps individuel, c'est-à-dire sous les yeux du créateur, est pour lui un perpétuel déchirement, une indignation, une dévorante impatience et une frustration qui le poussent à se fuir dans d'autres personnages, de nouveaux romans et, à moins de céder par désespoir et dépit au besoin d'évasion dans le bellettrisme, dans le microcosme, dans le roman de la littérature ou d'élever un chant de désespoir et de soumission totalitaire, lui fait rechercher un réalisme de plus en plus rigoureux et un roman de plus en plus total, empruntant aussi à la Puissance tous ses moyens pour créer un domaine où celle-ci n'aurait plus accès et qui lui commanderait de plus en plus à travers la culture, étant entendu que la marge invincible, mais de plus en plus restreinte, demeurera pour une part acquise à la Puissance, et pour l'autre à l'œuvre, dans une impossibilité absolue de victoire de l'une sur l'autre. L'impossibilité de cette victoire finale est en elle-même une victoire de l'art, une défaite du créateur et une victoire de l'homme. Le non-passage sous mes yeux de l'imaginaire dans la réalité me donne une sensation de jeu, de gratuité, et me pousse à un réalisme toujours plus grand dans la rivalité; il est intolérable, traumatisant, et en contraste constant avec l'énergie, la conviction, la passion qu'il faut sauvegarder au cœur de la lutte pour croire à ce qu'on fait. Les chutes, les renoncements, les capitulations, les recherches d'alibis, de « justifications d'être » et de compensations deviennent inévitables. On quête la bénédiction sociale, la légitimation, on demande la main des valeurs « authentiques » extérieures à l'œuvre dans une union officielle qui viendrait compenser la frustration, l'obsession de l' « inauthenticité » de l'œuvre et de l'univers romanesque. L'éthique se fait le seul alibi possible de l'esthétique, l'action, l'application, l' « engagement » se font la seule façon de sortir du péché d'imaginaire et parfois le renoncement à la fiction et le choix de la lutte politique apparaissent comme une fin de la névrose, une sortie de l'enfance et de la masturbation, accession à la maturité, fin de la culpabilité, de la gratuité, de la frustration. Ce n'est pas alors à cause de ce qu'il sait de la société bourgeoise ou de l'Académie suédoise que Sartre-honnête homme refuse le prix Nobel : c'est à cause de ce qu'il sait de la littérature. Sganarelle se sent un jouisseur, et un jouisseur en Suisse, par-dessus le marché — c'est toujours en Suisse, dans la neutralité, que l'on jouit dans cette « vallée de larmes » — et il se lave de cette impureté foncière, qui est sa nature même, en se donnant un alibi social rigoureux. Il en vient à se dire que tout art est une barbarie, une injustice, un féodalisme du « Moi » asservissant tout dans le monde à son profit. La faim n'a pas à s'entendre révéler la « beauté » d'une société sans la misère pour aspirer à finir, ni l'ignorance à s'entendre parler de culture : elle ne peut tirer aucun profit de ce qu'elle ignore. Sganarelle commence à sentir que la culture elle-même est prématurée : c'est une opération entre privilégiés. Il décide que pour le moment, ce ne sont pas les œuvres qui comptent : c'est l'alphabet. Conscient de sa mortalité, il refuse de se situer ailleurs que dans le présent. Tout art qui aspire à la perfec-

129

tion tend à se nourrir de la souffrance — lorsqu'il s'en occupe — en vue d'art, en vue d'avenir, une telle barbarie apparaît à Sganarelle comme un outrage à tout ce qui souffre dans le *présent*. La beauté devient ainsi une insulte à la sensibilité dont elle est née. Elle ne concerne qu'un avenir très lointain de la majorité des hommes, dont une partie seulement, elle-même toujours privilégiée, pourra peu à peu la découvrir : à moins de parler d'une société calfeutrée dans son privilège culturel, toutes portes et fenêtres fermées, et condamnée à périr étouffée. Ce goût de plénitude à vos lèvres devient de plus en plus abstrait : il lui manque la réalité. Tout revient à ceci : l'art est une activité barbare, toujours abstraite même dans ses manifestations les plus représentatives et réalistes, la création artistique renoue toujours ainsi avec les origines de la culture, avec les rites incantatoires de la sauvagerie. Ce buffle peint sur la paroi d'une grotte, c'est un appel à l'avenir, une chasse future; il manquera toujours à *Guerre et Paix*, à *La Recherche du Temps Perdu* la paix et le temps retrouvés. Il leur manquera toujours ce qui souffre, ce qui meurt, ce qui ne comprend pas. L'art ouvre ainsi une plaie infectée d'absence au flanc de la réalité. Mais ce sont les conditions mêmes du dynamisme du progrès qu'il crée ainsi. C'est par la diminution de plus en plus rapide, par le jeu de l'aspiration, par et vers « ce qui n'est pas », d'une marge entre la réalité et le pressentiment d'une réalité future dont nous effleure le chef-d'œuvre, contraste dont la conscience ne fait que grandir à mesure que la culture se fait partage et aspiration plus grande encore, que s'effectue ainsi, en s'accélérant toujours, la course de la conscience-poursuite. C'est une énergie que les idéologies ou les pragmatismes, les théories et la science transforment en application spécifique : mais c'est la source d'énergie, une puissance indifférenciée qui commande, c'est ce qui, dans la culture, est ressenti comme une plénitude qui ne saurait s'accommoder d'aucun refoulement social : sans l'art des siècles, Marx serait mort un épicier heureux. Le réalisme de l'art n'incombe pas à l'artiste : il incombe à la société. Ce sont les organisateurs du monde qui sont chargés du « réalisme » de la beauté. Le réalisme authentique d'une œuvre d'art est ce que le monde devient lorsqu'il cherche à incarner son essence de beauté, c'est-à-dire de faire sortir l'art de la barbarie en lui donnant à vivre. La société libère les chefs-d'œuvre. Il serait absurde d'établir là une hiérarchie des valeurs et des puissances ou seulement des efficacités : mais c'est tout de même à partir de la source d'énergie que s'effectuent les transformations et les utilisations. Comment, dans ces conditions, le créateur de cette énergie essentielle pourrait recevoir des ordres de ses transformateurs n'est plus une question de logique, ou de culture : c'est une question de police.

Mais tout ce qu'il y a d'humain, de sensible dans Sganarelle, — et il ne serait pas capable d'art s'il était indifférent —, se révolte contre cet avenir qui lui rappelle un peu trop le sinistre fantôme de l'Homme, cet éternel aristocrate à venir, le frauduleux baron du Devant. Or, quoi qu'il fasse, il ne peut jamais s'exorciser de ce besoin de tenir, de voir se réaliser. Il se met dans des états épouvantables lorsqu'on lui dit que son œuvre agit parce qu'elle n'est pas de ce monde. Il se sent rejeté vers les cuisines douteuses de Nostradamus, de Cagliostro : il se sent « esthète », illusionniste, menteur, jouisseur en Suisse, Judas, socio-traître. Et il l'est, il l'est incontestablement : mais il n'est pas que ça. Il y a en lui une puissance de progrès, une vocation d'avenir qui nous rend totalement indifférents à ce petit problème tragique personnel. Ce qui nous intéresse, c'est sa *sécrétion*. Qu'il soit un fumier ou pas ne nous concerne pas : ce qui nous concerne, c'est qu'il soit un fumier de l'avenir. Mais cette lutte intérieure de Sganarelle pour trouver une justification d'être à sa contribution la plus puissante à l'Histoire, au dynamisme même du progrès, est inhérente à la mortalité du bonhomme, outré, volé en quelque sorte, par ce qui dans sa création se moque complètement de tout présent et de toute mortalité. Il cherche à se reprendre en main, il se voit en train de devenir le serviteur de celui qui cherche depuis toujours à être son Maître, ce sinistre baron du Devant qui fait du bonheur humain une notion posthume. Sganarelle ne risque rien : tant qu'il est donneur de joie, ce vautour ne peut que planer au-dessus de sa tête. Ce que crée Sganarelle mobilise les consciences et les pousse à lutter contre le scandale de la beauté qu'ils viennent de goûter en Suisse et qui exige d'être *ce* monde. Mais notre homme entend trop de cris de haine et de mépris : il ne veut plus créer, il veut *faire*. Il découvre soudain que toute son œuvre a été le résultat d'une névrose. Cet effort de *faire* autre chose que ce qu'on *est*, est une des manifestations les plus chroniques du génie. Gogol est à ce point effrayé par sa peinture impitoyable, noire, injuste, croit-il, dans la première partie des *Ames Mortes* de la société tsariste qu'il vénère, qu'il se tue, littéralement, à composer une deuxième partie « blanche » d'une illisible nullité. Tolstoï décide de rompre avec la littérature, se veut un saint agissant, fonde une religion : un des plus grands romanciers réalistes de l'histoire fait un aveu d'irréalité de son œuvre romanesque. Malraux rompt avec le roman, ce manque de sérieux, ce besoin juvénile. Dostoïevsky appelle et inspire la révolution : mais sans le savoir, malgré lui, contre ce qu'il croit, contre ce qu'il prêche, contre son roman. Tout, dans l'assouvissement artistique de Sganarelle, se double ainsi d'une frustration profonde. Inconsciemment, sans même le savoir, il cesse alors de travailler à ses romans : il commence à travailler à lui-même, il cherche des *satisfecit*, des légitimations, des reconnaissances : ce n'est pas simplement par vanité, c'est parce que le creux, l'irréalité, l'habitent. En se faisant proclamer Dignitaire, en se faisant inviter à déjeuner par de Gaulle ou applaudir par le Parti à la Mutualité, il travaille au réalisme de son œuvre. Répétons-le : quelle que soit la part d'orgueil, de vanité, le besoin de sortir d'un isolationnisme physique et psychique, ce piédestal recherché joue un rôle bien différent : il apaise une conscience coupable de beauté, et donc de lèse-humanité, de lèse-réalité. Mais sa monstruosité demeure, il n'en sort pas. Il est lié par tout ce qu'il crée à un « jouir » qui est ce qu'est toute jouissance aux yeux du puritanisme — comment serait-il autre chose qu'épris de beauté? — un lèse-souffrance. Ce « jouir » est toujours là, au fond de l'œuvre, ou il n'y a pas œuvre. Lorsque Dickens décrit les crimes de la révolution industrielle, des milliers de lectrices aux cœurs sensibles font la queue devant l'imprimerie, s'arrachant chaque nouveau feuilleton. Pour nourrir leur faim de progrès social? Non. Dans un but de délectation. Dickens était-il un lutteur qui cherchait à mettre fin aux cruautés de son temps et au travail forcé des enfants? Non : il cherchait à s'exorciser des souvenirs de sa propre enfance, mais en même temps il faisait sans aucun scrupule travailler les enfants pour son propre compte dans son œuvre, il les utilisait et ne les payait même pas. Il exploitait à fond ce sentimentalisme de l'âge victorien qui jouit de ses propres larmes, sans jamais reculer devant aucun viol de la sensibilité, et les enfants, dans cette belle famille bourgeoise, offraient à cet égard des possibilités de jouissance à peu près infinies. On *aimait* les enfants : en ne leur épargnant aucune souffrance, de la plus réaliste à la plus littéraire, Dickens était sûr de ses larmes et de ses effets. Quant à ce qu'il éprouvait lui-même dans le tréfonds de son psychisme — on disait autrefois de son « âme » — il faut tout de même noter que ce sont toujours les personnages « négatifs », ignobles, qui sont les mieux réussis dans ses romans et qui soutiennent le mieux l'épreuve du temps : Faggin est autrement plus vivant et mémorable et nous fait plus « jouir » que toutes les petites Dorritt aux faveurs roses. Lorsqu'on dit que le racisme n'a donné aucun chef-d'œuvre, on oublie un peu trop facilement le prodigieux Faggin. Tous les « grands » Russes, de Gogol à Pouchkine et à Dostoïevsky, étaient organiquement, naturellement, antisémites, au point qu'ils ne disaient jamais « juif », *yevrei*, mais toujours « youtre », c'est-à-dire *jyd*. Qu'il n'y ait pas eu d'œuvre entière antisémite est dû simplement au fait que les Juifs étant tenus pour de la merde, il ne serait venu à l'idée d'aucun artiste de travailler dans ce matériau-là. On s'en servait seulement pour donner par-ci, par-là des touches délicates. Le caractère pieuvre, vorace, dévorant, total, du génie, est indiscutable et barbare; il diminue avec le talent pour disparaître à peu près totalement avec la médiocrité, seule capable d'échapper à cette sauvagerie, à cette ambivalence et de finir dans une union légitime avec la réalité, la jouissance esthétique ayant été complètement éliminée. C'est une jouissance que l'éthique a frappée de remords, elle a été, comme toujours dans le puritanisme, infectée.

C'est finalement à la jouissance, à la volupté, au bonheur personnels que s'adressent tous les reproches faits à l'art du roman en tant que luxe prématuré : on nous accuse d'être heureux « en Suisse » dans un monde où soixante-cinq pour cent d'êtres humains crèvent d'une faim qui n'est pas précisément une faim de roman.

Cette perversion idéaliste, en tous points semblable à l'attitude de l'Église, jadis, envers l'art « profane », finit par faire ainsi de toute vie heureuse, de la vie elle-même, un état contre-nature, dont ne peut nous libérer que le salut de notre âme par la soumission de l'œuvre à une idéologie ou à un Dieu de la rédemption, et le « tous ou personne » est une névrose totalitaire. Prise au sérieux, comme en Chine, elle mène à un malthusianisme culturel qui appauvrit et diminue ce dont les révolutions et le progrès devraient assurer le partage, ce que les sous-privilégiés de la culture devraient pouvoir conquérir. C'est, en plus, une institutionalisation de la Douleur, une subjugation de la création artistique sous toutes ses formes par la Douleur, et le règne du Respect, une *Pietà* permanente au pied de la croix, jusqu'à la fin de la mortalité; sous la couronne d'épines de la « condition humaine », Sganarelle se proclame le

Christ de toutes les plaies. L'art n'a plus droit qu'à la souffrance, et l'on oublie simplement, et assez salement, ce fait
gênant : dans toute l'histoire de la littérature ou de la peinture, il n'est pas une œuvre qui ne lutte pour la beauté
de la vie et le bonheur des hommes, et c'est de cette formation
de la conscience par ce qui touche le fond du problème
de l'être, même lorsqu'il ne s'occupe pas directement de
ses aspects spécifiques, que naissent les idéologies. Lorsque
Sganarelle renonce au roman au nom de la vertu, cela le
regarde, mais c'est dommage : son génie a plus à offrir
aux hommes que son cœur innombrable, les romans de
Tolstoï donnent plus à l'humanité que la sainteté du maître,
et ce refus de la fiction au nom de la réalité et de la morale
est finalement un manque total de générosité, un refus du
don de soi, de ce que vous avez de meilleur à donner, et
rien ne peut nous empêcher de sentir là un exhibitionnisme
de la conscience, et une attitude, finalement *esthétique*, un
esthéticisme du sublime, une façon de travailler à notre
propre beauté aux yeux de la jeunesse émerveillée. Quant
à la véritable action du roman, à ce qu'il va enrichir et
féconder, il est temps de reconnaître que dès que la *convention*
de la culture est acceptée, ce qui est un phénomène contemporain de plus en plus agissant, il n'est plus possible d'arrêter,
de cacher, ou de « réserver » la culture, c'est-à-dire, l'empêcher de demander des tâches spécifiques; la marée monte
et couvre toutes les situations; il n'est pas possible de faire
coexister pacifiquement la culture et le malheur remédiable
des hommes, et à partir de là, tous les impératifs catégoriques
adressés à l'art posent simplement une question provisoire
de puissance policière, mais ne posent aucune question à
l'art.

XIV

Le roman picaresque contre la Puissance et contre le Respect. — La collaboration avec l'ennemi. — Le rire, la satire, la dérision, le burlesque, la bouffonnerie, ou l'intrusion du picaro dans l'univers de Kafka. — Où Sganarelle vérifie ses armes. — La satire et la parodie forcent le picaro à fraterniser avec la Puissance pour mieux la démolir. — Le rêve secret d'un roman picaresque total : l'auteur se voit Valet d'un personnage-humanité entièrement exprimé. — Il baisse aussitôt et modestement les yeux.

L'identité de mon personnage ne s'arrête jamais à elle-même : elle est en changement constant au gré des péripéties historiques, je ne peux plus concevoir de personnage *fini*. Il ne fait que fréquenter des identités de rencontre, abandonnant ces dépouilles après chaque péripétie. Il est très fortement marqué par cette hostilité et cette agressivité mêlées à toutes les grandes explosions comiques : Chaplin d'avant le génie volait le lait des bébés, W. C. Fields proclamait que « nul homme qui déteste les enfants et les chiens ne peut être considéré comme tout à fait mauvais », et la « condition humaine » s'est suffisamment vautrée dans l'art respectueux et lèche-plaie pour qu'il convienne enfin de séparer totalement la souffrance de cette auréole de respect que les siècles de littérature conventionnelle ont sécrétée autour de chaque abcès et de chaque mutilation. Ce n'est plus au nom de la tragédie, mais au nom de la tarte à la crème qu'il nous faut enfin interpeller ce qui n'a été que trop embelli et sanctifié par le lyrisme : la douleur. Le rire guette la métaphysique, « la condition humaine », et Kafka : tous les honneurs et l'admiration dont on entoure, par exemple, le sacrifice, ou l'héroïsme, finissent par conférer une certaine noblesse aux conditions qui leur donnent l'occasion de se manifester. Mon personnage et mon roman chercheront à rompre avec cette préhistoire, avec ce Cérémonial solennel. La beauté tragique que Kafka ou Camus confèrent par leur art « à la souffrance et à l'angoisse d'être un homme » finit par établir entre la littérature et le malheur une sorte de collaboration avec l'ennemi.

La dérision et la parodie posent évidemment un problème assez difficile : elles ne s'exercent efficacement que de l'intérieur, c'est-à-dire, déjà, dans une certaine acceptation. La satire, pour qu'elle soit efficace, doit se passer à partir d'une partielle adhésion, au sein de la famille : Sganarelle devra se surpasser dans la fourberie. Dès que manque cette part trompeuse d'apparente approbation, de cousinage, la satire se fait carton-pâte, grimace, impuissance à toucher, elle manque son but, se déshumanise, la voix s'enfle et pourtant cesse de porter, le sérieux se fait voir là où il ne devrait pas se laisser remarquer, la haine du satiriste agit comme si elle protégeait la cible en la déformant. Il faudra donc que la mimique de mon personnage n'ait pas un caractère trop hargneux. Ce n'est pas une arme bien efficace, en raison de cette part d'inévitable acceptation de l'humain : ce qui reste de la satire féroce que Gogol faisait de la bureaucratie tsariste, c'est la bureaucratie soviétique. Il manque aux mimodrames chinois anti-yankee cet élément de fraternité qui rapprocherait la cible, qui rendrait les Américains plus proches et ainsi plus vulnérables, c'est-à-dire accessibles, c'est-à-dire réalistes. Ils n'attaquent plus que des dragons en papier. Il n'y a pas de satire possible sans un rapprochement humain, sans une marge ouverte à l'arrangement parce que la satire exclut l'irrémédiable. Il n'y a pas de parodie sans acceptation partielle de *l'autre*, sans fraternité. Il est impossible de satiriser Auschwitz pour cette raison. Le rire exerce un espoir, un soulagement, il annonce la fin d'un « accident », d'un chaos. Le rire sonne toujours la fin de l'angoisse : or, pour ne parler que de littérature, l'angoisse a déjà suffisamment régné. Je n'hésiterai donc devant aucun rire, aucun irrespect, devant aucune lèse-majesté.

J'ai dit que mon personnage ne saurait être fixé dans une seule identité. Le roman du changement, de la péripétie, ne peut pas être celui du personnage *fini*. Rien ne doit jamais être donné une fois pour toutes par un romancier de l'Ordre : plus de poison à Emma Bovary, et on ne permettra plus à Tolstoï de pousser Greta Garbo sous le train. C'est un peu trop facile, la mortalité. Ça met de l'ordre, ça boucle la boucle. Ces salauds-là avaient vraiment le goût de la perfection. Je ne veux plus, comme lecteur, qu'on m'apporte des personnages entièrement bouclés, étanches, des monuments définitifs, qui refusent de bouger. Mon roman refusera la rigueur des constructions achevées, le marbre, le définitif, le ci-gît, il n'y aura plus de fini, de couronnement, d'apothéose, ni Panthéon, ni musée de cire, le personnage ne cessera de changer de couleur, de caractère, il changera d'identité, selon l'angle de prises de vues, il fourmillera d'identités. Et puisque le Roman ne saurait avoir de fin, la mortalité ne saurait être, en ce qui concerne le personnage, qu'un changement d'identité. Qu'on ne s'imagine pas cependant que je cherche à faire de l'humanité entière *le* personnage de mon roman, ni du romancier son Valet fidèle : je choisis simplement, dans l'homme, ce qui ne peut être réduit.

— Alors, mon Maître, je suis chargé de joie ?

— Et peux-tu me dire ce qu'il y a d'autre dans la vie ?

— C'est l'imposture totale, cette fois ?

— Totale. J'affirme qu'il ne peut rien t'arriver : à partir de là, tout peut arriver. Tu es **hors** des lois, sans donnée fixe, sans alibi, sans besoin d'excuse, sans Vérité : poussé, aspiré en avant par des identités toujours nouvelles, tu es une aventure picaresque qui se continue sans aucune pudeur et sans aucune fin concevable.

— Et le contexte social?

— Il s'alignera. Il ne peut pas y avoir de culture sans révolutions, sans bouleversements, sans explosions d'avenir sous les pattes du présent.

XV

Kafka, auteur comique. — Une réponse à l'absurde : la tarte à la crème. — Hamlet au bord de la bouffonnerie. — Le postulat de la futilité ou de l'insignifiance à l'insouciance. — Sartre et la finitude ou le bas de laine du Moi. — Le philosophe face à la mort, cette perte du magot. — La fin d'un paradoxe. — Le rire du picaro se fait déjà entendre.

Dans vingt ans, peut-être avant, Kafka sera reconnu comme un grand auteur comique. Déjà Lukacs remarque que K. c'est Charlot : la même démarche, le même affrontement de l'incompréhensible. Son angoisse, comme celle de Roquentin, va rejoindre celle de toutes les victimes des Marx Brothers, bafouées, humiliées, ahuries, écrasées, perdues, victimes d'une arrogance, d'une outrecuidance inouïes. Déjà, pour nous, Dostoïevsky devient désopilant : ses rapports avec le picaresque, le burlesque, le bouffon, avec Dickens, deviennent de plus en plus évidents : déjà, sous nos yeux Marmeladoff devient Micawber, le comique l'emporte; déjà le freudisme totalitaire — « la couleur rouge du bonnet du petit chaperon rouge », dit l'ineffable psychanalyste américain Erich Fromm, « est le symbole de la menstruation » — déjà, le freudisme vieillot tend au rire, cette authentique libération. La parodie s'installe d'elle-même au cœur des

« Possédés », l'acte gratuit devient une blague, la morale du
« surhomme » une sornette, tout un « désespoir » philosophique
finit avec le coup de pied au cul, avec la peau de banane,
avec le clin d'œil ; les soliloques de Raskolnikoff commencent
à faire rigoler ; l'angoisse finit dans le rire, et ce que semble
demander l'absurde, c'est la tarte à la crème : d'un coup le
monde deviendra familier, il cessera d'être un Étranger ; le
rire gagne de plus en plus l'enflure, l'absence, il emplit le
vide, viole le passé : les grognards fidèles du Néant, Hernani,
Hamlet, Roquentin, Meursault, titubent au bord de la
bouffonnerie. Les victimes qui ne font pas rire sont les
victimes de l'homme : celles de l'absence de Dieu, de l'absurde,
de l'angoisse, de l'incompréhensible se livrent, par leurs
gesticulations, à la source la plus sûre du comique : une
recherche désespérée de la dignité dans une situation de totale
futilité. Dès que la futilité du personnage est posée, toute
manifestation de sérieux, toute gesticulation en vue de saisir
une dignité deviennent comiques : c'est le mécanisme même
du rire depuis la première chute. Or, c'est à partir d'une
situation de futilité proclamée que part toute la « philosophie » du roman contemporain : Sganarelle a beau se donner
des airs tragiques, c'est à l'implacable condition du comique
qu'il a affaire ; son importance et sa dignité, ses grimaces
métaphysiques, dans une situation qu'il définit lui-même
comme d'une totale futilité, ne lui permettront pas d'échapper
à la drôlerie. Il serait étonnant que le roman nouveau ne fût
pas un roman comique.

La mort elle-même perdra son tragique de bourgeois volé
de tous ses investissements : c'est en effet cette « ruine
totale » qu'elle a représentée jusqu'ici dans le roman et qu'elle
continue à représenter dans la littérature « néantiste » d'aujour-
d'hui, ou plutôt d'hier. Relisez n'importe quel auteur sérieux
contemporain : Sartre, Camus — une certaine acceptation
de la mort permet à Malraux d'y échapper — relisez Kafka,
L'Être et le Néant, Hemingway — oh combien Hemingway ! — relisez surtout n'importe quelle déclamation métaphy-

141

sique de Sartre (« L'homme est une passion inutile ») : la mort y est toujours cette ruine, cette banqueroute totale où l'auteur et le personnage, le penseur et son « mime » laissent leur magot, toutes leurs merveilleuses économies — cette intelligence, cette culture, cette expérience humaine, ces valeurs si péniblement accumulées — c'est l'horreur bourgeoise de la banqueroute totale, de la faillite après laquelle on ne peut plus se « refaire », Dieu n'existant pas. Voilà la conception bourgeoise de la mort chez Sartre et dans tout roman « sérieux » contemporain. Qu'une telle conception de la futilité de son capital personnel, de sa vie, de tout ce qu'on a investi en elle comme soin, amour, culture, jouissance, générosité, espoir, qu'un tel capitalisme du Moi puisse aller de pair avec une pensée qui se veut de gauche et progressiste, alors qu'on vient bouffer au plus vieux râtelier bourgeois, source de tout le romantisme désespéré du xixᵉ siècle, voilà qui ne cessera de faire l'émerveillement des historiens futurs de la littérature de ce temps. Seule une mentalité d'épargnant en Soi et pour Soi, seul un capitalisme féroce du Moi peut avoir mené nos prétendus « progressistes » à un tel investissement, à une telle inflation, à un tel placement, lequel ne pourrait manquer, évidemment, d'exagérer l'importance de ses propres « actions » et « obligations ». La mort devient ainsi à la fois la perte totale du capital et la fin des revenus que ce capital, la vie, nous rapportait lorsque nous le faisions fructifier. La mort n'est pas chez eux, comme elle le sera dans le roman picaresque de l'avenir, la fin d'une identité et la possibilité de chercher refuge dans des millions d'autres identités : c'est la fin de *toutes* les identités par mort d'une seule d'entre elles. Et nous sommes en 1965 : allez donc parler de civilisation ou de progrès. C'est de la plus primitive barbarie que relève une telle conception du « Moi ». Le féodalisme du « Royaume du Je » n'a jamais, au Moyen Age, été plus délirant.

Le chagrin de cette perte future de son magot est tel que toute jouissance, tout rire, toute insouciance, vous deviennent une offense. Rien ne doit venir troubler votre désespoir.

Le personnage, qui est survie, devient intolérable. Il est la profanation de notre tombeau. On parle toujours, dans cette optique — on ne saurait parler là de vision — de la mort des autres : mais les autres ne meurent pas, ils se reconstituent toujours. C'est la perte de votre capital-identité qui commande au roman de mourir.

Tout cela est un train à changer. Les pompes funèbres deviennent les sources les plus sûres du comique : voir Thorne Smith, Evelyn Waugh, Gunther Grass, docteur Folamour, le cinéma, tout le jeune roman américain, Heller, Purdy, le puissant Donleavy, Malamud, De Vries — déjà, on ne peut les citer tous — la mort y fait rire comme un cocufiage. Tout un très vieux paradoxe est en train de finir : celui qui pose en même temps l'éphémère et le sérieux, étrange conception où ce qui rend la vie futile, la rend en même temps d'un sérieux infini. Que cette futilité puisse au contraire nous accorder une marge de liberté, d'irresponsabilité de l'homme conscient de ce qu'on ne saurait lui demander, de ce qu'il ne saurait se reprocher, voilà ce qu'on reconnaît déjà clairement dans l'insouciance tant dénoncée de notre jeunesse. Que l'on ne puisse être à la fois futile et important, mortel et citoyen assermenté de l'avenir, qu'il y ait donc une marge où l'art, le roman puissent répondre en toute indépendance à ce qui ne saurait avoir de réponse, qu'une certaine insouciance, une légèreté, une absence de sérieux, l'irrespect et une griserie de nos limites soient la petite monnaie de notre « finitude », voilà ce que nos épargnants du bas de laine du Moi bourré du métal le plus précieux refusent même de contempler. On retrouve là un paradoxe du marxisme de cuisine : le transfert de responsabilité s'effectue de l'individu sur la société, en même temps que le fardeau de responsabilité pesant sur l'individu est indéfiniment augmenté.

Le rire leur passera sur le ventre : Sganarelle retrouvera le souffle de sa drôlerie, il est probable que le roman de l'avenir sera d'un génie comique. Déjà, les nouvelles cultures populaires, ces hirondelles qui annoncent le printemps, refusent le sentimentalisme, le sanglot, la mort, qu'elles fréquentaient beaucoup jadis ; les bandes dessinées ignorent le dénouement ; le feuilleton n'a pas de fin, le cinéma populaire sauve toujours tout à la dernière image, les chutes les plus terribles, les férocités les plus monstrueuses ne peuvent jamais rien contre les personnages du dessin animé. Convention ? Certainement : mais qui est plus proche de ce que l'homme veut et cherche que de ce qu'il subit et si l'art veut dire quelque chose, c'est tout de même plus, il me semble, la volonté et l'aspiration qu'une signature apposée d'avance au bas de tous nos actes de décès futurs. L'art qui ne serait pas une convention serait l'instrument d'une Puissance authentique dont il recommencerait un constat sans fin.

Ce qui tend de plus en plus à devenir comique, ce n'est pas seulement le rapport de Charlot avec le monde incompréhensible, ce sont les rapports de l'individu avec lui-même. Les possibilités du rire sont là à peu près illimitées. Les « complexes » appellent à grands cris le comique, l'hygiène mentale par le manque de sérieux et de respect, une acupuncture psychique par l'aiguille de la dérision.

Je crois que le romancier va de plus en plus parodier les rapports de l'homme avec lui-même, avec la vie, que l' « aliénation », source même de presque toutes les situations comiques, va finir dans un éclat de rire, dans cette anticipation d'un univers débarrassé des débris tragiques ; mon personnage sera le mime de son époque, de la péripétie historique dont il parodiera, par sa vie même, à travers les identités jouées, toutes les proliférantes et maniaques orthodoxies, tous les cocasses conditionnements. Je ne sais si je vais y arriver : mais il est des échecs qui rapprochent du but. Si j'échoue, cet échec servira une autre identité : celle d'un autre romancier. « Je » ne compte guère. Ce qui compte dans moi et pour moi, c'est le Roman.

XVI

*Le pessimisme est-il possible? — La créature « futile et éphémère »:
angoisse ou soulagement? — Les limites de la responsabilité dans
la finitude. — Il ne saurait y avoir de fin du personnage ni de mort
du Roman. — Le changement d'identité, nature même de l'aventure picaresque humaine et de ses péripéties. — La fraternité ou
l'impossibilité de l'absolu.*

L'art est une naissance commandée par la vie : qu'une
feuille pousse, que Giotto peigne une fresque ou que Dickens
écrive un roman, c'est à la poussée de la vie que la nature obéit,
dans une variété infinie de formes, de personnages, d'identités. Il ne peut y avoir de théorie du roman ou de fin du
roman dans un tel fourmillement de possibilités qui excluent
toute prévision : il n'existe pas de chef-d'œuvre sorti d'une
théorie, toutes les « écoles » ont d'abord été des œuvres, les
« découvertes » théoriques dans l'art ont toujours été des méditations sur l'accompli. La poussée créatrice est irrésistible,
au point qu'il devient déjà permis de songer au moment où
l'homme va pouvoir créer d'autres espèces vivantes et lancer
une nouvelle épidémie dans l'univers.

Le pessimisme n'est donc pas possible. On ne voit vraiment pas à quoi il correspondrait. Je ne vois pas comment le
personnage pourrait mourir, si ce n'est comme un individu,

ce qui est épisodique, au sens qui assure des épisodes sans fin. Son imagination peut, et c'est ce que fera le personnage de *Frère Océan*, essayer, dès maintenant, d'explorer, de « jouir » de toutes les identités qu'il lui plaît de revêtir, pour les parodier ou les approuver. Je ne vois pas de limites aux possibilités qu'offre un tel roman. Il suffit de se tourner vers Sganarelle-Valet comique de son Maître, de rendre au personnage la joie et la liberté de son manque d'importance et de sérieux. Il faut que notre *picaro* éternel retrouve ses esprits, le bonheur de sa futilité. Car ce n'est même plus au sérieux que Sganarelle aspire depuis que, l'importance aidant, il s'est pris pour le « Grand Solutionneur » : c'est à la papauté, et même à la sainteté : on lui a dit qu'il était la conscience du monde. Il pose le néant et veut en devenir aussitôt le Christ-Roi, dans le respect-silence de sa denrée périssable. Il a si bien réussi son imposture qu'il l'a oubliée : il est la première victime de son propre charlatanisme. Il souffre énormément, il saigne, il se sacrifie sur l'autel du monde, son chapeau pointu devient couronne d'épines : voilà notre bougre qui s'est cloué lui-même à une croix de sa propre fabrication. Il ne sait plus où il est, d'où il vient, ce qu'il fait là : il tâtonne, il palpe dans les ténèbres qu'il a créées, il cherche une réalité qu'il a lui-même cachée à ses yeux. Le Christ de l'incompréhension de Kafka, de Camus, s'est fait épingler sur une croix qu'il a forgée à l'aide de l'absurde, alors que l'absurde venait à son secours, s'appelait le hasard, la chance, l'absence d'ordre et de commandement, de police et d'obligation, et, ouvrant une fissure dans la préméditation absolue qui serait celle d'un ordre implacable dans sa perfection, l'aidait à se libérer. Il a réussi à inventer cette chose extraordinaire : l'abîme sans profondeur, et dans cette platitude, il a presque réussi à se noyer. Le néant, la chute, les abysses n'existent pas, ils ne sont pas possibles : on ne se noie pas, on patauge, on ne s'enfonce pas, on barbote; l'abîme est le rêve insensé de Sganarelle hébété par son millimètre de platitude.

Il faut tirer de là le jean-foutre. Il faut le déshabiller de son importance, lui rendre le bonheur de sa dimension, le sourire de son insignifiance, il faut le ramener à son zéro, à cette insouciance heureuse dans la futilité. On pourrait au moins tirer les conséquences favorables de ce que tant de voix « désespérées » nous affirment : que nous ne sommes rien, c'est-à-dire fort peu de chose, ce qui suffit à nous rendre toute notre assurance et notre liberté. On voit mal ce qui pourrait menacer le zéro. C'est une optique, évidemment, qui m'est totalement étrangère : tout ce qui me définit comme à peine quelque chose, comme petit et insignifiant, libère ma responsabilité, sans que le Vietnam m'écrase complètement. Mon insignifiance m'accorde une marge de liberté qui me sauve du rêve totalitaire, les limites du Je ne sont pas celles d'un Royaume à vocation universelle, ma conscience ne saurait prétendre à coloniser le monde, et mon besoin de fraternité commence exactement là où je finis, exactement là où finit ma responsabilité.

XVII

Le personnage du roman picaresque moderne. — Hossémine : l'homme est-il un « malade » ou au contraire le germe humain est-il une « maladie » de l'univers, un virus qui prolifère comme une épidémie conquérante? — Quelques « philosophies » strictement romanesques. — La larcénie. — La psychanalyse, cet « ersatz » de la création artistique. — Qu'est-ce que le réalisme dans la fiction? — Freud et le réalisme artistique : création d'un univers fictif qui emporte l'adhésion. — Le roman « total » et les trois conceptions du roman possibles. — Le roman de la littérature.

Serrons maintenant le personnage de plus près. Ce qui frappe d'abord en lui, c'est sa liberté : il a rompu toutes les amarres, il s'est débarrassé de toutes les attaches. Solidement planté sur la terre, les yeux levés, souriant d'anticipation et de joyeuse angoisse, il contemple les voies où va se poursuivre sa larcénie. L' « incompréhension » n'est pour lui qu'un mur protégeant la propriété de l'univers. Il refuse toutes les polices de la « Vérité », toutes les morales d'obédience à une fixité quelconque des lois : toutes les lois assurent la protection de la propriété de l'univers, elles fixent la connaissance, les lois spécifiques les plus rigoureuses sont seulement historiques, préhistoriques. Ce sont des ruses de l'inconnu. Il ne les tolère qu'en attendant de les démentir, ce qui lui donne une tolérance encore plus grande envers les erreurs et les contradictions. L'incompréhension l'excite, le stimule, l'emplit de joie : elle est une promesse et une garantie d'avenir. Il a même un vague sentiment — un restant d'anciennes métaphysiques — qu'il n'a lui-même pu venir à exister que parce qu'il n'a pas été « correctement pensé » : une infime, insignifiante, mais, pour lui, monumentale erreur, défaillance ou faille de l'Intelligence. Poétique, lorsqu'il a eu à bouffer, il rêvasse ainsi vaguement à une prodigieuse chute d'un rayon d'Intelligence s'écrasant comme un rayon cosmique contre la terre : naissance de la vie. Ou bien, la civilisation, un sous-produit, un déchet accidentel d'une Civilisation, la science, un retour de l'intelligence à sa source, ou encore, la terre et l'atmosphère, une éprouvette du virus-humanité. Il n'y croit pas : il a simplement, quand il a bouffé, la tripe rêveuse. Tout ce que cela veut dire, c'est que le troisième volume de *Frère Océan* donnera probablement dans la science-fiction. C'est tout. Il voit alors, avec Hossémine, l'univers comme un organisme où le mal humain pénètre et se répand par prolifération; c'est un milieu propice à notre épidémie : Einstein était un virus particulièrement virulent : l'univers se défend naturellement contre l'infection par des anticorps qui se mesurent en années-lumière, qui ne sont pas pour le moment dépourvus d'efficacité. L'humanité veut se répandre, sortir de l'endémie pour devenir épidémie. L'Histoire entière de l'homme est captée sur les écrans d'une Civilisation. L'univers se protège aussi à l'intérieur par les limites actuelles de notre boîte crânienne dont il s'est provisoirement et naïvement entouré. Il arrive au personnage de choisir pour objet de son sourire quelque conception paranoïaque : l'intelligence est un négatif d'une anti-pensée qu'elle saisit parfois dans ses « lois » par suite d'une certaine communauté originelle de la pensée et de l'anti-pensée. Toute vérité est une extrême déchéance d'un sens. Toute pensée est une déchéance de l'incompréhensible, de l'univers. Il n'y a pas de perfection, ni pour l'infini, ni pour l'éternel, ni pour l'incompréhensible : le temps est partout, et le temps, c'est l'homme. Il s'amuse ainsi à des poésies, à des postulats, à des impostures : les mathématiques, depuis Hamilton, lui ont appris la valeur des imposés, des posés. C'est une foutaise, mais cela l'aide à se faufiler : je vous parle de Roman. Toute compréhension porte la marque d'une origine commune avec quelque chose d'autre que « l'être » ou « le néant ». Le centre est ailleurs : toutes les unités de mesure de l'univers prouvent que les mesures humaines indiquent simplement l'existence d'une tout autre unité de mesure. Il n'y a plus de perceptions : il n'y a plus que des consciences. Il n'y a plus de perceptions non historiques. Toutes les perceptions sont devenues culturelles, historiques et aussitôt ouvertes par l'incompréhension sur l'avenir, ce qui exclut tout arrêt et fait de chaque regard « arrêté » une simple victime expiatoire du réel. Avoir conscience d'une banane sous mes yeux est déjà avoir conscience d'Hélène de Troie, de Waterloo, de Lénine. Il n'y a plus en littérature de bananes vierges. L'art est un refus de s'arrêter au regard. Les vérités sont des circonstances, elles sont tournées vers le passé : à leur flanc, les erreurs se tournent vers l'avenir. Les vérités peuvent retarder, mais ne peuvent pas fixer cette aspiration en avant. Le culte du connu, c'est la peur du « révisionnisme », de l'inconnu. Le réel est une pelure de la réalité. Le réalisme est une poursuite. Le personnage est un improvisateur constant de lui-même. Il n'a pas de vérité psychologique, il est un mouvement continu et délibéré de « psychologies » qu'il s'invente ou vient habiter. Son seul honneur, sa seule dignité, c'est la loi du milieu, la loi du milieu humain : il voit les hommes comme des complices de sa grande larcénie, qui vise à une conquête sans fin. Il est un criminel, comme tous les *picaros*, mais cette fois en état de crime envers tout ce qui est extérieur à l'homme : en état de larcénie. Il accepte la société comme le hors-la-loi accepte la loi du « milieu ».

Pour tout le reste, il est — avec satisfaction — une extrême déchéance, totalement et heureusement négligeable, ce qui lui permet d'exister, de nuire, en passant inaperçu — une extrême déchéance extrêmement satisfaisante de quelque chose ou d'un Rien, dans l'absence totale d'un sens perceptible, d'une préméditation, d'un jéhovisme, d'un déterminisme, ce qui lui assure une totale impunité; une déchéance de quelque chose qui, en lui, est devenu presque rien, ou d'un rien qui est devenu en lui presque quelque chose, une déchéance du rien — il a, enfin, un degré tellement phénoménal d'insignifiance dans l'inattention absolue du monde à son égard, qu'il se sent complètement maître de lui dans cette indifférence dont il est l'objet et qu'il voit mal ce qui pourrait lui arriver ou ne pas arriver, ce qui pourrait le retenir ou le fixer, le supprimer ou le diriger, si ce n'est lui-même, par déviation vers lui-même — la bombe — une perversion, une déviation vers l'intérieur de sa larcénie, il est entièrement à l'abri dans sa dimension, imperceptible, sans nécessité de révolte ou d'insoumission, profiteur et parasite de l'infini, de l'éternité et de l'univers, faiseur de ses propres lois, doué de tous les culots et de toutes les arrogances, ne voyant pas de limite discernable à sa prétention et ses ambitions, et qui utilise une vague trace d'origine commune avec l'univers dans un but de découverte, de compréhension, d'infiltration et d'expansion. Bref, c'est un *picaro*, c'est une aventure picaresque à péripéties au sein de l'univers. Il est outrecuidance, arrogance, charlatanisme, imposture, usurpation, dans ses rapports avec la Propriété de l'univers, il est une larcénie dont la réussite non préméditée est Histoire et culture, dont les seuls échecs sont ceux de ses identités transitoires et n'empêchent donc jamais le personnage de progresser. La mort le fait changer d'identité. Le roman change d'auteur, le personnage continue. C'est évidemment un merveilleux salopard, totalement dépourvu d'honnêteté. Dès qu'une éthique de la Vérité le saisit, il tombe malade, il blêmit, pâlit, s'efface, se désagrège; il

151

attend un complice, une fraternité, un talent, le génie, qu'il qualifie de « génie de l'espèce » : il vit de cette complicité. Il s'amuse de tout. Il lui est agréable, parfois, d'improviser quelque conception paranoïaque de l'univers, de se déclarer victime d'une extrême rigueur, d'une impitoyable surveillance, de se proclamer objet de quelque chose : il prend, alors, la pose de l'importance, souffre énormément, a des nausées, parle de « néant », se proclame extrêmement intéressant. Ou bien, renversant la convention existentialiste, il s'amuse philosophiquement du « regard » du réel posé sur lui, regard phénoménologique et husserlien posé sur son « quelque chose » à lui — chacun son tour. Ce regard ne ferait qu'un constat d'existence, ne verrait pas l'homme, ce « quelque chose », susceptible d'une pensée, d'un sens assumé, d'une vie, et rapporterait à l'univers le résultat de sa « perception » en disant qu'il n'y a ni pensée, ni donc menace, et qu'il n'y a que « néant » au fond de l'homme. Il s'amuse énormément lorsque les cocus dépités de leur « for intérieur » viennent lui parler de la fin du psychologique, et de l'introspection : bien sûr, bien sûr : voici l'heure de l'imagination. Il leur fait d'ailleurs poliment remarquer qu'il est extrêmement douteux qu'il y ait jamais eu introspection : il y a eu imagination, ou il y a eu vagissement. La psychanalyse elle-même invente et crée des psychismes nouveaux : si c'est d'un psychisme originel et fondamental qu'elle se réclame, elle est un messianisme du paradis perdu, un adamisme de l'enfance absolue de l'homme. « Guérison », en psychanalyse, est un conditionnement culturel, peut-être faudrait-il dire plutôt conditionnement artistique : c'est une adhésion à un monde culturel, obtenue par une initiation, une éducation ou une rééducation. Si le mot « initiation » choque à cause de son passé magique, disons que c'est une formation culturelle qui, on le sait, prend des années, jusqu'à ce que le sujet se trouve entièrement à l'aise dans ce monde créé par la culture psychanalytique qui lui est peu à peu « révélée », et où il peut se situer, où il peut « s'appliquer », et où la causalité retrouvée au sein de l'incohérence donne, à la place de la Solution qui échappe, un *ersatz* culturel de solution où peut finir l'angoisse de la liberté. Ce qui est d'autant plus satisfaisant que le sujet, ne pouvant se libérer lui-même, se trouve artistiquement « exprimé » et transformé, en quelque sorte, en une œuvre artistique à laquelle il collabore avec le « créateur » psychanalyste, à partir d'un magma premier de son psychisme irrationnel : il trouve enfin sa *forme*. Le génie de Freud a traité le psychisme du sujet comme un matériau artistique et ses « guérisons » sont toujours une naissance de forme harmonieuse à partir d'un magma psychique qui souffrait de son état de « matériau », de matière informe et informulée, inexprimée, mais aspirant à une formulation, à une réalisation, à une forme, c'est-à-dire à une identité organisée. Un grand psychanalyste — et ce pouvoir-là, ce pouvoir personnel, contrairement à ce qu'on m'a souvent reproché en Amérique, n'est par moi ni attaqué, ni discuté, mais au contraire admiré comme une forme de création artistique libératrice du matériau — est créateur de la forme artistique du psychisme du sujet dont il sculpte ainsi l'identité, ce qui procure au sujet un assouvissement d'autant plus grand qu'il y prend part et qu'il a l'impression — ce sentiment de « libération », d'accomplissement de soi-même, de réalisation, est bien connu — de participer à l'acte artistique créateur, de sortir de l'ébauche, de « se trouver », de s'exprimer, de participer au tracé, de voir se dégager de son magma irrationnel et informe le schéma d'une identité rigoureuse. La logique en tant que science, en tant que vérité ne signifie plus grand-chose dans cette opération : ce qui compte, c'est la rigueur en soi de la construction artistique, où il importe peu que le postulat soit vérifiable, mais seulement qu'il entraîne la conviction, ou, si l'on préfère, que la « vision » de l'artiste soit cohérente et que ses éléments soient bien en place et s'enchaînent rigoureusement. Bref, c'est une lutte artistique, culturelle avec la Puissance, une *création*.

Lorsque le sujet se reconnaît dans le « personnage » de l'œuvre psychanalytique, lorsqu'il trouve en lui sa forme et qu'il peut ainsi se situer dans une logique, une « explication » intérieures à l'œuvre, mais qui entraînent entièrement sa conviction, la « guérison » s'effectue : le sujet sort de son magma informe et douloureux pour accéder à la lumière d'une réalisation. *Nous retrouvons là la définition même du « réalisme » dans la fiction, la création d'une réalité fictive qui emporte entièrement l'adhésion, et où la vraisemblance ne se distingue plus de la vérité.* A partir de là, la question de savoir si l'œuvre est une représentation authentique de la réalité et de la vérité ne se pose plus que pour le moralisme des « objecteurs de conscience » : ce qui compte uniquement, c'est la création d'une réalité heureuse du personnage ou du sujet. Le sujet se « reconnaît » dans une identité de l'univers culturel qui lui est dévoilé par la psychanalyse, comme un lecteur se « reconnaît » dans la « vérité » frappante d'un personnage du roman, dans cette forme trouvée où les malformations, les mutilations deviennent enfin des éléments cohérents, rationnels, d'une identité achevée, qu'il assume complètement. Voilà la « guérison ». Voilà aussi la « vérité » romanesque : un réalisme qui n'est que pouvoir de convaincre et où la part de réalité authentique aide à « tromper », à abolir la frontière entre la réalité et l'imaginaire.

Une fois que l'imagination entre en jeu, dans un domaine où la preuve ne saurait être scientifique, où elle oscille entre la coïncidence et la vraisemblance, qu'est-ce qui est « découverte », et qu'est-ce qui est création artistique d'un univers psychique, « réaliste », cohérent en soi, dans lequel tout « tient », et dans lequel le sujet se « reconnaît » ? Le psychisme enlisé dans la névrose est une imagination « à blanc » dont le départ n'arrive pas à se faire, et d'où ne se dégage donc aucune image cohérente d'une identité. Tout ce que l'imagination de Freud, comme celle du romancier, demande à la réalité, c'est de *ne pas la contredire.* J'arrive ainsi à trois conceptions du roman que je voudrais tenter de combiner dans un roman *total* : un, le roman où l'imagination picaresque s'exerce vers l'aventure intérieure, vers les péripéties intérieures du psychisme, où le romancier *imagine* l'introspection : deux, le roman où l'imagination est plus libérée vers l'extérieur, dans les rapports de l'histoire de l'individu avec l'Histoire, dans un infini de formes et de péripéties, de personnages et d'identités; trois, le roman de la littérature, où le langage est exploré par l'imagination comme un monde en soi, ce qui aboutit aujourd'hui — l'étape flaubertienne du mot « juste » et de la perfection de la phrase rationnelle étant dépassée — à l'étape du roman post-mallarméen où le sens est entièrement porté par le blanc, par ce qui n'est pas exprimé, et où ne règne qu'une sorte d'écho de la dernière syllabe du Mot-clé, qui retentit dans ce qui n'est pas dit dans la phrase comme une musique de l'inexprimable. De même que tout un mouvement aux allures scientifiques, et dont je ne peux juger, annonce des possibilités de communion extra-sensorielle sans participation de l'intelligence « conventionnelle », tantôt avec l'avenir, tantôt avec les lieux éloignés, par des phénomènes de télépathie, de même ce roman de la littérature renonce à faire jouer au langage, comme à l'intelligence, leur rôle conventionnel, et ne l'utilise plus que comme un moyen de communication et de communion d'allure mystique avec une Vérité *autre*, dont le mot n'est plus chargé que de faire éprouver la proximité sans jamais tenter de l'exprimer. Le langage n'a plus qu'une fonction conjuratoire et prémonitoire. Tout cela veut suggérer évidemment l'existence d'une dimension autre de la Vérité — voir *Planète* — ce qui est bien possible, mais qu'il vaudrait tout de même mieux, au moins dans le Roman, tenter d'exprimer, quitte à l'*inventer*. Mais l'alibi de cette non-expression est commodément fourni par cette fameuse impossibilité où se trouve en ce moment la science de « représenter l'univers », et on passe, comme ça, de la science au manque d'imagination dans la *fiction*, ce qui est assez drôle. Ajoutons-y Heisenberg, le pauvre, et son « indétermination » et le tour est joué : le Sens est hors de portée de l'intelligence « conventionnelle », l'emploi traditionnel du langage doit être récusé. C'est ainsi que chez MM. Sollers, Burguet, Faye, Badiou — mais celui-ci est sauvé par le canular — et toute une cohorte bien moins douée, la littérature devient un rite conjuratoire dans l'attente du Mot-messie. On ne cherche plus, on ne *doit* plus chercher un sens — M. Robbe-Grillet est formel là-dessus — on crée simplement des conditions d'acoustique incantatoires favorables, par leurs combinaisons impénétrables — puisque le sens, dit Freud, est enfoui dans l'obscurité, l'irrationnel et l'inconscient — favorables au retour ou à la venue de cet éternel Godot. En dehors du très remarquable M. Roland Barthes, grand orchestrateur de ces échos chargés de faire naître la musique, les romanciers de ce désespoir me font penser à ces veuves éplorées qui disposent dans la pièce les objets ayant appartenu au cher disparu dans l'espoir que ce dernier va se matérialiser parmi eux. Du sens perdu — Dieu, progrès, culture, révolution, jouir, bonheur, amour, possession artistique du matériau du monde, Histoire, liberté, métaphysique ou idéologie, sexualité, fraternité, ou, chez les *ex*, l'argent, la puissance, l'égoïsme, la conquête personnelle — du sens évanoui, il ne reste plus que la scène qu'il a quittée : on décrit donc ce décor avec toute la ferveur secrète d'un espoir inavoué. Astucieusement, du reste, car la ruse est habile : pressentant que ce qui fait le « sens de la vie » pour la quasi-totalité des hommes risque de sentir le peuple, la multitude, c'est-à-dire la banalité, on rôde autour de Rien en des phrases mystérieuses dont le demi-hermétisme suggère, à l'intérieur, quelque originalité inouïe.

Ces « romanciers » ont tous une chose en commun : ils espèrent que leurs livres diront soudain quelque chose qu'ils ne trouvent pas eux-mêmes à dire. Toute une littérature mystique du langage s'applique ainsi à créer des conditions irrationnelles magiques favorables à l'apparition du Logos caché. La clarté, la lucidité, les mots nous ont été donnés pour nous égarer, pour nous fermer les yeux sur la Vérité. Créons des conditions poétiques de mystère favorables : le verbe se fera chair, la Raison cachée répondra à notre Signe. De tous ceux qui pratiquent ces appels du pied au Sens, qui l'appellent comme *Planète* appelle les soucoupes volantes, M. Philippe Sollers me paraît le plus doué. Il écrit si bien que lorsque, très habilement, son texte se met soudain à ne plus rien vouloir dire, il ne nous donne pas le sentiment d'un galimatias, mais d'un sens que nous ne pouvons pénétrer parce que l'auteur seul a été « élu » : c'est l'abus de confiance poétique par excellence, — ce qu'on comprend est une caution de ce qu'on ne comprend pas — et pourquoi pas? Sganarelle a toujours raison lorsqu'il parvient à nous tromper.

Je sens qu'il me faudra fouiller encore un peu là-dedans car il ne s'agit pas uniquement de littérature, mais d'un péril dont les conséquences sont ailleurs.

En ce qui concerne le roman et l'art, le désarroi de l'intelligence, la saturation culturelle, le défaitisme jouent là un rôle évident. Ces « limites du roman » soi-disant atteintes réclament simplement l'arrivée des élites fraîches, moins épouvantées par la « compréhension », et prêtes à faire tenter à l'intelligence, et au personnage du Roman, des identités et des péripéties nouvelles.

XVIII

*Le mensonge de la « vérité » et de la « légitimité » romanesque
de Sganarelle-honnête homme. — Encore les « objecteurs de
conscience », ou le génocide dans le roman. — Le roman psychologique a-t-il révélé autre chose que des univers romanesques? —
Proust : connaissance de l'homme ou création d'un monde? —
Première rencontre avec le Cérémonial de la Vérité intronisée. —
La duchesse de Guermantes et le potiron de Picasso. — « Ce qui
n'est pas » et le dynamisme du changement. — L'art, progrès
et révolution.*

Il serait contraire à la nature même de l'art de vouloir
dénoncer une étape quelconque de la création, même si
on retrouve en elle ce retour à l'initiation magique qui
n'est pas sans rappeler les ruptures avec la culture des intellectuels fascistes, mais qui semble simplement annoncer
un renouvellement social. Que M. Robbe-Grillet continue
donc à nous dépayser agréablement mais qu'il ne vienne
pas ensuite en dehors du roman nous dire qu'il nous dévoile
notre patrie. Mais les objecteurs de conscience qui mènent
depuis quelque temps au nom de la Vérité, de la Vertu et
de la Rigueur intellectuelle l'opération antipersonnage, anti-
« omniscience », antiromancier « jouant Dieu », fondent
une école de lobotomie littéraire en « récusant » des moyens

de création dont ils sont eux-mêmes totalement dépourvus, et instituent le génocide dans le roman, ne peuvent pas laisser indifférent celui qui a trop le goût de l'imposture romanesque pour ne pas s'occuper de cette autre imposture qui s'effectue sous couvert de l'honnêteté intellectuelle et met en cause les rapports de l'homme avec le monde hors de toute fiction.

Rien ne saurait être négligé dans un roman picaresque total et le barbotage marginal de l'épuisement d'une élite sociale est une péripétie qu'il ne convient pas de négliger. Je dirai simplement que le personnage est résolu à se défendre contre tout génocide, quelle que soit la théorie au nom de laquelle il est pratiqué : raciale ou littéraire. Il voit sa situation sous un jour très simple : il est prêt à accepter tous les romans, et tout dans le roman, sauf ce qui l'exclut, parce qu'il conçoit que l'homme pourrait à la rigueur se laisser séduire par toutes les théories, sauf par celles qui l'excluent. Il n'est certes pas indifférent de noter que le Sganarelle de ces pages n'est pas un Aryen à part entière, et il se méfie énormément : on commence par exclure le personnage dans le roman, et on finit par massacrer six millions de Juifs. Le personnage ne saurait accepter le génocide dans le roman pas plus que dans la réalité. Je m'empresse d'ajouter qu'il s'agit là d'un réflexe entièrement irrationnel, d'un simple conditionnement psychique millénaire. J'invite le lecteur à hausser les épaules et continuer son chemin vers la bombe à hydrogène, cette autre « mort du Roman ».

Il n'est pas de roman qui doive être ceci, ou cela, au nom d'une vérité intronisée. La forme littéraire en elle-même est incompatible avec la réalité. Tout style est déformation de ce qui est. Chaque mot est une culture millénaire, chaque désignation est chargée de tradition et d'Histoire, chaque concept est une tradition du sens, une convention, un arrangement approximatif, une recherche de confort relatif de l'homme au sein de l'univers. Mais lorsqu'on introduit l'imagination, il est vraiment inconcevable qu'on puisse parler d'autre chose que d'imaginaire : c'est, irrémédiablement, un changement de *nature*. Les philosophies ne sont acceptables là que comme des commodités : et elles le sont toutes, dans la mesure où elles mobilisent le romancier : il importe aussi peu de savoir si elles sont valables hors du roman que de savoir si Faust a existé réellement.

Pour faire la soudure entre la fiction et la réalité, il faudrait pouvoir extraire l'imagination mêlée à chaque atome de réalité, et même aller plus loin : pratiquer l'ablation de cette partie du cerveau qui transforme les perceptions en conscience. C'est alors seulement que l'on pourrait restituer au regard cette virginité, cette innocence adamiques dont rêve aujourd'hui le roman des primates chassés de l'arbre par la culture. C'est la peur, le désarroi qui agissent ici : le roman qui refuse d'embrasser, de pénétrer, d'affronter, est une victime expiatoire de la réalité.

En ce qui concerne donc toutes ces « récusations » de l'omniscience de l'auteur, la seule récusation dont on parle ainsi ce n'est ni celle de l'auteur omniscient, ni celle de sa créature-personnage, mais tout simplement la récusation de l'imagination. Le mensonge de M. Robbe-Grillet, comme celui de tout romancier, est donc parfaitement acceptable — il suffit qu'il mente, comme il le fait du reste, avec beaucoup de conviction — mais pas au nom de la Vérité. Ses dénonciations des procédés « illégitimes » au nom d'une éthique de l'authenticité relèvent d'une dialectique entre escrocs sur les meilleurs procédés de l'escroquerie.

Une telle attitude est parfaitement acceptable au nom de la larcénie artistique, mais lorsqu'on prétend parler de nouveaux rapports de l'homme avec la Réalité, Sganarelle se cherche une « justification d'être » qui pue la bassesse du Valet voleur en train d'assurer son Maître qu'il est honnête, fidèle, légitime, et qu'il ne le gruge pas. Éternel complexe de culpabilité de l'artiste, né de l'habitude de se sentir accusé par la morale bourgeoise d'être un menteur et une bouche inutile. L'objection de conscience au roman, à la « métaphore » tendancieuse est entièrement faite au nom d'une « conscience » bourgeoise qui a assez sévi : celle qui voit depuis plus d'un siècle le romancier, l'artiste, comme un « fantaisiste », qui « invente des histoires qui ne sont pas *vraies* », qui n'est pas « honnête » — voilà l' « honnêteté » des récusateurs de l' « omniscience » du romancier.

Le roman psychologique n'a révélé que des univers romanesques. Il est amusant de lire que Proust était le romancier de l'introspection : alors que son imagination, rivalisant avec la Puissance, avait créé un monde. Il a inventé des « traits » psychologiques, des caractères, pour employer un mot d'aujourd'hui totalement oublié — dès qu'on dit « des caractères », on tue le pseudo-roman d'aujourd'hui — et, comme dans la création artistique de Freud, il obtient ensuite l'adhésion par la vraisemblance, à l'abri de toute mise à l'épreuve, autre que la censure de la réalité, c'est-à-dire du lecteur, par un cheminement logique de la création artistique à partir des éléments créés, ou choisis, pour le besoin de la cause. Ses « découvertes » psychologiques sont toutes des créations de caractères et de personnages — création d'un monde. Ce qui fait l'originalité et la permanence de l'œuvre de Proust, ce ne sont pas les jeux subtils et nouveaux de la madeleine avec le temps, c'est la création d'un univers romanesque qui demeure passionnant, à partir d'une société aujourd'hui complètement démodée et dépourvue d'intérêt. Ce n'est pas la société que Proust *décrivait* qui ne cesse de nous fasciner, c'est la société qu'il a *créée*. La duchesse de Guermantes joue là le même rôle que le potiron dans un tableau de Picasso : c'est un potiron *de* Picasso, c'est la duchesse de Guermantes *de* Proust, la réalité n'a fait que déclencher une imagination dans un but de métamorphose. Quelle est donc cette différence entre un potiron que nous ne remarquerions même pas et le potiron de Picasso dont nous n'arrivons pas à détacher notre regard, entre cette société qui ne pouvait concerner qu'un certain snobisme mondain et dont nous refusons aujourd'hui de fréquenter les salons, et cette même société, devenue soudain passionnante, dont nous ne nous lassons jamais dans le roman? C'est l'imagination créatrice de Proust : tout ce qu'elle accomplit à partir de la réalité, mais où la réalité de départ ne joue que le rôle de cette part vérifiable essentielle pour la réussite de tous les grands abus de confiance, de toutes les larcénies artistiques.

Chaque grand romancier crée ainsi son univers au sein duquel l'univers qui nous est familier joue le rôle de *preuve*, il contamine de sa vraisemblance la dimension de l'imaginaire, le monde inventé tirant ainsi sa crédibilité de la réalité du monde existant. Dire que Proust « a enrichi notre compréhension de l'âme humaine » est une convention scolaire bien-pensante : il a enrichi notre connaissance du roman, il nous a enrichis. Mais parce que son imagination a multiplié avec une aisance souveraine les possibilités d'incarnation du personnage dans des identités insoupçonnées avant lui, il a étendu notre conception du possible, il nous a tirés de la stagnation en nous montrant que le personnage ne pouvait être « fini », que l'homme n'était jamais arrivé, que le Roman ne connaissait que des étapes, et les sociétés que des péripéties. Cette création d'un univers romanesque fait soudain résonner l'Histoire elle-même d'un sourd grondement de création continue des identités et des romans à venir. Les sociétés ne sont que des identités historiques transitoires. Les limites de notre imagination ont été agrandies par Proust, non pas les limites de notre connaissance. De chef-d'œuvre en chef-d'œuvre, le psychisme de l'homme dans la société où il s'exerce acquiert ainsi l'habitude de la *vision*, de la dimension, du devenir : chaque révolution artistique rompt ainsi l'habitude de la position statique, fait ressentir de plus en plus *ce qui n'est pas* comme une naissance latente. Et que l'on comprenne bien que je ne fais pas de « ce qui n'est pas » une métaphysique : seulement un incessant progrès de l'homme à la conquête de la part remédiable de son destin, et la réduction de l'irrémédiable. Tout grand romancier rompt l'habitude du regard en lui donnant à voir ce qu'il n'a encore jamais vu : le monde imaginaire joue le même rôle qu'une nouvelle réalité. La somme des œuvres change ainsi profondément par l'expérience de l'imaginaire la conscience que l'homme a du monde de la réalité vécue : la dimension de la culture s'installe ainsi de plus en plus dans nos rapports avec ce qui est. Le monde, inchangé directement par les œuvres, ne sera pourtant pour nous jamais le même; il lui manquera désormais cette plénitude que nous avons approchée pour revenir ensuite à la réalité. Le décalage entre l'univers romanesque et l'univers réel au sein de l'œuvre s'installe entre notre conscience et la réalité : celle-ci devient *déchue*. Nous devenons soudain, dans nos rapports avec elle, plus sensibles à *ce qui n'est pas*, qu'à ce qui est : ce sont les conditions mêmes du progrès que ce dynamisme de l'aspiration installe ainsi en nous. Que ce soit dans le roman ou dans le musée, rien ne peut plus faire disparaître cette expérience dont notre conscience et notre regard sont chargés; il n'existe pas de chef-d'œuvre qui laisse le monde inchangé. Mais tout ici parle de culture.

XIX

« Le néant au fond de l'homme. » — « Nausée », « Vertige », « Angoisse », « Noir », « Chute » : cela ne vous rappelle rien ? — L'homme fut-il chassé de l'enfer et faut-il y retourner ? — Sganarelle se fait Savonarole : le puritanisme condamne l'imagination. — Mme Sarraute saisie par le soupçon. — Comment Labiche et Feydeau ont annoncé la révolution bolchevique qui a triomphé en France en 1917. — Où l'on légitime le bâtard Sganarelle. — La beauté, cette cochonnerie (suite).

Dans la mesure où elle consent à s'occuper du personnage — et même dans la mesure où elle ne s'en occupe pas, l'auteur et son roman devenant eux-mêmes des symptômes cliniques — la littérature présente de plus en plus l'homme comme un grand malade : mais le romancier picaresque se sentira évidemment beaucoup plus proche du poème philosophique de Hossémine, où l'humanité est vue plutôt comme une maladie de l'univers, une sorte d'irrésistible épidémie propagée par la science. Ainsi qu'il le remarque ironiquement, la seule « guérison » dont l'homme est susceptible est alors son élimination. La philosophie allemande moderne, touchée par la pourriture romantique du xixe siècle, si influente en France, continue cet esthéticisme frelaté de la pensée baudelairienne : ces fleurs du Néant sentent fortement *Les Fleurs du Mal*.

« Le Néant, dit Heidegger, est apparent dans le fond de la réalité humaine... » Un manque dans l'homme, une plaie, une imperfection, une absence. Il est tout à fait intéressant de retrouver chez ce philosophe du xxe siècle ce « néant » artistique, bourré de mort, de Jérôme Bosch et de toute la tradition de la peinture allemande depuis le Moyen Age. « La réalité humaine, ajoute Sartre, est avant tout son propre néant. » On remarquera cependant que ce néant-là n'est pas le vide, qu'il est *peuplé.* C'est un néant bourré de littérature, de philosophie, de désespoir, d'irrémédiable : c'est un néant qui est *souffert.* Ce n'est pas autre chose qu'une méditation sur notre denrée périssable. La plus vieille image de la peinture allemande vient irrésistiblement à l'esprit : celle du moine dans sa cellule méditant sur un crâne. Cette « plaie béante au flanc de l'homme » a été ouverte par la culture : et c'est la culture, et d'abord l'art, qui tentent sans cesse de la remplir, mais ne font que la creuser davantage, pour le grand bien des civilisations. Ce « néant au fond de l'homme » est la source du devenir, de l'Histoire, du progrès : elle est la marge d'aspiration qui assure la création, que l'homme ne cesse de vouloir remplir par ses œuvres; elle nous aspire en avant et empêche l'humanité de finir dans le bloc de glace d'un ordre parfait et figé. Tout, dans l'existentialisme, est une lamentation posthume du rationalisme sur lui-même, une orchestration petit-lyrique de la plainte à l'enterrement de la Raison cachée. C'est une philosophie de rôdeur aux limites de la compréhension où les sentinelles interchangeables piétinent sur place à l'intérieur de la boîte crânienne, dans le dégoût de plus en plus grand du langage, cet élément de trahison. Ce néant est tout grouillant de visions qui ne sont pas formulées, par refus du poème. « Nausée », « Vertige », « Angoisse », « Noir », « Chute » : cela ne vous rappelle rien? Si : l'enfer. Dans le roman dérivé d'une telle philosophie tout se fait atrocité, il n'y a plus de trace de bonheur, le rire ne retentit jamais dans ce Cérémonial d'abattoir, où l'homme n'est plus qu'une « bête frappée de catastrophe »

(Sartre). Tous les thèmes du romantisme gothique sont repris dans ces méditations sur « la vallée de larmes » au fond de laquelle, par une main dont on s'empresse de dire qu'elle n'existe d'ailleurs pas, est dépecée la « condition humaine », le dépècement étant la définition même de cette condition. Nostalgie du Père, lamentation sur la mortalité du Moi ineffable.

Il est à peine besoin de répéter que si la Vérité sur l'homme existait, il ne serait pas possible d'être un homme : ce serait la mort de la curiosité, la mort du Roman, de l'espoir, la fin de la poursuite : une totale et affreuse connaissance sans liberté. C'est à croire que si l'homme fut jamais chassé de quelque part, ce n'est pas du paradis : c'est de l'enfer.

La bombe à hydrogène est inhérente à cette névrose de la perfection, d'un Ordre cohérent et rigoureux auquel aspire toute idéologie de la Vérité. A la péripétie actuelle de notre Roman, on conçoit le personnage se supprimant dans sa totalité, dans un sublime effort de « correction » de son désordre et de ses imperfections. Des « certitudes » de rencontre vous restituent soudain l'autorité du Père retrouvé, mais le rituel de l'intronisation de la Certitude exige la victime, qui apporte toujours la preuve de l'authenticité.

Le personnage du roman picaresque moderne aura ainsi à mimer et à parodier trois facteurs puissants qui menacent à la fois le roman et celui qui le vit : l'hédonisme de la logique, l'esthéticisme conceptuel, et l'éthique puritaine de la Vérité. La construction logique parfaite procure une jouissance qui est le moteur puissant aussi bien de la recherche scientifique que de l'élaboration des systèmes idéologiques. Le goût des schémas rigoureux, des abstractions d'une étanchéité parfaite relève autant de la beauté formelle, source du plaisir, qu'une œuvre de Le Corbusier ou de Mondrian. Le marxisme doit sans doute son succès et ses conquêtes, autant que Freud, à son caractère *achevé :* la beauté n'y est pas seulement la fin du malheur des hommes. Il situe l'esprit dans une perfection toujours esthétique d'une construction entièrement satisfaisante avant de le situer dans l'authenticité de sa vérité. Le puritanisme de la Vérité, qui condamne le roman, parce qu'un soupçon se serait glissé dans l'esprit du lecteur quant à l'authenticité du personnage *inventé* — en réalité, ce soupçon ne s'est glissé qu'entre le romancier et son talent, entre Mme Sarraute et les personnages que la nature de son imagination ne lui permet pas de faire vivre — ce puritanisme est aussi celui qui aborde l'homme sous le même angle, s'occupant exclusivement de savoir ce qui, dans l'homme, peut nuire à la Vérité. Sganarelle, une fois de plus, se fait Savonarole : la beauté de la vérité ne saurait s'accommoder d'aucune impureté humaine. La purification par le feu attend le personnage à tous les tournants, dans le roman comme dans l'Histoire.

Si l'on examine, dans ce contexte, le roman d'aujourd'hui, on ne peut que se sentir impressionné par ces signes indiscutables de la décomposition et de la stérilité d'une élite en train de finir. Il faut reconnaître cependant que, malheureusement, rien n'est plus trompeur que ces signes-là.

Lorsqu'on dit que le théâtre de Tchekhov, par la mollesse, l'inefficacité et le côté crépusculaire des personnages « annonce » — cette mouette qui fait le printemps — la fin d'une classe et l'imminence de la révolution, on fait de la mise en scène rétroactive. Sans parler de ce que ces états d'âme devaient à Oblomov, à Griboïedov et à Gogol — à ce train-là, on peut faire de toute la littérature russe une littérature prérévolutionnaire — il va tout de même de soi qu'Octobre devait plus à l'imbécillité du Kaiser, à la défaite, au farceur Kerensky, et à Lénine — qu'à l'*oblomovchtchina*, la *tchekhovchina*, ou la *dostoïevchtchina*. Et on oublie que la paysannerie russe était noyée dans une *oblomovchtchina* infiniment plus désespérée que celle des paralysés privilégiés de Tchekhov, lesquels, du reste, étaient entièrement en marge de leur classe, sans quoi il serait impossible d'expliquer la cruauté, la résolution, la barbarie ou, si l'on préfère, l'héroïsme et l'esprit de sacrifice des troupes blanches pendant tant d'années. Il y a, dans cette façon qu'a la tête de l'Histoire de regarder intelligemment son derrière, quelque chose d'assez tordant, aux deux sens du terme. Après tout, aucun auteur russe n'est plus typiquement prérévolutionnaire que Labiche et Feydeau. Ils nous ont donné le portrait d'une bourgeoisie en train de finir, et dont les soubresauts d'agonie — au lit, le plus souvent — sont tout à fait caractéristiques d'une décadence sociale irrémédiable. Une classe sans dignité, dont la lâcheté le dispute à l'oisiveté, et que la débauche, son seul souci, rendait manifestement incapable d'aucun réflexe de défense. La talonnait l'impitoyable Courteline, dont la satire de l'armée française annonçait déjà, non moins clairement que Labiche et Feydeau, la défaite des « pantalons rouges » et la victoire allemande. L'entrée triomphale du Kaiser à Paris sur son cheval blanc y est déjà inscrite en filigrane. Pas étonnant, donc, que cette classe pourrie jusqu'à la moelle et qui, incarnée et prolongée par son public, se délectait dans le spectacle de ses propres turpitudes, n'ait pas « tenu » à Verdun, ait perdu la bataille de la Marne, ait abandonné Paris, et capitulé à Compiègne devant les Allemands en 1918, ouvrant ainsi la route à la révolution française de 1919, et cédant la place à un prolétariat sain et maître de son destin.

Rien, dans la littérature russe d'avant 1914, n'annonce donc plus clairement la fin d'une société que le théâtre de Labiche et de Feydeau. Et qui donc douterait que Proust, Céline, et l'évanescent Giraudoux préfiguraient, réclamaient presque cette table rase révolutionnaire, que la prise du pouvoir définitive par le parti communiste et l'établissement de la démocratie populaire en France, ont comme on le sait, si rapidement suivie? On peut aussi bien, et avec tout aussi peu de fondement, déclarer que toutes ces œuvres témoignent au contraire de la fortitude et de la robustesse à toute épreuve d'une classe en pleine ascension, capable de s'amuser au spectacle de ses bassesses, pour mieux réagir ensuite contre ses propres et exquis épuisements. En réalité, ni Labiche, ni

Baudelaire, ni Mallarmé, ni les intimistes, ni Feydeau ne prouvent rien : on les *prouve* ensuite, pour les besoins de la cause. Ce que je vois dans l'état déliquescent du roman d'aujourd'hui, c'est l'avenir du roman; le renouveau, une péripétie nouvelle, ce n'est pas la mort ou l'épuisement d'une civilisation : le docteur Jivago prouve aussi peu de chose contre la société soviétique, que les personnages de Tchekhov, dont il était le fils légitime, contre la Sainte Russie. Que l'élite soit épuisée, paralysée, terrifiée, qu'elle semble expirante, en train de mourir, malgré mon espoir, ne prouve rien : elle peut encore nous faire tous crever, et je ne parle plus ici de roman.

XX

« Servir » — *un conditionnement du larbin Sganarelle.* — *L'Église refuse de libérer la jouissance sexuelle de son alibi de procréation : où l'on voit que Sartre a envers le « jouir » du roman exactement la même attitude que l'Église espagnole envers le jouir sans procréation.* — *Les défenseurs des unions légitimes.* — *La souffrance et la frustration exigent-ils le partage de la souffrance et de la frustration ?*

La question ne se pose pas non plus pour le romancier de se mettre délibérément en symbiose avec une société, ou avec ce qui viendrait la balayer; c'est uniquement une question de ce qui convient le mieux à son genre de beauté. L'œuvre s'occupe non pas de servir une société ou une révolution mais de *se* servir d'une société ou d'une révolution. Relisez le premier volume du *Don paisible* de Cholokhov : écrit avant la révolution : il pourrait aussi bien devenir le début d'une trilogie antirévolutionnaire, ce qui, du reste, n'a pas manqué de lui être reproché. Seul le petit besogneux combinard frétille d'inquiétude à l'idée qu'un changement social brutal viendrait soudain rendre sa concoction « périmée » : les aristocrates de Tolstoï sont installés aujourd'hui à la place d'honneur dans toutes les familles soviétiques. Ce qui est menacé par l'Histoire, est ce qui demeure dans le

roman : le passé ne se démode jamais. Au besoin, le progrès,
le changement, viendront réinventer l'œuvre pour assurer
ce qu'on appelle son « actualité », c'est-à-dire sa permanence.
Ce qui nous quitte et s'éloigne, c'est l'absence, c'est-à-dire
la médiocrité. La grande tartuferie des puritains de tout poil,
l'imposture hypocrite de Sganarelle, l'équation art, valeur
dérivée = obligation = progrès, est un souci de légitimation
du bâtard que la société a toujours rejeté, et qui rêve d'honorabilité. Cette canaillerie de notre Valet est entièrement née
des siècles d'esclavage, de la morale du « servir », élaborée
et maintenue par le Maître, le Propriétaire, le Seigneur, le
Représentant de Dieu et le Patron. Cette équation de l'importance est une survivance dans le psychisme de notre larbin,
du stigmate porté depuis la fin de l'antiquité par Sganarelle,
« Fantaisiste », « Saltimbanque », « Parasite », « Amuseur »,
« Inventeur », « Traître à la réalité », et toujours coupable du
péché d'imagination dont on ne sait jamais où il risque de
s'arrêter. Le roman ne change rien, n'a jamais rien spécifiquement « changé » : c'est une création parallèle. Il s'adresse à la
culture, qui détermine aussi bien le progrès que les civilisations, mais en lui-même, dès qu'il est *art*, il est sans exemple
qu'il puisse être autre chose que *ce qui n'est pas*. Il n'y a jamais
eu dans l'histoire de l'humanité d'art capable d'une action
spécifique sur la réalité. Tout, dans cette inepte opération, à
laquelle les intelligences les plus remarquables, par souci
de légitimation du bâtard Sganarelle, se sont prêtées, consiste
à soumettre l'art, valeur en soi, aux autres valeurs, et ne peut
être autre chose qu'une indifférence à l'égard de ce que l'art
peut accomplir et donner à travers la culture lorsqu'on ne
lui demande rien. Il n'existe pas d'œuvre romanesque, de
grande peinture ou symphonie qui soient d'abord autre
chose qu'un échange entre privilégiés. La morale ne saurait
intervenir que comme une condamnation de tout ce qui est
beauté en soi, ce que l'Église ne s'est jamais privée de faire
à l'époque de sa toute-puissance. Que l'art qui ne chante pas
Dieu soit un manquement envers Dieu, un blasphème, que

l'art qui n'exalte pas les valeurs dites bourgeoises provoque l'hostilité de la bourgeoisie à l'apogée de sa puissance, voilà l'héritage servile recueilli par le réalisme socialiste dans ses rapports avec la création artistique, et qui transforme le prolétariat libéré en singe posthume de la bourgeoisie. Dans les états d'urgence, la création de valeurs parallèles devrait continuer par simple souci d'avenir. En attendant le partage de la culture, le malthusianisme est ce qu'il a toujours été, c'est-à-dire un appauvrissement, il empêche l'art de devenir une valeur, en attente, certes, suspendue, dont l'existence ne peut avoir de sens que dans le partage de la culture, mais ce partage, la culture l'obtient toujours. Toute autre attitude relève du puritanisme de « la vallée de larmes », de ce qu'il y avait de plus hideux et obscurantiste chez Savonarole, qui faisait de la beauté un scandale, et de la lumière un outrage aux ténèbres. Il ne s'agit plus alors que d'un rapport de forces : c'est une affaire qui intéresse les abus de la police, elle n'intéresse plus le romancier que comme une simple question de mortalité. Et, pour en finir, lorsque la société marxiste ouvre ses bibliothèques à Tolstoï et reconnaît dans tous ses Congrès que ce maître « accomplit » plus pour l'ouvrier soviétique que les œuvres littéraires du « réalisme socialiste », elle annule toutes ses propres prétentions, toutes ses « directives », et s'avère totalement incapable d'expliquer pourquoi Cervantes peut aider dans sa tâche un constructeur du socialisme, dont il était séparé par des siècles plus qu'un romancier contemporain. L'obscurantisme de la morale réactionnaire, derrière ces alibis idéologiques, est aussi apparent qu'inavoué. Car au fond de tout cela dort la dénonciation de la jouissance, et du bonheur, et si l'on conçoit quelle lutte les forces du progrès ont dû soutenir et soutiennent encore pour libérer la sexualité de son alibi de procréation, si l'on se rappelle que la plus puissante Église du monde, à l'heure actuelle, refuse encore les procédés anticonceptionnels, on ne s'étonnera point que le « jouir » artistique, sans la justification d'être, sans la légitimation par la fécondation sociale de la réalité, se heurte au même puritanisme de « la vallée de larmes ». Ce qu'il y a de plus cocasse, par contre, c'est que c'est parmi les défenseurs acharnés de la liberté sexuelle et des liaisons extra-conjugales que se recrutent les Sganarelles défenseurs de l'union légitime de l'art et de la société, dans un but de fécondation de ses réalisations admirables. Sartre a envers la jouissance dans et par la littérature exactement la même attitude que la réaction espagnole à l'égard du « jouir » sexuel. Il n'est pas vrai de dire que le « jouir » de la sexualité est à la portée de tous, alors que celui de la littérature est réservé aux privilégiés : je présume que Sganarelle ne s'abstenait pas de rapports sexuels pendant Auschwitz et Buchenwald. Mais il y a dans le cœur de notre Valet un rêve de puissance, une identification de son Moi avec la conscience universelle, qui transforme Sganarelle en un Don Juan qui ne peut plus se contenter d'une seule femme, mais qui éprouve le besoin d'embrasser toute l'humanité. On voit mal ce que ce gonflement de la conscience peut avoir de commun avec la fraternité, mais on voit fort bien, par contre, quel refus de générosité et de solidarité avec la joie des autres ce maximalisme du « jouir » éthique attribue à ceux qui sont abandonnés, désespérés, en pleine lutte, mais nullement, pour cela, incapables de cette fraternité qui réclame le partage du bonheur, *mais qui n'exige nullement le partage de la souffrance, de la privation et de la frustration.*

XXI

*La compulsion créatrice. — L'adulte cherche des excuses à l'enfant. —
Encore la justification d'être : Sganarelle à la recherche d'une
couverture. — Qu'on nous montre donc un bonheur artistique
qui exige autre chose qu'une réalité heureuse. — L'ordre des
priorités : la culture fait passer ce qui nourrit les hommes avant
ce qui nourrit la culture. — « L'importance sociale » de Sganarelle,
ou comment notre bonhomme joue sur les deux tableaux et « gagne »
au sens marseillais du terme. — Ce que la Vierge fait pour la
société soviétique. — Sartre pardonne aux impurs. — Le bourgeois
et le sérieux, ou la vertu contre les œuvres d'imagination. — Un
admirable exemple d'art archaïque russe. — La beauté, fumier du
renouveau.*

La compulsion créatrice demeure primitive, naïve, enfantine, barbare, source de joie et d'émerveillement. Elle est
essentiellement un acte d'adoration de la vie. Lorsqu'on
sait ce qu'elle doit à la survivance de l'enfant dans l'adulte,
que cet adulte soit Balzac ou Malraux, on reconnaît le caractère total de son obsession par elle-même, de son absorption
en elle-même : il n'y a qu'à regarder un enfant jouer. Elle
est essentiellement faite d'incompréhension : c'est-à-dire
d'émerveillement. Elle ne perd jamais son caractère de
jouissance. L'art est une barbarie aussi fondamentale, et

inchangée, que celle de la sexualité, ou celle de la faim, et qui échappe à tout critère moral. Mais parce qu'on ne conçoit pas que le goût de la beauté et le bonheur puissent demander autre chose au monde de la réalité que la beauté et le bonheur, il est tout de même temps de reconnaître qu'il n'y a pas de bonheur, de joie, de plénitude *artistiques* qui agiraient contre le bonheur, la joie et la plénitude *vécus*, qui se tourneraient contre eux. On peut, à partir de là, aller où l'on veut, mais seulement à partir de là : toute « couverture » à l'art est un problème pour le psychisme individuel dans ses rapports avec lui-même, ce n'est pas un problème pour l'art. Chacun a droit à sa source d'inspiration.

Il faut dire aussi que le génie de mauvaise foi — de cette mauvaise foi totale qui fait « l'authenticité » d'une œuvre romanesque, et empêche le « soupçon » de Mme Nathalie Sarraute de remuer — s'arrangera toujours avec la directive, et la traitera avec la même ruse que toute réalité. Comme il s'est toujours accommodé des autres conventions de la morale bourgeoise. Pour le reste, comment juger ? Lorsque je regarde le portrait de Staline, chef-d'œuvre de Guerassimov, ce chef « blanc » tout pénétré de sagesse, de bonté, de lucidité et auréolé d'une sorte d'immanente sainteté, tout ce que je vois c'est ce que je *sais* de Staline. Mais dans cinq mille ans, après quelques dévastations nucléaires ? Admirable exemple d'art archaïque russe. Et tout ce que la moissonneuse proverbiale parmi les paysans heureux signifie pour le moment, c'est qu'elle manque dans les kolkhozes, ou on n'en parlerait pas tant. Mais dans cinq mille ans ? Hautes images virgiliennes de bonheur et de paix d'une grande civilisation disparue.

Les exigences spécifiques et tyranniques formulées par un état d'urgence social envers la création artistique, pas plus que la liberté qui serait accordée au créateur ne sauraient non plus être utilisées comme critère de valeur dans le jugement passé sur la société, précisément parce que Sganarelle n'a jamais eu dans ce domaine le rôle important qu'il s'est attribué, ou qu'on lui a reconnu : « La liberté de l'esprit » n'est pas le bien suprême lorsque les hommes pourrissent de faim et d'hébétude. Il n'est pas dit ici que l'art, le Roman doivent passer avant toute chose aux yeux des hommes ou des sociétés : il est dit qu'ils doivent passer avant toute chose *dans le rapport du créateur avec son art, avec son roman.* Que la volonté de faire changer la réalité soit sa source d'inspiration, qu'il écrive pour ou contre sa source d'inspiration, pour la faire cesser en tant qu'injustice, ne change rien au fait qu'il doit l'intégrer dans son œuvre, en faire un ingrédient, l'intérioriser, et qu'il ne peut y avoir d'autre rapport entre une idéologie, des concepts et le Roman qu'entre la paix et la guerre et *Guerre et Paix.*

Il faut enfin en finir avec cette notion d'art, « contenu » des sociétés. La culture fait passer ce qui nourrit les hommes avant ce qui nourrit la culture. Le « contenu » des sociétés est ce qu'elles accomplissent dans un ordre des priorités où, à l'échelle du temps individuel, l'art tient une place plus que modeste. Les rapports d'une société avec la création artistique ne sauraient être pris comme un critère de valeur pour passer un jugement sur cette société. Une telle prétention est typique de l'imposture de Sganarelle, et de sa façon de vouloir gagner sur les deux tableaux, celui de la liberté artistique et celui de l'importance sociale. Mais si cette importance était fondée, il ne lui resterait que deux alternatives : donner les ordres ou les recevoir. Hanté par son inauthenticité profonde, par son caractère de « bohème », pour employer le terme qui exprime si bien l'attitude puritaine bourgeoise ou petit-marxiste envers les « dévergondages » de l'imagination, notre homme est prêt à payer son importance et sa légitimation au prix de sa nature profonde, de sa vocation. Si on le somme de choisir entre le manque d'importance et la directive, je crains fort qu'il choisisse la directive. Et lorsqu'il choisit de se rebeller contre elle, quitte à se faire fusiller, je ne suis pas tellement sûr que c'est pour « la liberté de la culture » qu'il se sacrifie ou au contraire, contre sa propre nature profonde, contre la fiction, contre l'art, pour sortir de *l'inau-*

thenticité, en faisant la soudure entre ce qui n'est pas, c'est-à-dire, ce qui est dans son œuvre, et la réalité.

Mon personnage ne s'occupera donc pas, dans la péripétie actuelle du roman, de « l'engagement » de la génération qui l'a précédé, et qui n'a même plus assez de consistance pour fournir une cible, ni de la « directive » jdanovienne laquelle est, du reste, en train de pourrir dans la bouche de ceux qui ne la radotent plus que mécaniquement, comme une bondieuserie vide de foi d'un Cérémonial agonisant.

Mais il ne cessera pas de nier, par tous les moyens parodiques à sa disposition, toutes les sales *justifications d'être*, tantôt réclamées de Sganarelle, tantôt obligeamment fournies par lui dans son effort de dédouaner l'art, cette délectation coupable, et qui est bien plus qu'une atteinte au roman : elle est une atteinte obscurantiste à la nature même de la vie, à ce qui assure sa continuité, son expansion, ses manifestations innombrables, et qui est une joie, un « jouir », un bonheur qui ne pose à l'homme qu'une seule exigence, celle d'être continué, ce qui explique ce que Giotto fait pour le progrès à travers la culture, et qui n'est du reste nullement quelque chose que l'on peut *demander* à Giotto. Lorsqu'on sait que tout ce qui a été créé sous prétexte de Dieu dans l'art byzantin est religieusement préservé dans les musées soviétiques pour le bonheur du peuple athée, on confesse d'une manière qui sabote toutes les « directives », ce que la beauté de Dieu dans les icônes ou dans une Vierge du Quattrocento peut faire pour la société soviétique. On ne répétera jamais assez — et voilà pourquoi mon personnage sera un jouisseur scandaleux, un agent provocateur à l'égard de «la condition humaine» de «la vallée de larmes» — quelle puissance dialectique le puritanisme des ténèbres et de la douleur, l'obscurantisme d'une fraternité viciée de « la souffrance partagée », du « soleil, outrage aux ténèbres », de la fixation délibérée ou simplement associative de « l'homme » dans une notion de *Pietà*, dans la douleur, déploient pour déshonorer la notion même de la joie, qu'elle soit artistique ou sexuelle, et quelle obsession bourgeoise du « profit », de l'« utilité », du « rendement », et de l'augmentation des valeurs légalement reconnues est à la base de ses rapports « coupables » de l'homme avec son art.

Je n'en prendrai qu'un exemple. Je connais un homme éminent, un haut serviteur de l'État, qui m'avoua un jour qu'il se sentait toujours un peu coupable lorsqu'il lisait un roman, s'adonnant à l'imaginaire et à la fiction, alors qu'il y a tant de documents instructifs, de livres *vrais* à lire. Il n'y a aucune différence entre ce besoin de vertu et celui qui pousse Sartre, dans un numéro de *Vogue* américain, à parler des écrivains qui s'occupent d'autre chose que de lutte politique avec un dédain qu'il faut bien qualifier d'assez condescendant, lorsqu'il emploie la phrase — et je cite d'après le texte américain — « Je ne veux pas empêcher ces pauvres types de gagner leur croûte. » C'est une optique qui assimile l'écrivain à une putain qui ouvre ses jambes pour procurer du plaisir. Mais il y a mille façons de se prostituer, et de faire plaisir aux autres, ou se faire plaisir, en cédant à ce qui, dans Moi, se veut conscience universelle, à ce qui, dans Moi, ne se connaît pas de limite dans la beauté, est en fin de compte toujours une délectation, un assouvissement, et cette dernière façon de se vouer aux « autres » est une manière comme une autre de se vouer à soi-même et à sa véritable vocation. Sartre ne se contente pas d'un Lambaréné : il fait du monde entier le Lambaréné de son schweitzerisme gigantiste. L'étalon de valeur est ici *ma* conscience. Or, on n'empêchera jamais, quelle que soit la couverture « morale », la vertu de la « contribution sociale au progrès et à la réalité » de jouer ici le rôle de cette irremplaçable conviction, de cet abandon total dans la sincérité, que Don Juan met dans sa voix pour dire à une femme « je t'aime » afin qu'elle consente à se déshabiller. Dès qu'il y a art, il y a toujours séduction.

A partir de là, on peut déclarer en effet que le « jouir » artistique est un fumier. Mais lorsqu'on sait que tout ce qu'il y a de plus indifférencié et de moins spécifique dans les œuvres va nourrir l'Océan fraternel de la culture, il faut admettre aussi que l'art est le fumier du renouveau.

Il nous faut donc renvoyer les objecteurs de conscience dans leurs foyers d'infection, c'est-à-dire hors du Roman, et les rendre à leur Vertu.

Il n'y a pas et il n'y aura jamais de critère de valeur ou de non-valeur qu'on puisse appliquer aux sources d'inspiration. Est valable comme *source d'inspiration* — et comme technique d'expression, comme moyens, comme artifice, comme convention — tout ce qui m'inspire, tout ce qui me mobilise, tout ce qui me permet de créer, que ce soit la pêche à la sardine, Tolstoï, le communisme ou les cadavres de *Guernica*. La seule validité qui compte, la seule possible et passible d'un jugement de valeur est celle de l'œuvre en elle-même, et cette validité ne rejaillit en rien sur la source d'inspiration en tant que *preuve* de sa valeur authentique, ne prouve rien pour ou contre elle-même : on peut aimer passionnément une œuvre et s'en nourrir et détester sa source d'inspiration, la foi qui l'a inspirée, ne pas y croire, ni seulement s'y intéresser. Je me passionne pour l'univers romanesque de Proust, mais je ne passerais pas cinq minutes dans les salons qui l'ont inspiré et je n'ai aucune envie de fréquenter la cousine Bette ou le père Goriot hors du roman. Je ne cesse de relire Dostoïevsky, mais je trouve immonde ou obscurantiste son idéologie, son univers spirituel m'est étranger, lui-même me dégoûte, et, qui plus est, *dans la réalité*, ses personnages ne m'intéresseraient pas et me dégoûteraient autant que lui-même, je ne voudrais rien avoir à faire avec eux, je n'ai rien à dire à Stavroguine, aux Karamazoff, Raskolnikoff m'ennuierait à mourir. De même pour Gogol, et pour presque tous les romanciers que j'aime, sauf pour le Stendhal de *La Chartreuse de Parme*. Les non-valeurs, les valeurs fausses, creuses, monstrueuses, arriérées ont inspiré des œuvres géniales, comme les techniques « abusives » les ont aidées à se matérialiser, ce qui me semble

179

bien définir, éclairer et terminer, en quelque sorte, la question des rapports de l'art, du roman, avec la vérité, aussi bien avec Dieu, qu'avec le communisme, avec le capitalisme qu'avec le camembert. Lorsque Lukacs nous dit que le roman est une poursuite de valeurs authentiques dans un monde dégradé, il n'a raison que s'il parle d'absolu métaphysique inaccessible mais existant en tant que réalité humaine du psychisme, et que s'il reconnaît au roman le rôle d'une valeur authentique en soi, non dérivée, une chute de l'absolu à l'échelle humaine dans le chef-d'œuvre. Mais alors, autant faire de la société humaine elle-même et de toute lutte historique une chute, une déviation métaphysique : qu'il nous le dise. La seule valeur authentique poursuivie par le romancier ou le peintre à vocation totale ou dominante, c'est l'œuvre. Tout le reste est pour lui ingrédient, et parfois même l'art d'utiliser les ordures. Lorsqu'il découvre dans une valeur fausse ou vraie, une source d'inspiration — Dieu ou le panslavisme, le socialisme ou Éros, la beauté d'un cul de femme ou la révolution — il l'utilise aussitôt comme un moyen de se mobiliser, profitant soit de sa foi en elle, soit de celle de ses lecteurs, c'est-à-dire de la valeur de son « cours moral », de la facilité, de la commodité, des possibilités que lui offre son acceptation par la société où il vit — ou, selon le tempérament, son rejet par cette société qu'il déplore — ou de la stimulation, de l'exaltation, de l'inspiration qu'elle lui procure : toute la peinture de la Renaissance « bouffait » Dieu et profitait de ses commandes et de son mécénat, comme Proust dévorait çe monde des salons auquel un snobisme sincère et « authentique » l'attachait, pour en faire un univers-valeur authentique hors de tout snobisme, comme tout grand romancier ou peintre authentique, c'est-à-dire doué d'un génie ou d'un talent authentiques. Tout grand créateur, sans aucune exception, « bouffait » les valeurs auxquelles il croyait ou faisait semblant de croire, dont, en tout cas, il *profitait*.

Voilà la véritable, la seule authenticité de Sganarelle,

la justification de toutes ses impostures et de toutes ses fourberies, de toutes ses « techniques » et de toutes ses recettes de cuisine. Dès que le rapport est inversé, dès que le créateur se met vraiment au service d'une valeur, authentique ou non, mais autre que son art, dès que Sganarelle se fait valet d'autre chose que de son œuvre, et à travers elle, de la culture, et ainsi de la source même du progrès, c'est en général un signe ou bien d'un gigantisme du Moi tyrannique dans ses rapports avec *ce* monde et décidé à régner sur lui par sa beauté morale, ou, plus fréquemment encore, un signe de déclin de la puissance créatrice et recherche d'un substitut et d'un alibi : c'est presque toujours, comme chez Mauriac et Tolstoï et tant d'autres, une attitude qui se manifeste sur le déclin de la vie ou tout au moins en fin de parcours, lorsque tout ce que vous ne pouvez plus tend à influencer votre jugement sur l'importance et la nature de ce que vous ne pouvez plus, et de ce que peuvent les autres, et vous pousse à situer votre centre ailleurs. C'est la « sagesse », cette sagesse du « renoncement » à vos « erreurs de jeunesse » et à votre « névrose » juvénile. La « maturité », quoi.

L'œuvre d'art n'est pas le résultat d'une recherche de valeurs authentiques, au pluriel, dans un monde de valeurs dégradées. Elle est recherche d'*une seule valeur* authentique, qui est l'œuvre elle-même, *et c'est la recherche elle-même qui est dégradée, déviée* : c'est un besoin de possession absolue et totale de l'homme-Dieu, d'un total et éternel assouvissement, c'est-à-dire de ce qui n'est pas et ne saurait être, dévié alors vers le *possible*, vers ce qui peut être saisi, c'est une chute de l'inaccessible, son échouage dans la dimension de l'art, une chute du rêve premier et éternel de l'homme toujours préhistorique dans la frustration, le palliatif, la consolation et la provocation du chef-d'œuvre.

Mais voilà qu'au moment où la voie, *ma* voie m'apparaît ainsi plus clairement et que je commence à voir, quelques grains de poussière me tombent dans l'œil, et il faut bien que je les retire. C'est Sganarelle lui-même qui nous en fait honneur, du haut de la Mutualité. Je dis « poussière » mais c'est de poudre aux yeux qu'il faudrait plutôt parler, et c'est une objection de conscience, bien entendu.

Car il paraîtrait que cette absorption totale du romancier dans son œuvre serait, nous dit Sartre, une *aliénation de l'homme à son produit*, une soumission à son produit.

Aïe, aïe, aïe, comme disaient, en se prenant la tête entre les mains, les Juifs de ma jeunesse, avant d'avoir été éliminés du Roman au nom d'une théorie du Roman et de la pureté du Roman.

Car il tombe sous le sens de tout ce qui ne parle pas au nom de la mauvaise foi d'une Vertu d'école, que cette « aliénation » de l'homme-romancier à son « produit », à son roman, est une aliénation au bonheur et à la culture, à son bonheur comme à celui du lecteur, c'est une « soumission » à la création d'une plus grande plénitude de vie et de beauté du monde, c'est une « aliénation » à la fécondation de la culture et donc à la source même du progrès, à l'enrichissement de notre patrimoine, et si cela veut dire « aliénation », eh bien! on peut en dire autant de tout rapport de l'homme avec ce qui change sa situation, du rapport d'un révolutionnaire avec la révolution, d'un progressiste avec le progrès, d'un esclave avec la liberté, d'un socialiste avec le socialisme, et Sganarelle utilise le mot « aliénation » par un abus tellement flagrant et outrecuidant qu'il ne peut s'agir là que du caractère profond de la véritable nature de notre bonhomme.

Deuxième petit grain de poussière dans l'œil : le roman serait une « communication »! Le roman saisit, possède, entraîne, et toujours par abus de pouvoir et de confiance, *par des moyens artistiques de séduction*, par le biais du réalisme, en faisant croire au lecteur ce qui n'est pas, à partir de ce qui est vraiment, procédé type, nous l'avons vu, de tout abus de confiance légitimé par le seul fait qu'il donne plus qu'il ne prend, c'est-à-dire, plus que la réalité familière, le monde commun au lecteur et à l'auteur, et qu'il ne prend du reste pas, puisqu'il ne fait qu'*emprunter* cette réalité. C'est, au sens hosséminien, une larcénie. Dire a lors du roman qu'il est une « communication », c'est le réduire à son contenu idéologique ou philosophique en tant que *tout* du roman, ce qui est faux, et toute l'histoire du roman le prouve : ou bien l'œuvre n'existe pas et n'a jamais existé, ou bien l'idéologie, la philosophie, la « communication » peuvent être effacées et s'effacent d'elles-mêmes, ou ne sont plus que des « couleurs », un « climat », la métaphysique, la sociologie, le « message » jouant le même rôle que l'exotisme chez Loti, la misère du peuple russe dans *Les Bas-Fonds*, le divorce dans *Anna Karénine*, ou l'existence authentique — ou l'inexistence — des dieux dans la puissance envoûtante de la tragédie grecque.

Mais si Sganarelle n'était pas un tricheur, s'il n'était pas tendancieux, faiseur, déformateur par profession et charlatan fraternel, il ne m'aurait pas inspiré cette recherche du roman, et peut-être *un* roman; je dois donc beaucoup à ses fourberies, à ses mensonges ou à ses erreurs : ils sont pour moi une source *authentique* d'inspiration, une *valeur authentique*. Quant à Sartre, sa façon de se souffrir nous donne un personnage étonnant, un des plus extraordinaires de ce temps, toutes ses acrobaties de Sganarelle nous font quand même sentir que le monde les exécute aussi et sans filet, c'est le plus grand animateur de notre scène intellectuelle, et je n'ai qu'un regret, c'est de ne pas avoir assez de talent pour l'immortaliser.

Enfin, l'anecdote. Les mots « anecdote, anecdotique », sont, avec « l'aliénation », les termes à la dernière mode de tout un *Elle magazine* de la littérature. Anecdote : entendez par là l'histoire, cette véritable fin des haricots aux yeux de la « profondeur » et de l'« originalité ».

Or, ce n'est pas son anecdote qui rend un roman anecdotique. C'est ce que le talent, le génie du romancier — ou leur absence — en font ou n'en font pas, en tirent ou n'en tirent pas. Cette condamnation de l'anecdote, du récit, de l'histoire, en dehors de l'impuissance à sortir de la littérature pour passer dans le roman, ne veut rien dire. L'anecdote dans *Le Rouge et le Noir* est en effet anecdotique : le roman ne l'est pas. De même, pour Anna Karénine sans son train, pour *La Chartreuse* et Raskolnikoff sans l'intrigue policière. L'essentiel, c'est que ces anecdotes aient inspiré et mobilisé le romancier. Ce qui vous mobilise ou vous inspire est à l'abri de toute critique, de tout critère moral, idéologique, ou autre, lorsqu'il y a *œuvre*. La condamnation de l'anecdote, de la petite histoire qu'on raconte, me rappelle ces vers de Shakespeare : *la vie est une histoire pleine de bruit et de fureur, racontée par un idiot et qui ne signifie rien*. Pris à la lettre, cela voudrait dire que l'homme, la vie et l'Histoire ne méritent pas d'être *racontés* : ils sont « anecdotiques ». Ces quelques vers, soit dit en passant, expriment toute la « philosophie » du roman français depuis 1939. Toute l'Histoire de l'humanité, avec un peu de perspective, un peu d'élévation, un peu de « philosophie » devient futile. On peut parler ainsi aussi bien de la mort d'un vermisseau que de toute la littérature.

Il me tombe enfin, à ce propos, dans l'œil un grain de poussière tellement précieux que j'ai envie de l'offrir à ma femme pour son anniversaire : c'est un bijou, et c'est d'autant plus tentant qu'il est très beau, et qu'il ne vaut pas cher. Sganarelle, cette fois, c'est M. Robbe-Grillet : et voici sa perle sans prix et sans valeur : *On ne peut plus raconter*, s'exclame ce désespéré. Un cri du cœur! Monsieur, *on ne peut que cela*. Vous êtes ce que vous êtes comme romancier — je prends un vif plaisir *littéraire* à vous lire, — mais même vous, ne réussissez pas entièrement à ne rien dire. Alors, quoi? Je suppose que vous entendez par là que ce n'est pas l'histoire que vous racontez — l'anecdote — qui compte, c'est *l'autre*, celle que vous faites ressortir sans l'aborder de front, par écho, résonance, ou par le silence, pour en augmenter l'importance, la puissance, la menace, la non-existence inquiétante en ne la désignant pas, en la laissant *sans nom*, pour en augmenter le mystère, au sens effrayant de

« la chose » innommable, chère à tous les auteurs fantastiques. Mais ce n'est qu'une *façon* de raconter une histoire, celle de vos rapports avec l'Histoire de ce temps, avec vous-même. Si vous voulez dire par là qu'on ne peut plus raconter ce qui n'intéresse personne, c'est possible, mais même ce truisme n'est pas certain : le génie narratif, la manière de raconter, l'art du narrateur mettent fin à l'insignifiance. C'est un des plus rares dons imaginables : deux ou trois par siècle, et parfois même moins. Alors, organisez-vous pour raconter, comme vous le faites, dans la mesure de vos moyens, inventez une technique, une école, qui dispensent du génie, par souci d'une littérature libérée de l'hypothèque du don exceptionnel. Très bien, chassez le roman loin de la littérature, vers le feuilleton ou le cinéma : cela vous permettra de vous intituler romancier. Jouez votre rôle dans cette mi-temps, mais ne vous emparez pas du sifflet de l'arbitre.

Conrad, Kipling, *La Chartreuse*, Pouchkine et Dickens, Dostoïevsky et les *Mille et Une Nuits* racontent encore. S'il n'était plus possible de raconter, *ils se seraient tus depuis longtemps.*

XXII

Enfonçons-nous dans le scandale. — Comment la liberté démasque
Sganarelle. — Seuls les régimes totalitaires lui permettent de pré-
server le mythe de son « importance ». — L'Amérique a compris,
ou comment le Dr Folamour a obtenu la destruction des stocks de
bombes à hydrogène.

Enfonçons-nous donc un peu plus dans le scandale :
l'œuvre romanesque individuelle est sans action sur la réalité
qui rend l'œuvre possible mais ne reçoit rien en retour directement : c'est le collectif culturel qui agit. Lorsqu'on prétend
inverser le rapport, c'est qu'on demande à la réalité de travailler à l'apothéose de l'œuvre. Résumons les facteurs qui
poussent Sganarelle vers ce tour de passe-passe : *a)* l'irréalité
irrémédiable de toute fiction, ce qui donne à la création artistique un caractère d'avortement, et en fait un palliatif du
rêve d'absolu; *b)* le remords, injecté dans l'art, d'abord par
l'Église, et ensuite par la bourgeoisie du XIXe, dont le puritanisme petit-marxiste a pris la succession; l'obsession de la
« gratuité », du péché d'imagination, d'affabulation, d'inventions gratuites; *c)* le sentiment de culpabilité de l'adulte
qui surprend en lui-même l'enfant en train de jouer; *d)* une
volonté de création absolue, le monde transfiguré et changé
par l'œuvre faisant du créateur un Créateur; *e)* la hantise
de la « sincérité » et de l' « authenticité » qui poussera

le romancier à devenir souvent, comme on dit, « le personnage de son roman », pour tenter d'échapper à la fiction, si bien que l'auteur finit parfois par se faire tuer pour son roman, pour prouver son authenticité, devenant, en quelque sorte, un « possédé » de son besoin de réalisme : il cherche à remplir par sa vie la marge irréductible que l'œuvre ne saurait remplir entre son besoin de réalisme et la réalité. C'est Hemingway, devenant une sorte de marionnette de ses romans, c'est Malraux, jetant sa vie dans tous les combats de sa fiction, et c'est Sartre, renonçant à la littérature pour se vouer à la lutte politique, hommage suprême à ce qui, dans l'art, demeure indépendant de la Puissance de la réalité et ne saurait être réduit et soumis à elle. Tout est tenté pour échapper au côté charlatanesque de l'affabulation. On retrouve là la situation exemplaire du colonel della Rovere, petit margoulin se faisant passer pour un héros et qui s'enivre de son imposture jusqu'à se laisser fusiller pour elle. Pris à son propre jeu, Sganarelle se fait épingler ainsi sur la croix de son charlatanisme. La mort, le sacrifice deviennent la seule fin du mensonge, la seule preuve de l'authenticité possible. Sganarelle a lutté pendant des siècles pour sortir de la marge sociale et acquérir une « dignité », il n'a cessé de proclamer son « importance » : aujourd'hui, il a gagné. Et, ou bien il pleure une « liberté » perdue, une perte toute naturelle lorsqu'on se réclame de la Puissance, d'un pouvoir sur la Société, lequel ne saurait appartenir à l'art et mériterait, en effet, s'il existait, d'être rigoureusement contrôlé par la Société; ou bien, accepté, choyé, payé, couvert d'honneurs, il se livre à une gesticulation violente et désespérée, pour justifier ses prétentions, si bien qu'en Occident, où le maximum de tolérance lui est accordé, ses attitudes, ses piaillements et ses acrobaties se font de plus en plus frénétiques, mais que le public s'aperçoit de plus en plus qu'il s'agit d'un magicien de foire sans prise directe sur la réalité, et faisant simplement, pour emprunter une phrase de Gorki, « son numéro de clown lyrique dans l'arène du cirque capi-

taliste ». Il se met alors à parler d'une « réalité autre », d'une
« morphologie autre », de se réclamer, dans le roman, d'une
Raison cachée à lui seul perceptible et que les ténèbres
totales régnant dans son langage littéraire sont censées recéler.
En pleine liberté, il est confronté soudain avec les limites
de sa « puissance » et aucune oppression, aucune dictature
ne sauraient plus être invoquées comme alibi. C'est en effet
dans les régimes communistes, où son activité est le plus
contrôlée, que l'imposture de Sganarelle a entièrement
réussi : sa « puissance » dans ses rapports avec la réalité
socialiste est hautement reconnue, et lui-même, pris au piège,
et incapable de montrer vraiment ce qu'il peut « faire »,
n'a plus qu'un alibi : gueuler que si seulement on le laissait
libre, si seulement on ne le paralysait pas par des directives,
on verrait par quel apport extraordinaire il contribuerait au
progrès. On le croit, là-bas, et fermement, capable de révolution, de bouleversement social, de subversion : les nouveaux
petits bourgeois du marxisme mettront du temps à oublier
qu'ils n'ont pu accéder à leur position que grâce à un livre.
Depuis, tout ce qui est relié les fait pisser de peur. Mais en
Occident le voile est tombé, la preuve est faite : Sganarelle
ne peut rien, ne menace rien, ne change rien, ne casse rien.
Alors, on ne peut que prouver le contraire, mais *hors du
roman, hors de l'œuvre*, ou se couvrir de ténèbres au nom des
théories abyssales et assumer l'imposture de la « révélation »,
en élaborant une technique romanesque qui demande l'initiation magique et non la compréhension et, échappant à
la compréhension, mime ainsi la « profondeur ». Livré à sa
liberté, Sganarelle a beau ruer dans les brancards, il n'a plus
d'excuse, il est *libre*. Rien à cet égard n'est plus typique que
la situation de la peinture américaine, où un Jackson Pollock
se livre à une véritable danse du scalp sur sa toile, où tout
ce que l'art ne peut accomplir pour ou contre la réalité
aboutit à une sorte de vengeance contre soi-même, à une
sorte de mimique révolutionnaire de la subversion, à un viol
du tableau, un outrage au tableau, un piétinement du tableau,

un crachat au tableau — et d'autres matières moins avouables ont été employées — pour se punir de l'impuissance de sa liberté artistique totale et totalement incapable de mordre sur le monde. Tout le « pop'art » new-yorkais n'est qu'un long râle d'une liberté dévoilée et démasquée : la société américaine a compris ou a cru comprendre la nature exacte des rapports *directs* de la création artistique avec la réalité, elle a fait une place en pleine lumière à Sganarelle, une place où il devient fou de rage et sombre dans l'alcoolisme, ou dans la provocation enfantine, parce que, peut-être pour la première fois dans l'Histoire, c'est pour lui le moment de vérité : plus de censure, plus d'ostracisme social, plus de justification d'être, tout est permis. Il reçoit tous les encouragements, toutes les facilités, il est respecté jusqu'au trognon, et il ne lui reste plus que la gesticulation, la rage au cœur, comme chez Norman Mailer, et un effort pour chercher refuge dans la plus vieille excuse du monde, mais qui ne trompe plus personne, et selon laquelle, « si l'Amérique n'avait pas perdu le sens des valeurs authentiques, on verrait un art ou une littérature d'une tout autre majesté ». L'artiste américain entièrement libre se met alors à gueuler contre sa société exactement les mêmes anathèmes que ceux que les transfuges des pays communistes jettent contre leur mère patrie qui les avait privés de leur liberté. Mais jamais dans l'histoire, des œuvres plus « destructrices » que *Docteur Folamour* ou l'*Américanisation d'Emily*, ou le théâtre de Tennessee Williams, n'ont été plus aimablement tolérées par une société qu'elles visent dans ses entrailles, dans ce qu'elle avait de plus respecté, de plus sacré : or, il ne se passe rien, aucun remous, aucun changement, pas même une secousse, pas une fêlure. Le rôle de l'apport individuel demeure nul. A partir du moment où une société accorde toute liberté et même toute licence à l'art, à la littérature, Sganarelle cesse d'être « dangereux » : il est démasqué. Et, se tortillant comme un damné, sans garde, sans escorte de police, sans censure, il court tout droit et tout seul vers le livre de poche, ou vers le musée. Pour désamorcer complètement le romancier, le peintre, le cinéaste, il n'y a qu'à le laisser s'enferrer dans sa liberté. Oserait-on prétendre qu'il s'agit d'un phénomène typiquement américain, parce que la société américaine est si parfaite que rien ne saurait l'ébranler? Soyons sérieux. L'Amérique a compris l'innocuité de l'apport individuel de l'art, c'est tout : il n'y a pas de commune mesure entre ce que peuvent directement les œuvres individuelles et ce que le partage culturel exige et obtient sans rémission.

Les œuvres parlent à la culture, c'est un rapport entre initiés : si les vingt millions de noirs américains ou les quarante millions de blancs qui leur sont hostiles avaient atteint le niveau culturel qu'il faut pour apprécier Klee, Tolstoï ou Cervantes, il y a longtemps qu'il n'y aurait plus de discrimination raciale aux États-Unis. L'art se jette dans la culture qui ne cesse de lutter contre la Puissance, de battre contre tous les rivages durcis de la réalité, et lorsque le partage de la culture n'a pas été assuré, il reste en suspens, en attente, en exil. Seule la convention culturelle commence à agir en Amérique. Mais c'est la culture, la culture bourgeoise authentique, celle des professeurs et des notaires, du *gymnasium* et de la *hochschule* allemands, qui a donné Marx et la vieille garde bolchevique qui a organisé la lutte d'un prolétariat sachant à peine lire.

XXIII

Au bord de l'Océan. — Pour une chute heureuse du Royaume du Je : le règne du chef-d'œuvre individuel est en train de finir.

Il y a incompatibilité entre le règne du génie individuel et de son chef-d'œuvre et la culture, et l'on parle ici aussi bien de l'Église, de la France, de Marx, de Freud que de tous les autres Royaumes du Je, quelle que soit leur valeur authentique. Si le marxisme pékinois devient incompatible avec la culture, c'est parce qu'il veut lui donner naissance et refuse l'authenticité de ce qui l'a pourtant rendu possible : dès que la culture devient marxisme, le marxisme cesse d'être un apport culturel. Toute volonté de fonder une société humaine sur un seul de nos chefs-d'œuvre, qu'il soit le *Bodhi Caryavatara* de Cantideva, Tao, Marx ou la France, la France seule, est forcément aculturelle et nous rejette aussitôt vers le passé féodal des Royaumes qui se disputent l'homme pour l'inféoder; tout ce qui se proclame monopole de lumière nous menace d'obscurité; toute formation à partir d'un chef-d'œuvre individuel est malformation. La difficulté du socialisme à se définir et à se préciser rigoureusement vient de sa vocation totale et non totalitaire, ce qui lui interdit de s'inféoder totalement au chef-d'œuvre de Marx au prix d'un rejet du patrimoine « bourgeois », c'est-à-dire aussi bien du *Bodhisattva* que de Freud, de Proust que de Valéry. La culture ne peut être autre chose qu'une noyade heureuse de nos œuvres maîtresses, la fin du règne des chefs-d'œuvre individuels, la fin d'un âge; que ce soit Lénine ou saint Pierre, dès qu'on parle aujourd'hui de l'homme chrétien ou de l'homme marxiste, on ne parle plus de l'homme mais d'empires et de terres à occuper. Chaque « *Je* » génial de ces Royaumes érigés en Puissance absolue cherchait à vassaliser à son profit; le cynisme du *picaro* du XVIIe siècle espagnol réclamait la fin de ces règnes, mais ne pouvant ne fût-ce que rêver de ce qui allait leur succéder, se contentait d'un rire sardonique. Le délire monomaniaque actuel, qu'il soit freudien, marxiste ou ottavianiste exploite l'angoisse millénaire de la liberté en nous offrant l'aide et la protection du Génie universel; le conflit idéologique entre l'Est et l'Ouest n'est plus que le conflit des Deux Roses : qui donc nierait qu'il y a, d'un côté comme de l'autre, de divins parfums essentiels qui se perdent? Le drame du socialisme est sa conscience culturelle qui lui interdit de se soumettre totalement au chef-d'œuvre individuel qui lui a donné naissance. La situation du chef-d'œuvre de Freud est là pleine d'enseignements, aux États-Unis surtout; la psychanalyse y prend un caractère totalitaire *ersatz* de tout, d'idéologie, de valeurs, et surtout de culture. Le monopole pseudo-culturel freudien laisse filtrer à travers son enceinte sémantique fortifiée la réponse-à-tout de l'oracle, un vocabulaire prêt-à-porter, qui fait parler à n'importe quel Américain mi-cuit et annexé, un jargon exactement symétrique du prêt-à-porter marxiste.

Si je situe notre naissance culturelle à la prise de conscience syndicaliste qui se trouve être à peu près la date de naissance de Valéry, c'est que Valéry représente pour moi le premier refus de l'homme de se laisser annexer par telle ou telle de nos œuvres maîtresses et de se penser exclusivement à partir d'une seule des œuvres spécifiques de son génie, et que le syndicalisme fut le début d'une lutte matérielle pour la fin du privilège culturel.

La facilité est évidemment du côté de l'ennemi anachronique, celui qui se situe sur le terrain traditionnel des luttes individualistes : le marxisme pékinois peut exclure Valéry, mais la cultutre ne peut pas exclure le marxisme.

Tout, ainsi, semble réserver au socialisme de très belles obsèques que les détritus de la gauche promettent avec une si vilaine joie à ces « belles âmes » dont ils ne cessent de fleurir la tombe future de leurs sourires haineux. Ce sourire de « gauche », on l'a vu s'épanouir sur tous les sphincters d'extrême droite depuis le premier « bêlement idéaliste ». Camus est là particulièrement favorisé : son nom est expectoré immédiatement après le sourire et on s'essuie ensuite généralement avec le nom de Saint-Exupéry. Lorsque le sourire commence à se dessiner sur l'orifice de ces quasars intellectuels — en yiddish, si j'ose oser, on dit plus exactement *khasers* — vous pouvez être sûrs que les noms de Camus et de Saint-Exupéry vont être lâchés avec ce sifflement « plus venimeux qu'un venimeux scorpion » dont Villon a parlé. On voudrait demander à ces seigneurs de la pensée ce qui nous sépare de la chiennerie rationnelle intégrale, du génocide, de l'extermination, par exemple, de cent millions d'hommes au nom d'un soulagement démographique planétaire, si ce n'est justement cette connerie qui va avec les « belles âmes » qu'ils couvrent de leurs excréments chaque fois qu'ils ouvrent la bouche, une certaine bêtise de l'intelligence, c'est-à-dire une certaine intelligence du cœur dont le Saint-Exupéry de la *Terre des Hommes* et de la guerre d'Espagne était un exemple particulièrement naïf. Qu'ils nous disent donc pourquoi on ne résout pas en Inde à la fois le problème de l'excédent de population effroyable et celui de la faim en abattant quatre nouveau-nés sur cinq pour les servir à leurs parents sous-alimentés. Ce qui fait de Saint-Exupéry un imbécile et de Camus une « belle âme » hamlétisante sur l'Algérie, c'est ce qui nous empêche de voir dans l'homme les protéines : à cet égard, on peut dire qu'Eichmann n'avait pas poussé la logique jusqu'au bout.

La seule chose qui se dresse entre nous et la rigueur logique des « solutions finales » est le genre de connerie qui fait aujourd'hui de Saint-Exupéry le bouffon favori d'une certaine Cour littéraire, une connerie qui fait pirouetter Sartre comme une girouette intellectuelle autour d'un centre de gravité qu'on appelait cœur avant le triomphe total de la viande. Les ceintures noires de la lucidité totale reviennent toujours de la gauche : c'est une petite promenade sentimentale que les jeunes bourgeois venus de province font toujours à Paris avant de se caser. Il ne s'agit pas de savoir si Saint-Exupéry était un con, mais quel genre de con il était et à partir de là on peut donner la palme à M. Gers et à sa belle intelligence, laquelle ne saurait faire de doute pour aucun expert en la matière. Lorsqu'on lit Saint-Exupéry, sa connerie évidente et le caractère fumeux de ses « idées » me paraissent de ceux qui soulignent et mettent admirablement en relief tout ce qui était rigueur idéologique, scientifique, précision et efficacité, cohérence et lucidité dans le maniement des grands ensembles complexes chez Eichmann, chez Staline et chez Teller. Son vide intellectuel a un pouvoir curieux : on en revient renseigné sur ce que l'homme pourrait être s'il n'était pas toujours et avant tout la mort d'un enfant. Le scorpionisme du dépit qui a poussé Fort, Doriot et Déat à danser leur danse du scalp vengeresse sur les tombes des « belles âmes » gnan-gnan de la gauche et à baiser le pied nazi qui les libérait de l'illusion lyrique trouve en effet dans les bêlements de Saint-Exupéry et dans les *o sole mio!* de Camus un aliment de première bourre : la seule question là est de savoir si l'homme peut se passer de ce genre de connerie sans tomber dans la chiennerie. Il est une forme de bêtise qui témoigne d'une telle persévérance de l'espoir lyrique dans l'homme qu'on finit par supprimer l'homme, seule façon de le séparer de son immortelle bêtise. *Celui qu'un caillou fait trébucher,* dit quelque part Michaux, *marchait déjà depuis deux cent mille ans lorsqu'il entendit des cris de haine et de mépris qui prétendaient lui faire peur...* Voilà qui me paraît une belle définition d'une invincible connerie qui fait enrager aussi bien chez Saint-Exupéry que chez Camus et voilà l'explication des cris de haine et de mépris : quel soulagement d'être enfin ceinture noire idéologique, ne plus être dupe, pouvoir se mettre au bifteck tartare. Le vocabulaire rigoureusement et scrupuleusement antifasciste de M. Gers lorsqu'il pulvérise Saint-Exupéry, ce « chef scout de la république des belles-âmes » prouve que le fascisme est capable d'évoluer et de tirer des leçons de ses erreurs; on le sent fermement décidé et fort capable d'utiliser cette fois son intelligence dans le combat dialectique au nom du principe jadis formulé par Karl Radek. Que M. Gers continue donc habilement à se situer en dénonçant la connerie de Saint-Exupéry et le caractère « douteux » sinon « fascisant » de *La Citadelle*, et surtout, qu'il n'hésite pas à se servir de sa belle intelligence, selon le conseil de Radek que je lui rappelle ici : « Une bonne ménagère doit savoir utiliser tout, même les ordures. »

Ce qui rend Saint-Exupéry bête, vague, fumeux, gnangnan, incapable de formuler clairement une pensée, c'est exactement ce qui rend le socialisme aujourd'hui incapable de se définir, de se situer, de se concentrer en un chef-d'œuvre idéologique unique et rigoureux : c'est une naissance culturelle, et les premiers tâtonnements, surtout lorsqu'il s'agit d'un monde nouveau, ne sauraient être caractérisés par la rigueur assurée de la démarche. Le socialisme est la première manifestation dans l'histoire d'une volonté idéologique qui cherche à se définir et à s'organiser non à partir d'un chef-d'œuvre individuel, comme le marxisme, à cet égard totalement individualiste, mais à partir de la culture elle-même. Je sais le danger purement littéraire, d'ailleurs, des sensibilités « exquises » et que l'on ne me taxe pas de contradiction, car je sais aussi, et je n'ai cessé de le répéter, qu'elles sont l'effet d'un écrasement par le manque de sensibilité de la Puissance aux commandes : ces sensibilités sur-tendres et expirantes sont des symptômes d'une maladie infiniment plus dangereuse pour nous *chez les autres*, chez ceux qui ne sont pas « fêlés » : un manque total de sensibilité des intelligences totalement investies par des chefs-d'œuvre genre « la France, la France seule », ou Marx, offrant aide et protection, enceinte de fer et cuirasse blindée. La brutalité d'agression des chefs-d'œuvre intronisés et des défenseurs enragés de chaque Cérémonial laisse partout dans son sillage les sensibilités meurtries ou détruites. Les proportions agaçantes que prend aujourd'hui, pour quelqu'un qui a manqué le coche, la pédérastie s'expliquent par cet écrabouillement des sensibilités et le caractère femelle que l'on attribue aux « belles âmes » : si la sensibilité se porte de plus en plus au cul c'est que tout l'y chasse et que c'est bien le dernier sanctuaire que la Puissance laisse encore à la fragilité. En littérature, l'offensive contre les « belles âmes » et le « sentimentalisme » est partie des États-Unis, d'abord, pour rompre avec l'équivalent américain de la bourgeoisie et remplacer un contenu socialiste « tabou » par une mimique « prolétarienne » virile, qui oppose aux bourgeois bien mis le débraillé, la poitrine velue et le muscle, une assez pathétique façon de « faire peuple » à peu près chez tous les romanciers là-bas depuis Hemingway, et ensuite, sous l'effet d'une dévirilisation authentique et d'une femellisation intérieure que l'on essaye de cacher dans l'alcoolisme, les coups de poing et la chasse aux grands fauves entre deux aveux tendres chez le psychanalyste du coin.

Chez nous, la marche triomphale de la Puissance à déjà obtenu la promesse d'une « mort du roman » et la capitulation par refus de se mesurer avec la réalité dans un roman total. Elle provoque la fuite dans le langage et dans le microcosme ; le micro-organisme étant par définition à l'abri des coups de poing et des marteaux-pilons de la réalité. Les micro-romanciers savent que dans chaque atome de matière se cachent des mondes secrets et bien abrités et ils ne cessent de rôder autour de ces derniers sanctuaires et de caresser amoureusement leurs contours.

Il est 5 heures du matin ; les rideaux au motel sont baissés, mais je reconnais le jour au bruit du ressac : plus calme le surf, plus doux l'océan, alors qu'aux derniers instants avant l'aube les vagues se brisent sur le sable avec un bruit tourmenté, douloureux, qui donne vraiment au verbe « se briser » son plus vieux sens cardiaque. J'ai froid. La tentation est grande de laisser là ces pages et d'aller m'allonger sur cette plage péruvienne jonchée d'oiseaux morts : les îles fantomatiques et crayeuses à l'horizon que je verrai tout à l'heure jaunir dans le soleil sont couvertes de millions de cormorans, ce sont des îles-trésors de guano au-delà du courant de Humboldt, les oiseaux malades ou vieux volent jusqu'à la côte et se jettent dans le sable chaud pour y mourir. Il y en a des milliers et la nuit, une « belle âme » sensible n'oserait pas marcher sur la plage pour ne pas sentir soudain sous ses pieds ces vies encore palpitantes. Je frissonne, je ne sais si c'est l'aube ou l'appréhension, sans doute n'arriverai-je jamais à exprimer ce grondement d'espoir naissant que j'entends en moi. Allons-y tout de même, il y a des façons d'échouer qui permettent aux autres de réussir. C'est bien la première fois que ce *picaro* de cinquante ans se sent saisi par quelque chose qui ressemble fort à de la révérence. Le sérieux me prend et il n'y a plus que la feuille de papier pour me forcer à baisser les yeux. C'est l'heure où la fatigue vous force à ressembler à tout ce que vous êtes vraiment. Le bleu intérieur fait ses aveux. J'entends une auto qui passe et dans la solitude de ce bout du monde péruvien cela aussi annonce je ne sais pourquoi l'approche du jour. Homme des plages, puisqu'on t'appelle ainsi, paraît-il, essaye donc enfin de dire ta vérité. Belle âme, belle âme... puisse mon fils aîné entendre un jour ces mots dans le premier murmure de l'Océan.

XXIV

Frère Océan

Je tiens à dire tout de suite que ce qui m'intéresse ici, c'est l'air que respire mon personnage, ce dont il vit. Le lecteur pudique, dévot ou qui s'offense aisément est invité à quitter ces pages : il s'est égaré ici à la suite de je ne sais quel malentendu.

La culture est la fin heureuse des chefs-d'œuvre individuels. Elle est le retour des chefs-d'œuvre dans la réalité et le commencement de leur victoire authentique sur la Puissance. Elle est la noyade heureuse des chefs-d'œuvre individuels dans un fond collectif, nouvel Océan originel qui annonce une nouvelle naissance de l'homme sous sa seule autorité.

La culture est une notion récente. Nous avons vécu jusqu'à l'échec des chefs-d'œuvre totalitaires et surtout jusqu'à la bombe à hydrogène sous le règne des chefs-d'œuvre individuels. L'expérience essentielle qui déterminait l'emprise qu'ils exerçaient — christianisme, rationalisme, Freud, Marx — était avant tout la satisfaction qu'ils procuraient à l'esprit, leur côté « chef-d'œuvre », c'est-à-dire perfection, beauté, un « jouir » esthétique qui ne leur était jamais reconnu et qu'il n'était même pas pensable d'oser mentionner : on ne saurait commettre de lèse-majesté plus grande. Il faut

pourtant oser : je dis que le côté « achevé », harmonieux,
satisfaisant pour l'esprit, sur le plan artistique, architectural
des concepts, celui des constructions parfaites, le côté répétons-
le, « chef-d'œuvre », avec ce que cela veut dire en tant que
beauté formelle du marxisme ou du freudisme, a joué dans
leur succès et leur rivalité souvent victorieuse et authentique
avec la Puissance de la réalité un rôle déterminant, et certainement au moins aussi puissant que celui de leur contenu
de vérité. La beauté conceptuelle du communisme, le côté
« matériau de la création » qu'il confère à la réalité et les
outils qu'il propose afin de la pétrir satisfont par la perfection
esthétique d'une construction en soi, avant toute mise à
l'épreuve de la réalité. Le système procure une jouissance
avant de se concrétiser. « Endoctriner » veut dire accomplir
le partage culturel du chef-d'œuvre, faire jouir de sa construction, de sa perfection conceptuelle avant de faire jouir
de ses fruits terrestres. Qu'on ne vienne pas nous dire que les
hommes exploités ou affamés ne sont pas sensibles à cet
« esthéticisme » : ou bien ils n'adhèrent pas, mais se soumettent
à la *promesse*, et non au raisonnement, ou bien le système
s'offre d'abord à leur esprit comme un « jouir » conceptuel,
avant de les toucher dans leur souffrance ou leur espoir.
Ce qu'on reçoit ainsi d'abord de la construction est sa beauté
formelle. Qu'il y ait un contenu de réalité rigoureuse n'y
change rien : la conviction est d'abord emportée non par la
réalité, mais par le réalisme du chef-d'œuvre. Qui dit « raisonnement parfait, admirable, satisfaisant pour l'esprit »
parle d'une beauté et d'un « jouir » du même ordre que
ceux du Parthénon. Le capitalisme, lui, se réfugie tout entier
derrière le mot « liberté » : il ne saurait se réclamer d'aucune
beauté de schéma formel, d'aucune esthétique architecturale :
il n'a fait qu'arriver. Il lui est ainsi difficile de répondre à la
nostalgie de la maîtrise de l'homme, au rêve de la Solution
et à l'angoisse de la Liberté, alors qu'il fait de cette liberté
sa justification d'être. Quelles que soient ses réalisations,
le capitalisme ne pourra jamais offrir à l'esprit de l'homme

la perfection esthétique d'un schéma rigoureux et étanche, de poursuite du chef-d'œuvre vécu à partir d'un chef-d'œuvre conceptuel : c'est Freud qui vient remplir ce besoin dans le creux du capitalisme américain, et le patrimoine culturel dans celui du capitalisme européen. Il sera toujours vain de vouloir opposer au marxisme ses « échecs » et les « réussites » du capitalisme, ou de combattre la psychanalyse sur le terrain des résultats : la beauté n'est pas susceptible de récusation. Et la perfection du rêve de l'irréalité est défendue parfois jusqu'au sacrifice suprême, preuve de son « authenticité ». Les hommes défendent leurs rêves plus résolument que leur réalité. La part de vérité ou d'erreur dans les chefs-d'œuvre de Marx et de Freud est infiniment moins importante que l'influence qu'ils ont exercée : ce furent d'authentiques créateurs. Leur puissance a créé sa propre réalité. La question de savoir si le Christ a fait des miracles ou si Dieu existe est d'un tout autre ordre que la réalité de vingt siècles de christianisme. La beauté satisfaisante pour l'esprit du chef-d'œuvre chrétien a remporté une victoire qui se passe d'autant mieux du critère d'authenticité du schéma qu'elle a su créer sa propre réalité. Dans tous les cas, les privilégiés ont assuré la victoire du chef-d'œuvre et son partage. Ils n'ont cessé de créer des conditions authentifiant le chef-d'œuvre, sacrifiant, s'il le fallait, leurs propres privilèges. Les masses sont appelées au partage : elles sont endoctrinées. Le chef-d'œuvre devient ainsi doublement révolutionnaire : d'abord parce qu'il exige son réalisme par l'action et par la révision de toute réalité née hors de lui et ensuite parce qu'il devient ainsi une poursuite de l'inaccessible, c'est-à-dire de sa perfection incarnée et vécue : il détermine ainsi sa propre remise en question, la naissance et l'action d'une autre œuvre révolutionnaire. Marx, Freud, Einstein, Jésus, Bouddha fournissent ainsi un critère et une méthode critique dans les rapports de l'homme avec lui-même et le monde. Dès que son partage s'effectue, le chef-d'œuvre se veut d'abord société, et ensuite culture, chaque Royaume aspire à éclairer de sa lumière l'univers, entre en conflit avec d'autres Royaumes individuels. Chaque chef-d'œuvre individuel offre de mener à la terre promise son peuple élu.

Je ne crois pas que ces empires puissent désormais se former et que ces Royaumes puissent encore aspirer à dominer. Le règne des chefs-d'œuvre individuels devient de plus en plus celui d'une Puissance humaine nouvelle qui les accepte tous et n'en épargne aucun. On peut dire que le christianisme fut la première et la dernière victoire d'un chef-d'œuvre individuel, et si rien n'est parvenu à occuper sa place, c'est que le conscient collectif est à peine naissant, incapable encore de transcender les idéologies nées des chefs-d'œuvre individuels, mais déjà assez authentique et résistant pour empêcher ces idéologies de l'annexer, et de le déterminer. L'homme rêve de lui-même depuis les premiers temps, il a formulé et concrétisé sa rêverie dans l'art et dans la perfection conceptuelle, la culture le pousse maintenant à se chercher dans la plus haute qualité de ses œuvres accomplies. Que « la mort de Dieu » ait joué un rôle déterminant dans cette montée à l'horizon d'une Puissance nouvelle n'est ni contestable, ni contesté. Mais il convient de remarquer que Dieu a vécu surtout à l'époque des œuvres rares limitées dans leur accessibilité et peu agissantes, une époque d'où est monté peu à peu, au fur et à mesure qu'Il se retirait du monde, un milieu ambiant où tout ce que l'homme avait donné de lui-même finissait par éveiller en lui un rêve nouveau, celui d'être sa propre œuvre.

Dans les cathédrales qu'il bâtissait en l'honneur de celui qu'il considérait comme son Maître, il a commencé par voir non plus Dieu mais l'œuvre de ses propres mains, et puis surtout ses mains, et le moment vint ainsi où il ne vit plus que lui-même.

C'est ainsi qu'à travers la culture commença le retour de l'imaginaire dans la réalité. La réalité fournit, au départ, un critère réaliste à l'organisation de l'imaginaire. Le retour des chefs-d'œuvre commence lorsque la culture impose à partir de l'imaginaire un critère à la réalité. L'homme commence à vivre la réalité de ce qu'il a imaginé, à *faire* ce qu'il a *créé*. Il se découvre ainsi dans ses œuvres et dans ce qui n'est pas dans le monde où il vit. Et la rapidité des échanges, des communications, le caractère quasi instantané de l'information, de la communication et des prises de conscience, ainsi que la puissante action de la convention culturelle acceptée rend de plus en plus chimériques les ambitions des chefs-d'œuvre individuels, cependant que dans les vues les plus contradictoires les hommes qui n'ont plus faim, et ceux-là seuls, pour ce qui compte au départ, commencent à reconnaître une tout autre et plus profonde voix.

A la question : « Quelle culture ? » répond donc la culture, puisque la seule question préalable est ici « Quel homme ? » et que la réponse ne peut être donnée que par la totalité non totalitaire, c'est-à-dire la totalité des œuvres, aucun chef-d'œuvre individuel ne pouvant exercer de commandement exclusif, et cela est aussi vrai de Marx, de Freud, du christianisme, de l'américanisme que de n'importe quelle conception littéraire ou artistique de n'importe quelle théorie du roman, ou univers romanesque de Kafka à Cervantes. La notion de roman total n'est pas dictée par la culture, elle est accueillie par elle aussi bien que toutes les autres conceptions du roman, totalitaire ou pas. Ce qui est critiqué ici, dans le roman totalitaire, c'est une systématisation philosophique aculturelle, hors de la fiction, d'ailleurs sans le moindre effet pratique dans ce domaine : c'est la culture qui décide, ce ne sont plus les œuvres ou les chefs-d'œuvre individuels.

Nous commençons donc à être formés par la culture et non par le conditionnement totalitaire du chef-d'œuvre. La culture, à partir de ses privilégiés, crée un conscient collectif, une communauté de conscience d'où cherche à se former une communauté d'action. Ce qui se dégage ici, d'abord, c'est une notion de qualité, l'expérience première étant toujours fournie par l'œuvre individuelle, la différence capitale avec les siècles passés, chez l'homme

touché par le partage culturel, étant que ce n'est plus la
« vérité » ou « l'erreur » de l'œuvre individuelle qui agit,
mais uniquement l'accord formel, en lui-même, indépendant
de la nature du contenu, entre la forme et le fond, une qualité
du « jouir » esthétique, artistique et sensuelle, qui enrichit
et sensibilise la conscience, mais ne peut aspirer à la former
dans le sens exclusif du contenu de l'œuvre. Le rapport
de l'individu cultivé avec le chef-d'œuvre introduit ainsi
une notion de qualité essentielle, indépendante du contenu :
ce qui explique pourquoi la qualité du « jouir » procurée
par l'œuvre de Freud devient exactement pareille à celle
offerte par Homère ou Euripide, par le chef-d'œuvre
conceptuel de Marx, par les poèmes ou romans de Malraux,
d'Aragon, de Céline, de Sartre et par le Titien, Daumier ou
Bonnard. C'est une expérience vécue que chaque lecteur
peut constater : le passage d'un chef-d'œuvre conceptuel
à un chef-d'œuvre de la peinture procure et renouvelle
exactement la même satisfaction. Il s'agit désormais d'une
qualité en soi, d'un « jouir » esthétique qui situe l'homme
sans aucune discrimination spécifique et sans aucun critère totalitaire au niveau d'une essence de chef-d'œuvre
qui est une réalité vécue, un moment de bonheur fugitif,
mais qu'il peut déclencher à volonté dans sa conscience,
qui est désormais en lui et qui éclaire de plus en plus la réalité
parce qu'il s'agit d'une expérience du bonheur que l'homme
cherchera dorénavant à imposer à tous ses rapports avec
la vie, ce qui ne cesse de marquer la réalité et de lui dicter
une organisation, une direction, une forme toujours renouvelée dans la poursuite de la perfection. Il est à peine besoin
de dire ce qu'un tel critère exige de toutes les situations
remédiables : le choix des idéologies devient ainsi un
simple pragmatisme culturel, en présence du critère
rigoureux d'une expérience vécue que l'on peut retrouver
à volonté. Le pragmatisme marxiste commence à peine,
mais ne se fait pas à partir de Marx, seulement à partir
de la culture : il pose une question de respect de l'homme

que Staline ne posait pas et qui est une persistance de Tolstoï, de Pouchkine et, au fond, de toute la culture dans le conscient collectif russe. Cette action culturelle a beau être encore minimale, elle commande déjà, ce qui fait hurler au « révisionnisme » le maximalisme du chef-d'œuvre individuel totalitaire chinois. Ce révisionnisme-là ne renonce pas à Marx, mais commence à obéir à une culture que Marx soumettait à une critique sans merci, en bon Père de son chef-d'œuvre individuel et donc soucieux d'annexer la culture au lieu de la subir.

On conçoit pourquoi tout, toujours, dans le puritanisme totalitaire a lutté et continue à lutter contre la culture : *a*) parce que celle-ci s'intéresse plus à la lutte, au remède qu'à l'irrémédiable; *b*) parce que la culture devient ainsi un « au-delà » de l'imaginaire agissant sur la réalité, concurrençant celui de la vie posthume des religions sans effet sur la réalité et sans action dans la lutte contre la Puissance, cependant qu'à l'autre pôle idéologique de la Vérité totalitaire intronisée, cette source première, nourricière, cet Océan apparaît comme ce qu'il est, c'est-à-dire transcendant aux idéologies qu'il détermine, auxquelles il donne naissance, et ne saurait dériver d'elles : entre la réalité et la métaphysique, entre Dieu et l'idéologie, la culture est un domaine qui n'est pas susceptible d'annexion et de colonisation. Enfin, le caractère hédoniste, esthétique du « jouir » culturel est apparent : on ne saurait le situer ni dans le souterrain de Kafka, ni le réconcilier avec « la condition humaine », ni trouver de feuille de vigne assez grande pour le couvrir.

Il est effrayant de constater à quel point le puritanisme religieux, petit-bourgeois et petit-marxiste est parvenu à associer la notion de jouissance et le terme « jouir » avec le cynisme, avec la débauche, avec la dégénérescence et la décadence, à quel point toutes les philosophies modernes, sans aucune exception, passent sous silence ce caractère fondamental de la vie, source de toute naissance, de toute fécondation, de tout développement, et qui est, littéralement, le moteur premier, la motivation souveraine de tout progrès, de tout épanouissement humain, et de la course-poursuite de la conscience dans l'univers. On conçoit la tâche et les difficultés qui attendent le *picaro* moderne et le personnage de notre Roman.

La tentation de se lancer dans un hymne à la culture, dans la griserie des métaphores, dans un chant d'amour a été jusqu'à présent surmontée ici par esprit de réalisme : tâchons maintenant de réconcilier l'un et l'autre.

Il est difficile de ne pas voir dans la culture la métaphore première, les conditions mêmes de l'apparition, du développement et du foisonnement de la vie, dans une multiplicité grandissante de ses manifestations, la métaphore de l'évolution et de l'océan originel, de la lumière et de la chlorophylle, de l'atmosphère et de la terre, de l'oxygène et de la naissance des grands rythmes respiratoires de la nature, de l'Histoire, des civilisations ; la métaphore de la Création et de l'évolution. La culture est une formation, à partir des œuvres, d'un milieu ambiant, d'une atmosphère procréatrice, d'un plasma nourricier qui féconde la conscience et ne cesse de développer la capacité respiratoire de la psyché ; c'est elle, dit Hossémine, qui créerait l'âme humaine, si Dieu n'existait pas. Poursuivons la métaphore : la culture dépose en nous sa chlorophylle sur laquelle elle agit ensuite comme la lumière, dans l'épanouissement du psychisme et la création d'œuvres nouvelles, et c'est à partir de ce qui, en nous, est le plus indissolublement et organiquement lié à la nature même du « jouir » de la vie, c'est à partir de cette chlorophylle originelle que commence l'action de ce besoin qui grandit et se diversifie, exige, crée et exige encore à partir de son assouvissement, — assouvissement qui est en lui-même naissance d'un besoin nouveau.

Continuons à poursuivre la métaphore dans son action sur la réalité. La culture, c'est le moment où l'art abstrait commence à peser dans la conscience d'un jeune bourgeois français sur le destin d'un fellaga d'Algérie. La culture, c'est l'enfant polonais devenant Huckleberry Finn, c'est l'œuvre de Renoir exigeant la fin des taudis dont la conscience du peintre ne s'était jamais émue. C'est ce que l'œuvre de Picasso accomplit à travers les consciences privilégiées pour le noir de Harlem qui ne se soucie pas d'elle. La culture, c'est ce qui dans Giotto, se met à lutter aujourd'hui pour la suppression de la bombe, c'est ce qui, chez Rembrandt, chez Vermeer, chez Cervantes, rend à ceux qui ne manquent de rien la situation des masses dans un pays sous-développé incompatible avec l'œuvre de Rembrandt, de Vermeer, de Cervantes. La culture est ce qui détermine dans les sociétés le changement de tout ce qui rend la culture indiscernable et privilégiée, c'est un rythme respiratoire qui ne s'accommode d'aucun étouffement. La culture est un changement des œuvres par le progrès qu'elle exige : elle obtient des monstres sociaux de Balzac qu'ils perdent leur société comme les Vierges de la Renaissance perdent leur Dieu sans cesser d'être adorées. C'est le moment où la cousine Bette ne nous parle plus le langage d'une société française du XIXᵉ siècle, mais celui des formes, où le Père Goriot ne nous concerne plus que comme une statuette archaïque de l'art de la Crète ou de l'art pré-colombien. La culture, c'est lorsque les symphonies et les théories du cosmos, les mathématiques et les musées exigent la fin de la sous-alimentation, c'est lorsque l'homme commence soudain à voir d'abord dans tout ce qui est, *tout ce qui n'est pas*. La culture, c'est la lutte contre tout ce qui fait de l'art un luxe et de la beauté une provocation, c'est une naissance de l'éthique à partir de l'esthétique. La culture, c'est ce que la culture accomplit par son excès de pression sur un seul point de la conscience lorsqu'elle force Mao Tsé-toung à la mettre de côté pour lutter contre des conditions qui rendent la culture impossible. La culture, c'est aussi tout ce qui arrête provisoirement et à tort les apports à la culture, au nom de la création des conditions matérielles favorables à la réception et à l'action de la culture. La culture, c'est ce qui exige l'organisation et l'expansion de la base matérielle des sociétés afin de permettre à l'homme de surmonter l'asservissement à sa donnée brute, de se créer librement et de s'inventer à partir de là des besoins enfin authentiques, c'est-à-dire non dictés par la Puissance de sa donnée première, et cela dans le seul but de la joie de leur assouvissement. D'abord somptuaires, ces nouveaux besoins authentiques deviennent ensuite à leur tour élémentaires, fécondent le subconscient qui devient ainsi création de la conscience culturelle, du conscient collectif, et leur assouvissement rentre dans l'ordre des choses de la civilisation nouvelle qui les rend dépassés, les révise et crée des besoins authentiques nouveaux dans la course accélérée de la conscience-poursuite.

Pour la culture, il n'y a pas de poème, de roman, d'œuvre « empoisonnée » : elle élimine le poison, ne garde que le levain culturel. Il n'y a pas d'exemple d'apport artistique individuel aboutissant directement à un changement significatif de la réalité collective : la qualité de l'œuvre crée un critère de référence que le partage culturel rejette ou retient, le conscient culturel collectif devenant à son tour critère de l'œuvre individuelle. Ce n'est pas par sa part de réalité que l'œuvre agit : c'est par sa part d'absence dans la réalité, par ce qui n'est pas dans la réalité mais *est* dans l'œuvre. Tout ce qui est, en nous, marqué par la beauté des formes exige de l'œuvre d'art et de la réalité la perte de leur part de réalité commune : la culture exige de la réalité authentique et de la réalité dans l'œuvre qu'elles deviennent historiques. Il n'y a pas de poème « empoisonné » : dans l'absence de partage culturel, de chlorophylle culturelle, l'élément d'art n'agit pas, et au contact de la culture, l'œuvre, soumise à un critère irrécusable, se retourne contre ses propres poisons. C'est ainsi que *Les Possédés* luttent pour la révolution sociale : une révolution contre eux-mêmes, contre leurs aspirations. La culture force l'art à poignarder sa réalité dans le dos.

On ne peut même parler du « poison » prémédité des pseudo-œuvres agissant sur des demi-consciences dans un « conditionnement » industriel : celui-ci ne pose pas de questions de péril, parce qu'il n'aurait rien à attendre même d'un « génie » d'une telle médiocrité : là non plus on ne peut parler d'action individuelle de la « pseudo-œuvre » empoisonnée mais d'une organisation totalitaire et soutenue sur tous les fronts, seule « efficace ». Ce n'est pas *Mein Kampf* qui a « conditionné » et « empoisonné » le peuple allemand : ce sont les conditions historiques et leur exploitation systématique, irréductibles à aucune « œuvre » individuelle.

Je suis donc, au pied de mon roman, dans une liberté totale, celle de mes seules limites, de ma nature, de ce que je suis : aucune obligation, aucun *diktat*, je ne peux jamais menacer la culture : ou bien je la manque, ou bien mon œuvre sera un fumier de l'avenir. Je ne peux faire pour la réalité ou contre elle que ce que je peux faire *pour* le roman.

Il n'y a pas de culture bourgeoise ou de culture prolétarienne. La culture bourgeoise ne peut signifier autre chose qu'un label désignant une culture considérée comme provisoirement captive et qui attend son partage. A supposer une telle culture « empoisonnée », et en empruntant comme exemple quelques-unes de ces valeurs « pernicieuses » — argent, puissance, sexualité, individualisme — sous l'action de la culture, ces valeurs « fausses » apparaîtront comme ayant joué le même rôle que le sacrifice humain ou le dieu soleil dans la création de valeurs culturelles authentiques à partir de l'art pré-colombien, le même rôle que la religion animiste dans les chefs-d'œuvre de l'art africain, où l'on voit un masque nègre restituer à la culture et à la civilisation ce qu'il a emprunté à la barbarie tribale. Une culture « prolétarienne » ne se conçoit pas davantage, si ce n'est comme un échec inconcevable de la culture, un renoncement du prolétariat décidant de demeurer enseveli, aménageur soumis de sa propre captivité. Une telle « culture » prolétarienne ne serait donc concevable que comme une non-culture fasciste.

C'est ainsi qu'apparaît, se précise, se fait entendre et se lève depuis à peine un siècle, et surtout depuis l'arrêt du dernier chef-d'œuvre individualiste totalitaire, une puissance collective d'espoir dont la voix se fait de plus en plus perceptible au moment même où tout, sur nos rivages pétrifiés et désolés, nous parle de la fin de l'espoir et de la mort du Roman. Continuons à nous griser de cette fraîcheur océane, à nous pénétrer de son énergie, de sa vitalité et de son avenir qui nous permettront de mieux servir notre Maître et d'expliquer la confiance, la joie et l'entrain vital du *picaro* posé au bord de l'aventure, regardant les horizons de sa traversée sans fin, pour justifier et nourrir son espoir et l'espoir des autres dont il dépend, puisqu'il l'exploite et en vit financièrement.

La culture, c'est le moment où l'œuvre d'art perd son individualité, où elle se met à exister davantage dans les psychismes que dans elle-même, où elle se fond dans une permanence psychique collective dans laquelle disparaît son mode d'expression intrinsèque, et où rien ne différencie plus l'art des cavernes de Jean-Sébastien Bach. C'est le moment où l'esthétique se fait éthique, où la beauté, la qualité du chef-d'œuvre commencent à exercer un commandement spécifique et déterminent une conduite, un choix et une action, où elles désignent des valeurs et offrent un critère à la recherche d'une idéologie et d'une société. Dès que cesse l'apport vivifiant de l'esthétique, dès que cesse la remise en question par la beauté de toute réalisation, la morale se fait formelle, cesse de féconder, la culture cesse d'intervenir, l'Océan se retire, son action ne se fait plus sentir, l'éthique n'obtient plus le ralliement des énergies créatrices, elle se durcit, se vide, craque, se raidit pour parer à son affaiblissement vital, exerce des commandements exagérés, absurdes, formels, qui accentuent et précipitent les craquements et la désagrégation intérieure sous une carapace morte et durcie, ne produisant plus que des pseudo-œuvres conformistes et soumises, ou des œuvres ne parlant pas ouvertement de la réalité, des œuvres de l'angoisse, du pourrissement, du « néant », du retrait intimiste : coupée des sources, l'éthique devient de plus en plus théorique, se fait graisse ou cruauté. Elle ne cesse d'exagérer ses commandements et d'exiger des louanges de l'art pour masquer sa faiblesse et son vide, elle se coupe délibérément de la culture qui la menace de révolution ou de renouvellement : à partir de là, comme dans l'Allemagne de 1934, ou sous Staline, tout est prêt pour l'horreur.

Les œuvres d'art ne sont faites pour « être mangées tout de suite » qu'à condition de ne jamais cesser d'être mangées. Ce sont des investissements à long terme, des biens de production d'avenir social et moral, leur consommation, comme celle de l'électricité, ne saurait faire disparaître la source de production, ce qui est prouvé par leur pérennité et même par la vitalité plus grande que les œuvres acquièrent avec le passage du temps : Leonardo, Van Gogh et Dostoïevsky sont plus « agissants » aujourd'hui que de leur temps, la sculpture africaine plus puissante aujourd'hui qu'elle ne l'a jamais été. Dès qu'elles deviennent uniquement biens de consommation, elles cessent de produire et de féconder, d'agir et d'alimenter : elles disparaissent, sont « consommées ». Les œuvres d'art jouent dans la culture un rôle analogue à celui joué dans l'économie et la planification par l'exploration des matières premières et la création des biens de production et de nouvelles et inépuisables sources d'énergie. Elles se jettent dans le fond culturel qui féconde toutes les entreprises humaines et tous les « rendements ». Des « œuvres » d'application directe, destinées à nourrir des besoins précis, voilà une façon de nourrir une société qui est une garantie d'anémie : ce sont des « œuvres » qui ne créent que des famines futures. Que dans l'absence de partage du privilège culturel l'œuvre d'art soit, dans une très grande majorité des cas, un luxe aujourd'hui, ne change absolument rien au fait que cette même œuvre est le pain quotidien de demain. C'est l'histoire de toutes les valeurs authentiques. C'est une valeur en suspens, qui attend sa libération. Rien n'est plus paradoxal que le malthusianisme culturel de la société marxiste déviée qui n'exige le présent que dans le seul domaine culturel, mais dans tous les autres domaines, et notamment dans celui des besoins premiers, œuvre surtout pour l'avenir, n'hésitant pas à sacrifier le présent.

Dans la culture, le plus grand chef-d'œuvre romanesque ne signifie rien en tant qu'apport décisif; supprimez *Guerre et Paix*, supprimez *Don Quichotte* : l'océan remplira ses blancs, et il les remplira par ce qu'il prend aussi bien à l'astronomie qu'à la peinture, à la musique qu'à la poésie. Rien ne saurait être décomposé en éléments premiers dans ce fond collectif, ce plasma, cet océan psychique né des œuvres et qui exerce une pression irrésistible sur les rapports de la conscience avec la réalité.

Il y a la fraternité, et il y a la névrose des « autres ». Sganarelle va jusqu'à fermer les yeux sur la culture, coupe le cordon ombilical, renonce à la nourrir et sacrifie sa vocation de romancier sur l'autel de la « fraternité ». Ce faisant, il prend aux autres la fraternité, mais il cesse de donner la sienne : l'acte de création est l'acte le plus fraternel qu'il pourrait accomplir. Ne pouvant remédier, il se livre ainsi à une mimique purement gratuite et symbolique, proclame ou confirme un état d'urgence et de priorités sociales incontestables, mais qui n'a nul besoin d'être motivé par ce symbolisme gesticulatoire qui est avant tout un malthusianisme. Comme dans d'autres domaines où le souci d'avenir n'est pas toujours compatible avec la satisfaction des besoins économiques immédiats, l'impatience, l'exigence et une notion strictement individualiste du temps stérilisent et appauvrissent l'avenir au nom du présent et des expédients. Dans le cas le plus optimiste, un bien de production est là transformé en bien de consommation. Mais dans la plupart des cas, la soumission du roman à la Puissance de la réalité au nom d'un état d'urgence et d'un ordre de priorité, ou la recherche d'un résultat immédiat par une volonté d'application spécifique de l'œuvre ne visent qu'à proclamer, qu'à authentifier l'importance d'autre chose que la littérature, mais d'une manière gesticulatoire et non réaliste, dévote et sans aucun résultat pratique, une attitude qui vise, du reste, plus ou moins consciemment, à signifier la beauté du Moi en tant que conscience universelle, Christ de toutes les plaies, et tient plus, en dernier examen, d'une vision égomaniaque du monde que d'un authentique don de soi. L'humilité véritable consisterait là plutôt à se vouer totalement à son œuvre artistique, même pour l'instant inaccessible aux masses déshéritées, cependant que rien ne vous empêche de lutter aussi pour le partage de la culture, c'est-à-dire pour les conditions matérielles qu'elle exige pour être. Mais il est curieux de demander à l'œuvre d'être en même temps une richesse à partager et une organisation de son propre partage, de rechercher à la fois le meilleur de ce qu'on peut accomplir et le plus petit commun dénominateur.

J'obtiens ainsi deux personnages qui cheminent ensemble dans le roman, qui ne font qu'un, mais que je divise en deux parce que j'obtiens ainsi une source de conflit féconde du point de vue romanesque : l'un d'une grandeur, d'une immortalité qui permet toutes les moqueries, tous les sarcasmes, parce qu'il est à mes yeux d'une dimension et d'une générosité qui invitent à tous les manques de respect, qui le mettent à l'épreuve, et je peux donc, ainsi, en me moquant continuellement de lui, indiquer clairement l'idée que je me fais de sa santé, de sa valeur, et de sa grandeur; l'autre périssable, insignifiant, d'une vulnérabilité absurde, et qui tire de sa mortalité et de son caractère éphémère, une extraordinaire liberté, un sentiment d'impunité totale, une insouciance que rien ne peut entamer. Il va sans dire que le procédé de fendre l'homme pour en faire deux personnages en conflit a été inventé par Cervantes et que je me bornerai à l'utiliser d'une autre façon, ce que je n'ai jamais cessé de faire dans mes romans, et qui explique pourquoi, depuis *Tulipe*, tous mes personnages « dominants » ont toujours été assistés par un contradicteur. J'ai, en somme, un personnage qui est un Valet irrespectueux et d'une liberté totale, et, en lui, un Maître qui est asservi, déchiré, angoissé, menacé d'extinction par lui-même, morcelé en ses deux milliards d'identités schizophrènes, menacé par son propre génie, paralysé par sa propre puissance, et que son Valet, par sa bouffonnerie, par ses *lazzis*, par sa parodie, essaye d'aider à reprendre ses esprits. Ce n'est jamais l'Homme, mais c'est toujours l'homme historique. Parfois, dans sa tendresse, dans son amour, mais aussi dans son irritation, le Valet devient féroce, jette du sel sur les plaies de son Maître, lui annonce même qu'il va quitter son service, qu'il va se révolter contre lui. Il a des excuses, le pauvre jean-foutre* : il ne peut pas *remédier*. C'est un romancier. Je ne reviendrai donc plus sur ce que j'entends par *Frère Océan*, sur ce qui explique l'allégresse du *picaro*. Il ne me reste plus qu'à affirmer ce que j'entends par *œuvre*. Procédons par révolution.

Supposons que tout ce que je viens de dire n'existe pas et que tout ce qui ne fait pour moi aucun doute dans sa logique satisfaisante pour l'esprit soit faux, imaginé, inventé, comme on dit, *de toutes pièces* : une expression extrêmement intéressante, pour peu qu'on veuille y réfléchir. Il s'agirait alors d'un commencement d'existence, d'une naissance, d'une authentique création culturelle et même d'une création d'une conception de la culture. Si d'autres « inventeurs », « fantaisistes », « rêveurs », « poètes », « lunaires », « inadaptés » à la réalité me suivent dans ce labeur d'imagination, la culture se mettra à exister et à agir dans le sens ici défini, *Frère Océan* cessera d'être une image poétique, l'imagination dictera une organisation, une prise de pouvoir, menacera la réalité retranchée, et, pour peu que se généralise l'appro-bation qu'elle recueille et l'action qu'elle détermine, elle

---

* Je m'excuse auprès du général de Gaulle : le livre a été écrit *avant*.

créera un sens, une société et une civilisation. C'est ce que j'avais essayé de montrer dans *Les Racines du Ciel*, mais un excès de réalisme avait trop bien réussi à tromper le lecteur français. J'avais pris ce qui n'existait pas et j'avais montré comment ce qui n'était pas pouvait dicter une conduite, faire exister des valeurs authentiques, comment une conception de l'homme parfaitement arbitraire dans sa noblesse, une totale auto-improvisation créait des conditions psychiques qui déterminaient une action, une fraternité, une civilisation. Personne ici ne s'était aperçu que mes éléphants pouvaient aussi bien être des coquelicots. Il a fallu l'ignoble et vulgaire Amérique pour s'en apercevoir : j'ai échappé ainsi à l'accusation de prétention et reçu le prix Goncourt.

Disons encore quelques mots impardonnables.

Les hommes luttent contre la donnée qui leur a été imposée par la Puissance, — création à laquelle leur conscience n'avait pris aucune part. Ils luttent contre ce qu'ils sont *encore*, contre ce qui est *encore*. Les questions d'essence ou d'existence ne sont là que des satisfactions formelles. *Car la seule chose, de toute façon, qui les tente depuis qu'ils sont, c'est ce qu'ils ne sont pas, c'est ce qui n'est pas, qu'ils n'atteindront pas et qu'ils ne cesseront jamais de poursuivre, se créant eux-mêmes chemin faisant.*

XXV

La culture canaille.

Descendons maintenant sur le trottoir et touchons un mot de la « prostitution », de cet humble ruisseau récusé et condamné à l'égout éternel par nos aristos, alors qu'il se jette lui aussi dans l'Océan. Les dénonciations de la culture de masse, de la pop'culture populaire, cette putain au service du « conditionnement industriel » pseudo-culturel rejoint le plus vieux fi-donc! de l'aristocratie lorsqu'elle parle du « vulgaire », de la plèbe. Il n'est pas possible de prendre au sérieux cet exquis souci de nos marquis et de nos merveilleux. L'art authentique a toujours commencé par cette contrebande qu'il glissait dans ce qui ne s'occupait pas d'art, mais d'ornement, par ce qui ne s'occupait pas du musée, mais de l'utilité de l'objet commandé, de la poterie, de la coupe, de la richesse. Tout ce qui permet à l'imagination de s'employer et de se manifester doit être accueilli à bras ouverts, avec un bon sourire, lorsque ça ne s'accompagne pas d'une mise sous séquestre de la culture, ce qui est impossible en Occident pour des raisons économiques que nous verrons. L'imagination qui se manifeste dans la publicité, surtout en Amérique, finit par offrir tout autre chose que l'article vendu. Dès que le « conditionnement industriel » se met à employer l'imagination, dès qu'il fait appel à l'artiste, c'est l'artiste qui se fait employeur, c'est l'imagination qui se met à employer. Même le scénariste de Hollywood, type de l'employé « industriel » aux ordres, se fait de plus en plus patron et employeur : tout le cinéma artistique est sorti de ce processus. Les curieuses accusations contre le livre de poche — on achèterait l' « objet » et non le livre — oublient que le livre est une *rencontre* et que tout ce qui multiplie les chances de rencontre est le bienvenu. La Renaissance à ses débuts achetait la ressemblance et la richesse du costume du prince, reproduite par le peintre, l'Égypte des Pharaons commandait des instruments de culte ou des ustensiles de ménage et des ornements et non de l'art, et les livres de poche, ceux, notamment, publiés par Scribner ou même par le Time Magazine, cette fin des haricots culturelle — tout Hemingway, notamment, et *La Peste* de Camus — sont de véritables chefs-d'œuvre de fabrication et de présentation. L'art du livre en tant qu'objet a toujours existé, messires; il compte également dans la formation du goût, et le passage de la couverture porno à la couverture artistique deviendrait évident pour ceux qui prendraient la peine de se renseigner. Je vous signale également — luttons contre l'impatience et l'irritation — que les siècles n'ont pas attendu le livre de poche, et que l'on constate l'achat de livres en tant qu'objets et ornements depuis le début de l'imprimerie, ce qui a donné naissance à tout l'art de la reliure et favorisait le livre en lui-même, sa circulation, ainsi que l'écrivain, en favorisant les rencontres. Les bibliothèques bourgeoises et seigneuriales ont toujours été pleines de livres-objets achetés comme *convention,* comme signes extérieurs conventionnels du statut de l'élite, qu'on lisait une fois sur cent, mais qui finissaient toujours par tomber entre les mains de *quelqu'un.*

La seule chose que le « conditionnement industriel » réussit est bien la seule chose dont il se soucie : la vente. Ce qui commence après lui échappe complètement. Le *Spiegel* allemand se soucie de conditionner les psychismes uniquement dans le sens de l'achat de sa marchandise et l'échec de la presse « conditionnante » dans le domaine du conditionnement politique est un phénomène que la presse elle-même reconnaît. On ne cesse de nous répéter que le gaullisme « conditionnant » ne dispose pas d'une presse, mais on n'en tire aucune conséquence lorsqu'on vient nous parler du « conditionnement industriel » par la presse capitaliste ou autre.

Tout ce qui emploie la couleur favorise la peinture authentique et finit par pousser vers le musée et les expositions. Les reproductions ne transforment pas les œuvres d'art en « clichés », et il suffit d'étudier l'évolution de la carte postale pour constater que ce qu'elle sert aujourd'hui, ce n'est pas le calendrier, mais Miró et la pénétration de la peinture moderne. On affirme en même temps que l'« industrie » fournit selon le goût du public et qu'elle « conditionne » ce goût, ce qui est démenti par tous les sondages d'opinion auxquels se livrent les marchands pour tâcher de savoir ce que veut le public. En réalité, toute cette dénonciation des « conditionneurs industriels » est une nostalgie de la mainmise sur les moyens de conditionnement et de dirigisme culturel, un ôte-toi-de-là-que-je-m'y-mette qui finirait, si on lui laissait les mains libres, dans le totalitaire. Tout ici se réfère sans le dire au « bon » conditionnement. Des anathèmes lancés contre les bandes dessinées américaines par notre gauche nationale après la libération, il ne reste que le génie de Feiffer, la poésie de Pogo et de B. C., et la présence d'excellentes bandes dans tout hebdomadaire de gauche qui se respecte. Cette putasserie de la vertu est écœurante, mensongère, une perversion puritaine des dévots qui se réclament de la culture, mais aspirent au conditionnement idéologique. Coca-cola, objet de mêmes flatteries, n'a pas fait baisser d'un iota, contrairement aux appréhensions de nos stalinons de l'époque et de nos Etiemble d'aujourd'hui, le taux de l'alcoolisme en France. Toutes les formes de « prostitution » industrielle sont à encourager dès qu'elles se mettent à employer le talent, et l'art de la présentation finit par avoir plus d'effet que le vide vendu. L' « industrie », les faits le prouvent, est incapable d'exercer le moindre commandement esthétique *sui generis*, c'est-à-dire inventé et imposé par elle, mais emprunte toujours au critère du chef-d'œuvre, même à ses niveaux les plus humbles, et les formes qu'elle commande s'inspirent de plus en plus de l'art authentique : le capitalisme lancerait sans hésiter Van Gogh et Cézanne dans chaque famille pour se vendre, et à partir de là, la parole est à Van Gogh et à Cézanne, à moins de condamner définitivement la « plèbe » comme des cochons sans espoir et sans sensibilité. Il suffit d'étudier l'évolution de l'affiche en France, de penser à Toulouse-Lautrec. La culture n'a pas à être défendue si elle existe, à moins d'être mise sous séquestre, et cette mise sous séquestre est impensable dans un régime capitaliste moderne, je reviendrai là-dessus. Le désir peut être déclenché par le « conditionnement industriel » mais ne saurait être fixé par la nature même du désir et du cerveau, ou alors, Kossiguine serait encore Staline. Il n'y a pas de substitut culturel capable de monopoliser et de fixer le désir. Le « jouir » dicte ses conditions et ne cesse pas de les dicter, se sensibilise à partir du sous-produit, se raffine, se développe, commence à rêver d'autre chose, à exiger la valeur authentique. L'art a été immensément favorisé par ce processus, et les bijoux plantés dans la garde de l'épée au Moyen Age ont mené à Lorenzo le Magnifique. La loi de Gresham ne s'applique pas à la culture : le feuilleton a mené d'Eugène Sue à son grand admirateur — il croyait l'imiter — Dostoïevsky ; le spectacle pornographique a conduit au *Kabuki*, la grosse farce à Molière, la bibliothèque rose victorienne à Dickens, la photo devait tuer la peinture — laissez-nous rire — le cinéma sonner le glas du théâtre, Sainte-Beuve dénonçait déjà la bande dessinée, et le sous-produit industriel dans Balzac ; Flaubert composait son « bêtisier » des idées reçues, l'équivalent parfait de l' « entreprise d'abêtissement du peuple » par le *snack* et le sur-le-pouce intellectuel d'aujourd'hui : ce cher Flaubert, qui n'a pas vu naître le siècle de

Proust, de Picasso, de Malraux, de Bonnard — n'en jetons plus. Il y a belle lurette que nos seigneuries annoncent la mort du petit cheval : la honteuse polémique sur le livre de poche pue le débat aristocratique entre petits marquis sur la meilleure façon de traiter le peuple, et le choix de la cravache. Disons simplement sans nous fâcher, pour obéir aux conseils « conditionnants » de *France-Soir*, que la circulation de l' « objet » renforce puissamment la convention de la culture, ce qui finit par enfoncer les portes à sa réalité (quel franglais!), et que le *poche* soit acheté comme objet par papa n'empêche pas le livre de tomber entre les mains du fils ou de la bonniche. L'échec politique de la presse « conditionnante » est total, dire que la télévision peut « vendre » au public trop bête pour se défendre un candidat aux élections comme un tube de dentifrice néglige un petit détail : ce n'est pas le tube de dentifrice qui nous parle, alors que c'est bien de Gaulle qui s'adresse à nous; affirmer ensuite que le bon peuple « achète » de Gaulle parce que celui-ci le trompe sur sa qualité remet en question non la télévision et le « conditionnement », mais Périclès et Cicéron, qui se « vendaient » aussi sur la place publique. Dites que l'on empêche l'opposition de parler : mais posez alors la question du régime politique et non celle de la télévision. Il est temps que la gauche cesse de traiter le peuple comme un éternel demeuré, ou alors qu'elle ne vienne plus nous parler de démocratie. C'est d'une mentalité de « conditionneur » que procèdent les méfiances systématisées et nostalgiques du « conditionnement ». La critique est ici démagogique, le débat est entre le « conditionnement » et le dirigisme culturel, ce qui revient au même, et la nostalgie inavouée, celle du « bon » conditionnement. La question est celle qui n'est jamais posée ouvertement : qui va « conditionner »? Les mises en garde contre l' « abêtissement » culturel sentent la défense du bifteck et le nationalisme à la Etiemble et *Je suis partout*. C'est la hargne de tous les marchands de tableaux et d'articles de Paris culturels qui ont investi dans Paris. Le marxisme le plus « conditionnant » produit Nekrassov, Voznesenski et Yevtouchenko, sans parler du conflit avec Pékin, et le « conventionnalisme » culturel américain fait naître l'action de la culture authentique; la coexistence des musées bourrés de chefs-d'œuvre et du Vietnam et de Rochester devient de plus en plus précaire et ne joue pas en faveur du Vietnam et de Rochester. Le déphasage est naturel, exige le temps et l'action politique, les hommes ne sauraient attendre les bras croisés la marée lente mais irrésistible qui ne monte que depuis trois générations mais qui nous a déjà libérés de nos colonies, après nous avoir débarrassés de tant d'autres servitudes. Je situe approximativement cette naissance océane aux débuts du syndicalisme et à la date de naissance de Valéry. Les privilégiés de la culture agissent toujours par procuration, les « cadres » sont des chargés de pouvoir, les clercs doivent trahir. Ne pas trahir, c'est tout trahir depuis Shakespeare et Masaccio, et depuis les peintures rupestres. Personne ne songe à conseiller aux hommes d'attendre la marée océane d'un élément à peine formé, ce serait déjà ne pas lui obéir.

Les putains du pop'art, des disques, des livres de poche, de l'art industriel, toutes ces prostituées sous toutes les formes qui font le trottoir et sollicitent le public travaillent donc pour autre chose que les maladies vénériennes et la dégénérescence. Je dis que la menace formulée par Enzensberger, « culture ou conditionnement », est purement journalistique, elle-même à tendance et à nostalgie « conditionnante », celle d'un « bon conditionnement », et sans aucune portée réelle : elle est en pleine contradiction avec la nature même du capitalisme moderne. Pour que le « conditionnement industriel » chasse la culture, interdise son partage et son action, en dehors même du fait que notre grande dame utilise à son profit cette pseudo-culture du ruisseau dans lequel elle se glisse et qui lui amène de la clientèle, il faut qu'il y ait une mise sous séquestre de la culture. Cela exige un capitalisme totalitaire fasciste, un Cérémonial policièrement défendu dont on ne voit plus d'exemple en Occident que le Portugal et l'Espagne, et qui sont des états de rigidité cadavérique où ce n'est nullement le « conditionnement industriel » qui agit — en fait, ces systèmes sont trop arriérés pour songer même à utiliser, ou savoir le faire, ce procédé perfectionné dans ce qu'il a de plus moderne — mais la force policière ou militaire à l'état brut. Il ne saurait y avoir dans le capitalisme moderne de domaine réservé, de mise sous séquestre ou de blocage de la culture : le système économique de la culture basé sur une clientèle de masse et sur l'encouragement de la demande sous toutes ses formes est incompatible avec le blocage du privilège et le stockage des biens culturels. On ne saurait reprocher en même temps aux capitalistes d'être prêts à vendre leur âme et de ne pas vouloir vendre leurs biens culturels. L'éducation des masses est une condition de la création de besoins et de l'ouverture de marchés nouveaux. L'aventure économique de la peinture d'« investissement » depuis vingt ans en est un exemple frappant. L'obligation de vendre et de faire acheter ne s'accompagne d'aucun souci de la qualité de ce qu'on vend, tant que cela se vend, valeurs authentiques ou *ersatz, kitsch* culturels. La nécessité de créer à tout prix des besoins nouveaux ne saurait s'accommoder d'une culture réservée, ni même de stagnation culturelle : les reproductions bon marché des chefs-d'œuvre ouvrent les portes des musées et en font bâtir de nouveaux. La production pour le marché, l'« invention » de la demande et de marchés de plus en plus vastes ne recule pas devant la qualité ; elle met en circulation Montaigne dans le livre de poche sans aucun souci culturel, mais ne peut plus l'arrêter ni empêcher les rencontres. Disons, si l'on veut, par souci de piété, que le « conditionnement industriel » est une de ces fameuses « contradictions internes du capitalisme », celle qui rappelle la contradiction des pays vendant des armes à leurs ennemis futurs, pourvu que ces derniers puissent les payer. Les biens culturels, la peinture, la littérature et la musique sont rendus d'une accessibilité de plus en plus grande par le jeu de ce facteur capitaliste et la convention de la culture favorise la rencontre des masses populaires avec leur plus sûre alliée. Le « conditionnement industriel » d'Enzensberger, lequel s'effectue dans un but exclusif de vente à profit ne peut donc faire des biens culturels des stocks non utilisés : une telle attitude est inconcevable dans le capitalisme moderne et ne se rencontre — et encore, de moins en moins — que dans les régimes totalitaires, sclérosés dans la rigidité de leur autodéfense et prêts à craquer. Sans oublier ce qu'on oublie toujours : que les « conditionneurs » sont eux-mêmes pieusement conditionnés par la convention de la culture, dans laquelle ils voient un alibi, une bonne façon de se présenter et de paraître, une vertu à bon compte, un contenu social sans danger pour eux. Voudraient-ils arrêter son action qu'ils ne sauraient s'y prendre : en censurant les œuvres « nuisibles » ou « empoisonnées » ils n'empêcheraient en rien la naissance culturelle, car ils frappent toujours à côté : le seul « poison » agissant n'est pas l'idéologie incendiaire, mais la qualité artistique, ce dont personne ne les convaincra. Il n'y a donc pas de culture aliénée, ce qui veut dire aussi qu'il n'y a pas de culture bourgeoise ou prolétarienne : voir Trotsky. Tout finit par se réduire ici à une notion de partage et d'accessibilité et nous venons de constater que pour le capitalisme moderne, la culture est à la fois un « alibi sans danger », un « contenu » qu'il croit purement formel et sans conséquences idéologiques, en même temps qu'il voit surtout dans les biens culturels des biens de consommation, une demande à encourager, à créer, à satisfaire, une exigence rigoureuse et toujours obéie, celle de la création et de l'extension des marchés.

Lorsqu'on lit un ouvrage comme *Le Paradoxe de la Culture*, de M. Bernard Charbonneau, plein d'observations fines et de conclusions grosses, dont l'auteur reconnaît, semble appeler même, en quelque sorte, par sa propre existence, l'apport vivifiant des invasions barbares et condamne en même temps la barbarie de la « masseculture » industrielle, en scindant en grand C et petit c, aussi irréconciliables que Sodome et Gomorrhe, ce qui a jusqu'à présent donné dans l'Histoire les plus belles œuvres d'art archaïques, et des naissances d'époques, par le mélange de la force brute et de la qualité, on constate qu'il le fait au nom du chef-d'œuvre individuel et totalitaire, au nom des vêtements perdus de Dieu que l'homme d'aujourd'hui empêcherait d'aller se rhabiller, en le séparant ainsi de son bien et de sa demeure naturelle en lui-même. Malgré la belle intelligence du livre et la qualité de la forme, on ne peut manquer de s'apercevoir aussi que le fond secret de la pensée jamais formulé reproche à l'homme de ne pas être *fini*, à la fois au sens artistique et dans l'autre sens, celui qui lui assigne une fin à la Teilhard de Chardin et le soumet à un conditionnement spirituel par le Point de Suprême Arrivée. Les lamentations sur les apocalypses industrielles aculturelles et sur leurs conséquences sont aussi arbitraires que toutes les extrapolations à vision historique d'avenir : extrapoler de Marx, Hitler et du *gadget* électronique à *1984* est une logique de Nostradamus. Ce sont les sueurs froides d'un temps individuel, l'angoisse d'un présent infini, la terreur qu'il inspire. Voltaire n'était capable de prévoir autre chose que le monde où il vivait, poussé plus loin dans la même direction : extrapoler de ce qui est à ce qui sera consiste à faire comme si ce qui n'est pas n'allait jamais se manifester avec des conséquences toujours imprévisibles. Personne ne peut extrapoler l'homme pas plus que le résoudre; jusqu'à présent, il a toujours surmonté aussi bien ce qu'il a trouvé que ce qu'il a créé, ne laissant au passage que sa peau de couleuvre individuelle. Le milieu naturel qu'il a trouvé en arrivant était un conditionnement infiniment plus effrayant, puissant et apocalyptique que tout ce qu'il a rencontré ou créé depuis, y compris évidemment le « conditionnement industriel » actuel, y compris la bombe à hydrogène. On fait comme s'il pesait aujourd'hui sur lui une menace sans précédent : relisez donc les conditions qu'il a rencontrées dès sa préhistoire et qu'il a surmontées. Sur quoi se base-t-on dans ce nouveau défaitisme de la grand-peur de l'an Mille ? Sur quoi ? En vertu de quel pouvoir secret et que l'on s'abstient soigneusement de définir, la culture brute, l' « ordure » de la « culture canaille » menacerait-elle ce qui ne saurait être menacé par le jeu même de la consolidation culturelle ? Quelle est la culture « authentique » dont les manifestations n'étaient pas déjà, justement, la mort et le pourrissement du chef-d'œuvre individuel totalitaire qui l'avait d'abord inspirée et dominée, avant même sa *suppression matérielle* par une force physique et jamais par une aculture ? Pourquoi m'est-il possible, à moi, d'aimer les Beatles, le rock et les western, tous les James Bond et les bandes dessinées en même temps que *Les Voix du Silence*, tout Malraux, *Le Mur* et *La Putain Respectueuse* de Sartre ; Kafka, Cervantes, Proust, *Pogo Possum*, Ray Charles, Petula Clark, les Frères Jacques et Shakespeare, et pourquoi aimer les uns devrait interdire d'aimer les autres ? Pourquoi puis-je, moi, me vautrer dans la peinture de tous les temps, me ruiner chez les marchands d'art moderne et ne cesser de me délecter de Feiffer et de *B. C.* ? Parce que je suis, moi, protégé par ma culture « authentique », tandis que les masses... C'est faux : je suis sorti de *Tintin*, de Karl May, de Jules Verne et des *Trois Mousquetaires*, l'art abstrait me faisait rigoler jusqu'à l'âge de vingt-huit ans, Proust me tombait des mains jusqu'à trente, j'ai lu Tolstoï pour la première fois à vingt-six ans, je ne suis venu à Balzac qu'après dix ans d'efforts : le parcours que j'ai effectué à l'échelle du temps individuel est le même que le schéma du développement culturel à l'échelle du temps non individuel, celui des générations et des sociétés.

L'homme ne peut prédire ce qui le marquera dans sa création, parce que la marque sera mise sur lui par le conscient culturel collectif et non par telle ou telle œuvre individuelle, même s'il pouvait la prévoir. Il n'est donc maître que de son œuvre, et non plus de son action : le temps du Royaume du Je, du chef-d'œuvre totalitaire est en train de finir, et il n'y a plus que la Chine et l'Albanie pour s'y accrocher. Quel est l'avertissement historique sérieux, la mise en garde « prophétique », qui se soient réalisés? Les apocalypses véritables n'ont jamais été prévues, et lorsqu'elles se sont produites elles ont donné autre chose que des apocalypses : les chambres à gaz ont commencé à lever des épaules coupables de la Papauté le poids de l'opprobre collectif et totalitaire jeté à perte de temps sur les Juifs; le conscient collectif de la culture pénètre comme une sorte de conscience au Saint-Siège même du chef-d'œuvre totalitaire individuel. Tout ce qui « choisit » une culture, lui dit où elle est et où elle n'est pas, se réclame d'un chef-d'œuvre totalitaire, quand cela se réclame de quelque chose; c'est un dirigisme qui cherche à faire de la culture le matériau de sa propre nostalgie individuelle. L'homme ne peut poser de préalables à la culture parce qu'il en tire le seul critère préalable authentique dont il dispose. Le fi-donc! de M. Charbonneau se réclame d'un retour au chef-d'œuvre individuel, totalitaire dans son unicité, que ce soit Dieu d'abord ou France d'abord, et annonce la dégénérescence et la décomposition : c'est possible, mais ce ne sera pas pour avoir succombé à un apport brut, barbare ou orgiaque, mais pour l'avoir au contraire récusé. Ce qui menace les hommes, ce n'est pas précisément le bonheur; il est impossible de citer un seul exemple concret de destruction de civilisation par un « jouir » vulgaire se réclamant d'une forme artistique aussi humble qu'elle soit. Les dénonciations de la « culture canaille » et du « conditionnement industriel » nous disent en langage moderne que l'homme est en train de perdre son âme — tiens, il y a là un roman — mais perdre son âme est trop indissolublement lié au processus de sa défense, de son illustration, si ce n'est de sa création, aussi bien dans la science, dans l'art et dans les idéologies pour qu'on puisse scinder ce processus en deux autrement que dans le Cérémonial d'un Escurial spirituel du chef-d'œuvre intronisé et qui finit toujours par perdre ce qu'il a commencé par sauver. Personne ne peut prévoir

225

les révolutions du cerveau dont la science n'est même pas commencée; extrapoler l'état actuel de la science, c'est avant tout extrapoler ses ignorances actuelles, ce qui mène fatalement à parler *Planète* et pierre philosophale.

Les foudres contre la « masseculture » me rappellent ces États américains où la loi vous jette en prison si elle peut prouver que vous avez fait ça, même à votre femme légitime, autrement que ventre à ventre, seule position paraît-il « culturelle » dans laquelle il est permis de s'esbaudir. La malheureuse levrette, pour ne parler que d'enfantillage, vous vaut un an de prison. C'est comme ça. Tant que la réalisation des rêves humains les plus purs de cité heureuse et de plénitude continuera à dépendre agréablement de l'érection phallique aussi bestiale que celle du bouc — du taureau, pour vous flatter, — et de l'introduction de l'objet en question dans un organe, certes, intéressant, mais peu conforme à l'idéal de l'art abstrait et de l'Esprit appelé au secours par M. Bernard Charbonneau, il y aura toujours, Dieu merci, une culture brute et canaille, tonifiante, vivifiante, scandaleuse, favorable à la circulation sanguine, et ce que M. Edgar Morin en dit d'une manière plus raffinée me paraît judicieux. S'il généralise par habitude du système et volonté de prouver, on peut faire route avec lui sans tomber nécessairement dans ses bras à la fin du parcours. *Mens sana in corpore sano* a toujours été un idéal pédérastique et je le dis sans vouloir offenser mes amis, mais uniquement pour marquer cette ambiguïté qui est en nous; le retour de l'Esprit sur les deux plateaux de la balance parfaite du Midi me paraît en contradiction avec le génie de l'espèce : constatation profondément optimiste, croyance en son génie. Si les Grecs et l'antiquité nous donnent l'impression qu'ils avaient réalisé cet équilibre parfait du rêve méditerranéen de Camus, c'est que nous mettons délibérément de côté toute leur bestialité, toute leur culture canaille du bordel, de l'esclavage et des enfants formés en vue de ce qu'on sait, afin de ne retenir que leur Saint Esprit. La « masseculture » grecque du bordel tient une place capitale dans tout le théâtre classique depuis Aristophane jusqu'au roman de Plaute et je suis sûr que M. Charbonneau a admiré comme moi les « bandes dessinées » sur les ruines de Pompéi.

Le *picaro* est sorti de la plèbe et fut, dès ses premiers pas, son compagnon fidèle, et je dis, moi, bâtard asiatique, éduqué par miracle dans la plus haute lumière des siècles, que j'entends demeurer fidèle à cette dualité et essayer d'en faire la fusion dans une œuvre romanesque; mais s'il me faut choisir, par fidélité à la culture, je choisirai la plèbe, où est l'espoir du renouveau, c'est-à-dire de la continuation. La faim cherche la quantité, son assouvissement mène à la qualité : c'est un fait historique. Le sort de la qualité culturelle n'est pas entre les mains des *Pop'* de toutes espèces, de cette « culture de troupeau de cochons », il est dans la suppression de la misère.

Toutes ces lamentations puent le temps mortel individuel : nous ne verrons pas la perfection. Que le passage du vicomte de Bragelonne à Proust se fasse à l'échelle du temps individuel ou à celui des générations et des sociétés ne change rien au phénomène d'escalade. Les ignobles dénigrements des vacances et du Club de la Méditerranée, lequel permet à la dactylo de voir la Polynésie, ces sanglots « culturels » trente ans à peine après les premiers congés payés arrachés au patronat, mériteraient la peine de quatorze heures de travail par jour sans congés payés, pendant toute une vie. C'est la plus bête insulte qu'on puisse infliger à la sueur et à la peine.

Quant à M. Charbonneau, lorsqu'il demande : « Que reste-t-il de Balzac dans les bandes dessinées? », on pourrait répondre par un seul mot, mais répondons par trois : il reste Balzac. Dickens était furieux parce qu'on l'achetait au début pour les illustrations de Cruikshank et on disait même qu'il s'en inspirait : au point qu'il se débarrassa de Cruikshank. On achetait *Don Quichotte* pour Doré sans le lire, Hokusaï servait de papier d'emballage et ainsi atteignait Vuillard.

Lorsque M. Charbonneau affirme que l'U.R.S.S. insiste pieusement sur Tolstoï et le fait circuler par millions d'exemplaires parce qu'il s'agit d'une valeur « sclérosée », il ne se trompe plus, il trompe. Toute la révolte de la jeune littérature russe et le murmure des intellectuels est sorti de la fidélité à la culture russe classique et de son accessibilité, et ce que doivent les manifestations d'un Voznesenski ou d'un Yevtouchenko à l'impertinence de Pouchkine et de Lermontov tués par la censure n'échappe à personne à Moscou. La lutte contre la Puissance se déroule sur l'ensemble du front et cela ne peut se passer ni de Zazie, ni du métro, ni de Brassens, ni de Brel, ni des bas-reliefs de César faits avec l'ordure industrielle du siècle. Personne ne sait en quel point précis s'effectuera la percée et d'où jaillira soudain le sang nouveau. Je dis que c'est la qualité du chef-d'œuvre anonyme incarné dans la culture reconnue, convention ou pas, de Moscou à New York, qui met Pékin en minorité, force Johnson à chercher une sortie au Vietnam, libère les satellites, commande à de Gaulle, et impose un rapprochement par-dessus les idéologies au nom d'une constatation qui devient finalement un respect empirique de quelque chose dont le critère n'est ni le marxisme, ni le capitalisme, mais procède d'une attitude envers l'espèce et d'un souci de moyens tactiques qui assument clairement l'héritage culturel des siècles et laissent apparaître les premiers signes incontestables d'une Puissance qui commence à dicter ses lois aussi bien à Kossiguine, à de Gaulle qu'au racisme américain. Il n'est pas possible de se réclamer de la convention culturelle et de ne pas laisser agir la culture. Le premier soin de Gœbbels fut de rompre la convention culturelle et la Chine se réclame en ce moment de la même rupture, mais pendant combien de temps le pourra-t-elle ? Encore une fois, c'est une question à laquelle répondra la culture : c'est-à-dire la fin des famines, des épidémies et de la mortalité infantile.

Rien de ce qui fait sourire de plaisir et met de la clarté dans les yeux ne saurait être récusé. La fête des transistors et des plages n'est pas autre chose que la vieille flûte de Pan dont sont nés tous nos sortilèges. Laissez sa fête au peuple, elle en vaut la peine. La marche à l'étoile n'interdit pas les feux de camp et les feux de joie.

Il est donc dit que nous continuerons à traiter les « prostituées » avec le respect, le désir et la courtoisie dus aux femmes, et que nous ne cesserons ni de les fréquenter ni de leur laisser le trottoir, dans l'espoir et la certitude d'une passion, d'une rencontre authentiques. Il y a des chansons de Bob Dylan — écoutez *Blowin' in the wind* — qui sont de l'art sans aucune réserve et de véritables passages culturels dans les « masses ». Le roman-feuilleton, la science-fiction, toutes les « séries noires » assurent une permanence humble, cette « prostitution » garantit depuis une génération la survie d'un jouir romanesque chassé des « œuvres » totalitaires pour cause de tendance populaire. Personne n'entendra le *picaro* protester contre ce qui continue à servir obscurément dans l'ombre de l'Art, avec cette majuscule qui remplace le génie, toutes les sources de sa joie.

XXVI

Le Royaume du Je. — La fraternité est-elle un Moi innombrable? — La passion esthétique déviée : Sganarelle travaille à sa propre beauté. — Le schweitzerisme du Moi. — Le Je, conscience universelle. — Tous = chacun? — Le moi-même moimêmisant et le romantisme de l'aliénation métaphysique. — Mon semblable, donc mon frère? — Encore l'écho sépulcral de « la condition humaine » et de « la vallée de larmes ». — Le besoin authentique des autres. — « Romain Gary, pourquoi vous moquez-vous toujours de vous-même? »

S'accepter, c'est s'oublier. L'écart que je prends envers moi-même est aussi un écart que je dois prendre envers Moi dans les autres, si je ne veux pas me retrouver en eux comme objet de ma propre adoration. Le culte des autres que pratique le conformisme puritain est une généralisation comparable à la « culpabilité collective », guère différente de celle qui rend tous les hommes, tant que durera l'Histoire, coupables de la mort du Christ. « Aimer les autres », comme on dit, parce que « nous sommes tous frères », c'est avouer qu'on ne les aime que parce qu'ils sont Moi. Ce genre de fraternité me permet d'aimer le Noir, ou le Jaune, ou même le Juif, parce qu'au fond, il me ressemble, il n'est pas différent de

230

moi, c'est encore à Moi qu'en eux j'ai affaire : ce racisme de l'identité unique de l'espèce laisse supposer que si le Noir, ou le Juif, étaient différents de moi, c'est tout naturellement qu'ils se trouveraient exclus de *ma* fraternité. C'est le culte du Moi fondamental dans les autres : dans le cas d'une haine farouche du Moi, c'est le dépit amoureux qui joue : déviation masochiste de l'amour-passion. Le Je, conscience universelle, conscience de l'Indien des Andes et du journalier chinois, est un schweitzerisme du Moi sublimisé et qui s'adore dans tout ce qui relève de cette relique. Se voir dans toutes les plaies de l'humanité est avant tout *se* voir. Le personnage du roman picaresque moderne ne s'intéresse — mais passionnément — aux autres que parce que : *a*) il éprouve un besoin naturel d'être enrichi par des expériences différentes de la sienne; *b*) parce que sa nature, son goût du « jouir » le rendent un ennemi farouche des ténèbres, de la douleur, de la laideur, et de tout ce qui, dans la création artistique, fait pencher la balance du côté de « la condition humaine », notion de « la vallée de larmes »; *c*) parce que les possibilités de notre aventure picaresque ne peuvent être exploitées pleinement qu'en augmentant infiniment le terrain de prospection et de libération des talents de l'espèce, cependant que l'élévation continue du niveau culturel d'un pôle à l'autre multiplie les possibilités offertes au don individuel, au génie de l'espèce de s'épanouir dans la variété des identités, et dans l'accélération des péripéties de l'Histoire. Nos querelles intestines préhistoriques nous font perdre de vue notre Roman, qui est entièrement tourné vers l'extérieur.

Le schweitzerisme de la conscience universelle endolorie était une ruse utile du christianisme d'abord, et de l'humanisme ensuite, mais il a toujours eu un accent désespéré : la volonté de s'incarner dans les autres exaltés et sublimisés est encore une trace de la recherche du Père, une chute métaphysique qui donne une Humanité-corps mystique, une poursuite de l'Homme sur terre, dont l'irréalité finit par coûter cher en termes de sang et de victimes, en termes de réalité. *Je* règne sur ce Royaume des Autres qui est un Moi réincarné, une vision de Mon immortalité. Cette fraternité-là, c'est le Christ-Moi. L'individualisme délirant du Moi mortel cherche à faire de ce fraternalisme un romantisme de l'aliénation métaphysique de l'homme : c'est une fuite devant l'inconnu de l'Être, une angoisse de ma denrée périssable, une obsession du Moi, de la fin du Moi, de ce qui, en Moi, est à chaque seconde menacé : c'est une névrose obsessionnelle du Moi. Ce n'est même pas une notion de survie : ce fraternalisme est basé sur un « nous sommes tous frères dans la mortalité » où se retrouvent tous les chants funéraires de « la vallée de larmes ». Il n'y a qu'à parcourir mentalement toutes les images artistiques et tous les hymnes qui s'inspirent de cette ménagerie du Royaume du Je : le culte de « mes semblables, mes frères » s'accompagne toujours d'un sentiment tragique, de gravité et de tristesse, d'adieu, de dévorante nostalgie : la couleur dominante est toujours le noir : seul le folklore le plus humble rend vraiment compte de sa véritable nature de gaîté, de bonheur, d'espoir et de joie. C'est toujours les funérailles du Moi que l'on célèbre dans cette « fraternité »-là : il est tout de même remarquable que cette valeur humaniste ne se reconnaisse, dans ses grandes manifestations artistiques, que dans le malheur et jamais dans la joie. Elle sonne toujours comme un écho sépulcral de « la condition humaine », et toujours au bord du « néant ». Insistons là-dessus sans crainte de nous répéter : il n'y a pas mille façons différentes de cracher son dégoût. Cette vision de l'homme, parcelle mutilée de l'humanité, est toujours marquée de désespoir, de chagrin, de *Pietà* du Moi, elle parle toujours d'épines et de douleur, de la « finitude » et de la peine, c'est une neurasthénie et, on le sent, une piètre consolation, ce qui explique sa tristesse, elle est toujours un « frères nous allons tous mourir ».

Cette « condition humaine » dans le roman est devenue une facilité d'effet, une commodité littéraire à prétention abyssale, mais sa « profondeur » se réduit finalement à une de nos plus vieilles méditations, qui n'était même plus originale chez Hamlet. Elle est une extraction d'un jus de souffrance qui n'a plus aucun goût artistique : à écarter de mon roman. Les méditations littéraires sur l'irrémédiable ont déjà tout donné et elles n'ont donné que l'irrémédiable. Ce mur des lamentations nous cache la vue : il a été, du reste, bâti par l'Église pour nous enfermer dans la « vanité de toutes choses », et surtout, bien sûr, du « jouir » de la vie. Je ne suis tenu envers la « condition humaine » à aucun respect, à aucune pieuse vénération : elle est Moi, et je n'ai pas à Me renifler amoureusement. Au cours d'une de ces *Lectures pour tous*, où les écrivains sont débités chaque semaine comme des rondelles de saucisson, le cher Dumayet m'avait demandé : « Pourquoi vous moquez-vous toujours de vous-même ? » Mais je ne me moque pas de moi-même : je me moque de Je, c'est-à-dire de ce qu'il y a aussi bien de cocasse et de délirant dans moi, dans Dumayet, que dans n'importe qui. Ce Je impayable, je peux le traiter avec un manque de respect total dans les autres comme dans moi-même.

Il n'y a pas de littérature moderne plus pénétrée de la mortalité du Moi que la littérature française. Les cinquante dernières années à cet égard ont été véritablement ahurissantes : au moment où j'écris (1965) le Moi-même moi-mêmisant ne trouve plus de rassurance que dans une contemplation mesmérisée de ce qui ne meurt pas, c'est-à-dire de la chose, de l'inanimé. La pierre est devenue le suprême refuge culturel de l'homme.

Pour mon personnage, au contraire, sa mortalité représente avant tout une limite à sa responsabilité, la part royale que confère à chaque homme son insignifiance. C'est d'elle qu'il tire son insouciance, sa liberté.

Lorsque, dans cet humour que l'on trouve choquant, j'écris contre moi-même, je ne cherche qu'à me libérer du Je, toujours surabondant. Peut-être parce que je suis avant tout romancier, mes rapports avec ce qu'il y a de permanent dans mon identité m'exaspèrent parce qu'ils enferment ma vie dans un seul personnage et dans un seul roman. Et lorsque le besoin d'art et de création est dévorant, les rapports avec soi-même ne peuvent être que tendus : on est vraiment trop loin du compte.

XXVII

*La beauté, cette cochonnerie. — La conscience sociale de Marx est-elle
née d'une idéologie ? — Ce que Giotto, Cervantes, Mozart et la
peinture florentine font pour des situations sociales spécifiques dont
ils ne s'occupaient pas. — Tout ce qui développe la sensibilité,
développe la conscience sociale. — « Le Cimetière Marin » contre
les régimes policiers. — « Ce qui n'est pas » ne cesse de renseigner
sur ce qui est, change la nature du regard, démasque la réalité.*

Beauté : le mot peut-être aujourd'hui le plus évité, lorsqu'on
parle du roman, et lorsqu'on parle de la société. Car lui
reconnaître son dû est terriblement gênant : reconnaître
que c'est toujours — toujours — à l'origine, l'esthétique qui
commande à l'éthique, il n'y a pas aujourd'hui de plus
ignoble aveu. Il suffit de penser à ce que veut dire, dans le
langage courant, le mot « esthète » : pédéraste ou impuissant.
Et pourtant, il n'y a qu'à relire les œuvres de tous les réfor-
mateurs sociaux de tous les temps, y compris ceux du XIXe siècle, anarchistes, fabianistes, socialistes : tous se réclament
de la beauté de la vie, tous se réclament d'elle, et dans toutes
leurs descriptions de la pauvreté, de la misère, de l'exploitation, c'est un véritable chant de haine contre la laideur qui
retentit. Pourquoi ne pas reconnaître que la beauté des
œuvres d'art, parfois les moins directement en prise avec la

réalité sociale, exige le changement du monde et de ses réalités spécifiques? Ne nous parlez donc pas d'indifférence, lorsque vous nous parlez de la culture. C'est devant les foules frappées de famine, devant les mères aux seins vides, couchées avec leurs enfants dans la bouse des vaches sacrées, que l'art, *celui qui n'en parle pas*, aussi bien l'art abstrait que celui de Cézanne, commence soudain à exercer sur les consciences privilégiées un commandement éthique : c'est le moment où Tolstoï, Pouchkine, Gœthe, Heine, Mozart, Hugo, sensibilisent et forment les consciences de Marx, Trotsky ou de Jaurès, c'est le moment où l'art qui nous parle d'autre chose, qui est d'un autre temps, mobilise, à travers la culture, des forces qui changent une situation sociale dont il ne connaissait rien et à laquelle il ne s'intéressait pas.

Affirmer, comme le font certains aujourd'hui, que l'art n'a pas de prise sur les réalités, que le roman ou la littérature ne sauraient rien changer, c'est parler exactement le même langage que celui des « directives » qui exigent des œuvres spécifiques en vue d'une situation donnée : c'est invoquer un rapport direct qui ne signifie rien ou ne signifie qu'une lutte pour la suprématie entre valeurs, sans rapport avec la nature du processus historique qui obtient le changement.

La révolution d'Octobre n'a pas été préparée par des œuvres spécifiques, offertes aux masses, mais par la culture privilégiée. Il n'existe, dans l'histoire de l'humanité, aucun changement social d'aucune nature qui ne soit sorti d'un début, aussi minime soit-il, de partage culturel, de la pénétration de certaines notions culturelles dans les consciences sensibilisées. Tout gonflement culturel par apport d'art est en puissance un progrès ou une révolution, une sommation adressée à l'intelligence par la sensibilité. Dire que l'art ne peut rien pour un enfant qui meurt de sous-alimentation, c'est choisir d'oublier tout ce que l'art, à travers la culture, par la formation de la conscience, et donc de la responsabilité, a déjà fait pour tous les enfants qui ne meurent *plus* de sous-alimentation, pour tous ceux qui ne sont pas *cet* enfant-là. Le renoncement au colonialisme de la part de la France ne fut pas une opération idéologique, mais la réaction d'une conscience culturelle prisonnière soit de son authenticité, soit de sa convention acceptée : Victor Hugo, lu ou non, les musées, visités ou non, ont joué un rôle déterminant : la France, dans l'authenticité ou dans la convention, a été prise à son propre piège culturel.

XXVIII

La « liberté » du créateur : le romancier est un obsédé à part entière. — Comment on renonce au roman par souci de réalisme. — Comment on est gagné par son roman au point de se faire tuer pour lui. — Le déchirement de l'authenticité : sortir enfin de la fiction. — Le romancier se jette dans l'action par souci d'art vécu, par besoin de réalisme. — Mais la fiction demeure. — La mort de l'auteur au combat, soudure entre le mensonge romanesque et le besoin d'authenticité, cette auto-intoxication. — Malraux en Espagne. — Comment Marx a été empêché de mourir en épicier heureux. — Lénine, Mao Tsé-toung, de Gaulle ont été « jouis » par la culture.

De tous les hommes, le créateur d'œuvres artistiques est certainement le moins libre, le moins capable d'un choix libre, pour peu que la vocation soit authentique, déterminante, qu'elle absorbe la plus grande partie de son être, qu'elle soit son besoin dominant : il choisit ce qu'il est, même lorsqu'il choisit ce qui lui est le plus irrémédiablement opposé. Il choisit toujours son œuvre, même et surtout lorsqu'il la refuse : c'est alors une déviation masochiste du désir de perfection absolue, semblable à celui qu'analyse M. René Girard dans l'étude du masochisme par déviation du désir métaphysique, dans son très remarquable *Mensonge romantique et vérité romanesque*. Parfois, l'auteur y est « gagné » par son œuvre : il quitte alors le roman et passe dans la vie par besoin de réalisme, pour authentifier sa fiction, pour cesser de souffrir de ce qui, dans tout art, se refuse à la réalité. Le romancier ou le poète meurt alors quelque part loin de son œuvre par souci de réalisme artistique, par besoin d'authenticité. Parfois, le besoin de créer est si puissant, le goût de la perfection si absolu, la volonté de puissance si nietzschéenne dans son essence malgré les pieux déguisements, que le créateur rejette son œuvre et rompt avec la création artistique parce qu'elle le laisse toujours loin de son besoin de réalisme : sa mort devient alors sa suprême création, une ultime figure de style. Lorsque Malraux court conspirer en Indochine ou se battre en Espagne, nous avons déjà le secret partiel de son silence futur : un besoin de réalisme, d'authenticité littéraire; ne pouvant ni « résoudre » la réalité dans l'œuvre, ni mordre sur la réalité par la fiction, l'auteur fait en lui-même la soudure entre la réalité et la fiction, il devient sa propre œuvre maîtresse. Mais c'est toujours l'art qui commande. Souder son art et sa vie ne peut être qu'un idéal artistique : un créateur engagé dans l'action s'y trouve toujours pour des raisons esthétiques, surtout lorsqu'il les vomit. L'authenticité est recherchée là pour sceller l'œuvre dans toute la rigueur du vécu. Cette situation est typique de toute la génération des années 30 et 40, où tout, dans la réalité, rendait au « rêveur » ses rapports avec le rêve intolérables. Les poètes comme Byron sont ceux qui ont le plus besoin de réalisme, et ce sont les tempéraments lyriques qui demandent à l'action le réalisme du poème. Tous les « engagements » dans l'action de Sganarelle déchiré entre ce qui est et ce qui n'est pas sont des engagements lyriques. Mais alors, dira-t-on, parce qu'il est un affabulateur, un rêveur, un créateur de ce qui n'est pas, il n'aurait droit à aucune authenticité dans ses rapports avec la réalité? C'est une question de vocation. Il est dit simplement que le choix est toujours dicté par ce qui vous a formé en tant que force déterminante, engageant la plus grande partie de votre être dans une priorité formative qui a modelé chaque manifestation de votre conscience ; s'il est dit que l'ouvrier obéit avant tout à sa conscience de classe, à sa condition d'ouvrier, il est vain de se demander ce qui, chez le romancier, à vocation profonde et dominante, détermine son choix politique : ce sont les mêmes forces qui ont déterminé sa littérature. Besoin de réalisme chez les uns, volonté de rupture avec leurs malformations psychiques chez les autres, avec ce qu'on est, soumission à un besoin de beauté, dont la morale d'aujourd'hui n'autorise plus l'aveu que sous des déguisements idéologiques, schweitzerisme du Moi — conscience universelle, recherche d'une apothéose, comme chez Tolstoï : les facteurs agissants sont les mêmes que ceux qui déterminent l'œuvre, et l'humanité risque fort de ne jouer dans cette affaire qu'un rôle de matériau artistique. Il est dit que dans les vocations profondes, qui exigent une mobilisation totale de l'être, rien ne saurait plus être vu dans le monde de la réalité sans priorité à l'art ; seule quelque lobotomie pourrait peut-être permettre à l'artiste d'aborder la réalité sous le seul angle de la réalité. Lorsqu'on dit, au nom de l'action, que les temps sont trop noirs et urgents pour que la littérature romanesque soit encore possible ou même tolérable, c'est une école littéraire que l'on fonde, c'est à un réalisme littéraire qui se passerait de littérature que s'adresse votre rêve du chef-d'œuvre vécu.

Je considère donc comme tranchée la question de savoir ce que *Le Cimetière marin* peut accomplir contre les régimes policiers ou d'exploitation de l'homme, ou contre la sous-alimentation : il ne peut rien contre eux directement, mais il ne cesse de contribuer à ce qui mobilise les consciences et attaque tout ce qui est incompatible avec le goût de la perfection. Vous pouvez faire tous les romans que vous voudrez pour dénoncer en l'éclairant de votre génie la situation misérable d'un paysan de Bolivie : vous ne ferez pas plus pour lui que Van Gogh, et votre effort n'aura même pas l'effet de ces photos intolérables que publient les revues à grand tirage. Ce qui changera finalement son sort, c'est ce que les musées, les bibliothèques, les salles de concert et les théâtres font pour ceux qui n'y vont jamais, et sans quoi Marx serait mort en épicier heureux et Lénine *tchinnovnik* aurait ciré les bottes du Tsar. L'action de la culture dans le sens de l'épanouissement, et d'un épanouissement déterminé, est aussi irrésistible que celle de l'énergie solaire sur la chlorophylle dans la plante, et cette chlorophylle a été déposée en nous par les œuvres à partir du tout premier balbutiement de l'art et du folklore. Le rapport entre la culture et le socialisme est direct; le rapport entre un chef-d'œuvre et une situation spécifique est indifférent. Marx, Jaurès, Roosevelt, Kennedy, et le justicialisme gaulliste, Mao, sont tous nés de ce que la culture a fait pour l'éthique, c'est de la jouissance esthétique par l'art et dans la culture que sont sorties ces rigueurs froides de la pensée qui excluent aujourd'hui l'œuvre d'art en tant que valeur en soi et qui nient la puissance de ce qui les a formées. Les sciences sociales sont nées d'un rêve de beauté et de la sensibilisation par la culture, et ceux qui les exercent aujourd'hui en récusant aussi bien la puissance solaire du rêve que de la beauté sont sortis des plus beaux songes de l'humanité.

XXIX

Jouir.

Le cœur de mon personnage se gonfle de satisfaction à l'idée de ce que cet « esthéticisme » va soulever d'indignation chez les bondieusards scolaires du puritanisme de la *justification d'être,* seule excuse de tout ce qui était à leurs yeux tellement suspect : l'imagination, l'affabulation, le lyrisme, l'invention, bref, le mensonge. On rencontre encore si souvent le petit sourire dédaigneux de ces intelligents entièrement honnêtes et qui se méfient poliment de tous les fricotins de l'art, lorsqu'ils vous disent — oh! sans le moindre accent péjoratif : « Je ne lis jamais les œuvres d'imagination. » Prononcer devant eux le mot « beauté » — les serviteurs posthumes de la morale bourgeoise parmi les dirigeants marxistes ne sont pas exclus — lorsqu'on parle de la faim ou de la servitude, établir un lien entre la volupté esthétique et le socialisme, dire que la société sans classes est une conception née avant tout d'une vision de beauté du monde, une conception esthétique et hédoniste de l'épanouissement de la vie dans un foisonnement toujours plus grand des fruits de la jouissance, voilà qui frise l'outrage aux bonnes mœurs, voilà qui sent la décadence, voilà qui fait ressortir de derrière le rideau le museau du diable incitateur à la débauche, voilà une définition du socialisme qui relève de la plus franche cochonnerie. Affirmer que la vocation profonde de l'homme, sa nature essentielle — et, en fait, de toute manifestation de la vie — est avant tout sensuelle, un « jouir », source de toutes les fécondités et de toutes les floraisons, et que le puritanisme des sociétés à prétention socialiste est une victoire posthume de ce qu'il y avait de plus bête et obscurantiste dans la bourgeoisie, c'est expliquer enfin pour quel motif K. dans *Le Procès* a été condamné. Il méritait bien son sort : il avait complètement perdu contact avec l'expérience la plus commune de tous les hommes, celle du « jouir », que l'on trouve dans toute gorgée d'eau fraîche, dans toute bouffée d'air respirée. Il est à peine croyable de constater à quel point les révolutionnaires et les défenseurs les plus farouches du progrès politique se réclament d'une morale dont tout le but était de lutter contre le progrès, et se font les héritiers de tout ce qu'il y avait de pire, de plus obscurantiste dans la rigueur craquante de la morale du XIXe siècle qui les a infectés, et dont ils sont aujourd'hui les singes serviles, dont ils sont aujourd'hui les possédés. C'est la vengeance de Tartuffe : l'hypocrite a trouvé parmi ceux-là mêmes que sa perfidie voulait empêcher de s'épanouir, des héritiers sincères, honnêtes, que la vue de ce sein qu'ils ne sauraient voir scandalise vraiment. Leur dire qu'ils luttent pour le plus vieux rêve de beauté de l'homme, qu'ils sont nés d'un rêve de volupté, que la force agissante de la culture est, à l'origine, dans sa source, un impératif hédoniste, que ce qu'on aime dans la beauté d'un cul de femme de Maillol est exactement ce qui rend intolérable la vue du ventre gonflé par la faim des enfants africains, que le cher Khrouchtchev avec son *khamstvo* culturel, crachant sur les toiles abstraites, et luttant comme un enragé pour la prospérité matérielle de son peuple, incarnait avant tout un rêve de beauté qui habillait jadis Dieu en son paradis d'une robe de lumière, que l'art crée un besoin de plénitude et de bonheur qui ne saurait s'arrêter à l'art, rappeler que d'une manière constante, dans tous les folklores populaires, la guerre, la souffrance, la misère, les exploitations, la servitude sont représentées comme laides, que la liberté, la joie, l'amour, la fraternité, le partage sont toujours qualifiés de beaux et chantés comme tels, que dans toutes les cultures populaires le bon est toujours beau, et qu'il s'agit là d'une des distinctions les plus fondamentales et les plus permanentes, que l'on trouve dans les légendes et les récits d'un pôle à l'autre, voilà ce qui ne saurait manquer de provoquer l'irritation de ces serviteurs posthumes de la morale des maîtres qu'ils croient avoir vaincus.

Il faut reconnaître que le romantisme du XIXᵉ siècle a joué dans cette cassure entre l'esthétique et la réalité un rôle néfaste par son caractère irréel, par son individualisme bêlant, aux limites de la gesticulation surréaliste, sa grande éloquence enflée et vide ayant réussi à transformer l'esthétique en un esthéticisme de décoration intérieure et sans aucun pouvoir de convaincre. L'esthétique n'a pas encore réussi à lever l'hypothèque que cette gesticulation romantique a jetée sur la « beauté des causes ». C'est Byron allant mourir de diarrhée pour la « beauté » de l'indépendance grecque qui fut le premier pionnier du malentendu, et je me demande si les jeunes bourgeois qui se sont jetés dans la guerre civile espagnole l'eussent fait si la « beauté » de la cause n'eût pas été avant tout celle de l'Espagne, — et les noms : Catalogne, Guadalajara, Grenade, Guadalquivir. Ce qui importe pour nous, c'est de reconnaître que les chefs-d'œuvre de toutes les époques ne cessent de désigner des objectifs au progrès dont ils ne s'occupent pas et que l'œuvre de Shakespeare continue à exercer sur nous, à travers la culture, un commandement spécifique aussi puissant que n'importe quelle désignation documentaire d'une tare de la réalité d'aujourd'hui.

XXX

Jouir (suite).

Créer, c'est jouir, et la souffrance dont l'élaboration de toute œuvre authentique s'accompagne est un sel de cette volupté. Le terme « jouir », associé à la création artistique, est celui qui fait le plus peur à Sganarelle parce qu'il le désigne, depuis près de deux mille ans, à tout ce qui dans le puritanisme de la chrétienté, se méfiait de ce saltimbanque qui, si on le laissait faire, risquait toujours de chanter une beauté autre que celle de Dieu. Sganarelle a été, dans sa frousse, un des forgerons les plus appliqués de ses propres chaînes, un fournisseur empressé de *justifications d'être.* Il n'a reculé devant aucun sacrifice pour se draper de vertu. Il n'a pas cessé de se réclamer du mariage, d'une union légitime avec la société. Encore aujourd'hui, rien ne lui est plus précieux que cet anneau de la respectabilité au doigt, même lorsque c'est l'anneau d'une chaîne. C'est parce que l'esthétique, l'art et la culture, sont d'abord un « jouir », une volupté, une sensualité assouvie par le développement de toutes les facultés humaines à la poursuite d'un seuil de bonheur toujours plus élevé, que tout ce qu'il y a de formel, de statique et de creux dans le Cérémonial éthique, n'a cessé d'imposer à Sganarelle cette condition de sa vertu et de sa légitimation : la prostitution. Notre jouisseur lui-même, ne pouvant, d'une part, résister à son besoin, et las d'être mis au ban de la morale, soucieux, comme tous les saltimbanques, de trouver enfin sa place au cimetière, dont sa charogne a été pendant si longtemps exclue, n'a cessé de lutter pour s'enchaîner, de proclamer sa « respectabilité », son « importance sociale » en tant que contribution directe et spécifique à la solution des problèmes de l'homme susceptibles d'une solution. Il s'est appliqué à donner le change, à se parer du prestige de Grand Solutionneur, finissant du reste par se tromper lui-même sur la nature véritable de son apport. Dieu, le christianisme, la société, le marxisme lui passaient dessus : chargé de beauté dans un monde de laideur, chargé de jouissance dans un monde de faim, effrayé par ce que la perfection du chef-d'œuvre constituait comme provocation pour l'ignominie d'une société, il finissait par être infecté complètement par ce qui ne le comprenait pas, et cessait de se comprendre lui-même, cependant que son sentiment de culpabilité ne cessait d'augmenter, simplement parce que la lumière était mise en minorité et déclarée immorale par les ténèbres. La pureté incorruptible, profonde, l'importance authentique de ce qui naissait de sa volupté, de cette sorte de sexualité artistique dont il ne pouvait se décharger que dans l'œuvre, finissait, depuis le xviiie siècle, par lui échapper complètement. Prisonnier du rationalisme, du positivisme, de la littérature en tant que « connaissance », du rendement, de l'efficacité, de la morale du travail et de la production, il ne cessait de se démener pour forger ses propres chaînes de respectabilité. Pour l'aider dans cette tâche, pour réhabiliter cet enfant de la balle, des efforts inouïs et parfois géniaux ont été accomplis par ceux qui avaient besoin eux-mêmes de trouver une justification d'être au plaisir qu'ils avaient à le fréquenter. L'énergie dépensée par les écrivains pour justifier, légaliser leur littérature — le plus souvent à l'intérieur de l'œuvre, par la glorification de la convention en cours — dépasse sans doute l'effort de création proprement dit : la plupart des chefs-d'œuvre ont vu leurs auteurs se répandre en assurances de bonnes intentions et d'honorabilité. Lorsqu'on tombe enfin sur Van Gogh, une créature organiquement liée à son « jouir », tragique, irrémédiablement vouée à sa vocation, ou sur Poe, Lautréamont, Rimbaud, lorsque le feu esthétique le plus pur éclate sans aucune habileté possible et féconde directement, violemment la culture, sans souci du moindre alibi social, incapable du moindre effort de conciliation, de compromis, de convention, c'est le désarroi parmi les pudibonds de la justification d'être : on les proclame « maudits ». Qu'ils transforment profondément la sensibilité moderne, qu'ils accentuent ainsi le seuil d'intolérance à ce qui était « passé dans les mœurs », qu'ils contribuent ainsi à créer des conditions de renouveau social, est pressenti comme une vague menace, un malaise : ou bien c'est l'indignation, ou bien c'est l'incompréhension totale, c'est-à-dire l'indifférence. Il n'y a pas de beauté nouvelle qui ne lutte pour un avenir nouveau, et il n'y a pas, il n'y a jamais eu, il n'y aura jamais de beauté gratuite, de beauté perdue. Il est impossible de mettre la culture en minorité. L'esthétique est là, dans leurs œuvres, comme un avenir social lumineux et clair, comme un commandement impératif de la beauté; ce champ de Van Gogh, brûlant de génie, est un futur incendie de la réalité. On jette sur lui l'eau glacée du silence, on déclare le créateur fou, on fait régner sur la menace qui monte de son œuvre la vertu des yeux fermés. On ne peut pas s'arranger avec Sganarelle lorsqu'il est possédé par le génie, il n'est plus capable de ruse, de camouflage. La puissante esthétique du créateur éclate alors avec une impétuosité incontrôlable, il éclate avec elle, elle le détruit, et elle va détruire bien autre chose. On ne comprend pas vraiment cette menace qui vise le confort bien meublé de votre ordre social : mais dans cet art nouveau qui vous brûle les yeux ou la conscience, on sent bien qu'il y a quelque feu qui couve. Cette esthétique qui, soudain, ne demande aucune excuse sociale, qui ne contribue à aucune bonne œuvre, ne sonne pas simplement le glas de l'art « pompier », d'une littérature bienséante : elle annonce le renouveau de la sensibilité. Une façon de voir, la fin de l'habitude du regard, une vision bouleversante de ce qui n'est pas, dans ce qui est : inquiète, la société bourgeoise ou marxiste ferme ses portes, ou vérifie ses assurances incendie. Il ne s'agissait pourtant que de beauté. Mais la réalité durcie et pétrifiée dans un moule qui ne survit que par l'acquiescement ne se trompe pas sur ce que cela veut dire. Toutes les révolutions dans l'art menacent la réalité par leur apport culturel, par l'élévation en flèche des pointes de la conscience moderne, toutes les formes nouvelles appellent le renouvellement du fond : il n'existe pas de marée culturelle qui ne change la manière dont vivent les hommes. Il n'y a qu'une façon sûre de détourner le feu, d'empêcher l'incendie de se propager, c'est de désigner à la flamme des tâches d'éclairage précises. Obligez un Van Gogh de peindre la beauté de la réalité socialiste et vous ne risquez plus rien : il ne pourra plus rien pour la réalité socialiste. Tout art féconde et renouvelle la sensibilité ou ne féconde et ne renouvelle rien. Le bonheur est au fond de l'homme et donc au fond des choses, et la création artistique ne fait que signifier par l'infini de ses manifestations ce besoin de développement continu dans la recherche d'une plénitude de toutes les facultés et de tous les sens, de péripétie en péripétie, d'identité en identité, et les sociétés « arrivées » ne font qu'organiser à chaque étape historique des bases de départ nouvelles, ou leur propre écroulement. La transmutation des œuvres en culture et de la culture en renouvellement social est un mouvement continu que seul peut interrompre pour un temps mort le malthusianisme qui détourne ce qui va aux sources de la création des identités sociales nouvelles vers le Cérémonial pétrifié d'une base de départ qui lutte contre le mouvement et s'érige en point terminal. Ainsi, au cœur de la souffrance du monde, le créateur est toujours en plein dans son « jouir », dans le bonheur de la beauté qu'il crée; sale condition, abjecte situation, quelle bassesse, quelle humiliation; la société, pudiquement, baisse ses jupes : c'est sa façon de se voiler la face.

La négation du « jouir » en tant que source de progrès et d'épanouissement humain est une lèpre héritée du Moyen Age qui visait à réconcilier Dieu avec la peste, avec la guerre, avec la souffrance, avec l'injustice et la servitude : c'est une réussite d'une Église pervertie qui ne luttait que pour préserver les « valeurs » de l'au-delà, et pour que la souffrance demeure, afin que tout en nous aspire à quitter cette « vallée de larmes ». Pas une figure dans quinze siècles d'art religieux qui ne soit douleur, exaltation de la douleur, encouragement à la douleur en tant que valeur expiatoire, et, ainsi, trahison de la souffrance du Christ et de son Dieu. La souffrance est devenue sacrée, un sacré. Ce masochisme-là devient une obscène mimique de la crucifixion. Le « jouir » est proclamé péché, la volupté ne saurait venir d'ailleurs que de l'autopunition, du châtiment de la chair, de la répression. Le respect de la plaie en vient à exiger la plaie, le partage de la plaie, il fait de la plaie et des épines le symbole de la « condition humaine ». La culture exige de nous la fin du culte de la douleur dans l'art, dans la littérature et dans le roman.

XXXI

Il ne saurait y avoir de « coexistence pacifique » avec la culture. — Le marxisme chinois et sa méfiance légitime. — Les concepts et leur rôle artistique dans le roman. — Il n'y a pas de chef-d'œuvre rétrograde. — Les œuvres perdent leurs « concepts » sans perdre leur portée, leur valeur authentique et leur apport culturel. — Le chef-d'œuvre contre ses propres « poisons ». — Comment les cadavres de « Guernica » jouent le même rôle dans l'œuvre de Picasso que la chèvre ou le compotier. — Le mythe frauduleux du poème « empoisonné » ou le charlatanisme paternaliste de Sganarelle.

Le marxisme chinois n'ignore rien de ses rapports avec la culture : c'est pourquoi il se méfie de cette source qui l'a fait naître, mais à laquelle il cherche aujourd'hui à se substituer. Tout dans cette poursuite d'une culture marxiste spécifique est une volonté d'échapper à ce qui est une contestation, une remise en question continue de toute réalité; mais il n'est pas d'exemple que l'idéologie n'ait perdu cette lutte pour le pouvoir : ce qui agit pour ou contre une idéologie dans la culture, c'est ce qui, en elle, est source de cette idéologie. Tout effort pour transformer Sganarelle en serviteur de la réalité socialiste ne se réclame de l'état d'urgence que comme d'un prétexte : ce qui est recherché, c'est une rupture avec ce qui a fait naître Marx, Lénine, Mao, et dont la puissance apparaît ainsi comme redoutable, suspecte, parce que capable de nouveaux bouleversements, de nouvelles naissances. Tout, dans une telle optique « révolutionnaire » a déjà eu lieu, comme le Christ. Ce dont j'ai tiré mon pouvoir devient ici une menace à mon pouvoir : un tel marxisme ne se veut plus dérivé de la culture, mais culture en soi. La médiocrité des œuvres incapables de féconder la réalité est le prix de cette lutte pour le pouvoir originel, de cette volonté de se substituer à la source. L'idéologie elle-même n'est pas en cause. Mais tout ce qui exige la soumission à l'idéologie de l'œuvre d'art empêche le rapport entre l'œuvre et l'idéologie. Car, dès qu'elle vient habiter une œuvre, l'éthique redevient esthétique, ou elle ne devient rien. L'idéologie sèche dans l'œuvre, et se met à jouer le même rôle que le massacre de Guernica dans la beauté du tableau. L'œuvre détruit son idéologie ou est détruite, annulée par elle. Le marxisme dans les romans de Malraux finit dans la beauté littéraire, les déchirements intellectuels, idéologiques, psychologiques, des personnages de Dostoïevsky tournent à la comédie picaresque ou au sombre lyrisme des *Hauts de Hurlevent*, les monstres sociaux de Dickens, de Balzac, agissent encore sur nous, alors que leurs rapports avec la révolution industrielle ou avec l'exaltation des valeurs bourgeoises nous sont indifférents : ils se meuvent dans une dimension où la puissance, l'argent, le travail forcé des enfants, l'ambition, l'envie, sont utilisés comme des éclairages, des couleurs, des reliefs dans la création d'un univers de formes, et où l'idéologie, la philosophie du créateur, que ce soit chez Tolstoï ou chez le Gorki des *Bas-fonds*, jouent le même rôle que la religion païenne dans la beauté d'une déesse de la fécondité de l'art archaïque grec. Les concepts de Tourguenieff ne nous intéressent plus que comme pivots de l'action romanesque. La nature du « jouir » esthétique dans le roman ou dans la peinture n'est pas une question de mode d'expression, de genre : lorsqu'on pose que l'introduction des concepts dans le roman donne aussitôt la priorité à l'idéologie, on pose simplement la priorité de l'idéologie, au nom du puritanisme de la vérité : mais le créateur a parfaitement le droit d'utiliser les concepts et les idéologies sans se soucier de leur authenticité et uniquement dans un souci d'art ou de conflit dramatique. La question de la vérité ou de l'erreur de l'idéologie introduite dans une œuvre ne saurait être un critère de la valeur de l'œuvre : la seule question qui se pose est celle de la réussite ou de la médiocrité. *La Nausée* de Sartre ne nous concerne plus comme « philosophie » mais comme art romanesque : *Les Fleurs du Néant*, en somme; l'existentialisme jouant là le même rôle de ferment que le « morbide » de Baudelaire, et ne pouvant servir d'aucun critère à la valeur littéraire du roman ou du poème. Lorsque le temps sèche sur l'œuvre, son « erreur » idéologique ne se retourne pas contre l'œuvre, mais seulement contre son erreur : l'exemple de Dostoïevsky chez qui le dévergondage idéologique slavophile, obscurantiste et réactionnaire, relève de tout ce qu'il y a de plus « nuisible » dans les concepts du point de vue du progrès social, mais n'empêche nullement son roman de contribuer puissamment et d'une manière continue à la culture et au progrès social, c'est-à-dire *contre* ses propres concepts fondamentaux, devrait pourtant avoir tranché une fois pour toutes ce débat frauduleux. En réalité, ce qui gêne ceux qui affirment que l'introduction des concepts dans la création romanesque établit une différence de nature radicale entre les autres arts et la littérature, c'est que tout, dans l'histoire littéraire, montre la part purement artistique jouée par les concepts dans la littérature romanesque : c'est alors que par souci d'authenticité conceptuelle le romancier « penseur » à part entière se détournera du roman. Il n'y a pas de chefs-d'œuvre de la fiction où la philosophie de l'auteur ne se soit détachée de son roman comme une feuille morte. De son temps même, ce n'est pas le clou philosophique auquel le romancier attachait sa fiction qui marquait son époque : c'est le levain culturel de l'œuvre, et les concepts de Dostoïevsky, les schémas philosophiques de Tolstoï jouaient un rôle secondaire comparé à la fascination qu'exerçaient sur les esprits la vie des personnages qu'ils avaient créés, et le « climat » artistique de leur univers romanesque. L'idéologie, la philosophie finissent par jouer là le même rôle que le choix des couleurs, des tons « dominants » chez un peintre qui crée, lui aussi, son univers. Je dirai même qu'il importe peu que l'idéologie soit choisie par le créateur ou imposée, pour peu qu'on lui permette de s'arranger avec elle, c'est-à-dire de juger quel rôle *esthétique* elle peut jouer dans son tableau romanesque ou dans sa peinture; on peut dire que ce que le jdanovisme exige du créateur, ce n'est pas la soumission à la directive : c'est le génie. Affirmer, comme vient de le faire Sartre à un Congrès de la culture des démocraties populaires, que l'ouvrier soviétique a besoin du poème, mais que nous devons veiller à ce que le poème qui lui est servi ne soit pas « empoisonné », c'est affirmer en même temps que l'ouvrier soviétique a suffisamment bénéficié du partage de la culture pour bénéficier de ce qu'il y a de « bon » dans le poème, mais pas assez pour rejeter lui-même, sans le paternalisme de Sganarelle, ce qu'il y a dans ce poème d' « empoisonné ». C'est là une ineptie contradictoire de Sganarelle chien savant de la justification d'être aux yeux de son bon public petit-marxiste, et revient à vouloir protéger les ouvriers comme de « grands enfants ». Que *Les Fleurs du Mal* naissent à partir du frelaté ou Céline à partir de l'ordure, que Céline vomisse sur tout et ne demande même plus un changement, n'empêchera pas ces œuvres d'apporter à la culture un levain qui agira ensuite contre les conditions mêmes qui les ont fait apparaître. Les œuvres les plus directement inspirées par le besoin de remédier à des situations spécifiques dans le cadre d'une idéologie sont sans action sur ceux qui devraient être le plus directement concernés par elles, et c'est en vain qu'elles poursuivraient l'abaissement du niveau de leur intelligibilité, à moins de renoncer complètement, par puritanisme, à la création artistique, afin de se vouer à l'enseignement de l'alphabet. Et même lorsque dans leur souci démocratique d'intelligibilité, elles visent, comme on dit, les « masses », c'est encore aux consciences privilégiées qu'elles s'adresseront, ou alors il conviendrait d'interdire aux romanciers soviétiques de parler de l'Amérique du Sud ou de l'Inde, où tous ceux qui ont le plus besoin d'être aidés ne sauraient être touchés par leurs œuvres, ne sachant pas lire.

XXXII

L'apport individuel, et son « pouvoir ». — La culture remplit ses blancs. — Il n'y a jamais eu de besoin spécifique de Tolstoï, de Cervantes : à partir de là, toute exigence spécifique de la société envers l'œuvre d'art devient aberrante. — La culture peut attendre parce qu'elle ne cesse d'agir. — En Amérique, une découverte « géniale ». — La convention de la culture.

La signification de l'apport individuel de l'œuvre d'art ne peut, à cet égard, être assez minimisée : la culture remplit ses blancs. Supprimez Michel-Ange, Flaubert, Cervantes : la culture remplira leur absence; il n'y a jamais eu besoin spécifique de Michel-Ange, de Tolstoï, de Cervantes. A partir de là, toute exigence spécifique envers le roman, envers la peinture, devient aberrante : il n'y a que des rencontres, il n'y a pas de rendez-vous. Supprimez l'impressionnisme : tout se passerait, hors du musée, comme si Cézanne, Renoir, Monet, avaient existé. Ce qu'ils n'apportaient plus individuellement serait immédiatement fourni par l'ensemble des œuvres existantes dans tous les domaines de la création : il n'est pas possible de réduire la culture à des chefs-d'œuvre individuels spécifiques. Le Royaume du chef-d'œuvre individuel, lorsqu'il institue autour de son Empire un temps mort de la culture, l'obtient par un arrêt sur tout le front : le Royaume du chef-d'œuvre individuel de Marx ne tolère ni celui de Jésus, ni celui de Freud, ni celui de Cézanne, ni même celui d'Einstein. Toutefois, que le Royaume marxiste se comporte dans ses rapports avec l'art comme la petite bourgeoisie obscurantiste du XIXᵉ siècle, n'empêche nullement qu'il est non moins absurde d'exiger l'asservissement de Sganarelle à la directive sociale, que de juger exclusivement ce qu'une société accomplit pour les hommes uniquement par son comportement négatif ou favorable envers la création artistique. L'art peut attendre, mais les hommes meurent d'une faim autre et qui n'attend pas : c'est la culture qui parle ici. L'essence même de la notion du progrès politique, dans les rapports de la démocratie avec la culture, ce n'est pas la lutte contre ce qu'il y a d'incompréhensible, d'inaccessible dans l'œuvre pour les masses, c'est une lutte contre tout ce qui rend l'œuvre incompréhensible, fait de l'œuvre une valeur en suspens. C'est un véritable déviationnisme qui pousse le socialisme à s'élever contre l'art « privilégié », contre les œuvres inaccessibles aux masses, au lieu de lutter pour ce qui rendrait ces œuvres accessibles et fécondes, c'est-à-dire contre la réalité qui fait de cet art un luxe privilégié. Toute autre attitude envers le bonheur esthétique revient à toutes les masses aliénées comme si leur avenir culturel n'existait pas, comme si le partage culturel n'allait jamais faire monter le seuil d'exigence dans la poursuite du bonheur, comme si l'avenir des consciences était un présent infini.

La plus grande découverte de la société capitaliste américaine dans ses rapports avec l'art, celle de l'impuissance des œuvres individuelles en tant que menace directe à des situations privilégiées, est due à un phénomène social extrêmement intéressant : la reconnaissance de l'art comme valeur en soi, dans des conditions extrêmes de prospérité matérielle, par ceux que la culture n'a pas effectivement touchés. Dans l'immense majorité des cas, la ruée des collectionneurs vers la peinture, ou l'achat indiscriminé des livres de poche est le fait de ceux que la « convention » de la culture a atteints, mais pas encore l'action de la culture elle-même. Freud a dit là-dessus des choses extrêmement justes : ce qui agit d'abord, dans la culture, c'est l'acceptation de la *convention* de la culture. L'art et la littérature sont reconnus comme valeur, alors que l'action de la culture sur les consciences en tant que sensibilisation et épanouissement de celles-ci, en est encore à son stade élémentaire. Les millionnaires qui accumulent les chefs-d'œuvre sur leurs murs ont accepté cette convention de valeur sans la ressentir comme un besoin profond et vital, autrement dit, les tableaux sur les murs et les millions de livres de poche sont des *signes extérieurs* de la culture, mais sa réalité intérieure est absente, ce qui fait de ces œuvres, de ces livres, des valeurs en attente sur les murs et dans les bibliothèques. Cette situation donne au progrès une chance unique en Amérique, une chance que la culture exploite à fond, et qui lui permet d'accomplir son travail de sape dans les consciences, et dans le sentiment de sécurité si complet de ceux qui, à juste titre, ne voient pas en quoi cette peinture de Picasso ou le docteur Folamour peuvent les menacer. *L'exécution de Sacco et Vanzetti* du Pop' art de Kitaj dort tranquillement dans la salle à manger du millionnaire : ce pourrait aussi bien être une composition cubiste de Juan Gris. Mais c'est une levée en masse qui se prépare : la convention de la culture ouvre une brèche à la marée dans les consciences. Dès que la convention est acceptée, le retour en arrière devient singulièrement difficile : les musées commencent à dicter leurs conditions. Jamais dans l'histoire un effort plus grand n'a été accompli qu'en Amérique pour rendre l'art accessible aux masses, et faire du musée le véritable contenu d'une société : c'est ainsi que la question de la ségrégation a commencé à peser soudain sur la conscience américaine. Il s'agissait ou bien de revenir sur la « convention » de la culture, ou de tirer les conséquences de la publicité dont on l'a entourée. J'ai dit que la culture remplit ses « blancs » : la situation de vingt millions de nègres américains forçait la société américaine à tirer dans tous les domaines les conséquences de ses « valeurs »

257

acclamées. Il importait peu que la situation du Noir fût ou non ressentie comme un douloureux reproche, il suffisait que le contraste entre la « convention » de la culture et le Mississippi forçât les bâtisseurs des musées à se comporter comme s'ils n'étaient pas des sous-développés de la nouvelle valeur reconnue. Il faut ou bien bannir l'art moderne des musées, fermer les musées, les théâtres, cesser d'exalter et de vénérer les chefs-d'œuvre, de leur bâtir des palais étonnants pour y célébrer un culte nouveau, ou bien se condamner à voir l'Océan déborder hors des limites confortables que la société lui avait assignées.

On peut dire que depuis trente ans les « puissants » en Amérique se sont gorgés de « valeurs » nouvelles, sans se rendre compte de ce que ces valeurs allaient exiger d'eux. Sur les murs des palais des richissimes marchands américains, vingt Cézanne, Monet, Renoir, qui ont déjà créé la gauche française et aidé le peuple algérien, se sont soudain attaqués au problème noir aux États-Unis.

XXXIII

Ce qui n'est pas.

Rien, dans la réalité, ne peut résister à ce qui change la nature du regard. Serrons de plus près le secret du chef-d'œuvre. Regardez une toile de Vélasquez, de Tintoretto : guettez ce qui se passe en vous. La beauté vous atteint comme une certaine tristesse, une nostalgie, un regret, au moment où votre regard va la quitter pour retourner à la réalité : ce que vous sentez comme un serrement de cœur, c'est que ce tableau qui est là, et dont vous allez vous détourner, va *rester là*, qu'il va manquer au monde, que quelque chose, en lui, qui est là, n'existera plus. Vous ressentez d'abord ¡l'impact du chef-d'œuvre comme un jouir, ensuite comme son absence imminente; sa beauté révèle et accentue un manque autour de vous, en vous : quelque chose qui fait cette beauté *n'est pas là* : ni en vous, ni autour de vous. Pour votre conscience sensibilisée par la culture et qui le demeure, ce chef-d'œuvre qui va s'éteindre, sa beauté manquent au monde, à la vie : ce monde *autre* que vous avez contemplé change soudain vos rapports avec la réalité. Ce tableau génial est un échec, une imposture, un mensonge : il souligne profondément une absence, lorsque le regard quitte la toile, ce regret, cette chute que vous ressentez, c'est le retour à la réalité. Tout chef-d'œuvre est un échec du monde. Je n'ai plus besoin de redire à quoi nous invite cette imposture, cette inutilité de l'œuvre, ce qu'accomplit ainsi dans notre conscience cette révolution qui ne quitte pas le tableau, qui se désintéresse de la société, de la misère, cette beauté qui ne sort pas du cadre et qui ne nous suit pas hors du musée, qui reste là, derrière vous, comme une suprême indifférence, cette joie, ce bonheur passager sur lequel on referme le livre, cette symphonie qui ne vous parle pas de la servitude et du taudis. C'est une beauté scandaleuse et inutile : tout, en nous, s'indigne de cette souveraine, heureuse et dédaigneuse solitude, tout nous somme de faire cesser cette intolérable provocation. Il n'est pas d'autre moyen d'en finir avec cet *ailleurs* que de forcer le monde à s'y situer tout entier, à faire cesser la solitude de l'œuvre et sa provocation en lui obéissant, en reconnaissant dans sa beauté votre patrie future. Ce qui fait la puissance créatrice des œuvres, c'est leur irréalité, ce qui mobilise les consciences, c'est la solitude de leur beauté aliénée.

Idéalement, l'art aspire à devenir inutile, et en ce sens tout chef-d'œuvre est un aveu de barbarie, d'impuissance, de préhistoire. On doit ainsi considérer, dans une certaine mesure, tout art comme préhistorique. Le besoin de création artistique a sa source dans une conscience aiguë et douloureuse de l'imperfection, de l'absence, de l'éphémère, du périssable, du futile. C'est une substitution d'un domaine où l'homme est maître de ses perfectionnements à celui où il ne fait que subir ses limites. Le rapport de Cézanne avec un moment de la lumière provençale est avant tout un rapport avec ce qui, dans ce moment unique et fugitif, va finir, va échapper, va se refuser, n'est pas soumis à la volonté de l'homme, et qu'il s'agit, dans ce domaine autre où règne la volonté humaine, de fixer, d'éterniser, de posséder à tout jamais dans sa beauté. C'est un refus de résignation.

C'est ainsi que l'œuvre d'art fixe ses critères au monde : le réalisme incombe toujours à la réalité dans sa poursuite de l'œuvre. Il ne peut s'agir d'autre chose, en elle, que d'une essence de ce « jouir », commun à toutes les formes de la vie, d'une essence dont l'art abstrait aujourd'hui et la musique depuis toujours cherchent à saisir le principe même, d'une mimique dans l'univers des formes créées par l'homme, de ce qui constitue et restitue l'identité profonde de toutes les manifestations de la vie, une élévation du seuil de la conscience toujours plus avivée par la culture, qui change les rapports de l'homme avec la réalité, instituant une sorte de poursuite de l'œuvre d'art, pour faire cesser sa solitude, pour la rejoindre dans une dimension vécue. La culture mène ainsi à une quête de ce qu'il y a de plus insaisissable et immatériel dans l'œuvre, à ce qui échappe à toute définition, à tout critère autre qu'une plénitude, une intensité de vie ressentie pendant toute la durée du rapport, et qui cesse par un *retour à la réalité*. Répétons-le : le réalisme de la beauté de l'œuvre d'art incombe à la société dans ses rapports avec l'œuvre et non à l'œuvre. C'est à partir de l'éducation et par le partage de la culture que s'accomplit le départ vers la réalisation des œuvres d'imagination.

C'est ainsi qu'apparaît soudain inversé le rapport du cynisme entre le personnage et la réalité. Car, éclairer la « vallée de larmes » de son insouciance, lever de la littérature l'hypothèque du respect de la souffrance, être un renégat de la « condition humaine », incarner, avec impudeur, la joie du roman dans le roman et pour le roman, c'est-à-dire céder à sa vocation profonde de romancier, et à la joie de la création au milieu du malheur, transformer Guernica en un *Guernica*, c'est-à-dire des cadavres en un jouir esthétique, s'inspirer de Guernica comme d'un compotier et d'Hiroshima comme d'un levain artistique, voilà une tâche qui permettrait enfin à Sganarelle de se réclamer franchement d'un renouveau et de la continuité de la tradition picaresque du roman dans sa lutte avec la Puissance et dans ses rapports avec l'Histoire, voilà une attitude cynique qui situerait franchement le cynisme là où il règne en maître, et qui ferait passer son poids de l'œuvre à la réalité, qui ferait de la réalité un cynisme hideux.

XXXIV

*Encore le rôle des « concepts » dans le roman. — Tout ce qui reste
de la critique des idées de Balzac, c'est Balzac. — Les concepts
« faux » ou « pernicieux » ont engendré des œuvres géniales et dont
le progrès ne cesse de se nourrir. — Il n'existe pas de chef-d'œuvre
coupable.*

C'est à dessein et sans égard pour tous les piaillements
indignés de Sganarelle, que le personnage parle ici, au même
titre, du roman et de la peinture, lorsqu'il parle du rapport
des œuvres avec la culture, pour souligner l'identité de leur
nature profonde dans sa souche, dans son essence, et dans
son action. Situer le roman dans un domaine à part, à lui
propre, sous prétexte que la littérature ne saurait se passer
de concepts, que le roman est donc obligé de se soucier de
sa santé conceptuelle, de la vérité de ses schémas idéologiques,
qu'il est donc obligé de veiller à son honnêteté, éviter au
lecteur des « poisons » et éclairer son chemin dans la réalité
par sa lumière conceptuelle, c'est déjà établir une hiérarchie
de valeurs dans laquelle l'œuvre romanesque joue le rôle
d'une valeur dérivée. C'est poser, déjà, une conception du
roman éducatif, une notion domestique d'autant plus
dépourvue de fondement que : *a)* la seule chose qui reste
des critiques faites à Balzac sur le plan de la validité concep-

tuelle et idéologique, c'est Balzac; b) les « valeurs » dont dérivaient les concepts de Balzac — volonté de puissance, argent, domination, possession, égoïsme — et auxquels aussi bien les personnages que leur auteur étaient attachés, sont bel et bien « pernicieuses », fausses, en tant que base conceptuelle, alors que l'œuvre que ces concepts sans valeur ont donnée demeure géniale et ne cesse de féconder la civilisation, aussi bien dans la société marxiste que dans le monde entier; c) les « concepts » de Tolstoï ne cessent d'osciller entre la mythique fumeuse, la naïveté, et les névroses personnelles, alors qu'il demeure un des plus grands créateurs d'univers romanesques; d) soumettre le roman à un préalable idéologique, lier sa validité idéologique au critère de la valeur artistique de l'œuvre, c'est affirmer que toute la littérature grecque était « fausse » et ne pouvait être valable *aujourd'hui*, parce que les dieux qui inspiraient son univers conceptuel procédaient d'une « fausse » conception du monde : Homère doit donc être récusé; e) oublier que les œuvres romanesques sans exception perdent leurs « concepts » comme elles perdent leurs sociétés et que la perspective des siècles montre la part insignifiante jouée par la pensée conceptuelle de l'auteur dans ce qui demeure de son œuvre romanesque; f) oublier que, dans le roman, les concepts douteux, la pensée « pernicieuse » ne sont que des ingrédients artistiques, esthétiques, que l'idéologie y joue à peu près le même rôle que Dieu dans ce qui permet à l'ouvrier athée soviétique de se nourrir de la beauté des icônes byzantines, si l'œuvre est habitée par *tout autre chose* : les « concepts » passent ainsi dans une dimension romanesque où ils changent de nature et ne peuvent plus être jugés en eux-mêmes, mais uniquement en tant qu'apport artistique à l'œuvre, en tant que matériau, en tant que commodité, et le critère de leur valeur ne saurait plus être celui de leur authenticité; g) méconnaître le fait que les concepts, la logique, la pensée « valables » dans le roman peuvent être à la fois des « poisons » féconds dans l'œuvre littéraire qui apporte sa contribution à la culture, et des poisons tout court dans la réalité, qu'ils peuvent, dans la littérature, donner *Les Liaisons dangereuses*, et en musique Wagner, mais dans la réalité, des corrupteurs de la jeunesse passibles de correctionnelle et Hitler; *h*) oublier que, retirée du poème, du roman, la pensée, la conception idéologique, devient soudain méconnaissable, qu'elle ne tirait sa réalité que de la beauté du poème, du lyrisme de la pensée, et qu'il se dégage, par exemple, des *Voix du Silence* de Malraux, un envoûtement par la pensée dans la dimension poétique qui n'a plus aucun rapport avec la validité de la pensée en soi : les concepts, hors de tout critère de valeur, ont toujours tendu à jouer dans la littérature un rôle de moins en moins philosophique et de plus en plus artistique, et cette tendance est même perceptible dans les œuvres purement philosophiques, comme chez Heidegger, ou chez Sartre, chez qui la conception du « néant » tient la même place artistique que chez Baudelaire et fait de ce « néant »-là quelque chose qui ressemble fort aux *Fleurs du Mal*, les *Fleurs du Mal* en moins ou les *Fleurs du Néant* en plus; *i*) enfin, c'est supposer le partage accompli de la culture, *puisque l'œuvre est supposée dangereuse, donc agissante,* donc accessible à la conscience du lecteur, en même temps que remettre en question ce partage, puisque le lecteur est jugé menacé par le concept « empoisonné » de l'œuvre, ce qui, en dehors de la contradiction flagrante du point de vue logique, introduit une notion paternaliste et protectionniste dans les rapports de l'auteur avec le lecteur, jugé un « demeuré » de la culture, incapable de rejets, de jugement et de choix; *j*) oublier surtout que la suprématie du Roman sur toutes ses composantes, sur ses concepts, sur ses idéologies, sur la logique objective, sur ses contradictions, est totale, que le Roman est ici dans la situation de l'Histoire dans ses rapports avec ses éléments intérieurs; bref, que le contenu d'un roman en tant que validité idéologique ou erreur conceptuelle n'a aucun rapport avec la valeur de ce roman en tant que valeur non dérivée (Balzac), ni avec l'action idéologique de l'œuvre, souvent contre son propre contenu idéologique (Dostoïevsky, Céline, Tolstoï), et, enfin, *k*) que le chef-d'œuvre ne peut être jugé dans aucune dimension de la réalité, mais uniquement dans celle de la *vérité romanesque*, un univers en soi où les « erreurs » et la pensée « défectueuse » de l'auteur peuvent jouer un rôle artistique aussi fécond que la Vérité, et qu'il n'existe pas de chef-d'œuvre coupable.

On conçoit le résultat de ce déchirement entre l'intelligence artistique et l'intelligence, entre ce qui sonne si vrai dans le roman et si faux dans la réalité. Des pensées fulgurantes, qui frappent par leur profondeur, tirées du roman perdent soudain leur portée, leur pouvoir de convaincre. C'est passionnément que Sganarelle s'attachera alors à faire en lui-même la soudure entre deux univers, qu'il assumera en lui-même le réalisme de l'œuvre, et qu'il se jettera dans l'action et renoncera à la littérature par horreur désespérée de la fiction et par besoin d'authenticité.

Le spectacle devient alors passionnant. Regardons-le, pour en nourrir notre roman.

XXXV

Les aventures de Sganarelle-honnête homme.

Se réclamant de ce qui, en lui, déforme le plus la réalité, c'est-à-dire du besoin de se créer son propre univers, sa propre terre, Sganarelle se met alors à traiter la réalité comme un matériau artistique, dont il est résolu à tirer des effets heureux. N'oublions pas que ce n'est pas comme tout le monde et n'importe qui qu'il agit : c'est en se réclamant de son œuvre romanesque et de la réputation que lui a conférée son imagination, qu'il se met soudain en première ligne de la réaction ou de la révolution, du conservatisme ou du progrès, en transférant le processus de la création artistique sur le terrain rigoureux de la réalité. Suivons-le un instant, non pour le foudroyer de quelque théorique interdiction, mais uniquement pour en faire profiter notre personnage et notre roman. Et remarquons tout de suite, sans aucune gêne, qu'il s'agit là d'une vue partiale, poussée, qui vise uniquement à découvrir quelques aspects nouveaux de la péripétie et de l'identité du personnage, dans l'espoir de voir soudain surgir sa nature profonde de quelques traits ici esquissés.

D'autant que le spectacle est beau, réjouissant et typiquement picaresque. Sganarelle est superbe d'autorité, se surpasse dans l'arrogance et la terreur, fait tout passer au crible, ce crible étant bien entendu lui-même, prend crânement les choses en main, prête serment au peuple, fait tirer sur lui, se reconnaît dans les autres, et, après avoir proclamé son inutilité, son humilité, son insignifiance devant leurs malheurs, l'indignité de toute littérature qui ne change pas cet état, s'en fait aussitôt un piédestal littéraire, d'abord, ensuite une autorité exemplaire, une situation extraordinaire, auréolée de beauté morale, comme si la vanité de cet art qu'il prétend nier comme un luxe prématuré lui conférait, dès qu'il y renonce, une importance infiniment plus grande que celle qu'il en tirerait s'il n'y renonçait pas. Ambigu, ambivalent par définition, déchiré, infirme, monstrueux, incomplet, il fait de cette contradiction entre l'irréalité qu'il représente et la réalité qu'il vise une assez fidèle image de la condition extrême de l'homme : mais c'est un cas extrême, donc clinique, et ce n'est pas pour rien que tout, dans le roman de la littérature, parle de l'homme comme d'une maladie et d'une infirmité. Parce qu'il a le pouvoir authentique et indiscutable de faire éclater et rendre perceptible dans son œuvre la beauté de ce qui n'est pas, on lui attribue le même pouvoir sur ce qui est : il est mobilisé. On lui demande de changer le monde, là, immédiatement, sous nos yeux, dans telle situation précise. C'est la situation par excellence favorable à l'imposture : un besoin de croire déchirant, avec la place de l'objet de culte et de mystère vide, et disponible. Sganarelle y saute les pieds en avant : qui sait, peut-être cette foi des autres lui permettra enfin de croire vraiment, de pouvoir vraiment, d'acquérir une authenticité. Comme le valet des romans picaresques et des comédies classiques, il se trouve dans la situation type, celle où le valet est pris pour son maître, il se laisse emporter par sa faconde, il accepte tous les hommages, il prend tout, rien n'est assez bon pour lui, il baise la femme de son hôte, séduit la fille et la bonniche, promet, assure, pose, définit, pontifie, accepte les louanges, il sait bien que cela ne va pas durer, que la bastonnade l'attend, que son œuvre n'est pas dans la réalité, qu'elle s'adresse à la culture, qu'il peut parler aux sous-privilégiés, aux affamés, mais qu'il ne peut pas leur *écrire*, il sait bien qu'il va être démasqué, ridiculisé, enduit de goudron et de plume, promené dans les rues comme usurpateur et charlatan, jeté à la prison pour dettes et traites sans provision, traites métaphysiques, dettes à la société, dettes à la réalité, qu'il est totalement incapable de rembourser hors de son œuvre.

On connaît assez les conséquences de ce dépit : Sganarelle se fout en rogne, rompt avec la culture, l'accuse de l'avoir trompé, met une chemise noire ou brune, défile au pas de l'oie, crie : « Heil! », salue le bras levé, adore le biceps, la communion primitive avec la nature, dans la fin absolue de toutes les abstractions, bouffe du beefsteak tartare artistique par dégoût des hautes cuisines, fait régner la censure, proclame la supériorité du muscle sur le cerveau, de l'être sur l'essence, gueule que les intellectuels ont tout pourri, vomit les « belles âmes », et lorsque les millions de cadavres s'amoncellent autour de lui alors que tout ce qu'il voulait c'était de se faire des abdominaux, il s'aperçoit qu'il est tombé dans le plus vieux piège, celui qui vous aide à en finir avec l'angoisse de la liberté : plus d'art, plus de littérature, plus d'abstractions, plus « d'inutile », au nom d'une solide réalité. Cela fait cinquante millions de morts. Sganarelle roule des yeux de poulet ahuri, il n'avait pas voulu cela : tout ce qu'il voulait c'était la paix de l'esprit.

Au comble du dépit, de la culpabilité et du désarroi, se retrouvant une fois de plus en pleine liberté, Sganarelle s'aperçoit alors qu'il y a un Royaume autour de lui, fondé sur le chef-d'œuvre d'un génie universellement reconnu, et qu'il doit être d'autant plus vertueux, c'est-à-dire en symbiose merveilleuse avec la vérité, qu'il vient de triompher d'un ennemi à la fois puissant et monstrueux. Sganarelle, d'ailleurs, en a marre d'être un valet. Il est fils du peuple, il l'a toujours été, comme tous les amuseurs des princes, les saltimbanques, les bouffons-conseillers, les pique-assiette de la bourgeoisie : il n'aimait pas s'en souvenir, aux siècles passés, quand le peuple, fi donc! ça ne se faisait pas, mais à présent, le peuple est touché d'une radieuse beauté, l'Homme, c'est dans les autres, c'est dans le peuple qu'il se fait en ce moment introniser. Sganarelle se découvre soudain la tripe populaire. Son vrai Maître, c'est le peuple, comment ne pas y avoir songé avant? C'est de ce Père qu'il est le Fils, incontestablement. Sganarelle ressent ce frétillement heureux, prélude des grandes érections créatrices : il va pouvoir enfin décharger sa liberté en quelque chose, se libérer du rêve dans une réalité. On lui révèle d'ailleurs un ou deux trucs sur un de ses maîtres qu'il avait le plus longtemps servi et le plus admiré : Don Juan. Ce n'était pas du tout ce qu'il croyait : des histoires de fesses. C'était beaucoup plus important que ça. Il crevait d'angoisse métaphysique, Don Juan, de besoin de se donner à un amour absolu. Il voulait en blasphémant, en provoquant le Père, le forcer à se manifester. Et les femmes qu'il séduisait, qu'il possédait n'étaient que des symboles d'une quête éternelle de l'absolu. Don Juan était torturé par le mythe de l'Homme, il cherchait la fin de sa liberté dans quelque total assouvissement, dans la perfection absolue. C'est ça : c'était une quête de l'absolu. Don Juan faisait de l'abstraction : c'était un mythe. Merde, se dit Sganarelle. Il n'y avait pas pensé. Il se sent moins volé : certes, il n'a pas touché ses gages, son maître a été entraîné aux enfers, tout symboliques d'ailleurs, mais voilà qu'on lui offre, à lui, homme réaliste, créateur de réalité, fils et serviteur du peuple, enfin débarrassé de la crasse bourgeoise du Mythe et des abstractions, ce que justement son maître a en vain cherché : un amour définitif, une union parfaite et légitime, une fin exemplaire, un honneur de servir au lieu du déshonneur d'être un valet, un statut social, une légitimation, une fin du vagabondage sentimental et spirituel, de son état de *picaro* : Sganarelle, comme un seul homme, se rallie. Il ne se doute même pas, le jean-foutre, qu'il ne fait que sauter dans les bottes de son vieux maître, qu'il fait une nouvelle crise de donjuanisme, que c'est Sganarelle-Don Juan. Il croit que cette nouvelle Doña Elvire est vraiment la fin du vagabondage, l'amour de sa vie, un foyer heureux, des enfants, *Das Kapital* lu en famille, au coin du feu. Il saute de joie : il a trouvé, *c'est fini*. Il se rallie. Il se retrouve aussitôt dans un camp de travail forcé. Ce n'était pas Doña Elvire : c'était Staline.

Horreur et putréfaction. Sganarelle, cette fois, en a plein le chose. Il n'a pas voulu cela, mais pas du tout. Il voulait un grand amour : il s'est fait baiser. Il boude, il jure qu'on ne l'y reprendra plus. Il devient mauvais : il se fait fielleusement, haineusement, anti-communiste. Il veut punir ce qui n'était pas là. Il se souvient qu'au xviiie siècle il était gazetier : il avait même une très jolie plume. Le prince le lui a dit, et il a eu des succès féminins, non qu'il fût beau, mais il pénétrait par la plume : la grande Catherine elle-même l'avait fort goûtée. Il fonde une revue anti-communiste, il défend la liberté de la Culture, exulte et bat des mains à Budapest : il avait raison, c'est tous des salauds. Il jubile, il n'est pas pour la guerre, malgré tout : la bombe à hydrogène, c'est la fin de la littérature. On ne pourra plus publier. Son passage dans le Parti lui a appris la jouissance dialectique. Malin comme pas un, il ne juge pas le communisme sur ce qu'il peut faire ou fait pour les hommes, mais sur ce qu'il ne fait pas et ne peut pas faire pour eux. Il prend ce que personne ne peut faire pour les hommes, le montre de son doigt littéraire : voilà, dit-il, ce que le communisme ne peut pas faire pour eux. Il est très bien vu. Mais ça ne va pas très fort : on ne peut pas être seulement anti-communiste. D'abord, anti, ça fait négatif, il faut être pour, il faut affirmer, l'affirmation crée le monde, il faut être pour : ça vous rapproche du baron du Devant, de l'Homme. Il a trouvé une doctrine formidable, un trésor tout positif : l'Humain. Il sait même le définir : c'est quelque chose qui fait mal : c'est un *senti*. Une littérature du malheur, c'est une littérature humaine. Un roman désespéré, c'est un roman humain. La *condition humaine*, c'est quelque chose qui vous fait mal partout. Ça plaît énormément en France : l'Humain, ça tempère les abstractions. Ça fait juste milieu, entre l'intelligence et les tripes, entre le cerveau et le trognon, ça fait Midi, Méditerranée, Latinité, ça fait Socrate. Ça équilibre. Ça tempère. C'est tout ensoleillé. Il fonce à fond là-dedans. Mais à fond. Aucune souffrance ne le laisse indifférent, elle le prend avec elle, elle le crucifie. Il est dans toutes les plaies. Il se fait étalon moral. Il est Pitié, Compassion, Amour, il a la conscience universelle, le cœur innombrable. Il ne croit pas en Dieu, mais le Christ est le fils de l'homme, il est pour. D'ailleurs, c'était un Méditerranéen, la souffrance, c'est l'Humain. Il faut qu'elle cesse. Mais en attendant, elle est sacrée. Sa littérature se fait gémissement. Chaque mot souffre. Chaque phrase palpite de douleur. En tant qu'homme, il accepte de jouir : c'est une humilité devant ce qu'on est. Mais dans une œuvre d'art le bonheur et la jouissance ne peuvent être tolérés : tout ce qui est rire insouciant, haussement d'épaules, démarche heureuse est qualifié d'indifférence et de cynisme, une profanation de l'Humain.

Il décide de faire quelque chose de positif, de constructif pour des centaines de millions d'hommes qui sont frappés de malheur et abandonnés : il publie un numéro spécial de sa revue sur le Pape Jean XXIII. Succès inouï, qui dépasse toutes ses espérances : ça tire à vingt mille. Il avait raison : l'Humain, voilà la vérité, voilà la littérature. Il ne s'intéresse plus à rien d'autre. Il dirige une collection chez Julliard. Il se donne complètement : on le voit à toutes les réunions d'écrivains, à Bombay, à Madrid, à New York, rien de ce qui est humain ne lui est étranger. Il parle admirablement, sa parole met à nu son cœur saignant et l'offre au monde : il est le Schweitzer de la littérature, ses traits eux-mêmes sont illuminés par le bien qu'il veut. Il sent déjà le moment où le baron du Devant cessera d'être le cinquième cavalier de l'Apocalypse : il se fera chair, pain, chaleur et fraternité. Il méprise la littérature. Ce n'est pas la littérature qui compte, c'est la réalité sociale. Il n'y a pas une souffrance qu'il ne voie, dont il ne parle pas, qui ne se fasse encre et style, elle vient habiter chaque mot. C'est un grand écrivain. Il a cessé d'être Sganarelle. Il est honnête, totalement désintéressé. Il est prêt à se faire tuer pour sa littérature, pour que sa beauté se fasse éthique, pour que son esthétique se fasse vertu. Il veut réconcilier toutes les idéologies, les réconcilier en lui-même. Il n'est plus que rayonnement spirituel. Il pardonne même aux communistes : après tout, ils sont humains, eux aussi. Il considère la France comme un des Beaux-Arts. Le besoin de pureté, d'honnêteté intellectuelle lui donne un style des plus heureux. Chaque phrase bâtit, crée, accomplit, dans la littérature, ce bonheur d'équilibre, ce « midi juste » comme disait Valéry, cette harmonie ensoleillée que le monde n'a plus qu'à goûter. On peut donc dire qu'il est tout entier passé à l'action. Il ne perd jamais de vue la réalité. Il prend à chaque idéologie ce qu'elle a de meilleur, de plus apte à servir l'Homme : il en nourrit son style. La réalité est partout présente dans son œuvre. La question de savoir si son œuvre est présente dans la réalité ne saurait être posée que par des nihilistes. Son œuvre *agit*, trouve partout des lecteurs — parmi ceux qui fréquentent la littérature —, recueille l'approbation, elle est universelle, c'est-à-dire traduite dans toutes les langues, elle donne de l'homme une idée admirable, concrète, tangible, réaliste, loin des abstractions : c'est-à-dire qu'on peut la lire. L'Homme cesse d'être un mythe : il vient habiter entièrement une œuvre littéraire. Il est, en quelque sorte, sauvé. Sganarelle devient un phare, une belle figure spirituelle, il a résolu des problèmes, il a fait des choix difficiles, il a rejeté, accepté, discerné : tout cela vient enrichir son vocabulaire. Tout cela est broché, est dans toutes les bibliothèques.

Il commence à songer sérieusement à se suicider. Un désespoir affreux le saisit, une sorte d'hébétude et de consternation. Il se réveille au milieu de la nuit, éclate d'un rire cynique, se met à boire, baise au-dessus de ses moyens. Un jour, il plaque tout, fout le camp à Tahiti, se met dans une case avec

trois vahinés, se fout de tout, et se livre à une étrange mimique, à une parodie de la gravité, du sérieux, se met à mimer
l'homme de ce temps à travers toutes ses impostures, se moque
de lui-même, de son impossible aspiration. Il fait une crise
aiguë de *réalisme* : il devient le personnage de mon roman,
c'est à partir de là que je le prends.

XXXVI

La provocation de la beauté. — Le retour du regard changé dans le monde inchangé : naissance du conflit. — La jouissance artistique aide-t-elle à supporter, et donc à accepter, à tolérer ? — L'expérience première de l'humanité n'est pas le malheur. — Le désaccord de l'art avec la réalité est irréductible : le dynamisme du changement. — Première rencontre avec le Cérémonial : le personnage du roman sera un Judas à notre — très — grande peine. — Il va être le mime de l'optimisme irréductible de l'espèce. — Le respect de la merde.

Je ne dis pas que mon personnage sera nécessairement un romancier : je le suis, et il ne peut que signifier ce que je suis, ce que je pense et sens, il me révèle même si je le pose, le braque contre moi-même. Il importe peu qu'il soit un écrivain ou non ; tout homme pénétré de culture et donc épris de beauté et de bonheur, de vie-jouissance, est devant la réalité dans la position impuissante de l'art, de ce que son porteur individuel ne peut accomplir pour *ce* monde directement, torturé par tout ce qui, dans la beauté créée, n'est pas et ne sera jamais. La situation de mon personnage est celle de tout homme de ce temps détenteur privilégié de culture, confronté par sa connaissance jamais égalée, grâce aux moyens de communication modernes, à la réalité du monde où il vit.

Chez le romancier d'aujourd'hui, cette contradiction est portée simplement à son point extrême, comme la souffrance humaine était hier chez les Juifs, elle est, chez lui, archi-typique, chargée de culpabilité par la culture, et aussi parce que le besoin de création artistique, en tant que volupté, en tant que « jouir », est antérieur à toute prise de conscience de soi et des autres : il commence alors que l'enfance a à peine fini de balbutier. Chaque créateur d'art a fait cette expérience : la vocation de jouir par un acte de création artistique se manifeste avant toute notion de contenu et même de forme. On veut exprimer d'abord une *absence* de quelque chose : premier contact négatif avec la beauté. On cherche alors un *quelque chose :* quelque chose à dire, un « exprimé » quelconque, et c'est d'abord le choix d'un art, ce qu'il y a de moins spécifique dans le besoin d'expression, qui s'impose à nous — peinture, musique, littérature — et ensuite une *forme :* le poème est d'abord un simple moule rythmique à remplir par quelque chose, n'importe quoi. Au début, c'est toujours n'importe quoi, généralement, une imitation d'un sujet des autres, de la forme des autres, de ceux qui se sont présentés à nous les premiers. Ce n'est même pas un choix : c'est une coïncidence. On emprunte aux autres un contenu et une forme, parce que c'est un *besoin en soi* qui nous travaille : à treize, quatorze ans — dans mon cas, à onze ans — nous ne partons d'aucune conscience de la réalité vers une réponse spécifique, d'aucun stimulus spécifique, social ou autre, mais d'une sorte de besoin physiologique essentiel de libérer dans la jouissance une naissance latente de quelque chose en nous. C'est un rapport direct de ce qu'il y a de moins spécifique dans la présence du monde avec une sensibilité particulière, avec une physiologie, avec une hérédité, sans aucun jugement de valeur, de discernement, de prise de conscience. A partir de là, le monde devient prétexte, les valeurs, les choix, ne perdent plus jamais ce caractère, et lorsque la conscience s'éveille, lorsque la culture agit de plus en plus, et avec elle la culpabilité, l'antériorité absolue du besoin a marqué notre psychisme d'un sceau irrévocable. Chez le romancier de vocation puissante, dévorante, le choix d'une « justification d'être », des valeurs extérieures à l'œuvre ne saurait plus jamais perdre son caractère secondaire. La seule façon d'en finir est de renoncer à la création artistique au nom de la vertu et de la conscience morale, de passer à l'action, de lutter, de construire la réalité. On purifie ainsi complètement sa conscience de son besoin de jouir. Le créateur se choisit et se préfère alors en tant qu'homme dans les autres, il renonce à sa différence, parce que ce besoin de s'identifier avec les autres lui est dicté par son psychisme particulier, par son histoire individuelle : mais c'est en réalité un refus de sacrifice. Car en soumettant son œuvre, il choisit ce qui compte le plus pour lui, et qui n'est pas l'œuvre, mais la fin de sa laideur dans la beauté des autres, de sa petitesse dans la grandeur des autres : c'est l'opération « beauté » éthique, l'auteur ne travaille plus qu'à lui-même. Il refuse d'assumer sa « monstruosité », d'accepter ce qu'il peut apporter aux autres, par sa difformité, sa malformation, son anomalie, créatrices d'art.

En principe, le sentiment de culpabilité du créateur devrait diminuer ou cesser complètement avec le don qu'il fait aux hommes. Sa jouissance donne à jouir : aider les autres à vivre, il ne peut y avoir de but plus vertueux.

Malheureusement pour notre Sganarelle, il n'en est rien.

D'abord, ceux qui peuvent partager son « jouir » — j'utilise à dessein ce mot, car il m'amuse toujours de sentir à quel point cette expression liée au plus profond besoin de l'homme sonne aujourd'hui d'un écho scandaleux — tous ceux qui peuvent partager son « jouir » sont des privilégiés; il ne peut toucher ceux qui crèvent de faim dans l'ignorance et l'obscurité. Eux seuls, pourtant, pourraient lui délivrer le *satisfecit* dont il voudrait se couvrir. Et, de toutes façons, aux yeux du puritanisme, celui qui aide à vivre trahit : il aide en effet à supporter. Sganarelle, en consolant, en soulageant aide donc à *accepter* la réalité, la souffrance et l'ignorance des autres, des sous-privilégiés, il rend aux demi-privilégiés leur condition plus supportable et tend à les empêcher de se révolter, il collabore, en aidant à tolérer, avec l'intolérable. De là à en faire un collaborateur délibéré de l'oppression et de l'injustice, il n'y a qu'un pas, et il est toujours franchi. Au lieu de se planter là, solidement, la main sur les hanches, et de leur crier joyeusement : *je suis ce que je suis, et ce que vous n'êtes pas, et je donne ce que je suis,* comme le fera mon personnage dans son île, au bord de l'Océan, voilà Sganarelle aux abois. Il est toujours un valet, mais au service d'un maître innommable : valet du capitalisme, valet du communisme, valet d'une classe, valet d'un hédonisme de privilégié. Ce chien rend la vie plus belle, donc il la blanchit arbitrairement, donc le Malheur du monde le laisse indifférent, il s'en fout. C'est un traître à « la condition humaine » qui est, chacun le sait, tragédie, noirceur et sang. Il n'y a pas, il ne peut y avoir pour lui de sortie de cette situation; il n'y a pas de jonction, de soudure possible : le désaccord de l'art avec la réalité est irréductible : Sganarelle est, par essence, traître à tout ce qu'il y a de plus « universel » dans la réalité : la douleur. Or, ce n'est pas vrai : 99 % de l'humanité ont une expérience élémentaire de la joie physique de vivre, d'être, ce qui leur permet d'être conscients de leur situation, de leur faim, de ce qui leur manque; c'est cette part d'amour de la vie par expérience élémentaire du jouir qui crée leur aspiration à l'amélioration de leur sort, à la plénitude humaine.

Ce que je retiens de là pour mon personnage, c'est qu'il luttera contre toutes les justifications d'être, contre tous les *benedicti*. Il voit dans l'absurde la chance, un infini de possibilités, la fin de l'implacable, la source même à la fois de l'espoir et de la situation comique. Il n'y a pas de définitif, il n'y a pas de Loi, il n'y a pas de Père autoritaire dans Sa vérité ici, là-bas, ou ailleurs. Camus l'a dit, et c'est un des points sur lesquels j'ai toujours été d'accord avec lui : mon personnage est contre tous ceux qui croient « avoir absolument raison ». J'ajoute : même quand ils ont raison. Il est en agression continue contre toutes les rigueurs extrêmes,

contre toutes les Dignités et leurs Dignitaires ; les porteurs des
Certitudes, les Hauts Dignitaires de la Vérité faite Ordre, les
maîtres du Cérémonial et ses adhérents joueront dans son
roman le même rôle que Marguerite Dumont et les Personnages Dignes dans les films des Marx Brothers. C'est la cruauté
dans l'agression par le comique de Charlot d'avant le génie,
avant que Chaplin ne devienne lui-même un Dignitaire
inepte et pompeux de son propre mythe. Il va mimer l'affirmation d'un optimisme irréductible de l'espèce : L'Histoire
l'a réduit à n'être plus que ce noyau essentiel d'où rayonne
une insouciance et un rire outrageants. C'est de ce rayonnement irréductible de la vie qu'il est pénétré. Il sera accusé
de cynisme et il est exact qu'il se livrera à une entreprise
de profanation de tous les tombeaux de l'homme, de toutes
les pierres tombales philosophales ou idéologiques qui pré-
tendent sceller notre destin du poids écrasant du dernier mot,
du mot définitif. C'est un rôle non dépourvu d'une certaine
sainteté : le respect du malheur est devenu une véritable
culture — au sens agricole du mot — du malheur. Le personnage risque donc fort d'être cloué à sa profanation comme
un Christ de la joie, comme un traître à la souffrance, comme
un Judas à notre Peine. Les siècles de Cérémonial ont proclamé la Douleur noble et sacrée, mère-de-quelque-chose,
Pietà, Art, Beauté, exaltante Croix de l'homme, pleine de
sens, « condition humaine », source de la compassion et de
l' « humain », source du courage et du tableau d'honneur,
du Monument, de la Cathédrale, du sort le plus beau, le
plus digne d'envie, de l'honneur d'être bravement, d'être
douloureusement, de supporter, donc de s'ennoblir, toujours
un sacrement, toujours une consécration, une apothéose, un
couronnement, conférant la Dignité, dans le Respect et la
Gravité, splendeur noire, compagne de l'homme, créatrice
de bonté et inspiratrice de pitié, Mère de la fraternité, alors
qu'elle est de la merde. Écoutez bien, dit le personnage, l'écho
derrière vos oreilles : la souffrance de l'homme, c'est de la
merde. Ne vous sentez-vous pas profanés dans votre nature

même par cette affirmation? Voilà, mes agneaux, votre conception de votre « nature »; voilà ce que des siècles de *Pietà* ont fait de vous. Lorsque je dis que toute souffrance, votre souffrance, notre grande peine, c'est de la merde, ne vous sentez-vous pas personnellement atteints, scandalisés, outrés, insultés, diminués, *privés de quelque chose*, volés? Cette simple constatation d'une évidence aveuglante vous semble un blasphème. Voilà ce qui vous est arrivé, voilà ce que le culte de la douleur a fait de vous. N'êtes-vous donc pas conditionnés par la souffrance, respectueux de la souffrance, doublement victimes de la souffrance, par la « dignité » qu'elle vous confère, devenue culte de la douleur, au point de vous sentir intimement liés à elle, au point de sentir qu'elle vous confère quelque grandeur, quelque « douloureuse beauté », qu'elle est le sens de votre vie? Que vous en tirez votre « sens », votre « dignité »? Qu'elle vous confère de la « noblesse »? Ne vous sentez-vous pas désorientés lorsqu'on vous dit que la souffrance, au contraire, constitue la source de votre bassesse, de votre ignominie, de votre laideur, de vos trahisons, de vos lâchetés, que vous lui devez tout ce qu'il y a en vous de vilenies? Pourquoi vous sentez-vous profanés par une si élémentaire constatation? Parce que, dès qu'on profane la souffrance, vous trouvez qu'on profane celle du Christ, et que la souffrance est donc un « sacré », fille de Dieu? Eh bien, dites-le : il serait intéressant d'entendre enfin exprimée à haute voix cette abjecte perversion de la souffrance du Christ, celle qui ferait adorer aux Juifs leur étoile jaune, et mènerait en pèlerinage à Auschwitz les foules juives pour baiser dans l'adoration les pierres du four crématoire. Sans religion, sans foi, chez les athées les plus sûrs de leur nombril, c'est encore la souffrance qui auréole tout de beauté : elle fait un honneur du « sacrifice », une vénération de la sueur, de la peine et du labeur, du peuple « héroïque » massacré : elle est, dans tout Cérémonial, preuve par la victime et preuve par sacrifice de la Vérité intronisée. Elle confère à toute vérité un caractère exemplaire. Elle mène tout droit à une complicité entre la victime et le bourreau. Merde que tout cela, sculpture dans la merde, dans l'esthétique, dans la philosophie et dans l'idéologie de la merde, couronnement de la merde en tant que Sublime Parfum : culte obscur de l'Irrémédiable qui finit par ne plus vouloir remédier. La souffrance doit être déshonorée non seulement dans ses causes, mais aussi dans ses manifestations. Elle ne saurait être source de rien, si ce n'est de son remède. Le personnage affirme que la Douleur étant ce qu'elle est, la question de « bon goût » à propos de la merde ne saurait vraiment se poser. Le bon goût, les gants blancs du vocabulaire, ne peuvent que lui conférer une certaine qualité. Le personnage du roman picaresque coupera par tous les moyens, y compris les plus vulgaires et les plus choquants, pornographiques ou obscènes, tous les liens moraux, esthétiques, philosophiques qui lient la culture — au sens agricole — de la douleur à l'homme. Il se fait du Christ une autre idée, il ne le prend pas pour un fétichiste masochiste, mais pour un créateur, au sens artistique du mot, qui avait dans les yeux une vision du bonheur : il serait le dernier à baiser sa croix, il considérerait tout respect des épines et des clous comme une tentative de le ramener à ses débuts, c'est-à-dire comme un échec. Après des milliers d'années de respect et de « chants désespérés sont les chants les plus beaux », il est temps de finir, et radicalement, avec cette vénération de la plus affreuse et la plus ancienne ordure de la terre, sous prétexte qu'elle fait partie de l'Être; il faut en finir avec cette atmosphère de temple sacré que notre crucifixion permanente du Juif installe sur tous les lieux de notre peine et de notre sang répandu. C'est sans aucun remords et quel que soit dans le présent le caractère blasphématoire prématuré de la rupture, que l'art doit défier constamment la tradition du « souffrir », la défier et non la déifier. Il n'y a d'ailleurs aucune réconciliation possible entre l'art et ce qui est.

XXXVII

« Servir ». — Encore la justification d'être : celle du droit d'exister. —
La vérité est caractérisée par l'acceptation de l'épreuve : elle exige
d'être contestée pour s'affirmer. — Le personnage s'y emploiera.

Le *picaro* va s'appliquer aussi à discréditer la notion même
du « servir », la ramener à ce qu'elle est : un simple et inévitable expédient. Et il se méfie terriblement de l'auréole dont
on l'a entouré.

Car la vertu du « servir » nous a été inculquée par nos
maîtres et par l'habitude de l'asservissement, par la servitude.
Maître, chef de tribu, Pères, dieux, Dieu, Église, propriétaires
et pharaons de toutes sortes, Sociétés : nous sommes marqués
et profondément. Depuis des millénaires, des Royaumes maté-
riels ou spirituels, toujours absolus, exigent et obtiennent de
nous la soumission au *Je* universel de leur chef-d'œuvre
unique. L'habitude d'avoir un Maître est devenue besoin du
Maître, elle a complètement pourri, imperceptiblement,
notre liberté. Il est vrai que tout dépend de la nature, de
ce qu'on sert, de la liberté du choix : mais cela veut dire
seulement que nous nous arrangeons pour rendre notre besoin
de servir honorable. Le besoin est là, chacun le sent, qui
parle d'aliénation et d'angoisse, l'homme ne supporte pas
de ne pas appartenir. Il faut bien exprimer enfin clairement

ce que cela veut dire : il y a en nous quelque chose qui fuit la liberté. Dès que l'homme perd son Maître, sa Foi, sa Vérité, son Système, il devient un angoissé, c'est un Père que tous les personnages de Kafka cherchent, l'idée même de leur liberté leur est intolérable, elle leur apparaît comme un abandon, elle devient un sentiment d'aliénation, de culpabilité par autorité et servitude perdues. La liberté est devenue — a peut-être toujours été — une angoisse. Elle veut finir dans la sécurité. Elle est une des causes les plus fréquentes aujourd'hui de la névrose que les psychanalystes américains appellent « besoin de se relier à quelque chose ». L'affreuse vérité, que tous les récits confirment, c'est qu'il n'y avait pas de névrosés à Auschwitz.

En ce qui concerne le roman, l'affaire est simple : la souffrance utilisée sans cesse comme source d'inspiration, le moins qu'on puisse dire, c'est que ça l'a sanctifiée. Pis encore : conditionnés par les représentations traditionnelles de la douleur, nous nous y sommes habitués, nous l'avons fait entrer dans notre patrimoine culturel. En même temps qu'on s'attaque aux sources de la souffrance, à ses causes, il faut diminuer sa part dans l'art.

Quant à l'autre revers de cette médaille — cette médaille a deux revers — quant à notre besoin de « servir », il convient de l'examiner très froidement, avant de nous précipiter. Toutes sortes de trémolos ont été poussés là-dessus. Ce sentiment d'inutilité, d' « aliénation » qui s'empare de nous dès que nous ne rallions rien, il faudrait tout de même se demander d'où il vient, avant d'en faire une apothéose. La justification d'être, c'est encore le regard sévère du Père posé sur nous.

Je ne veux pas plonger dans la métaphysique, ni me colleter avec le néant. Comme romancier, le néant ne m'intéresse pas : le personnage dans le roman picaresque ne saurait finir. Jusqu'à nouvel ordre, la métaphysique ne peut être qu'une poésie, ou un pressentiment : tout nom donné à la limite de la compréhension autre que les termes : *limite de la compréhension*, est une création artistique, et non une explication de la réalité du monde. Il n'y a pas une métaphysique qui ait fait *avancer* la pensée : Heidegger est aussi peu un « progrès » sur Spinoza que Van Gogh sur Vélasquez. Ce sont des créations d'états d'âme, d'ambiance psychique. Mais tout, en nous, aspire à aboutir ou à *revenir* : une hantise de quelque première paternité retrouvée. En dehors de la contamination de notre psychisme par notre lien millénaire avec la servitude, qui nous assignait à quelque chose ou à quelqu'un, et qui justifiait ainsi, validait notre existence, y joue aussi un rôle puissant le fait invincible que le « pourquoi » et le « comment » de cette existence nous échappent complètement : deux facteurs qui nous poussent à justifier au moins notre droit d'exister. L'absence de raison se mue en vague inquiétude ou en angoisse profonde, selon les individus : notre liberté devient disponibilité, une disponibilité qui demande à être remplie : dès lors, une vérité, une « certitude », un système, un Royaume spirituel, un chef-d'œuvre harmonieux, cohérent dans sa Puissance conceptuelle, dans sa perfection, nous deviennent infiniment précieux : tout ce qui est intelligible, assuré, certain, diminue notre angoisse d'être là sans savoir pourquoi. Le danger, c'est que la certitude se charge alors de toute la puissance qu'exerce non la vérité mais le mystère, non l'explication, mais l'absence d'Explication. Tout ce qui la menace nous renvoie à notre disponibilité indéterminée, à la vie en elle-même, à la question, à l'interrogation angoissée dont nous croyions être sortis. Rappelons encore une fois que l'habitude de servir à quelque chose, de servir quelque chose ou quelqu'un est marquée au coin de toute l'infamie des siècles : les Royaumes de certitude intellectuelle offrent ainsi une échappatoire merveilleuse et morale à notre abdication. Chaque « arrivée » est ainsi un retour heureux. Dès que notre liberté, c'est-à-dire le doute, lève à nouveau la tête, c'est dans nos entrailles les plus profondes et les plus mystérieuses, celles dont nous avons le moins conscience, que nous nous sentons menacés. On veut rompre nos amarres, nous chasser du port, nous rendre à la tempête, à l'inconnu. Dans les cas extrêmes de fanatisme idéologique, où le psychisme le plus primitif de l'Ordre sacré est en jeu, nous luttons contre notre doute par la victime. Ce rituel de la preuve de la Vérité par la victime, de la victime qui sonne la profondeur, donne toute la mesure de notre conviction, est une aberration toujours présente au cœur de notre civilisation. La victime fait la preuve de la Vérité, elle crée la réalité de la Vérité, elle donne la mesure de toute la puissance « tranquille » et « assurée » de notre conviction. On sait que le fanatique croit moins qu'il ne fuit le doute, c'est-à-dire la liberté : cela n'exclut pas les fanatiques de la Liberté qui ne sont pas les derniers à lui donner un contenu de cadavres. L'homme a toujours cherché à établir la réalité de sa foi par ce qu'il tue pour elle. C'est une façon de donner le *la* de la puissance absolue de sa conviction. Il ne s'agit nullement, pour le personnage, de ne pas défendre les valeurs menacées. Ces valeurs existent : il n'est ici nullement question de ne pas les chercher, ni de ne pas les défendre. On parle ici d'exaltation, d'absolu : si ces valeurs sont menacées, c'est par un psychisme délirant des contre-valeurs, lequel crée à son tour le psychisme délirant des valeurs. Chaque chef-d'œuvre indiscutable se fait valeur-patrie. J'établis ici la même différence qu'entre patriotisme et nationalisme : le patriotisme, c'est l'amour des siens, le nationalisme, c'est la haine des autres. Et tout comme le nationalisme, exaltation délirante du psychisme, ce qui caractérise aussi bien l'Histoire que le présent, ce n'est pas l'attachement à des valeurs, c'est la haine des contre-valeurs, c'est-à-dire des valeurs des autres. Ce n'est donc pas le « patriotisme » des valeurs, en quelque sorte, que le personnage attaquera, c'est leur « nationalisme ». C'est avec ce psychisme délirant qu'il s'agit de rompre, et nullement avec les valeurs. Tant que les valeurs seront haïes, elles seront défendues, et ce qui se crée dans ce processus, c'est une cancérisation du psychisme même par ce qu'il y a de plus valable dans les valeurs défendues ou servies. Nous aboutissons ici au rituel des vertus formelles qui tuent l'homme de leur sérieux. Si on peut établir, en dehors de toute enflure romantique, humaniste, la notion de l' « humain », c'est comme un certain écart à l'égard de la vérité dans la recherche de la vérité, une marge de non-adhésion dans l'adhésion, un certain sens banal, pratique, sain et méfiant de la proportion. Nous en sommes à ce point loin à notre époque, que mon personnage se vouera entièrement à la défense de cet écart, de cette prise de distance essentielle irréductible à l'égard de toute vérité. Il est le défenseur de ce que les valeurs les plus fécondes ne sont pas, ne peuvent pas être, ne peuvent signifier, ne peuvent compromettre ou engager : il se refuse à finir entièrement dans quoi que ce soit. Il n'hésitera donc pas à se moquer cruellement de ce qui lui est le plus cher, et on peut même représenter cette ironie essentielle comme une suprême approbation : tout ce qui accepte l'épreuve de l'ironie, de la moquerie, de la satire, de l'art, de la parodie, tout ce qui accepte le défi et la provocation prouve sa tranquille assurance par l'acceptation de la remise en question. Une vérité qui exclut la parodie, qui se protège par l'interdiction contre la moquerie, le ridicule et le rire travaille dans le même sens que ce qu'elle supprime : pour le passé de la vérité. Servir, pour le romancier, c'est se servir.

XXXVIII

Nouvelle apparition de la sinistre binette du baron du Devant,
l'Homme.

Le personnage ne saurait non plus accepter cette exaltation extrême du nom de l'homme, héritée par les humanistes
de la conception aristocratique du seigneur, empruntée,
avec ses vêtements et ses dépouilles, par le valet à son Maître,
singe de sa servitude passée, qui érige l'Homme en valeur H
mythologique et finit par rendre l'idée de l'homme plus
précieuse que l'homme lui-même, ouvrant ainsi la porte
à toutes les inhumanités. C'est bien ainsi, et pas autrement,
que ce sinistre baron du Devant, l'Homme, devient le
cinquième cavalier de l'Apocalypse. Nous servons là un
abstrait sans tripes et sans fraternité véritable : la fraternité
vous permet de vous reconnaître suffisamment dans les
autres pour ne pas avoir à vous adorer en eux. Elle n'est
pas à sens unique : elle vous donne aussi une liberté envers
ce que vous êtes dans les autres. La fraternité mystique de
la gauche des années trente aboutissait véritablement à un
amour bêlant de la race. « L'Humain, l'Homme, rien de
plus sacré pour nous que le respect du nom d'Homme »
et toujours dans la souffrance, jamais dans la joie, une sorte
de moule chrétien appliqué au viscère, à la physiologie.

C'est une exaltation mystique de la chair, palpitante et sanglante, une communion masochiste avec cette « condition humaine » du terrier kafkaesque et des catacombes, une notion avec laquelle il s'agit de rompre une fois pour toutes. Mon personnage, décidément, ne s'en privera pas. Il n'attribue au rire aucune puissance en soi, aucune vertu constructive. Mais les cartes ont été suffisamment brouillées par le désespoir-« valeur » artistique, pour qu'on en soit venu à ce point dans la confusion que tout, dans l'art, dans la philosophie, dans l'intelligence affirme directement ou indirectement, mais pratiquement sans aucune exception, explicitement ou par refus même d'en parler, que le « jouir », le bonheur du moment de vie, cette platitude, est totalement incompatible avec toute notion de valeur profonde, de sens, de vérité, avec toute manifestation « supérieure » de la culture, qu'il ne saurait, quelle horreur! s'agir *que de cela*. Il suffit à chacun de refaire dans sa pensée, en quelques secondes, une sorte d'élémentaire récapitulation de la philosophie, de la pensée conceptuelle ou artistique pour constater que ce qui caractérise le plus clairement, dans ce domaine, la civilisation occidentale, — celle qui a connu la plus grande réussite matérielle, — et sa « profondeur », c'est le malheur. Pourquoi? La raison, à mon avis, c'est que le bonheur de vivre élémentaire étant l'expérience humaine le plus communément ressentie, ne saurait être source *d'originalité* pour une intelligence imbue d'elle-même, ne peut poser les assises d'une philosophie « profonde ». Ce n'est certes pas la seule raison, mais c'est certainement la première de toutes celles qui méritent d'être démasquées. De combien d' « originalités », de découvertes « originales » l'homme est-il susceptible? Pratiquement d'aucune : ce qui fait que tout le poids de la pensée est rejeté du côté de la négation. La vie est une valeur positive trop banale et trop établie. Tout ce qui cherche ainsi à découvrir « la profondeur » de l'homme se met délibérément du côté des ténèbres, et de la déraison, de la négation de l'homme, *cette absence d'originalité.* Toutes les tentatives pour situer l'homme dans la profondeur traitent ses liens les plus profonds et les plus naturels avec la vie comme une superficialité sans intérêt.

S'il est un art pour l'art, c'est bien celui de ce sinistre baron du Devant : l'Homme, pour le personnage, c'est comme le paradis, on ne peut pas y arriver vivant. C'est un culte de l'avenir qui sent le sacrifice humain. C'est un charognard. Avec lui, le bonheur est devenu une notion posthume. Il a abouti, dans le roman, à une perversion des valeurs, à une entreprise mythologique sans réalité et sans bonheur au nom du bonheur et de la réalité.

XXXIX

Le règne de « l'expérience psychique », de l'abstraction, du signe,
de l'inexprimable. — Le nouveau mysticisme : le langage n'est
plus chargé d'exprimer, mais de faire pressentir le Secret inexpri-
mable. — La « trahison » du langage et Mallarmé. — Sganarelle
se coiffe du chapeau étoilé de Nostradamus : tout ce qui n'a pas
de sens, l'irrationnel depuis Freud, recèle et révèle la Raison
cachée. — Le règne des sorciers. — La gueule de bois rationa-
liste et la plus grande opération magique de tous les temps.

Car il faut reconnaître enfin que nous assistons à un des
phénomènes les plus curieux de l'Histoire : au fur et à mesure
que le matérialisme triomphe, tout se fait mythe. Jamais,
pas même aux grandes époques de la foi chrétienne, les
phénomènes psychiques n'ont été plus dominants, et plus
délirants. Tout se fait Essence, Signe, Rituel, Forme incantatoire, liturgie : un Cérémonial sacré, où chaque pas est
fixé par une étiquette implacable au nom de la vérité,
s'empare de l'absence de Dieu. Le langage lui-même se
dédouble, s'exalte, et cherche à fuir son sens historique,
la « tradition », c'est-à-dire l'intelligibilité : chaque mot
tend à échapper à lui-même, à se réincarner dans une autre
dimension, chargé de nous faire pressentir une autre dimension de la pensée. C'est l'opération des « voyelles » de Rim-

baud, mais non plus au niveau de l'alphabet : au niveau du langage lui-même. Tout se passe comme si quelque Flaubert fou au lieu de s'acharner à trouver le mot parfait pour exprimer un sens précis, se mettait soudain à lutter pour que le mot exprimât l'inexprimable. Le langage donne ainsi une sorte d'alerte à un « ailleurs », à une autre réalité plus profonde, à laquelle il ne parvient évidemment jamais : l'opération est purement conjuratoire. On fuit le sens historique du langage : parce qu'il nous empiège dans *ce* monde, dans ce que l'homme ne voit pas de lui-même, parce que le signe, dans les mathématiques, revient toujours de loin, de là, exactement, où le langage acoustique ne peut aller : parmi les manifestations les plus récentes, aussi bien Roland Barthes que Badiou voient essentiellement dans le langage une impossibilité d'exprimer, d'atteindre, de dépasser : une limite à la pensée. Ce qui, du reste, ne saurait faire de doute. On ne demande donc plus au langage que de donner l'alerte, sonner l'écho de quelque chose qu'il ne saurait saisir parce qu'il est « fini », pourri de connaissances historiques, asservi au cerveau et à une culture déterminée et donc incapable par définition d'autre chose que du crâne : il est irrémédiablement compromis. Mais ce n'est pas au nom de la poésie que se produit cette opération parfaitement acceptable sur ce terrain : au nom d'une pénétration intelligente de l'univers et de la « profondeur » de l'homme. Le langage est ainsi utilisé pour rêver d'un autre langage, instrument d'une autre pensée, qu'il ne peut révéler, mais qu'il veut faire pressentir et l'expression ne joue plus qu'un rôle : faire croire à l'existence de ce qui n'est pas exprimé; toute l'habileté de Sganarelle consiste là à *faire croire* à l'existence d'un Sens caché à partir de l'intelligibilité qui entoure l'inintelligible. Le mécanisme historique de la compréhension est démonté et réassemblé dans un ordre poétique incantatoire : c'est un Sur-Langage qui se met à opérer ainsi non par désignation, mais par pressentiment. La mystique se cache, se veut compréhension.

Le langage acoustique se fait forme incantatoire, mais qui se veut connaissance, sous le prétexte fallacieux que les mathématiques, la physique théorique ont placé l'abstraction au cœur de l'univers et de son atome, que certaines de leurs formulations comme « ondes de probabilités » ou même « espace-temps » ne peuvent plus être représentées : toute la notion de la « profondeur » est devenue ici intimement associée à l'obscurité. Ainsi, l'obscurité recèle et révèle à la fois, fait pressentir, une clarté que la clarté ne peut pas représenter ou exprimer.

On conçoit les possibilités magiques qu'offre cette situation idéale de l'imposture que M. Alain Badiou a poussée à l'extrême dans un but, bien sûr, de dérision : la « profondeur » n'a plus à être exprimée, décrite, représentée, le langage ne sert plus qu'à créer des conditions psychiques favorables à la foi en son existence. L'entendement se fait sous-entendu inexprimé. Et les signes assemblés par l'écrivain et échappant à la compréhension deviennent mimique de l'incompréhensible, ce qui a pour but de signifier leur rapport intime et étroit avec le sens caché.

XL

Le Cérémonial.

S'installe alors le Cérémonial : parce que la réponse essentielle seule vaudrait d'être connue, mais qu'elle nous échappe complètement, on aboutit, dans les démocraties marxistes qui rejettent la pourriture des « abstractions » culturelles bourgeoises, à la sanctification de tout ce qui n'est pas incertitude. Le chef-d'œuvre unique se met à régner d'une manière implacable, aspire à étendre l'empire de son *Je* aux limites de l'univers, devient incompatible avec la culture, dans laquelle il refuse de se perdre, de se noyer. Dans l'Occident, qui n'est pas monolithique, le phénomène se dédouble : la Science, la Démocratie, la Liberté, l'Idéologie dans le justicialisme pragmatique jouent le même rôle d'absolu que les valeurs marxistes à l'Est et, dans l'art, dans la philosophie, dans la littérature, à défaut d'une clé originale authentique, toute forme purement formelle de Clé, toute *déclaration* de Clé, se fait symbole, relique, objet vénéré. Ce qui est recherché dans tous les cas, aussi bien dans le marxisme que dans l'Occident, c'est une *obligation*, l'obligation que dicte la rigueur de la certitude, c'est-à-dire la fin de la liberté et de son angoisse. A défaut de Clé ouvrant l'univers à nos yeux éblouis par la vue soudaine du Père perdu, on demandera à la littérature, à l'art, de nous donner une Forme mystique de Clé qu'on ne saurait en même temps nous demander de représenter dans un usage traditionnel du langage, des formes, chacun sachant aujourd'hui que les représentations de l'univers en des termes scientifiques traditionnels sont devenues impossibles. Ainsi, tout ce qui « cherche » à travers la littérature utilise le langage d'une manière déviée, pour nous faire pressentir la réalité révélée par cet univers de signes comme une sorte d'harmonique du langage, chaque mot suggérant la proximité d'un Sur-Mot révélateur, mais qui ne saurait être formulé. N'est-ce pas au Verbe adamique que nous tendons ainsi nostalgiquement, au « Verbe qui était au commencement du Monde »? Cette mystique actuelle du langage adore dans le Mot une sorte de déchéance sacrée de l'incompréhensible, du chef-d'œuvre originel perdu qu'il s'agit de retrouver, une relique d'un Mot véritable, un Mot à la fois messianique et premier qui sera un jour atteint, rejoint, et qui viendra nous éclairer. C'est une ruse du langage aux prises avec lui-même, c'est-à-dire avec les limites du cerveau, une révolution que seule pourrait accomplir et qu'accomplira sans doute un jour la biochimie. On est en pleine magie : tout ce roman de la littérature est prémonitoire d'un sens. Il n'y a pas lieu de faire ici, du point de vue de cette nostalgique angoisse, de distinction entre ce qui est accessible à la compréhension et ce qui ne l'est pas : toute vérité « acquise » se fait aussitôt totémique et tout irrationnel se fait source et motivation de la conscience, ce qui fait de la psychanalyse un paradoxe fondamental. Le culte fanatique du « démontré » est une adoration de la relique déchue du Père autoritaire dans la certitude tranquille de sa connaissance sans angoisse, dont elle révèle la cohérence lointaine, mais secrète, et dont elle défend l'autorité. Tous les rapports fétichistes des sociétés matérialistes d'aujourd'hui avec la vérité portent la marque du rapport de l'homme primitif avec l'incompréhensible. Ils excluent l'opposition, l'ironie, la provocation par la moquerie, le doute, immédiatement qualifiés soit de cynisme, soit de réaction, soit d'anarchie, car ils nous rendent à notre terreur de la liberté. L'incompréhensible rend toutes nos vérités sacrées.

XLI

Le Cérémonial (suite).

Je précise maintenant la cible de mon personnage, la topographie des lieux de l'Escurial qu'il va tenter d'ébranler : il ne s'agit plus seulement de jeux littéraires, mais de vie et de mort.

S'installe alors, on l'a vu, le Cérémonial : une Cour se crée, une Étiquette, un Protocole rigoureux, la vérité se fait Mythe, elle doit tout diriger, tout inspirer; elle est intronisée dans son Escurial, tout ce qui la représente relève de sa puissance, un respect glacé l'entoure, tout évolue autour d'Elle, des fils sacrés et eux-mêmes vénérés La relient à toutes choses : elle disparaît de plus en plus dans sa propre mythologie, toute bêlante de majuscules, elle se fait soit Forme sans contenu, Liberté, Démocratie, Justice, Occident, Monde Libre, Mission spirituelle, ou bien Immobilité pétrifiée, statue et monument à l'abri de toute retouche, de tout « révisionnisme », de toute épreuve de la réalité, toute ironie dressée contre elle étant immédiatement proclamée anti-marxiste et réactionnaire; enfermée dans la frigidité du Respect indiscutable, séparée de son peuple, de sa part de vérité canonisée comme un Tout, à l'abri de toutes les épreuves fécondes, du changement, du renouveau, elle se met à pourrir, ceux qui en tirent leur « compréhension » et leur puissance pourrissent avec Elle, son éthique se durcit, se fait meurtrière, et dans une tentative ultime d'autopréservation et de défense, devient rigidité implacable; charogne pourrie, elle commande encore; elle est toujours vénérée, son Cérémonial se fait d'autant plus rigoureux que, déjà, les premières lueurs du doute se glissent dans les couloirs tortueux de l'Escurial et nous menacent de l'angoisse d'une liberté sans attache qui nous abandonnerait à la dérive, à la nécessité de chercher, d'errer, de poursuivre, d'aborder de nouvelles péripéties et de nouvelles identités dans le changement des sociétés et des civilisations. Nous essayons de faire durer la précieuse certitude : elle n'est pas seulement pour nous ce que nous savons de l'univers, elle est surtout tout ce que nous ne savons pas de lui. Elle nous rassure en nous fermant les yeux. L'art devient un attentat contre notre tranquillité : il remet tout en question, et procure un bonheur qui n'est pas de *ce* monde, il est fait de ce qui n'est pas là, il trouble profondément l'état des choses. Nous entourons d'une enceinte fortifiée le Royaume du chef-d'œuvre souverain : Marx, Freud, dogme religieux, unicités inattaquables, patries totalitaires. Règne sur tout cela le mythe informulé — ou dénoncé violemment — de quelque compréhension totale possible, d'un Logos souverain : le système cohérent intronisé et son Cérémonial deviennent pour nous beaucoup moins ce qui est que ce qui n'est pas. La culture est refoulée aux portes de l'Escurial considéré comme son suprême aboutissement, et lorsqu'elle presse, lorsqu'elle continue son assaut, la nostalgie du repos définitif dans la profondeur finale est telle qu'on se met à adorer l'incompréhensible en lui-même, puisqu'il recèle en réalité la Raison cachée, comme dans tous les cultes du mystère, on crée arbitrairement des signes de cette profondeur et on en charge les manifestations dans l'art, dans le langage, d'une puissance et d'une signifiance extraordinaires : c'est une mimique de l'incompréhensible qui nous donne le sentiment de l'approcher, de s'unir, de communier avec le Logos secret. Ce besoin de compréhension, cette volonté d'aboutir mènent ainsi à un paradoxal simulacre : l'art et le langage deviennent une mimique irrationnelle pour nous permettre d'accomplir la soudure avec ce qui échappe à notre compréhension. Tout se fait signe et forme, recherche de la réalité dans l'abstraction, si bien que l'art le plus évolué rejoint le rituel le plus primitif de l'initiation. Voici ce que Mircea Eliade dit là-dessus dans *Aspects du Mythe* : « *Au fond, la fascination par la difficulté, voire l'incompréhensibilité des œuvres d'art, trahit le désir de découvrir un nouveau sens, secret, inconnu jusqu'alors, du Monde et de l'existence humaine. On rêve d'être « initié », d'arriver à percer le sens occulte de toutes ces destructions de langages artistiques, de toutes ces expériences « originales » qui semblent, à première vue, n'avoir plus rien de commun avec l'art.* »

Nous considérons que les mots ont été contaminés par leur passé, par leurs liens historiques, par leur usage, par la culture, qu'ils ont été « infectés » par la tradition et que leur sens est irrécupérable. Nous cherchons alors à les utiliser hors de leur sens, ce prisonnier des vérités révolues. D'autre part, les mots sont à ce point « habitués » à signifier la compréhension, associés si intimement à la connaissance, que leurs combinaisons, lorsqu'elles échappent à notre entendement, nous apparaissent dans l'autorité de l'*imprimatur* comme une difficulté à vaincre pour accéder à une compréhension supérieure, et parce que le langage des signes est associé, dans notre habitude, à la compréhension des choses, toute combinaison irrationnelle de ces symboles de la compréhension se présente ainsi à nous comme un rapport secret et signifiant, et fait pressentir un monde essentiel en puissance, caché, rebelle à la formulation et à la représentation conventionnelles, comme toutes les récentes découvertes de la physique théorique, et donc plus *vrai* que celui que nous révèlent nos sens et les modes conventionnels de la compréhension. On aboutit ainsi à cette magie si profondément ancrée aujourd'hui aussi bien dans le roman que dans tout l'art de l'Occident : l'absence de sens accessible devient garantie d'un Sens, la mimique de l'incompréhensible dans l'art devient intimité avec une compréhension transcendantale « chiffrée ».

XLII

Le Cérémonial (suite). — *La psychanalyse dans l'Escurial : intronisation de l'irrationnel.* — « *Les ténèbres recèlent le sens que la clarté dissimule.* » — *Transfert de cette opération magique dans la littérature.*

La conséquence, c'est qu'en créant des signes ne signifiant rien en termes de réalité représentable, nous avons le sentiment d'aborder une compréhension supérieure, de suivre les mathématiques et la physique théorique dans une autre « dimension » de la compréhension. Il est évident qu'il y a là une tentative poétique parfaitement valable, puisque dans la poésie il s'agit de nous mettre dans un « état », de créer une atmosphère psychique qui se suffit à elle-même et qui n'a pas à découvrir une « vérité ». Mais on ne peut pas s'arrêter à l'art dans l'étude de ce phénomène magique moderne. Tout signe irrationnel devient pour nous manifestation à la fois d'une profondeur et d'un sens caché. En psychologie, dès qu'une conduite irrationnelle apparaît, ses manifestations aussitôt systématisées sont interprétées dans ce chamanisme comme révélations d'une profondeur du psychisme, de l'inconscient de l'homme, où se cache sa vérité. La psychanalyse, opération typique dans ce domaine, pousse jusqu'au bout cette rationalisation et cette intronisation de l'irrationnel : ce qui est incohérent dans une conduite est interprété comme indice pouvant mener à la révélation d'une cohérence cachée. Je ne vais pas me battre ici avec la psychanalyse : elle est un apport artistique indéniable à la culture, et donc au progrès. Les guérisons qu'elle a réalisées ne prouvent rien : Charcot guérissait l'hystérie dès qu'il apparaissait, tous les guérisseurs font défiler en correctionnelle des témoins qu'ils ont réellement soulagés. Dès qu'on fait entrer le névrosé dans la cohérence d'un système qui lui est révélé, dès qu'on lui démontre que son irrationnel relève d'une « clé », qu'il est victime d'une simple incompréhension des rapports de l'homme avec lui-même, dès qu'il est « situé » dans un ordre, dès que la systématisation artistique des symboles parfois créés de toutes pièces, mais *qui le prennent avec eux*, révèle à ses yeux un ordre, une Puissance où il trouve sa place, l'authenticité des rapports des symboles avec la réalité n'a plus d'importance : ce qui compte, c'est que le sujet y croie, qu'il y adhère, qu'il accepte l'explication, qu'il entre dans le monde où tout a l'air de se tenir, qu'il donne son adhésion, *que finisse l'angoisse de sa liberté*. A partir de là peut triompher la puissante imposture artistique du psychanalyste comme de tous les sorciers : la guérison sera d'autant plus authentique que le psychisme du malade acceptera davantage de se soumettre à celui du guérisseur et à l'univers culturel créé par ce dernier, qu'il lui reconnaîtra une autorité, qu'il entrera dans le cercle magique de sa persuasion. La pénétration dans le « sens » de la peinture abstraite, l'initiation à l'art abstrait ne se fait pas autrement. Il ne s'agit pas ici de savoir si la psychanalyse aide — elle aide — mais de savoir comment elle y parvient, et elle y parvient lorsque l'accord se fait entre le sujet et l'artiste sur la réalité d'une convention; le sujet est éduqué, initié, conditionné à recevoir la clé d'un monde dans lequel il peut pénétrer. C'est une création culturelle, comme toutes les éducations ou rééducations.

Ce qui m'intéresse dans la psychanalyse, c'est l'intronisation de l'irrationnel comme sens caché des choses, comme existence presque hégélienne d'une logique cachée, comme Logos identifié en tant que présence profonde dans *tout ce qui n'a pas de sens*. Toute la philosophie contemporaine de Freud relève de cette attitude mystique. Chez Heidegger, le « néant » peut être « expérience », on peut entrer en communication avec lui par une certaine angoisse physique, il peut être senti, vécu : les mystiques n'entraient pas en contact avec Dieu autrement. La limite de la compréhension peut être ainsi « expériencée », on peut communier avec elle, je ne dirai pas par l'âme, mais par une certaine intimité psychique, presque physiologique. Dès que la limite de compréhension apparaît dans la philosophie, elle se fait base totalitaire et exclusive de l'ensemble de nos rapports avec l'univers, avec la réalité et la société : elle dicte une conduite à partir d'une limite de la compréhension, c'est-à-dire que l'incompréhension se met à nous commander. Le rôle traditionnel de l'intelligence était de comprendre : aujourd'hui il est de prendre l'incompréhensible avec soi, et même de s'en inspirer. Il est totalement arbitraire de poser une absence de sens : on ne peut parler que d'une étape historique de l'intelligence, ou d'une étape du cerveau. Toute autre attitude ne peut être que totalitaire. Ce qui ne peut être saisi comme un rationnel commande soudain une conduite rationnelle : c'est ainsi que chez Sartre notre liberté se mue en action et peut bâtir un monde raisonnable à partir de l'absence d'essence, donc de sens. Ce qui est curieux : si ce qui n'a pas de sens peut mener à une logique, ce n'est plus un non-sens. Lorsque l'irrationnel devient ainsi une base d'action, de philosophie, d'idéologie sociale, il devient une valeur : c'est un irrationnel source d'ordre et de raison, il est sens, et essence. Toutes les négations philosophiques de l'essence « prouvent » son absence : un phénomène moderne vraiment curieux de réponse à une question *qui ne peut pas se poser*, à moins de poser en même temps l'existence et l'absence de toute limite à la compréhension, ce qui est contradictoire. C'est un univers des limites choisies, où il n'y a pas d'incompréhensible, où l'irrationnel est compris, inclus dans la compréhension. Mais la définition de l'irrationnel c'est qu'il ne saurait être compréhension. On aboutit alors, dans l'existentialisme, à une intelligence mystique, comme celle dont nous avons parlé tout à l'heure dans le domaine artistique du langage, où la pensée logique ne révèle pas, mais communie, où l'on cherche à établir au-delà du langage une intimité intuitive avec l'insaisissable. Le « néant » est plein de ce quelque chose qui n'est pas là. Il est un Rien-chose (la majuscule est de Heidegger) qui existe, et qui, pour nous, signifie, c'est un Rien qui éclaire ce que nous sommes, qui permet de créer une philosophie, un Rien-réalité et l'on affirme qu'au-delà du Rien on ne pose aucun regard, mais lorsque Heidegger demande enfin : « Pourquoi y a-t-il quelque chose plutôt que Rien ? » c'est une question désespérée de l'intelligence qui ne s'arrête plus à l'angoisse du rapport de la « chose » dans l'être, avec l'existence, qui présuppose une « essence » de la compréhension, un pourquoi, où le néant et la « chose » célèbrent une union mystique. Ou bien on reconnaît que l'on parle ici des limites du cerveau, et que ces limites excluent à l'heure actuelle toute réponse, et que toutes les philosophies explorent donc les limites historiques du cerveau seul, et des vérités qui découlent des rapports du cerveau avec ses limites, ou bien on est en pleine mystique, mais une mystique qui exclut ou nie par remords rationaliste ce qu'elle fait pressentir. On ne voit d'ailleurs pas comment on pourrait introduire un irrationnel métaphysique, c'est-à-dire un monde en soi et inaccessible pour le moment, pour ce moment de la physiologie du cerveau, dans un raisonnement cohérent de ce monde : la métaphysique aujourd'hui ne peut être qu'une exclusion des problèmes fondamentaux de la métaphysique. La volonté de comprendre frustrée tend ainsi de plus en plus à créer les éléments sur lesquels elle s'exerce, l'intelligence conceptuelle utilisant le langage traditionnel comme le romancier utilise le procédé du réalisme, c'est-à-dire qu'il n'est demandé aux faits observables ou susceptibles de démonstration authentique que de ne pas démentir l' « authenticité » de la *création* conceptuelle et non de l'établir et de la prouver. L'intelligence renonce ainsi de plus en plus à son rôle historique pour ne plus chercher qu'à se consoler, pour se vouer, comme dans tous les états de siège de l'*intelligentsia*, à un *en soi* à l'abri d'une mise à l'épreuve, à l'abri de l'assaut de la réalité et de la Puissance avec laquelle on refuse ainsi de se mesurer. Elle crée un monde à elle sur lequel elle se contente de régner. Le chef-d'œuvre de Freud se fait Royaume totalitaire et cesse de fournir ainsi son apport culturel authentique : il n'existe pas aujourd'hui de domaine humain que l'expansionnisme du Cérémonial psychanalytique ne cherche à couvrir. Mais lorsqu'on se souvient que la Renaissance fut un moment où l'unicité du Royaume chrétien fut pénétrée et fécondée par la découverte de l'antiquité, on voit ce que Freud et Marx peuvent nous apporter mais on voit non moins clairement ce qui exige leur soumission, la noyade heureuse de leur unicité.

XLIII

Le renversement de la raison et le retour à la plus vieille mimique incantatoire de l'homme.

Je ne méconnais pas les rapports entre l'irrationnel, l'arbitraire et le sens : mais à condition que la preuve soit apportée et que le sens nous soit effectivement *montré*. Les plus grandes découvertes scientifiques sont parties d'un renversement de la raison. Lorsque Hamilton posait : $3 \times 4 \neq 4 \times 3$, il partait d'une imposture. Tout se passe, parfois, comme s'il y avait au fond des choses une essence inépuisable de vérités, un infini de systèmes et comme si cette essence venait habiter tout Signe à partir de sa création, comme si la forme créait le fond, comme si l'expression existait avant l'exprimé et le faisait naître, comme s'il était impossible d'échapper à *une* réalité. Autrement dit, comme si l'irrationnel n'était pas possible. Mais nous entrons là dans le domaine de la nostalgie. Conclure que tout ce qui échappe à l'entendement est signe d'une Raison cachée, que rien ne peut échapper au cercle magique du Logos, que l'homme est enferré dans la non-liberté absolue d'un Ordre et que ses gesticulations les plus chaotiques sont reliées par des fils implacables à une cohérence absolue, c'est entrer dans un univers paranoïaque où l'homme serait une victime persécutée d'un Sens total, d'un « voulu » monstrueux. Chez Freud, cette opération est typique : toute explication systématique qui cadre avec un symbole n'est plus à prouver : puisque rien d'autre ne semble cadrer avec elle — ou avec la théorie — elle *est* l'explication. Ce tour de passe-passe magique, qui fait du signe une déchéance sacrée de Dieu, et de l'homme, un élément déchu d'un Tout perdu auquel il s'agit de le ramener, est à la base même de la psychanalyse, à l'origine du Cérémonial dans lequel le sujet accepte d'entrer : ce qui compte là, ce n'est pas la validité de l'explication, mais son acceptation, pas la démonstration, la preuve, mais le ralliement. Le rapport de causalité n'a plus à être prouvé, il suffit qu'il soit accepté. Il suffit que le sujet se rallie, qu'il entre dans le cercle de l'acceptation. Cette cohérence à laquelle on l'invite et où il est accepté, peu importe qu'elle soit vraie : il suffit qu'il y trouve sa place.

Freud et Einstein ont ainsi contribué à créer un obscur pressentiment religieux que toute formulation trouve toujours un fond, que tout Signe trouve son Sens, que l'expression fait, en quelque sorte, naître la réalité de l'exprimé, qu'il n'y a pas d'abstraction sans réalité, que l'homme est blotti dans le sein d'un Ordre absolu.

On voit réapparaître alors la plus vieille mimique de l'homme : celle qui cherche, par un rituel, par un Cérémonial magique incantatoire à obtenir la manifestation d'une Puissance secrète mais favorable.

XLIV

Où Sganarelle se fait Nostradamus : son charlatanisme est à l'apogée.
— Il règne sur la fiction et sur la Réalité, sur le présent et l'ave-
nir. — L'angoisse divinisée dans le culte de la Solution, ou com-
ment la liberté demande à finir. — Le Personnage contre la Puis-
sance.

La tentation de demander à tout ce qui manie le Langage,
la Forme, ou crée le Signe, de créer la Réalité, devient ainsi
irrésistible. L'artiste, le romancier, le manipulateur et l'organisateur des Signes, des Formes et des Mots, est invité à la
place d'honneur, celle d'un créateur de la réalité et du monde.
Tout art devient révélateur : il suffit de feuilleter les essais
de critique artistique ou littéraire pour constater que le but
de tout art, de toute fiction, est la découverte et l'illustration
de la Vérité. La nature même de l'art, du roman, comme de
la vie, qui est un « jouir », est entièrement mise de côté : tout
ici parle de communion avec le sens caché des choses : il n'y
a plus d'art, il n'y a plus de roman, marxiste ou occidental,
qui ne soit un art sacré, un roman du sacré. Peu importe que
l'objet exalté soit l'inanimé, la madone ou le kolkhoze : la
possession de la vérité se fait tout ce que l'on ne sait pas du
monde; ses portes, comme celles d'une Église, sont refermées
derrière nous, ce culte du connu limité s'enfle et s'exalte de

305

toute la nostalgie de l'Absolu. Une vérité, dans un tel besoin, doit suffire à tout, tout posséder, tout exclure qui n'est pas elle et qui nous rendrait à l'angoisse de notre liberté retrouvée. Jamais des conditions meilleures n'ont été offertes à l'imposture de Sganarelle. L'art abstrait, dit-on, crée une réalité nouvelle, une *morphologie autre*, selon l'expression d'un de ses chamanes distingués. Les signes mathématiques, partis d'un « soit » arbitraire, d'un renversement du rationnel, nous sont revenus avec un rationnel nouveau : pourquoi pas les signes picturaux, pourquoi pas le langage, c'est en renversant arbitrairement le sens, c'est en créant de toutes pièces des signes, que nous atteindrons une autre dimension de la réalité. Mais les arbitraires mathématiques n'ont rien créé : ils ont expliqué certains aspects de nos rapports avec l'univers : il n'est même pas sûr qu'ils nous aient révélé l'univers : ils ont précisé les conditions de notre observation. On n'y prête guère attention : tout Signe se fera Chair, l'incompréhensible nous *prouve* le Logos caché, et comme corollaire, à l'autre pôle, toute certitude est aussitôt intronisée. Tout et n'importe quoi devient pour nous une seule et même chose : une fin heureuse de notre liberté dans l'autorité du Père retrouvé.

Mais je refuse de diviniser ainsi mon angoisse dans le culte de la Solution : mon personnage se dérobera toujours au Cérémonial, et l'attaquera. Ce n'est pas un anarchiste : c'est un homme en changement constant d'identité, en devenir; il est mouvant, provisoire, en départ, sans arrivée; il refuse d'être fixé en quelque chose, d'être immobilisé, contenu : il ne peut être ni fini, ni identifié une fois pour toutes. Aucune de nos identités provisoires ne peut être intronisée dans cet Escurial où s'opère la sinistre immobilisation de l'homme dans une identité de rencontre. Je me suis suffisamment expliqué ailleurs sur cette notion de « marge », pour me borner à rappeler qu'il n'y a là aucun scepticisme « à l'Ecclésiaste », un scepticisme de seigneur à l'égard des identités historiques de l'homme, auxquelles il n'est pas question de refuser l'apport d'une adhésion mitigée. Le roman total ne s'identifie avec rien : il utilise, possède, ne peut être réduit à aucune identité qui lui serait extérieure. Quant aux vérités, il leur conserve leur caractère de commodités pratiques : elles ne sauraient être autre chose. Ce sont des expédients, ce sont des méthodes, ce sont des arrangements. L'œuvre est sa seule vérité artistique, se nourrissant du reste, de *tout* le reste. La notion d'une vérité *définitive* quelconque régnant sur nous ne saurait être qu'une perversion, et à partir de là l'irrespect, la remise en question, l'attaque, le « révisionnisme » deviennent pour le personnage sa raison d'être, sa respiration. Il est des circonstances historiques où mon personnage aurait lutté pour des vérités, mais il est obligé aujourd'hui de se cantonner dans la défense de cette marge au sein de toutes les vérités, cette marge où est chassé aujourd'hui, très exactement, l'essentiel de ce que nos vérités sont censées servir. Il ne se révolte d'ailleurs que pour son propre compte : c'est une méthode respiratoire personnelle qui peut être adoptée ou non par d'autres, qui est une indication, le roman ne comportant aucun enseignement, aucun didactisme, et le contenu idéologique n'étant adopté, lorsqu'il est adopté, que pour le bonheur romanesque, que comme une commodité dans la rivalité avec la Puissance. Il n'y a là ni nihilisme, ni révolte « contre tout » : il n'y a pour le romancier d'autre domicile fixe que l'œuvre et il ne peut donc s'intérioriser aux « vérités » ou, si l'on préfère, « valeurs », que chaque génération tend à transformer en domicile fixe. La révolte en soi est une gesticulation métaphysique, le personnage ne manquera pas de la parodier : cette gesticulation est elle-même une tentative incantatoire, elle somme le Père de la remarquer et de se manifester. Cette philosophie de la révolte est encore une liberté qui veut finir : elle ne s'adresse pas à l'homme. Elle invite Quelqu'un d'Autre à s'apercevoir de notre existence et à prendre les choses en main.

Étant donné le sens funéraire et néantiste, creusé de tombes et arrosé de larmes que la littérature a donné à la « condition humaine », celle-ci ne peut plus être pour mon personnage une source de tragique, lequel ne vise qu'à sceller l'homme dans une notion posthume. Mon personnage ne croit plus, comme Kafka, que « le pouvoir des cris est si grand qu'il brisera les rigueurs décrétées contre l'homme ». Il est guidé ici par une constatation : la culture « agricole » des « cris désespérés » se heurte à une limite : celle du cri. Nous avons déjà poussé de tels glapissements, par exemple, contre la guerre « conventionnelle », qu'on voit mal quel glapissement à la mesure de la bombe à hydrogène nous pouvons encore faire retentir. Le cri, d'ailleurs, est une invention toute récente du roman : il est tout gonflé de vide romantique. A l'origine du roman, il y avait la Puissance : celle des dieux. Lorsque toute notion de Puissance s'est dégonflée à la sortie de la Renaissance, c'est le rire qui se mit à retentir dans l'art de la fiction. C'est le rire qui se mit à lutter contre la Puissance. C'est la Puissance qui nous menace encore aujourd'hui, et comme jamais auparavant : les cris n'ont abouti qu'à témoigner par leur échec de la Puissance qui les ignore. C'est donc à la moquerie du roman picaresque, du roman comique, du roman sans défaitisme, à l'agressivité source de tout rire dans Aristophane comme au cinéma, que le Valet du Roman fera appel pour essayer de faire partager à son Maître sa confiance dans l'infini des péripéties et des identités, dans son avenir.

XLV

L'opération « profondeur » : le bonheur est-il incompatible avec le roman et avec la philosophie? — « L'homme est une bête frappée de catastrophe » (Sartre). — De combien d' « originalités » et de « profondeurs » toujours nouvelles l'homme est-il susceptible? — Le roman ne peut ignorer l'expérience la plus commune, la plus authentique et la plus « banale » de l'être et du désir de vie. — Le roman de « l'aliénation », c'est avant tout l'aliénation du roman.

Ce n'est d'ailleurs pas par hasard que le rire et le comique, la joie sont implicitement considérés comme incompatibles avec la « profondeur » de l'homme; toutes les philosophies abyssales, aussi bien dans la psychologie que dans la création romanesque ou artistique proprement dite, excluent la joie : elles tiennent toutes pour acquis que le secret est terrible. Toute la pensée moderne, mais non la pensée antique, exclut complètement le bonheur de la « profondeur ». La convention est fausse : le malheur n'est pas l'expérience la plus commune de l'humanité. Au cœur même de l'abandon et de la misère, c'est une certaine expérience constante de la joie de vivre qui éclaire la notion même du malheur et crée les conditions de la lutte et de l'aspiration. L'existence physique au niveau le plus élémentaire, celui de la respiration, est un assouvissement, le bonheur de respirer. Le rapport physique le plus communément ressenti avec la vie, avec l'existence, est celui d'une jouissance : c'est une loi de la nature, une réalité physiologique. Mais comme il ne semble pas qu'il y ait quelque chose à « découvrir » dans ce qu'il y a de plus communément ressenti, la joie apparaît comme une « banalité », les soucis de l'originalité mènent tout naturellement le romancier « original » à une véritable négation de toute expérience authentique de la vie. Comme la lumière montre, mais les ténèbres *cachent*, la recherche de la « profondeur » se voue entièrement aux ténèbres : ce que l'on ne voit pas est devenu ce qui est, ou du moins ce qui peut être. Tout ce qui est joie est ainsi synonyme de superficiel. On sous-entend que la joie ne saurait être une préoccupation sérieuse de l'homme et que le bonheur n'est pas compatible avec la profondeur. La profondeur recherchée devient ainsi celle de la noyade.

Les conditions éthiques, démographiques et culturelles font que la part élémentaire de la joie qu'éprouvent à vivre la majorité des êtres humains comme expérience quotidienne nous intéresse moins que la part révoltante de souffrance. Mais ce qu'il y a d'extravagant, c'est que notre roman *ne parle justement pas de la majorité des hommes :* les neuf dixièmes des romans en Occident parlent de repus et les repus n'y parlent que d'eux-mêmes. La faim ne s'y manifeste jamais. Plus un peuple est heureux et plus sa littérature parle de désespoir et de malheur : c'est vraiment le cas de dire que l'appétit vient en mangeant. Dès qu'on cesse d'avoir faim, plus rien ne peut nous contenter : avec la misère on semble avoir perdu le sens de la vie. La satiété de nos élites est telle que le bonheur ne saurait plus exister pour elles : la métaphysique ne s'installe pas dans les ventres creux, ni l' « objet », ni le « néant », ni « l'absurde ». De toute façon, si l'on admet que l'art tout entier est situé plus près de ce qui n'est pas, c'est-à-dire du bonheur, que de ce qui est, c'est alors du côté de ce qui est le moins, c'est-à-dire de la joie, du bonheur et du rire, que le roman devrait se situer. Provocation ou valeur culturelle en attente, c'est à augmenter le patrimoine du bonheur à partager qu'il devrait se vouer, si la morale le préoccupe : en admettant que la vie soit un sort atroce, ce n'est tout de même pas une raison pour ne pas tenter de le rendre plus beau. Si la réalité porte avant tout la marque du malheur, le roman picaresque total — comme le roman picaresque traditionnel — ne peut manquer de saisir cette chance de rivaliser victorieusement avec la Puissance par la création d'un monde romanesque éclairé par le rire et l'espoir. Il n'y a du reste pas d'autre explication au caractère toujours comique du roman picaresque : on laisse le noir à l'extérieur, là où il est, et on diminue ainsi l'attrait de la Rivale pour le lecteur-témoin. Le désir métaphysique totalitaire et son dépit amoureux mènent tout droit au masochisme et à l'autodestruction.

Le Cérémonial mythologique est apparent dans la société sans classes, où il n'est plus seulement une organisation cohérente des rapports sociaux, mais où la vérité marxiste se fait tout ce que nous ne pourrons jamais pour nous-mêmes. L'homme tient là enfin une vérité solide : elle est intronisée, elle réduit à ce que nous savons tout ce que nous ne savons pas de l'univers et de nous-mêmes. La société marxiste — cela commence à changer en U.R.S.S. et va continuer à changer de plus en plus vite — témoigne alors d'une sorte de jalousie extraordinaire envers l'art, lequel ne peut plus que la refléter, puisqu'elle est déjà, en elle-même, Vérité, Poème, Musique, Beauté : elle est en elle-même l'Œuvre, et tout ne peut donc que s'en inspirer. C'est ainsi qu'avant même d'être, « la Réalité » commence à pourrir et à nous infecter. D'un pôle à l'autre, il y a ainsi un monde de réalités et un monde de la Réalité, le monde pratique où vit l'homme, et le Monde de l'Homme, cet éternel chef-d'œuvre à venir d'une liberté finie dans le Logos réalisé, ce sempiternel et frauduleux baron du Devant, un Homme-Père de l'homme et qui n'en est que le fils toujours prématuré et dénaturé, où Sganarelle joue le rôle d'amoureux fidèle alors qu'il est en réalité Sganarelle-Don Juan : la réaction des intellectuels bourgeois marxistes à Budapest, leur rapide saut hors du lit conjugal, la « découverte » par les mêmes, de Staline, tous ces *coitus interruptus* de la jouissance idéologique sont dans la grande tradition du roman picaresque, qui a toujours fait une belle place aux cocus, et prouvent à quel point Sganarelle est bien un personnage de ce temps. Il convient tout de même de remarquer que la révolution de Budapest a réussi, dans une grande mesure, et que la Hongrie est certainement, que notre Sganarelle le veuille ou non, un pays en plein développement, et dans des conditions qui ne peuvent pas être entièrement définies comme étant celles de « l'oppression ». Mais Sganarelle est devenu tout naturellement le Valet de ce baron du Devant à la sinistre figure qui châtie l'humanité de son absence. Il réduit l'homme à l'esclavage de son irréalité. Don Quichotte, comparé à lui, était un réaliste : il était Sancho Pança. Ses excréments sont vénérés comme des reliques sacrées : on n'hésite pas à massacrer pour ses identités éphémères, chaque auberge au bord de la route où Sganarelle fait halte et se nourrit, devient Temple de Son Illustre Présence. Qui donc peut nier, lorsque le marxisme se fait unicité, une possession du Mot, à l'abri de tout « révisionnisme », lorsque la France devient un des Beaux-Arts, lorsque la valeur se fait Valeur, que c'est contre la liberté que nous restitue le doute que nous luttons; c'est l'angoisse de la liberté que nous excluons. Il n'y a donc pas de plus grand tour de passe-passe dialectique que de dire que l'homme, avant toute chose, aspire à la liberté : l'homme, avant toute chose, aspire à une fin heureuse de sa liberté dans une Solution. Il cherche avant tout l'adhésion. Il cherche à se débarrasser de cette part de lui-même et de l'univers qui lui sont inconnues et le terrifient. Il se veut « solutionné ». Les rapports de l'homme avec sa liberté elle-même sont une aliénation librement consentie de sa liberté. La vérité se met alors à jouer un rôle infiniment plus grand que sa caution de réalité. Si je devais traduire cette situation en termes de roman picaresque, je la décrirais comme le désarroi comique du voyageur qui croit être arrivé au terme de son voyage à chaque étape nouvelle, et en finir enfin avec l'inconnu, avec les périls, avec les mauvaises routes, les chemins perdus ou dangereux, les faux poteaux indicateurs, les bandits de grands chemins, et qui se rend soudain compte qu'il lui faut aussitôt quitter ce gîte d'étape, aller plus loin, que ce n'était qu'une péripétie. Le cadre du roman picaresque s'impose ainsi tout naturellement lorsqu'on veut suivre le personnage dans son aventure, mais si l'on sympathise avec lui, si l'humanité ne vous est pas étrangère, alors, ce sont toutes les embûches historiques dressées sur son chemin, tous les guets-apens qu'il s'agit de surmonter, qui vous fournissent la trame même du roman. Je vois donc mal comment le roman picaresque moderne peut éviter la bombe à hydrogène : il faudra simplement parvenir à en parler sans la mentionner explicitement. C'est d'ailleurs facile : elle est *tellement* là qu'elle va de soi. C'est un sous-entendu.

Le personnage du roman picaresque va donc lutter contre la Puissance de ce Cérémonial, où tout se fait *autre*, où le sens se gonfle soudain de tout ce qu'il ne couvre pas. Une irrésistible abstraction double et déforme les vérités les plus tangibles. Et l'autre mouvement du pendule va à tout ce qui échappe à l'entendement, à tout ce qui n'a pas de sens, comme à la profondeur d'un trésor de vérité enfouie. Einstein dit quelque part, je cite d'après Lincoln Barnett : « Les plus hautes conceptions de la science ont été payées au prix d'un vide du contenu. » Nous découvrons bien une réalité, mais celle-ci échappe aux sens, elle est tout entière dans le rituel du langage mathématique, dans les signes, dans une convention de représentation que « l'événement » confirme et vérifie. Merveilleuse excuse pour tantôt s'accrocher à un « contenu » intronisé, dût-il être défendu par la bombe, tantôt pour élever cette absence au rang de vérité finale, définitive de notre Roman! Ainsi, de la Vérité à son intronisation dans le Mythe, de l'irrationnel à la vérité, le mouvement du pendule de l'angoisse de la liberté accomplit toujours une partie de son battement dans une dimension psychique irrémédiablement primitive, liée au premier sacrifice humain. Une marge psychique irréductible et effrayante, et qui s'accommode fort mal de toutes les théories abyssales de la psyché : on ne s'y heurterait pas partout à l'enfance et au primitif. Aussi bien dans les démocraties populaires qu'en Occident, c'est l'irréalité et le formalisme qui s'installent ainsi au cœur de la réalité. Le refus du « révisionnisme », du pragmatisme, de l'expérience, du changement dans le Cérémonial social de l'Escurial marxiste est tout aussi dépourvu de réalisme que l'art de l'Occident.

L'Occident, de plus en plus, aussi bien dans l'art que dans la pensée — avec l'excuse pseudo-einsteinienne du signe sans représentation possible, la pensée et l'art ne prenant ainsi à la science que son échec — en est venu à demander au signe de créer un sens, au mot de créer sa réalité. Mais croire avec Freud que l'irrationnel recèle et révèle la Raison cachée peut mener à une civilisation aussi divorcée de la réalité que l'était dans la mythologie l'acte rituel d'immoler le pharaon par nuit de pleine lune.

Il n'est d'ailleurs pas possible de congédier ce rêve d'essence comme un simple traumatisme de la pensée face à ce qui ne lui offre aucune prise : commun aux intelligences les plus primitives et les plus évoluées, au sauvage et au mathématicien, il n'est pas permis de dire qu'il ne porte en lui aucune marque d'une nature secrète, mais possible des choses. Il n'y a simplement rien à dire là-dessus : dès qu'on engage l'expression dans cette direction, on force les mots jusqu'à faire du langage une sorte de communication hors sens, mystique ou intuitive, avec ce qui n'est pas là, mais que l'habitude du Mot à désigner des réalités tangibles déguise en existence d'une réalité de la chose.

L'autre aspect de cette poussée mythologique, on l'a vu, l'autre façon de lutter contre cette nostalgie et cette peur de l'inconnu, qui est sans doute le pressentiment effrayé devant la magnitude sans limite de l'aventure picaresque humaine, des univers effrayants et insoupçonnés dont la science recueille, dans l'astronomie surtout, des bribes de connaissance qui augmentent à la fois notre désarroi et notre pressentiment, c'est la fuite éperdue du psychisme traumatisé par les limites historiques de la compréhension dont chaque péripétie atteinte semble révéler l'absence de limite, c'est le culte de *l'intelligible*, de la connaissance possédée, de la sécurité du « système » cohérent où peut s'assoupir l'angoisse de notre liberté. La vérité atteinte devient implacable, elle se veut une sécurité absolue, elle refuse tout regard au-delà, tout changement d'identité qui exige l'abandon de la sécurité bourgeoise de l'identité atteinte et réalisée, confortablement meublée de certitudes, et installée dans un gîte d'étape que l'on érige en Société, en Cité d'Heureuse Arrivée. Chaque « vérité » atteinte recueille alors toute notre nostalgie d'une compréhension *autre* et offre ainsi au voyageur tourmenté une fin apaisante du voyage. C'est une vérité qui est faite d'exclusion, de négation de tout ce qui n'est pas elle, ou ne dérive pas d'elle, et qui refuse droit de cité à toute incertitude, à toute interpellation, à la remise en question, à l'irrespect, et qui définit d'une manière rigoureuse et implacable l'identité sociale, éthique, esthétique, idéologique dans laquelle Sganarelle, saisi de certitude, accepte de se laisser enfermer. La marge est intériorisée, supprimée dans une volonté de coïncidence absolue, mais l'avenir est une absence qui ne se laisse pas neutraliser. *Ce qui n'est pas* vient alors creuser de vide ce qui est. L'accessible se gonfle de l'inaccessible, comme dans tous les fétichismes : le marxisme recueille l'image du Père, l'organisation sociale se fait Ordre, exige l'adoration et le trône de l'Absolu; elle mime l'autre Ordre, celui qui ne saurait se concevoir, et dont l'imperfection heureuse est la condition même du progrès. Il y a à la fois rétrécissement et creux des réalisations artistiques et conceptuelles, un temps blanc de la culture, comme en Espagne ou en Chine, stérilité, durcissement et, dès les premiers craquements, tantôt preuve de l'authenticité par la victime expiatoire, tantôt liquéfaction et graisse du « néant ». Ce gonflement, par refus de l'angoisse de la liberté, des réalités tangibles transfère sur l'arrangement et l'organisation sociaux une terreur métaphysique avortée par la narcose idéologique qui en fait la Solution, un Logos domestiqué. Cette négation de l'imaginaire en tant que retour à l'angoisse de la liberté est le caractère dominant du Cérémonial. L'identité sociale intronisée derrière les murs de l'Escurial commande une Étiquette et exige le Respect total. Au nom de la Raison seule, de la Raison non plus cachée, mais « possédée », entièrement révélée, on refuse ainsi de reconnaître le caractère le plus évident de notre aventure picaresque : c'est qu'il n'existe que des étapes de la raison plus qu'aléatoires, et qu'il convient de traiter avec la plus grande circonspection en se ménageant toujours des portes de sortie. Mais ces portes, on se hâte au contraire de les clouer, car elles suggèrent un ailleurs, l'incertitude, une nouvelle aventure. On conçoit que dans un tel arrêt, dans une telle fixation de l'identité du personnage, le roman du « réalisme socialiste » tend à reprendre ses caractéristiques du xixe siècle, où le monde était « fini », où tout était « arrivé ».

Et me voilà rendu à mon point de départ. La marge entre ce que nous pouvons attendre de la réalité et ce que nous en attendons secrètement ne peut être remplie que par l'art et la fiction. Il y a divorce irrémédiable entre l'œuvre artistique et le monde : cette marge des rêveries créatrices d'avenir est un paradis qui n'a jamais été perdu et qui ne sera jamais retrouvé, elle est faite de ce qui en l'homme ne sera jamais ni Dieu ni Homme, mais aspire à l'être. Le fils de personne finit toujours par faire de personne une « Personne », et se met ensuite à vénérer cette absence niée dans le Cérémonial, dans un respect implacable envers tout ce qui est sa dégradation sacrée en des vérités possédées, ces rayons cosmiques du Logos. En même temps que dans un autre battement du pendule, à l'autre pôle de la nostalgie, il élabore des signes et des abstractions sans contenu, en mimant ainsi les rapports qu'il a lui-même arbitrairement inventés entre l'irrationnel, le non-sens, cette dimension « profonde » de la Conscience, et la Raison cachée.

J'en viens ainsi au fond même de mon roman, qui est la lutte de mon personnage contre la Puissance et son Cérémonial, contre tout ce qui veut le détruire, ou défendre par des massacres l'immobilité de son identité historique transitoire, contre ce qui menace vraiment l'avenir du Roman.

Car, si j'ai insisté tellement sur ce culte de l'Essence dans l'existence, de la transcendance dans la réalité, cette défense désespérée des identités réalisées, reliques du Rêve dégradé, sur ce dualisme de l'âme commun aux mentalités primitives comme aux psychismes les plus évolués, aux sociétés marxistes comme au justicialisme pragmatique de l'Occident, sur ce rôle magique que jouent l'irrationnel comme le rationnel dans la fin heureuse de notre liberté et de son angoisse, tantôt dans l'identité « possédée », tantôt dans son abstraction, c'est que mourir ou tuer pour ce qu'on est, pour ce qu'on tient, pour ce qu'on *sait* d'une manière si rassurante, ou pour ce qu'on croit avec tant d'apaisement, est une opération type du Cérémonial, qui permet au dernier doute d'être éliminé, et à la dernière trace de l'angoisse-liberté de disparaître par la *soudure parfaite entre le rationnel et l'irrationnel dans un acte-preuve de l'authenticité* *. Voilà ce qui menace aujourd'hui le monde de destruction et le Roman d'une péripétie finale : la Réalité. Il n'est de pire mythologie.

---

* J'écris ces lignes dans les Cyclades. Je crois me souvenir, ne disposant d'aucun moyen de le vérifier, que Hossémine fait une remarque analogue, citant d'autres auteurs, dont, je crois, Pospelov.

XLVI

Le roman picaresque moderne.

Les termes du nouveau roman picaresque m'apparaissent ainsi clairement. L'idéogramme, bien entendu, disparaîtra comme un squelette sous la chair de l'œuvre, et il n'y a pas plus de théorie du roman que de théorie de la vie, mais je me demande si je ne vais pas me procurer une sorte de jouissance esthétique supplémentaire, de l'ordre d'une combinaison du jeu d'échecs, en numérotant dans cette préface chaque étape de ma recherche du personnage et de ses cibles, et en les assortissant ensuite d'un numéro correspondant dans les péripéties du roman où elles trouveront vie. L'expérience ahurissante des *Racines du Ciel* m'a montré qu'on peut trop bien effacer, faire disparaître trop complètement la conception dans sa réalisation romanesque, ce qui diminue, non « l'importance » du roman, qui n'en a aucune, et en aucun cas, mais celle de la satisfaction artistique d'un « jouir » partagé. Mais sans doute y renoncerai-je, une telle joie de l'épure relevant un peu trop d'un talmudisme d'un Ordre abstrait, et donnant un caractère trop « fini » à l'identité d'une œuvre romanesque. Elle fait bénéficier, aussi, le roman d'une construction intellectuelle qui lui demeure extérieure et risque ainsi de vouloir compléter d'une façon en quelque sorte truquée ce qui manquerait peut-être à mon roman en tant qu'œuvre suffisante à elle-même, en elle-même. De toute façon, dès qu'un romancier se fait *interpretator* de son roman, c'est presque toujours un effort pour compenser un échec romanesque, ou pour ériger quelque originalité marginale en découverte d'un continent nouveau. Il n'y a pas de substitut théorique à la découverte de l'Amérique par Christophe Colomb. Mais je n'interprète rien : mon roman n'est pas écrit, seules ses péripéties et son personnage commencent à se manifester à moi dans les rapports de ce dernier avec la Puissance et son Cérémonial.

Ainsi, plus la majuscule de la Réalité se fera grande et puissante, plus une identité historique de l'homme ou de sa société exigera de révérence dans un Cérémonial gardé de tous côtés, philosophique, politique, artistique, littéraire, et plus mon personnage sera obligé de se montrer scandaleux et cynique, ainsi que le roman picaresque l'a toujours voulu dans ses confrontations avec la Puissance. Je dirai là clairement une chose : le personnage n'est jamais l'organisateur et le transformateur de ses principes, de son point de vue, en tactiques ou stratégies appliquées : son but est le Roman. Il *signifie* son point de vue. Libre à chacun de le savourer le cigare aux lèvres en Suisse, ou de transformer cette impulsion reçue à travers la culture en parti politique, pour ou contre lui. Mon personnage ne sort pas du roman. Ce que le roman obtiendra ou n'obtiendra pas au contact de la culture est un problème qui concerne ceux qui s'intéressent d'abord aux concepts, et les ingénieurs sociaux, qui sont chargés de transformer en application pratique les sources d'énergie.

Mon *picaro* ne peut que *signifier* son attitude envers le Cérémonial par sa mimique : il joue son point de vue. Il ne peut le faire que dans l'irrespect, l'ironie, la profanation et la parodie. Il ne commet nullement ses forfaits de détrousseur de Majuscules dans le nihilisme, par anarchie, mais parce qu'il refuse la transformation d'un gîte d'étape en un temple où est célébré, dans le sacrifice et le massacre, dans la servitude ou dans la folie, le rite de la Suprême Arrivée. Il lutte pour réduire la Réalité à la mesure et à la proportion de l'être, pour en crever le monstrueux et irréel gonflement, car le sang humain versé est la seule réalité de cette Réalité. Son irrespect foncier, loin de signifier que rien n'est valable, tend simplement à retrouver cette marge d'insouciance, de liberté, d'irresponsabilité, d'espoir et d'avenir, de mouvement et de changement d'identité qui vient de l'absence du Mot, du dernier mot. Les vérités prisonnières du Cérémonial dans le puritanisme du Respect ne peuvent pas vivre, empêchent la formation de nouvelles identités : on a abouti ainsi à la « condition humaine » littéraire, notion de pestilence, de douleur, de larmes, de putréfaction, et de « vallée de larmes », ce *western* de l'angoisse, une notion qui doit être profanée, et maintenant à cette « fin du roman » qui ne cesse d'être annoncée. Il n'y a pas de Trône, il ne peut y avoir d'intronisation, ni de couronnement, tout pouvoir absolu est un désespoir. Mon personnage lutte pour le réalisme. Il n'y a pas plus de Réalité que d'Homme.

XLVII

Les raisons de vivre sont trop connues : elles ne vont donc jamais nourrir le roman, pour ne pas l'empêcher d'être « nouveau ». — *Le conformisme Saint-Sulpice de l'angoisse « moderne » : l'objet, notre Sauveur, ou comment échapper à la malédiction de penser et de souffrir en devenant objet inanimé. — Le « pour trouver du nouveau » baudelairien : la première chose à faire, c'est d'exclure l'homme du roman, sous prétexte qu'il a déjà eu lieu.*

Je parlais à ce propos de sa joyeuse angoisse. C'est la seule que je connaisse comme une expérience quotidienne. L'angoisse heideggérienne, la « nausée » ressentie comme une communion avec l'existence, avec la chose-être ne m'est pas familière; peut-être parce que je suis un « fabulateur » depuis l'enfance, mes moments de communion avec la chose, l'arbre, la matière sont inversés : je « sens » la chose comme un « vivant », mon imagination d'essence folklorique s'insère immédiatement dans le rapport avec l'inanimé et le fait vivre. Ceux qui la décrivent la définissent comme fugace, furtive, exceptionnelle. La communion mystique avec le *nirvâna* ou avec Dieu ne l'est pas moins. Mais il existe une expérience psychique universelle, la plus communément ressentie par les hommes, par ceux-là mêmes qui sont les plus séparés matériellement du bonheur, celle dont personne n'ose plus nous parler tantôt par vertu, tantôt par souci d'originalité : la communion avec la *joie d'exister*. Il s'agit pourtant d'une des expériences les plus intimement liées à la nature même de la vie. Cette réalité que chacun de nous connaît est complètement absente, par supercherie, par omission délibérée et obsession totalitaire, de tout le roman contemporain et de la philosophie : le souci d'originalité dans la pensée, dans l'art, exclut par tricherie — par tricherie, alors qu'il se réclame de l'authenticité du *fond des choses*, de l'essence ou du réalisme — la réalité *la plus communément ressentie*. A l'autre pôle de la pensée, cette exclusion radicale du bonheur de vivre de la description de la « condition humaine » cherche sa justification d'être idéologique dans le souci de concentrer toutes les forces dans la lutte contre la souffrance de la majorité des hommes. Mais la souffrance n'est pas la condition humaine de la majorité des hommes : c'est un fait statistique, un fait prouvé, que cette majorité d'êtres humains abandonnés, opprimés ou exploités, n'existe qu'à partir de, et grâce à une certaine essentielle et élémentaire saveur, une connaissance, une expérience du bonheur physiologique et psychique d'exister. Sans elle l'instinct de conservation de l'espèce ne jouerait jamais et la lutte pour des conditions meilleures de vie, pour un meilleur partage du bonheur, pour l'augmentation constante du niveau, du seuil du bonheur, n'aurait aucun stimulant, aucun sens même. Ainsi, pour des raisons tantôt tactiques, en elles-mêmes plus qu'estimables, tantôt vertueuses, tantôt simplement par habitude, par convention, cette convention du confort fraternaliste qui permet à tous et à chacun de se montrer bon et « humain » en s'absorbant dans la douleur des autres, le voile du silence est jeté délibérément dans toute la pensée et dans toute la littérature sur ce qui constitue le fait matériel le plus vérifiable, le plus communément ressenti, et de très loin le plus *important* de la « condition humaine » : l'amour de la vie.

Et il y a naturellement une raison propre à Sganarelle,

dans sa recherche de l'importance personnelle. Car faire une œuvre originale à partir de ce qui est, en fin de compte, une *banalité*, avec ce qui est le plus connu, demande le génie, lequel interdit tout souci d'originalité en soi, en tant qu'*a priori*. Ce souci d'originalité en soi fait de l'art ou bien une bizarrerie, une curiosité — phénomène typique de la peinture, de la sculpture et du roman fantastique réeliste — ou s'empare d'un insignifiant phénomène marginal pour le magnifier hors de toute proportion, donnant ainsi l'illusion d'accéder à une dimension nouvelle. On évite alors délibérément toutes les raisons de vivre, puisque celles-ci sont trop *connues*, on situe le « sens » de l'homme dans ses anomalies. Le roman tend ainsi de plus en plus à situer la « condition humaine » dans la névrose et la pathologic. Il n'est même pas sûr qu'il s'agisse dans ce dernier cas d'une manifestation en quelque sorte naturelle du psychisme du créateur contemporain « porteur de son temps », et donc une de ses victimes, c'est-à-dire névrosé lui-même, et créant des œuvres à partir de son traumatisme : c'est, dans une grande mesure, une tricherie de Sganarelle, saturé de littérature cherchant en elle des blancs à remplir, à bout d'imagination, qui veut l'originalité à tout prix et qui « fait » ainsi à partir de la littérature, ce qui interdit à l'imagination dans le roman de chercher l'avenir en partant de l'expérience commune et la plus heureuse des hommes. Or — et je tâcherai de m'orienter là-dedans davantage — l'homme n'a ni profondeur insondable, ni originalités enfouies. Le fond commun de l'homme est très vite atteint. Ce qui est infini, ce qui est inépuisable, ce n'est pas la profondeur de l'homme : c'est la variété extraordinaire de son comportement et de ses identités dans leurs rapports avec l'Histoire. C'est l'infinie variété d'observateurs privilégiés d'eux-mêmes et de leur monde. C'est le foisonnement de « vérités » subjectives, de particularités, de singularités, de *différences :* ce n'est pas le fond commun, universel, donnée première indifférenciée. Mais créer dans le roman des identités, des caractères, est ce qu'il y a de plus difficile : on chasse alors le personnage du roman sous le prétexte, en somme, que l'homme a déjà eu lieu. Que l'opération soit tendancieuse ou naïve ne me gêne pas : tout art est tendancieux, toute décision artistique arbitraire est légitime. Je répète que ce qu'il y a de déplorable, c'est que cette attitude esthétique parfaitement acceptable, se présente depuis quarante ans comme une *vérité sur l'homme*, comme une philosophie, comme une définition cohérente des conditions de notre existence. Nous sortons alors du domaine de l'art, de l'invention légitime, quels que soient ses accents désespérés, pour passer dans le domaine de la Vérité, c'est-à-dire, ici, dans le mensonge. Aucun constat de la « condition humaine » ne saurait être autre chose que mensonge lorsqu'il ne tient pas compte de l'expérience la plus importante de l'être, celle qui permet à la vie de continuer et aux civilisations d'être poursuivies, et qui est la joie d'exister. Il ne saurait y avoir de justification à cette omission, car, en braquant ainsi tous les projecteurs de la « prise de conscience » sur la douleur, on renonce au total pour verser dans le totalitaire et on resserre ainsi nos liens avec la Puissance, avec l'ennemi. Le prétexte de solidarité avec « tout ce qui souffre », avec les masses sous-privilégiées, d'abord ne justifie en rien le discrédit, le dégoût que toute notre imagination romanesque a ainsi jeté sur le phénomène même de la vie, et ensuite, cette façon d'enfermer les masses dans leur souffrance est un mensonge : ce qui fait le malheur terrible et entièrement intolérable de ces hommes confinés, arrêtés dans une identité inacceptable, est que leur condition même la plus extrême est toute traversée d'éclairs de joie, de communion innombrable avec la joie d'être, avec la sexualité, avec l'assouvissement physiologique, avec la nature, et qu'il n'en saurait être autrement, puisqu'ils sont vivants : c'est leur rapport avec la jouissance physiologique de vivre qui leur permet de s'orienter, de pressentir, de comprendre, de se révolter, de lutter, de découvrir que la « condition humaine » n'est pas cet état du corps attendant sa charogne que la littérature du malheur en a fait.

Du reste, ces masses négligées, leur situation, leur identité historique ne se prêtent pas non plus à l'originalité : c'est déjà trop connu, « ça a été déjà fait », la littérature est déjà passée dessus. Il est non moins connu que la plus grande partie de leur misère est une affaire de progrès social : les données de ce progrès sont elles-mêmes évidentes. On met donc les masses de côté. Plus exactement, on transforme leur identité historique en essence des choses, en vision totalitaire, comme le fait Kafka, ce qui situe entièrement les hommes dans leur mortalité en effet irrémédiable : la mort devient la « condition humaine ». Ce qui n'est ni réaliste, ni même simplement vrai : lorsqu'il s'agit de « condition humaine », ou du roman, la mort n'arrête rien et, sur le plan individuel, elle n'est pas du tout, elle n'est absolument pas — et c'est encore là un fait statistique vérifié — le principal souci quotidien de l'être : les travaux des psychologues ont démontré que l'instinct de conservation tend à l'exclure des consciences. C'est un affleurement à la conscience, ce n'est pas un état conditionnant. Sa « finitude » ne conditionne pas la vie de l'individu, elle ne la paralyse pas : les rapports avec la lumière, par exemple, ont été révélés comme jouant un rôle infiniment plus important dans le psychisme. Mais toutes les œuvres romanesques sans aucune exception dès qu'elles parlent de la « condition humaine », en font une souffrance, une crucifixion, une servitude couronnées par la mort. C'est évidemment une facilité littéraire de tout repos, si je puis dire. L'accent « philosophique » et petit-lyrique est obtenu à bon compte, et il a évidemment toujours un écho de vérité. Au moins, avec ce désespoir « profond », donnez-nous un roman, comme Malraux, ou Sartre : mais non, nous devons nous contenter du désespoir. Admettons que la tâche de la philosophie et du roman soit de faire entrer davantage la mort dans les consciences : mais la littérature se trompe là d'originalité. Car, si l'on doit se fixer sur la banalité de mourir, où est là l'originalité, où est la découverte, où est la profondeur, qu'est-ce qu'on dit là qui n'ait pas été dit depuis le premier balbutiement littéraire? Pourquoi le roman choisit-il toujours la mort plutôt que la renaissance sans fin? Culte du Moi divinisé, certes, et condamné à finir, mais aussi Prisunic de la facilité; dès que les mots « condition humaine » sont prononcés, c'est à l'essence des choses, c'est à l'universel, c'est au définitif que nous prétendons toucher. A un prix de revient extrêmement modique, sans aucune dépense réelle d'originalité ou de talent, un écho de profondeur — on peut toujours compter sur le creux pour donner un écho profond — se met soudain à résonner dans notre roman. Tout y est : la métaphysique, la tragédie grecque, l'irrémédiable, la fatalité, le mystère, le pourquoi. Mais puisque cette originalité-là est devenue, elle aussi, passablement éculée — une fois qu'on a prononcé les mots « condition humaine », l'accent, l'écho se chargent de tout ce qu'en ont déjà dit les autres — il faut aller plus loin : on aboutit alors soit au « néant », c'est-à-dire à l'objet, soit à la névrose délibérément induite et cultivée. Le souci d'originalité qui substitue le marginal à l'illimité — le « marginal » de la verticale profondeur, au lieu du vecteur horizontal, du foisonnement d'identités à partir du fond commun vite trouvé — aboutit ainsi à une littérature de la déformation systématique au nom de la « vérité psychologique » et de la « profondeur », et à un roman de l'aliénation de l'homme qui tend à faire de nous une sorte de mal qui aspire à la guérison, laquelle ne peut être que la fin de notre liberté dans une « solution ». Le roman totalitaire collabore ainsi avec la Puissance, avec la création des conditions prétotalitaires de la « guérison » de l'homme. Ce qui est, du reste, un droit qui ne lui saurait être dénié, mais il est permis de vouloir choisir, parmi les banalités inéluctables de l'être, celles qui ne rendent pas compte uniquement de ses derniers instants. Ce qui inspire la variété des identités et des péripéties n'est pas ce qui est scellé par la pierre tombale. Le fait dominant de la vie — et l'on n'oublie ici aucune majorité sous-privilégiée des hommes — est un rapport premier de jouis-sance de la vie, une volonté de bonheur. Le malthusianisme romanesque aujourd'hui exclut du roman toutes les manifes-tations les plus fécondes et les plus variées de la volonté des hommes de communier avec leur expérience la plus essen-tielle et la plus recherchée, qui est la nature même de la vie, au profit d'une spécialisation exclusive dans la névrose, l'angoisse et le malheur, sous le prétexte fallacieux d'une pro-fondeur qui, même si elle existait, ne pourrait guère se mani-fester dans ce qui inspire le moins le plus grand nombre d'hommes. Dans la plupart des cas, il s'agit du reste moins d'une recherche de profondeur dans l'homme, que de « blancs » dans la littérature. Le roman de la « profondeur » finit dans l'effet littéraire : c'est le roman de la littérature. Je veux dire : la littérature elle-même prise comme sujet et matière roma-nesques ; la « profondeur » se refusant toujours, c'est le langage en lui-même et pour lui-même qui devient l'ultime terrain de l'exploration. Car, en définitive, les superstructures sont plus riches de possibilités romanesques que le fondamental : la vie elle-même, si jamais on parvient à l'essentiel, ne peut être qu'un principe unique, ce sont ses manifestations qui en font l'inépuisable diversité. Et l'on exprimera plus loin l'espoir que l'homme lui-même se fera un jour à partir de ses superstruc-tures. Mais ce qui anime Sganarelle, on l'a vu, c'est un amour qui n'ose pas dire son nom et qui se cherche une justification d'être, une légitimation, une honorabilité, que toutes les sociétés lui ont pendant si longtemps refusées : il prétend donc décou-vrir, alors qu'il invente, diagnostiquer alors qu'il fabule, éclairer la profondeur de l'être et apporter ainsi une contri-bution à la « connaissance » de l'homme, alors qu'il ne touche à la réalité que pour mieux la quitter, alors qu'il crée tantôt les signes, tantôt leur interprétation, tantôt les deux, possédé par ce qui n'est pas ; il prétend toucher à la philosophie, alors qu'il est dans le poème, à la psychologie abyssale alors qu'il crée un fantastique. Le souci de l'originalité et en même temps la volonté de révéler une vérité essentielle, c'est-à-dire d'être à la fois unique et universel, sont dans une grande mesure irréconciliables et contradictoires : à moins de supposer, pour chaque « génie » romanesque, la découverte d'une nouvelle « profondeur » de l'être. Mais cette recherche ne peut mener qu'à la préciosité et au maniérisme, puisqu'elle ne peut s'accommoder d'aucune expérience commune, banale et authentique de la vie comme source d'inspiration. Elle contraint ainsi le romancier et le peintre non seulement à se réfugier dans le marginal d'une marge elle-même en constante diminution, mais encore à ériger chaque microphénomène de ce marginal magnifié en sens profond et universel : sa « découverte », source de son originalité, est d'autant plus précieuse au romancier qu'elle tient littéralement à un cheveu : il en souligne l'importance en universalisant ce minime. Pour peu que le lecteur accepte de le suivre, cette supercherie d'un art qui se fait passer pour situation authentique de l'être fausse d'une manière singulière, dans les consciences, la notion même des rapports de l'homme avec la vie et avec lui-même. Les conséquences sociales de ce divorce avec la réalité sont négligeables : je ne connais pas d'art pernicieux, seulement la médiocrité, laquelle ne saurait concerner la culture. Ce qui m'intéresse ici, c'est que cette fuite vers l'obscurité rassurante de la profondeur a abouti d'abord à un fantastique, au baroque et au bizarre, phénomène que la peinture a déjà connu à la fin de la Renaissance, avec les maniéristes, et ensuite, la marge où pourrait s'exercer une telle acrobatie devenant pratiquement inexistante, c'est la « mort du roman » — et aussi la « mort de la peinture » — qu'annonce aujourd'hui ce refus de se mesurer avec la plénitude de la vie, ce qui exige en effet une plénitude de moyens artistiques et une imagination, une vision, une vitalité créatrices qui nullifient toute habileté, toute valse périphérique, et commandent une confrontation à ciel ouvert avec la Puissance, où chacun de nous a, en effet, toutes les chances d'être vaincu. Mais il en a toujours été ainsi : il n'existe pas une œuvre romanesque d'envergure qui ne soit sortie de cette confrontation. On comprend que le roman et l'art aujourd'hui s'adressent de plus en plus aux amateurs de « curios », et il n'y a là rien de blâmable, rien qui doive être récusé; ce qu'il y a de malhonnête — et j'accepte totalement cette malhonnêteté, si elle me procure une jouissance esthétique, si elle m'amuse ou me divertit, mais je ne l'accepte pas sur le plan philosophique des « vérités », des « valeurs » nouvelles, de sortie de l'art et d'entrée dans la « fatalité » — ce qui fausse cette supercherie esthétique légitime, c'est qu'elle situe le *sens de la vie* tantôt dans une monstruosité marginale de l'être, tantôt dans l'irrationnel, ce fond rationnel secret de la conscience, clé du Logos. Il va sans dire que l'on définit cette profondeur comme étant à l'abri de l'expression, incommunicable et exigeant une initiation : le langage, les signes picturaux ne jouent plus, on l'a vu, qu'un rôle conjuratoire. C'est une expérience mystique. La vérité est que le lecteur, le spectateur ou le critique sont ainsi invités à créer le sens des œuvres. Tout cela demeurerait encore, en fin de compte, un jeu esthétique dans les ténèbres propices au charlatanisme de la profondeur, si cette opération n'était liée depuis Kafka à une « vérité » totalitaire qui traite l'homme comme une malformation pathologique du néant : ce qui facilite la tâche des candidats « solutionneurs » au nom de l'Ordre. Le roman peut accepter toutes les définitions du roman, sauf celles qui excluent le roman, qui le déclarent impossible. Même là, le génocide littéraire ne me dérangerait que dans mes rapports avec la littérature. Mais le point final est qu'en effectuant sa soudure avec — comment dire ? — avec : « l'homme est sur cette terre pour expier » — un des aspects les plus odieux et les plus pervertis du christianisme, qui eût certainement suffi, l'eût-il pressenti, à empêcher le Christ de monter sur sa croix — cette littérature, ce roman, renouent par la bande avec ce qu'il y a de plus asservi à la douleur chez les manipulateurs de l'homme. Ils réinstallent dans la « nausée » et le « néant », dans l' « objet » envié pour son absence de vie et donc sans « angoisse » le personnage qu'ils châtrent de sa joie d'être essentielle, et renouent avec la convention odieuse, obscurantiste et irrémédiablement réactionnaire de la *Pietà*, dont la culture et les civilisations ont déjà assez de peine à faire sortir tant bien que mal le personnage et son Roman.

XLVIII

La faillite des théories abyssales de l'homme.

Les théories abyssales de l'homme n'ont révélé de l'abîme que le noir impénétrable. Impénétrable, sans doute, parce qu'il ne recèle aucun secret, aucune clé universelle ou simplement significative. Dès qu'il s'agit de profondeur, tout se passe comme s'il ne s'agissait plus de l'homme, mais du milieu où il s'exerce, d'où il est sorti, qu'il pense, où il agit. Ce qu'il y a de fécond dans le marxisme, c'est qu'il met l'emphase précisément sur les rapports de l'homme avec son milieu, pour le fixer aussitôt dans le Cérémonial, il est vrai, ce qui empêche tout changement d'identité. Mais l'Occident se grise d'une profondeur qui n'est en définitive qu'une gesticulation à la surface de l'homme, ou une mimique de sémaphore adressée à l'absence de Dieu. D'ailleurs, si l'on suit Freud et si l'on marque exclusivement notre psychisme par l'enfance, de quelle profondeur peut-il s'agir dans une telle puissance résiduelle de l'élémentaire, du rudimentaire? Rendre Œdipe à sa mère, c'est condamner l'adulte à l'enfance : justifiée ou pas, cette « explication » suppose une absence d'évolution, une immuabilité de la nature humaine, ainsi qu'une fixité de ses rapports avec sa donnée première et élémentaire, et avec ses manifestations qui reviennent à nier à la fois toute complexité véritable du psychisme, et tout progrès, tout changement, toute révolution : en vérité, toute profondeur. Jung a dû si bien le sentir qu'il sort du psychisme individuel pour se réfugier avec armes et bagages dans la dimension plus large du subconscient collectif. Je choisis plutôt comme romancier le conscient collectif de la culture et son lent travail, ses dépôts, son action sur l'inconscient. Il faut reconnaître aussi que par son emphase exclusive sur le vecteur vertical et ses environs immédiats, Freud tend à réduire singulièrement l'envergure du milieu ambiant de cette « profondeur », il tend à séparer l'histoire de l'Histoire, laquelle n'intervient plus que dans son extrême proximité, comme milieu immédiat, famille ou convention sociale statique : tout ce qui est insondable, tout ce qui est vraiment profond, parce que sans mesure, est toujours sacrifié à la proximité. Conçue dans une période de stagnation historique, voilà une exploration et une systématisation de la « profondeur » qui ne laisse pas de part dans la formation et la malformation du psychisme à l'ébranlement profond : si toute ma famille a été brûlée dans un four crématoire par les nazis, mon psychisme n'en est pas marqué : mon inconscient ne s'en aperçoit pas. C'est essentiellement une doctrine d'un milieu privilégié, des malheurs exquis : le choc délicat, minime, intime, la fêlure, y prend infiniment plus d'importance que trente millions de morts, la *nursery* marque plus que l'Apocalypse.

Les complexités intérieures, telles qu'elles sont alphabétisées, sont en elles-mêmes une indication d'absence de dimension abyssale : cette accessibilité à la conscience d'un autre, ces manifestations extérieures, limites du refoulement, ne témoignent-elles pas d'un fond rapidement atteint d'intériorisation, un fond si proche qu'il ne peut rien garder, qu'il ne peut pas se creuser davantage, qu'on ne peut s'y enliser, s'y perdre, s'intérioriser encore, un fond qui renvoie toujours la balle, qui se manifeste toujours par des remous de surface ? Si l'homme est profond, comment se fait-il que les manifestations du choc traumatique peuvent être systématisées dans une telle absence de variétés, d'impondérables, de déguisements, dans des interprétations toujours nouées autour d'une demi-douzaine d'accords essentiels? Comment se fait-il que le « complexe » soit toujours fidèle au rendez-vous avec le signe? Si l'homme est profond, comment se fait-il que ses névroses se manifestent par un nombre si peu varié de caté-gories de comportement? Si le psychisme est profond, comment expliquer que la névrose se heurte partout à la psychose? La notion même de « refoulement » est incompatible avec la profondeur. Si le psychisme était profond, on comprendrait mal comment le fond commun y serait si facilement atteint dans le « refoulement », au point de rejaillir à la surface, et comment les manifestations du choc traumatique pour-raient être classées en si peu de catégories, et se manifeste-raient toujours dans un seul sens vectoriel. La systématisation même des signes de l'inconscient, du moment qu'on l'admet comme possible, où les signes sont toujours fidèles au schéma, fidèles au rendez-vous avec le plus vieux et le moins chan-geant des instruments de communication, le vocabulaire acoustique, le langage, susceptibles donc d'être révélés et interprétés par ce qu'il y a de commun à Aristote, Pascal et Freud, semble bien indiquer que l'inconscient est plus un croupissement dans le superficiel, dans un manque d'espace d'extension et d'expansion, dans une verticale vectorielle si limitée qu'il est donc plus un croupissement qu'une chute. Il semble bien que l'homme n'explore sa « profondeur » que par l'imagination, c'est-à-dire par un acte de création artistique : c'est une profondeur inventée, une création culturelle authentique, une création de l'homme par lui-même. Freud a été plus un créateur de culture et donc de l'homme qu'un prospecteur. Seule une absence de profondeur peut expliquer la *stagnation* dans l'inconscient : toute « chute » y est arrêtée, devient « refoulement » : en fait, c'est une « profondeur » sans chute possible, sans abîme. Freud crée sa réalité, comme l'art abstrait crée la sienne :

il demande non la compréhension, mais l'initiation. Pas étonnant que l'art et la psychanalyse tendent aujourd'hui à s'unir dans une intimité d'école entre initiés. Je dis bien « initiation » et non « compréhension » : le rapport entre la cause et l'effet n'est jamais prouvé; si on *peut* passer de l'un à l'autre, la preuve est considérée comme faite. C'est le triomphe de l'interprétation sur la démonstration, typique des initiations magiques. L'interprétation des rêves par Freud, son dévergondage interprétatif à propos du rêve de Leonardo da Vinci est la dernière interprétation talmudique de notre temps d'un esprit n'ayant plus d'autre appui et allié dans l'hostilité et le ghetto que lui-même. Parce que l'irrationnel est ainsi créateur de la conscience, c'est-à-dire de la lumière et de la compréhension, parce qu'il est source de vérité, tout ce qui est irrationnel dans le roman, ou tout ce qui n'est pas représentatif dans la peinture devient manifestation de la Raison cachée, et donc représentation profonde, essentielle, révélatrice de la Réalité. La justification d'être est enfin trouvée : le créateur d'art devient créateur de réalité. Parce que l'inconscient invisible commande, dit-on, puissamment à la conscience, ce qui est invisible devient cachette, trésor secret, dont l'irrationnel donne le chiffre : le comportement normal n'a plus pour ce roman, pour cet art, de *sens* en soi. La profondeur est donc toujours *extraordinaire*. Les manifestations normales de la vie n'ont plus aucun intérêt. On voit ainsi clairement comment cette « psychologie » devient une métaphysique, comment s'installe le Cérémonial de l'irrationnel, du pathologique, du marginal, et comment l'art se lie intimement avec les signes-formes, et aboutit à une opération magique où l'expression est chargée de *créer* l'exprimé. Les théories abyssales dans le roman aboutissent ainsi à l'absence de tout caractère humain dominant, de sa généralité et de son universalité, de son caractère le plus lumineux et le plus heureux, rejeté comme incapable de signifier la profondeur de l'être. Ce n'est pas tout : le roman quitte toujours la réalité, dont il part, qu'il utilise comme procédé de réalisme. Mais c'est dans un seul sens que s'effectue le départ du roman de la « profondeur » : vers l'absence de plus en plus grande de l'humain. Il est normal qu'il en soit ainsi, puisqu'il ne prend pas la réalité comme base de départ, mais un irrationnel, un non-sens. Il s'enfonce de plus en plus dans l'abstraction, dans l'irréalité, hors de tout départ à partir d'une expérience tangible. On conçoit que dans une telle opération l'homme devient une gêne, un obstacle : sa présence accentue l'irréalité de l'entreprise. On chasse alors le personnage du roman. C'est ainsi que les théories abyssales de l'homme dans le roman finissent par se révéler incompatibles avec la présence de l'homme dans le roman. Incompatibles avec l'homme.

Mettons de côté une objection que nous dicte la nature : l'homme peut à la rigueur s'accommoder de tout sauf de ce qui l'exclut. Mais la nature a un argument plus fort que cette objection elle-même : le roman sans l'homme se révèle impossible, il se fait littérature, roman de la littérature, où le langage, le mot, deviennent personnage et sujet. Pour trouver à cette littérature « romanesque » une justification d'être, on déclare alors que le personnage, au sens humain du terme, est terminé, qu'il a déjà eu lieu, qu'il a tout donné, que l'homme n'est plus susceptible de nous inspirer, de nous intéresser. On ne saurait assez insister sur ce qu'une telle « philosophie » semble nous réserver, hors de toute littérature, sur ce qu'elle est prête à accepter. Le moins qu'on puisse dire, c'est que les auteurs de ces natures mortes paraissent singulièrement empressés à servir sur un plat à la Puissance leurs têtes coupées.

XLIX

Opération « profondeur » : Sganarelle se fait Cagliostro, se remet à l'alchimie, fait dans la pierre philosophale, proclame « le matin des magiciens ». — Comment le comportement marginal aberrant devient signification profonde et recèle le Sens de l'Homme. — Le névrosé comme détenteur d'une connaissance privilégiée. — Retour aux sociétés primitives : le fou redevient l'enfant chéri de Dieu. — L'adoration du langage, relique de la Clé.

Les signes de l'opération « profondeur » sont partout dans les derniers soubresauts de ce non-roman. L'obscurité se fait de plus en plus épaisse, condition de toute « exploration », une emphase exclusive est mise sur le comportement pathologique, sur le symbole en soi, sur l'incongru, l'irréel, chargés de *signifier* la signification, une signification qui n'est jamais livrée, que l'on fait sonner dans l'œuvre comme l'écho de la dernière syllabe saisie d'un Mot qui demeure insaisissable, mais dont cet écho signale une sorte de proximité lointaine et « prouve » l'existence. Ce qu'on ne saisit pas, devient ce qui est vraiment, ce qui importe vraiment. Opération artistique parfaitement légitime lorsqu'elle se réclame de la liberté du poème, imposture lorsqu'elle prétend nous révéler une réalité humaine. L'expérience la plus communément ressentie et donc la plus universelle étant évidemment bannie d'un tel souci de révélation et d'originalité, toute trace de la joie d'être disparaît de l'œuvre, suivie par le personnage, l'homme lui-même, commun, non original par définition, incompatible avec un tel souci d'unicité. On pourrait ici donner des noms par dizaines, citons seulement Le Clézio, puisqu'il a du talent et qu'il s'en tirera : la névrose, le pathologique inventé ou recherché comme source de littérature devient « sens » et « situation » de l'homme, le comportement aberrant cesse d'être marginal pour devenir clé de la profondeur, est accentué et universalisé par souci d'effet abyssal, l'aliénation au sens clinique étant ainsi érigée en « aliénation » philosophique, en « Situation », la folie se fait Sens dans cette métaphysique littéraire, et le névrosé, détenteur d'une « expérience », d'une connaissance privilégiées. Je retrouve ainsi dans notre pensée et dans notre littérature la place qu'il assumait dans toutes les sociétés primitives, il porte en lui le « mystère » : le fou renoue avec le sacré et redevient l'enfant chéri de Dieu. Les mutilations psychiques se font sens mythique, communion avec le secret : l'aliénation est présentée comme une chute hors du Logos, et donc en rapport révélateur avec lui : on peut remonter à partir d'elle au Sens, à la Raison cachée.

L'aliénation, ce romantisme très XIXe qui est allé se changer, se rhabiller, celui de « ma solitude irrémédiable », est intronisée dans ce Cérémonial, mise littéralement et littérairement à toutes les sauces : « aliénation » sociale du prolétariat, des élites face à « la foule horrible des hommes », des femmes dans une société dominée par les mâles, des races opprimées, de la France gaulliste dans le monde, et comme toutes ces situations sont susceptibles de solution — on ne voit pas ce que peut bien vouloir dire une « aliénation » remédiable — on se rabat sur l'aliénation du fou ou du névrosé, immédiatement prononcée significative en tant que cas extrême de l'aliénation de l'homme : lamartinisme métaphysique et pas autre chose, *Tristesse d'Olympio* au bord du *Lac*. On peut continuer : « aliénation » de l'individu

337

à son produit dans la société capitaliste, celle du romancier à son « produit » encore (Sartre à la Mutualité, parlant d'un romancier qui se dédie totalement à son œuvre, c'est-à-dire à la culture — non? — et au bonheur des hommes, non?). S'installe alors cette merveilleuse « incommunicabilité » que l'on s'empresse de communiquer sur tous les tons, dans le roman, au théâtre, au cinéma. Cette prospection intensive de l' « île » de Donne que l'on découvre trois siècles après son premier peuplement littéraire, a déjà beaucoup donné sous le romantisme et rhabille d'un vocabulaire philosophique au goût du jour la vieille goualante des « incompris ». C'est typiquement la situation de l'individu à la Gobineau, celle des *Pléiades* menacées d'être ramenées sur terre, une « incommunicabilité » dont il ne faudrait pas venir parler aux millions d'hommes dont les aspirations et les préoccupations sont parfaitement communicables et dont on ne parle jamais dans ce roman, par souci d'originalité. Nous retrouvons là du reste, inversé, le roman de l'entre-deux-guerres à la *Vasco* de Marc Chadourne, où « l'aliénation » était délibérément recherchée dans tous les Tahitis, l' « île » aujourd'hui étant le plus souvent celle du langage où l'on va robinsonner. Les îles fortunées sont devenues infortunées, mais demeurent tout autant recherchées. Il est particulièrement réjouissant de voir cette « incommunicabilité » communiquée à flots continus par tous les moyens d'expression : son immense avantage est que, par définition, elle permet à la fois de parler et de ne rien dire. Elle orne incontestablement notre littérature — voir Marguerite Duras et bien d'autres talents — mais venir nous informer qu'elle « communique » la Situation authentique de l'homme... Ne prononçons pas le mot, mais il faut croire que vous n'avez jamais aimé vraiment ou n'avez jamais été aimés. Les silences entre Cathy et Heathcliff dans *Les Hauts de Hurlevent* ne sont pas faits « d'incommunicabilité ». Antonioniser comme on le fait constamment dans cette littérature à propos de « l'incommunicabilité » dans l'amour, c'est vraiment ne pas savoir de quoi on parle, et que l'impuissance soit en effet une incapacité de communiquer, c'est bien vrai : soignez-vous.

On ne saurait insister assez sur le fait que cette littérature refuse de considérer la réalité la plus familière, la plus fréquemment ressentie et la plus déterminante dans notre Roman, celle qui assure tout simplement l'existence et la continuité de l'espèce, et qui n'est pas l'aliénation, mais au contraire un lien, une soudure fondamentale sans laquelle l'humanité aurait depuis longtemps fini dans l'euthanasie : la joyeuse angoisse de vivre. Elle *choisit* l'aliénation. Ce qui est son droit artistique : c'est une escroquerie totalitaire, lorsqu'elle situe arbitrairement dans ce choix le caractère conceptuel authentique de l'ensemble du phénomène humain, lorsqu'elle définit à partir de cette commodité littéraire, tout un dogme philosophique, créant ainsi hors du poème une atmosphère intellectuelle de servitude métaphysique et jetant sur nos rapports avec l'univers un regard qui est finalement celui des yeux fermés.

Je dis « joyeuse angoisse » et non seulement « joie », car ces moments d'union intime avec la qualité essentielle et le sens de la vie nous sont si précieux qu'ils se doublent toujours de la crainte de *leur* finitude — et nullement de la nôtre. Sartre est en plein malentendu lorsqu'il récuse la « finitude » comme explication du besoin de créer. C'est de la finitude du *spectacle* qu'il s'agit, question qu'il ne soulève pas : changement du paysage par fuite du jour, changement d'une péripétie historique non saisie encore dans le Roman, disparition d'un jeu du kaléidoscope éphémère du présent sous toutes ses formes, le plat du monde emporté et remplacé par un autre alors qu'il retenait encore notre appétit. C'est ici que se manifeste la volonté de créer : la volonté de saisir, de garder, de perpétuer, de posséder et faire durer dans le tableau, dans le poème, dans le roman ce « jouir » fugitif. Notre mortalité individuelle ne peut intervenir là que symboliquement et paradoxalement, puisque ce moment saisi et fixé dans l'œuvre, nous ne pouvons l'emporter avec nous. C'est la fin du spectacle que redoute la « joyeuse angoisse », ce n'est pas la fin du spectateur. L'assiette devient vide alors que l'appétit demeure : le créateur remplit lui-même le plat, *il se sert*.

Il est donc difficile de nier ce phénomène irréfutable, décisif, que notre roman choisit d'ignorer, tout en se réclamant d'un réalisme authentique : la communion intime de l'être avec la vie, et qui ne permet de parler d'aliénation que dans son sens pathologique. C'est parce que l'homme n'est pas aliéné que la psychose ou la névrose sont des états d'aliénation. Parlez-nous donc seulement de littérature.

On en est venu à oublier que le rêve d'éternité n'est pas un rêve de survie ailleurs, d'une vie *autre* : c'est de l'amour de *cette* vie, de *ce* bien, de cette condition que naissent les rêveries d'éternelle durée. La seule aliénation non pathologique, c'est évidemment la mort, pour ceux qui n'aiment pas assez la vie pour sentir qu'il ne peut rien leur arriver.

Au nom de l'originalité et des théories abyssales, le roman a ainsi rompu complètement avec ce qui constitue l'expérience la moins privilégiée, la plus précieuse, la plus authentique, et, en définitive, *la plus profonde*, parce que la plus profondément ressentie et recherchée de l'homme, celle qui explique son besoin de pain, de durée, d'art, de roman, de culture et de progrès, celle qui éclaire tout de ses moments d'existence ou de sa volonté d'exister et de continuer : un « jouir » indissolublement lié à la nature même de la vie, aux conditions de sa propagation, de ses manifestations, un rapport aussi absolu et indispensable entre l'homme et ce qui l'inspire que celui de la lumière avec la chlorophylle. Un art de mensonge est parfaitement acceptable, car le mensonge est trop lié à l'invention et à l'imagination pour qu'il y ait lieu de faire place ici à quelque objection de conscience, à quelque puritanisme de la vérité, même si c'est la poudre de la vérité qu'on nous jette dans les yeux.

Mais ce qui rompt les rapports de l'homme avec le bonheur, rompt ses rapports avec l'art. Ce qui situe par souci de littérature et d'originalité les phénomènes typiques de l'homme dans ce qui n'est pas le phénomène typique de l'homme, ne peut se réclamer, pour finir, que d'un artifice totalitaire ou d'une adoration du langage à la Flaubert. Cet art, cette littérature commencent à jouer, dans l'Occident, le même rôle que la moissonneuse de Staline dans le réalisme socialiste : celui du malthusianisme culturel. Il ne s'agit, ici, ni de flétrir, ni d'exclure, ni de « diriger »; il s'agit simplement de retrouver *un* chemin du Roman. En invitant nos poteaux indicateurs à ne pas faire la « condition humaine » de leur état de manchots.

L

*Les théories abyssales de l'homme et le roman. — « Le voyage inté-
rieur », ou la recherche d'un exotisme à la Loti. — Exploration d'une
réalité intérieure ou exploration de l'imagination ? — La profondeur
de l'homme est-elle sans fin, et susceptible de révélations toujours
nouvelles ? — « L'homme des profondeurs » confère-t-il son originalité au personnage dans le roman ou n'est-ce pas plutôt le personnage qui confère à l'homme une originalité toujours renouvelée
par la variété sans fin des superstructures créées ? — Le romancier
ne « découvre » pas l'originalité : il l'invente et le passage de cette
originalité dans la réalité est décidé ou refusé par la culture.*

J'ai dit maintenant, là-dessus, tout ce qu'il fallait bien
dire, lorsqu'on est et entend demeurer un *picaro* ; je vais
cependant continuer, non pour convaincre qui que ce soit —
je ne connais rien de plus déplaisant que de convertir,
provoquer un changement de religion — mais pour que le personnage et le roman qui rôdent déjà autour de ce que je
viens de dire se rapprochent encore de moi : la littérature
totalitaire de l'Occident — plus totalitaire que celle du
réalisme socialiste — a fait du néant, de l'aberration, de
l'angoisse, de « l'incommunicabilité », bref de la névrose,
l'expérience type de la vie. Il a fait de la conscience, du
comportement, donc de l'action, une manifestation clinique

342

de l'irrationnel : une fleur, sinon du Mal, du moins des ténèbres. Il nous donne à choisir entre la terreur et les yeux fermés. Sa philosophie sent étrangement le rococo : un petit parfum de renfermé fin de siècle se dégage de ses ameublements et son rapport avec le retrait intimiste, la verveine fanée et le vase fêlé et le pourrissement baudelairien, derrière les rideaux soigneusement tirés sur la lumière du jour et sur le soleil, cette banalité, me paraît évident. Le pays de la latinité et qui ne cesse de parler de la Grèce antique, a choisi de jeter sa littérature soit dans le tout-à-l'égout du romantisme philosophique allemand — ah, les beaux jours! — soit dans des rapports incestueux avec le langage où l'on ne sait pas qui renifle quoi, et où les mots, à force de se pâmer dans des délices littéralement sans nom, atteignent à cette impuissance bien connue de s'exprimer que des charlatans promettent de guérir par des injections hormonales de sens nouveaux. Mais les sens continuent à éprouver les mêmes difficultés à se manifester. Je suggère à la littérature de renoncer aux hormones sémantiques et à faire appel à de nouveaux amants, en les choisissant de préférence dans des milieux encore relativement frais.

En vérité, cette quête de « profondeur », de révélation, de sensations philosophiques fortes et nouvelles tient ici la même place que l'exotisme chez Loti; l'exploration abyssale est avant tout la recherche d'un « au fond de l'Inconnu pour trouver du nouveau » au sens précis que Baudelaire donne à cette nostalgie dans son poème; c'est une poursuite blasée du dépaysement que le souci d'une « justification d'être » pousse le touriste des profondeurs exotiques à légitimer par un critère philosophique. Les curiosités qui remplissent les inventaires de ces expéditions sont un rococo, un baroque, un maniérisme du Moi. L'exploration finit toujours dans la même convention littéraire, celle de l'aliénation clinique. Le mal que les romanciers de cette école médicale ont causé en dehors du roman est totalement inexistant, comme tout bien ou tout mal que l'art peut faire dans ses rapports indi-

343

viduels et directs avec la réalité. Du poème « empoisonné » la culture ne retient que la beauté du poème. Tout au plus peut-on affirmer qu'il a accentué dans des cas tout à fait marginaux la névrose des névrosés, lesquels n'avaient guère besoin de lui pour se sentir chez eux dans ce monde, c'est-à-dire, je présume, « aliénés ». Mais la déviation du chemin romanesque, la perte du sens de l'orientation et l'enlisement du roman dans un *no man's land* métaphysique fabriqué de toutes pièces peut certes leur être imputable : non en raison de leurs œuvres, mais en raison de ces « justifications d'être », ces pièces d'identité et ordres de mission fabriqués qu'ils exhibent lorsqu'on les rencontre errant dans les ténèbres et qui leur permettent de se proclamer « guides » du roman, alors qu'ils n'ont fait que l'ignorer. Peut-être aussi est-il permis de leur reprocher, hors littérature, de faire apparaître comme irrémédiable tout ce qui peut ou pourrait être remédié. Peu importe : ils n'étaient pas du côté du remède de toute façon. Leur romantisme totalitaire fait de l'inhumain la « condition humaine »? Aucune importance : ceux qui sont aux prises avec l'inhumanité authentique ne se tromperont pas là-dessus. Ah, putain! comme dirait Schopenhauer, cette « condition »! Écoutez cet accent, écoutez-le : les mots « condition humaine » ne sonnent-ils pas le malheur irrémédiable, la fatalité, alors que chaque bouffée d'air respirée est un plaisir, alors que la santé existe, est possible, connue, alors que tous les problèmes de la misère peuvent être résolus, alors que rien dans la biochimie n'a encore vraiment été tenté dans l'aventure du cerveau, ou balbutie à peine, au seuil des possibilités qui feraient peut-être de notre civilisation une préhistoire. Incapable de sonder la « profondeur », de la révéler, tâche d'autant plus curieuse que son souci d'originalité la veut toujours nouvelle — de combien d'« originalités », de « nouveau », cette révélation de la « profondeur » de l'homme, qui se veut en même temps universelle, qui se veut Révélation, donc unique, est-elle susceptible? — Sganarelle annonce maintenant son dépit,

344

c'est-à-dire la « mort du roman ». Le roman est une géographie de l'infini, une terre toujours inconnue, parce qu'en expansion continuelle, mais dont le sous-sol, comme tous les sous-sols, n'est pas susceptible d'une exploration infinie et dont le noyau commun irréductible, aux sources mêmes de la vie, est un « jouir ». Fuyant devant une telle banalité, devant une telle platitude, refusant de reconnaître que le pourrissement dans le subconscient est un signe de manque d'espace du contenant, de superficialité, que la création des superstructures et l'inversement du centre de commandement jusqu'à création délibérée d'un inconscient à partir de la culture est au moins une possibilité, les théories abyssales de l'homme finissent, dans leur jeu totalitaire et dans leur besoin d'originalité, par universaliser les aberrations et en faire la déchéance, la chute d'un Sens qu'on peut donc retrouver seulement à partir de l'aberrant et du clinique, opération que la littérature suit, quand elle ne la précède pas, en multipliant les signes irrationnels dans une mimique des théories abyssales « scientifiques ». Rappelons qu'on aboutit ainsi dans le langage à une mimique incantatoire et gesticulatoire qui appelle le Sens sans le chercher par l'intelligence et la lutte conceptuelle authentique, situation tout à fait intéressante où la folie n'est plus, comme chez les surréalistes, une source d'art, mais où l'art devient une source de folie.

On ne peut se battre pour le roman total sur le front théorique, mais seulement en se donnant à un tel roman, et en le donnant. On peut tout de même rappeler que l'originalité du romancier n'a jamais consisté en une « découverte » quelconque, et certainement pas dans une « révélation » abyssale, mais dans la puissance et la nature de son imagination, à laquelle la réalité fournit des éléments de vraisemblance. Ce qui constitue la richesse romanesque « psychologique », ce n'est pas la verticale intérieure du psychisme authentique, mais une absence de démenti : le romancier ne demande à la réalité que de ne pas le contredire. Ce n'est pas le Sens de la donnée humaine que poursuit le roman : bien au contraire, il profite de son absence, de la disponibilité du matériau. Dostoïevsky ne nous a pas restitué, révélé la « réalité » de ses personnages, il n'a accompli aucune « découverte » psychologique : il a bourré la réalité d'imagination et l'imagination de réalité jusqu'à ce qu'on ne puisse plus parler d'authenticité autre qu'artistique et jusqu'à ce que le lecteur ne soit plus en mesure d'exercer la moindre censure sur le mensonge romanesque. Il a créé des personnages que l'on imagine ensuite rencontrer dans la vie : lorsque vous dites que Schmock est un personnage de Dostoïevsky, vous prouvez seulement que vous connaissez infiniment mieux les personnages de Dostoïevsky que Schmock, lequel ne fait que vous « rappeler » Marmeladoff. Contrairement à ce que dit le truisme, personne jamais n'a rencontré dans la vie le personnage d'un roman, une telle rencontre est inconcevable parce qu'elle exige l'imagination *totale* du romancier et que le romancier n'a jamais rencontré lui-même dans la vie ses personnages : il a glané des traits, des formes, des apparences, il a rencontré des *éléments réalistes* de camouflage de l'imaginaire. Dire d'un Jules : « C'est un personnage de Balzac » veut dire seulement que Balzac n'a pas *tout* inventé, et que Jules aurait pu lui servir de point de départ, peut-être simplement à cause de la forme de son nez. Plus le matériau est connu du lecteur, plus le lecteur est renseigné par les moyens de communication modernes sur les faits ou méfaits de la Puissance et plus la larcénie romanesque est facilitée par l'abondance des accessoires réalistes permettant de faire passer frauduleusement la frontière de l'imaginaire au lecteur qui ne cesse d'être trompé par l'apparence d'un lien familier. Les péripéties de l'Histoire renouvellent à chaque étape de la conscience-poursuite les identités des sociétés et des individus dans une élaboration constante de sources de réalisme romanesque qu'aucun génie ne saurait épuiser parce qu'elle ne peut être contenue dans aucun aspect totalitaire et n'est donc pas susceptible de Révélation. Plus la réalité est connue et plus il devient facile pour l'imagination de la quitter et de prendre le lecteur avec elle dans un déploiement convaincant de moyens d'illusion réaliste. Ce sont précisément toutes les raisons que l'on donne aujourd'hui pour expliquer « la mort du roman » qui assurent son avenir.

LI

« Les objecteurs de conscience du roman » (suite et fin). — « Dos-
toïevsky a déjà tout dit. » — Comment éviter le génie. — Première
rencontre avec un personnage type du roman picaresque : le « doc-
teur ». — Le roman existe-t-il seulement depuis qu'il fut « labellisé »
roman ? La fiction, comme tout l'art, nous accompagne depuis
que le premier homme frappé de conscience a regardé autour de
lui et a senti d'abord « ce qui n'est pas » dans ce qui est.

Cependant, il ne faut jamais négliger ce que pensent
ceux qui ne pensent pas comme vous : or, parmi tout ceux
qui déclarent désormais le roman « impossible », pas un
auteur n'a admis que la « profondeur » peut seulement être
inventée, imaginée, que l'originalité d'une exploration
chargée de ramener une « révélation » nouvelle dans ses
filets ne se heurte même pas à la limite du génie, mais à la
limite même de la dimension verticale du psychisme, excluant
toute « découverte » de vérité nouvelle et nous renvoyant,
encore une fois, à l'imagination, c'est-à-dire à la création
de mondes nouveaux, et d'identités nouvelles à partir d'une
identité commune au romancier et au lecteur, base de tout
réalisme concevable. Personne, parmi les « objecteurs de
conscience » du roman, ne condamne le genre au nom de
ce qui les torture vraiment : tantôt l'impossibilité de pousser

plus loin « l'authenticité » de l'exploration romanesque, c'est-à-dire de faire de son art une découverte de réalités intérieures insoupçonnées, tantôt l'impossibilité de changer la réalité par l'œuvre, c'est-à-dire la « gratuité », tantôt le remords de l'artiste-honnête homme face aux « débauches » de son imagination, ou bien, au contraire, l'absence de l'imagination dans un domaine où l'intelligence ne suffit pas, ou bien encore le scrupule moral du « jouir » artistique en Suisse dans un monde misérable. La réussite de Freud dans le domaine artistique de la création psychanalytique, « révélatrice » de la Raison cachée, a eu pour curieux effet de rendre la fiction, au sens franc du terme, intolérable, sentie et ressentie avant tout comme une irréalité. L'obsession de la connaissance « authentique » pousse le pendule vers le renoncement au roman ou vers son asservissement à une valeur « authentique » — en général psychanalytique — extérieure ou encore vers une littérature de simulacre du sens « caché », directement liée, elle aussi, au prestige des ténèbres de l'inconscient. Ou alors on lèche toutes les bottes idéologiques : ne pouvant invoquer comme justification d'être la découverte d'une « profondeur » nouvelle, Sganarelle voudrait au moins trouver à son « jouir » l'excuse qui ferait de lui un bâtisseur du monde, de *ce monde*. Ne pouvant nourrir son œuvre de révélations nouvelles comparables à celles de la science, il voudrait au moins pouvoir transformer sa création d'art en création de réalité, en bonheur vécu des hommes. Ces alternatives ne sont du reste qu'apparentes, puisque la révélation d'une profondeur authentique nouvelle de l'homme aboutirait directement à travers la culture à la création d'une société, d'une civilisation, d'une réalité nouvelles, et pourrait vraiment faire passer Sganarelle de son rôle de Valet à celui de Maître de ce monde, faisant cesser en même temps l'opprobre de l'inutilité, de la gratuité, de « jeu » que la morale des valeurs concrètes palpables et monnayables faisait depuis des siècles peser sur notre Bibi Fricotin et qui trouve aujourd'hui dans les sociétés dites communistes des porte-parole dignes de tout ce qu'il y a jamais eu comme goût du solide et du rentable chez les épiciers. Il poursuit donc son rêve de lutte contre la Puissance jusque dans sa perversion, c'est-à-dire jusque dans sa soumission à « l'authenticité », à une réalité de rencontre qui n'est que la Puissance camouflée. Lorsque le mariage avec la réalité échoue, comme toujours, et que l' « authenticité » lui défèque soudain Budapest ou Saint-Domingue dans l'assiette, il ne remet pas en cause la « valeur », il fait une chose extrêmement curieuse : il proclame en même temps que le roman doit « s'engager » encore davantage, et que la littérature « peut », et en même temps il renonce au roman, parce que, n'est-ce pas, « comment peut-on écrire des romans quand des hommes meurent de faim ? » Une logique puissante, qu'on ne peut manquer d'admirer. Ou bien, frappé de stérilité romanesque, il se rabat alors sur des « objections de conscience » ou sur des arguments que nous tâcherons d'examiner et qui relèvent d'une de ces insolentes bêtises qu'il peut manifester librement lorsque la réputation de son intelligence n'a plus rien à craindre et lui permet de tromper son monde avec un maximum d'impunité.

Il est dit que la meilleure preuve du mouvement consiste à marcher : on renonce donc au roman, en démontrant ainsi son impossibilité. Ou bien, d'une façon plus satisfaisante pour l'esprit, on élabore une « théorie du roman » qui ne laisse aucune possibilité au roman.

Remarquons d'abord que le don de création romanesque au sens « classique » du mot, c'est-à-dire celui qui ne veut ni éliminer le personnage, ni transférer l'absence d'originalité « profonde » en même temps que toujours nouvelle de l'homme sur une mise en relief du marginal magnifié, qui n'exclut pas l'expérience la plus essentielle de l'être, quelle qu'en soit la banalité, et veut rivaliser avec la Puissance en embrassant comme elle le monde et les hommes dans leur totalité, exige une force, une imagination, un

350

appétit, une volonté et une foi dans la victoire romanesque incompatibles avec la mutilation du créateur par la Puissance de la réalité, avec sa transformation en victime infirme et passive par l'Histoire, avec l'étiolement, le raffinement excessif, avec une vulnérabilité incapable de contre-attaquer, ce qui est bien le cas de cet individu d'élite qu'est le romancier d'aujourd'hui. Balzac était un parvenu, ce qui suppose des origines saines et une volonté de lutte, Tolstoï un aristocrate, un autocrate à l'apogée de l'autocratie, ce qui explique beaucoup de choses; Dickens sortait de la misère noire et presque tous les autres grands romanciers — tous, au fait — depuis Cervantes, en passant par le Dostoïevsky du mur des fusillés, le Stendhal de la retraite de Russie et de l'amoralisme, jusqu'à Malraux, étaient des « aventuriers », au sens bourgeois du mot. Rien ne parvenait à entamer leur force créatrice, leur volonté de lutte. Proust brûlait d'un feu monstrueux, d'une force qui savait se nourrir de sa propre fragilité et d'un excès de sensibilité — une sensibilité qui savait se détourner de la guerre, qui ne lui convenait pas — les Brontë dévoraient leurs propres entrailles et traitaient la Puissance de la réalité extérieure avec un mépris total, Jane Austen, Thackeray ne s'occupaient de la société que pour rivaliser avec elle, comme Balzac. Le paradoxe du romancier à vocation totale est qu'il doit toujours avaler ce qui le fait vomir, pétrir ce qui le pétrit. C'est une affaire de tempérament : mais il s'agit d'un des tempéraments les plus rares et les plus « monstrueux » qui soient. Je reconnais qu'il faut aujourd'hui à Sganarelle, s'il veut honorer cette obligation, une force de caractère, une santé, un appétit et un estomac d'ogre, ce qui excuse et explique à la fois le défaitisme et la fuite des meurtris et des terrifiés.

Or, l'arrangement conceptuel, avec toutes les nouvelles facilités de la dialectique, des conventions du jour et de l'abstraction est, quant à lui, à la portée de toutes les bonnes bourses intellectuelles tant soit peu remplies, et l'écriture offre toujours un bon alibi : c'est donc contre ce qu'il y a de plus rare et de plus original dans la création romanesque, original ne fût-ce que par sa rareté même, que se dresse cette école de critique-fiction que la chair et le sang du roman, les « viscères », n'est-ce pas, la vulgarité de la vie du personnage, blessent comme une suprême banalité, une véritable offense à l'esprit. D'autant plus que le prêt-à-porter intellectuel ne manque pas, de Heidegger à la « névrose métaphysique », de Freud à Marx, de l'absurde au *Gestallt*, à la création du cerveau par le « nouveau » langage, il n'y a que l'embarras du choix et pour être bien vu dans les salles de rédaction et les comités de lecture, il suffit de s'habiller au décrochez-moi-ça.

Il y a, enfin, la piteuse plaisanterie du « on a déjà tout fait », comme on disait il y a deux mille ans, sous Salomon. Excuse proprement pathétique et qui demeurerait même si l'homme « avait déjà eu lieu ». Que l'homme change peu ou prou — et va-t-on nous dire que nos « grands » ont épuisé toutes les identités de l'Histoire depuis l'arbre maternel jusqu'à leurs jours? — ce sont les rapports entre les identités individuelles et leurs milieux en changement constant, l'ensemble des rapports se modifiant de jour en jour, qui fournissent au romancier une base de départ, un matériau romanesque inépuisable, d'une richesse inouïe, que Dieu seul pourrait embrasser, sans aucune limite concevable puisqu'en mouvement kaléidoscopique constant, le kaléidoscope lui-même changeant avec chaque romancier. Quant aux modifications historiques de l'homme, elles sont à peine perceptibles et il faut parfois le travail des siècles pour qu'elles deviennent significatives. Il est vrai aussi que quelques grands romanciers suffisent pour le saisir et l'exprimer. Mais ce n'est pas le changement dans l'homme qui nourrit leurs œuvres : c'est le génie du romancier dans son emprise sur la totalité du monde et de son locataire, dévorant aussi bien la part minime d'évolution de l'individu que l'immuable, et créant lui-même des superstructures à partir du jeu kaléidoscopique de l'existant dans les rapports des psychismes individuels avec l'Histoire. Changement de l'homme et sa permanence : les deux sont réduits à l'imaginaire et, dans ce résultat final, la part du changement dans l'individu — comparez le *Livre de Genji*, IXᵉ siècle japonais, et Stendhal — devient marginale, insignifiante, ou, en tout cas, sans aucun caractère déterminant dans l'originalité et la puissance de l'œuvre. Le monologue intérieur de Joyce est une originalité du romancier et certainement pas une originalité de l'homme.

Il y a derrière tout cela l'idée que le romancier ne fait qu'« observer » et que c'est ainsi qu'il « découvre », typique de tout ce qui est étranger à l'imagination, y compris certains « romanciers ». « Observation », donc équation : « nouveauté » d'une œuvre = découverte d'une réalité insoupçonnée ou nouvelle. Monsieur, me demandait un jour à une table de hauts dignitaires, une très grande dame, comment pouvez-vous, vous, un diplomate, un homme si distingué — *sic* — connaître si bien des proxénètes et des prostituées que vous décrivez dans votre dernier roman ? Madame, répondis-je, c'est bien simple : avant d'être conseiller d'ambassade, j'étais moi-même maquereau et prostituée.

Je ne voulais pas troubler sa tranquillité d'esprit et sa soif d'authenticité.

Nous avons vu que cette illusion de la « découverte » et du « déjà fait » — je reviendrai tout à l'heure sur ce dernier petit point —, du déjà « signifié », chasse le candidat romancier vers le microcosme, vers le blanc dans les œuvres déjà accomplies, et, finalement, la seule source d'originalité dans cette chasse-poursuite de l'homme déjà exprimé, est de dire que l'homme *a déjà eu lieu* — l'homme de ce temps, de ce siècle, de cette société — hors du roman, définissant ensuite le roman à partir de son absence. Or, c'est d'une fausse interprétation de l'acte de création romanesque, soit dans la mauvaise foi de l'impuissance, soit dans cette bonne foi complète de l'incompréhension naturelle de l'imagination chez ceux qu'elle n'habite pas,

353

mais qui sont à la fois déchirés par l'intelligence et par un amour de la culture qui ne peut pas se passer d'art, et se mue en nostalgie de création artistique, que s'effectue la révolte de l'intelligence contre le roman. *Car ce n'est pas l'homme qui confère au personnage son originalité : c'est le personnage qui confère son originalité à l'homme lorsque la culture retient l'apport du romancier.* Et pour ce qu'il y a de plus original, le personnage n'est pas profondeur : il est superstructure. Ce qui nous semble avoir été exprimé définitivement par Tolstoï, par Proust, par Balzac, Kafka ou Dostoïevsky, c'est quelque chose que, sans eux, nous n'aurions pas vu dans l'homme, ce qui fait que tout se passe *comme s'ils l'avaient inventé.* Ils l'ont bel et bien inventé, ils l'ont bel et bien créé par l'imagination, mais comme ils ont eu la ruse artistique exemplaire de partir d'un univers familier, commun à eux et aux lecteurs, tout leur art a consisté à contaminer la part de l'imaginaire par la part de réalité, au point de doter la première à nos yeux d'une apparence de rigoureuse véracité : ce n'est pas à une création, c'est à une découverte que nous croyons assister. Mais peu importe qu'ils les aient inventés, leurs personnages, qu'ils aient ou non vraiment découvert du nouveau dans l'homme : ce qui nous intéresse ici, c'est que, de toute façon, si leur génie n'avait pas existé, *cet aspect de l'homme qu'ils nous ont « révélé » dans le personnage, nous ne l'aurions pas vu.* Autrement dit encore, si les grands maîtres n'avaient pas existé, leurs romans n'auraient jamais pu être écrits par *nous.* Il n'y aurait jamais eu, si Dostoïevsky n'avait pas existé, ou Stendhal, un manque à ce point spécifique et « conditionnant » de Dostoïevsky ou de Stendhal, que ces circonstances d'absence eussent pu faire surgir un autre Dostoïevsky ou un autre Stendhal. Sans les grands romanciers, leurs œuvres seraient demeurées *indiscernables dans la réalité.* Il est donc absurde de dire qu'ils nous ont tout pris, qu'ils nous ont stérilisés en nous précédant, qu'ils nous ont exprimés et nous ont ainsi condamnés au silence. Dire : si ce grand romancier n'avait pas déjà eu lieu, j'aurais pu faire son œuvre, c'est dire seulement que je connais son œuvre, que je suis marqué et dominé par son œuvre, cela veut dire seulement que ce sont ces œuvres, la culture qui m'inspirent et *que je ne suis capable, comme créateur, que de ce que j'admire dans l'œuvre des autres, de ce que j'y ai découvert.* Et dès qu'un Céline apparaît, ou un Kafka, on se sent volé : encore un qui vous a tout pris. L'œuvre est tellement convaincante que, pour peu qu'elle vous *exprime,* on s'en sent capable, et donc volé. Elle semble vous avoir pris ce que vous aviez en vous, elle vous a réduit au silence en vous prenant *votre* œuvre, en vous exprimant. Nous connaissons tous ces musiciens qui font de merveilleux « à la manière de » : mais dire que J.-S. Bach ou Mozart les ont empêchés d'être J.-S. Bach ou Mozart, voilà la source de l'opération « fin du roman ». Entendez par là : *je suis un auteur qui a tout lu et qui ne voit dans les possibilités du roman que ce qu'il a déjà lu.* Mais si l'on veut bien réfléchir une seconde, on verra que ni Stendhal, ni Proust, ni Cervantes, ni Gogol ne se sont contredits, malgré tout ce qu'il peut y avoir de différent entre eux : ils n'ont pas découvert, chacun en son siècle, un homme nouveau, base de l'originalité de leur œuvre, ils ont simplement inventé des personnages nouveaux à partir d'un homme, d'une identité toujours commune, à peine changeante, et qui est identifiable dans tous les personnages de toutes les grandes œuvres romanesques. Tout leur art a porté sur la création de superstructures : on pourrait identifier les personnages types de Balzac dans l'œuvre de Cervantes, ceux de Gogol dans celles de Dickens et de Proust, leur « homme » est déjà le même que dans les personnages d'Espronceda, de Gutiérrez, ou du duc de Rivas, et les « humiliés » de Dostoïevsky sont ceux de tout le xviie et xviiie siècle espagnol, à commencer par le Lazarillo de Tormès. C'est l'immuable qui vient frapper à la porte du romancier. A supposer même la donnée humaine inchangée, elle ne serait de toute façon qu'un noyau dans chaque identité, ce qui est déjà source d'une variété bouleversante de super-structures, d'un émerveillement sans fin de la curiosité, et

355

l'histoire personnelle au contact avec l'Histoire, dans un changement continu, donne comme possibilités à l'imagination quelque chose qu'aucun génie ne saurait embrasser. Ce qui paralyse dans les œuvres déjà accomplies, ce n'est pas l'épuisement de la matière, c'est le génie. Lorsqu'on cherche une théorie nouvelle du roman, c'est une façon de choisir le terrain qui vous permette d'éviter la comparaison. Ou alors, on ne parle que technique, c'est-à-dire cuisine. Autrement dit, ce n'est pas l'œuvre de Dostoïevsky qui colonise au profit de son créateur une terre nouvelle, diminuant ainsi les mondes à exprimer : c'est le génie de Dostoïevsky qui épouvante par ce qu'il exige du romancier : il nous *mesure*. Ce qui paralyse, ce sont les moyens de Dostoïevsky. On commence alors à se tortiller désespérément pour échapper non à l'emprise, mais à la maîtrise.

Notons enfin un autre facteur qui détermine le retrait devant le roman : le raffinement mallarméen des sensibilités ultra-littéraires ne supporte guère la chair, les testicules, le sang, la grossièreté, la vulgarité picaresque de la vie.

Disposons maintenant rapidement, avant de tenter enfin l'œuvre, de quelques-unes des méditations à la mode sur « l'impossibilité » du roman de notre temps.

« L'ébranlement des valeurs stables », ce confortable cliché pieusement invoqué est pure ineptie : le roman moderne est né de cet ébranlement, lorsque la chute des valeurs « stables » de la Chevalerie et des certitudes du Moyen Age a donné naissance au roman de l'impiété et de l'irrespect envers la Puissance à la fin du xviie siècle espagnol. Tout le roman picaresque est sorti de ces fissures qui apparaissaient soudain dans l'Escurial de l'obscurantisme, de la remise en question de son Cérémonial, et de la Vérité intronisée. Que la société soit stable ou ébranlée, la lutte contre la Puissance ne peut s'arrêter, ne s'arrête pas. Balzac rivalise avec une société qu'il accepte entièrement, mais dont néanmoins il cherche à se rendre maître par son œuvre, comme Proust, Swift et Cervantes se collettent avec elle dans le rire ou le fiel, mais dans le même but; tout ce qu'on peut dire c'est que les états de « fin » ou de « chute » sociale exigent plus de courage du romancier : l'un des deux camps en lutte ne lui pardonnera pas son « attitude de supériorité », sa volonté de servir avant tout le roman, alors que l'enjeu « est autrement plus important », ce qui est tout à fait vrai, et alors? Dire que le roman ne s'épanouit que dans la sécurité des valeurs et la solidité des fondements, en dehors du démenti infligé par tout le roman picaresque espagnol, c'est dire qu'il ne peut y avoir de création romanesque hors de l'acceptation par le romancier d'une réalité comme péripétie finale, dans une entière approbation. A ce propos, qu'on nous permette de recommander la lecture d'un ouvrage particulièrement instructif de Sganarelle sociologue : *Pour une sociologie du roman*, de M. Lucien Goldmann. On y lira cette émouvante et tout à fait sérieuse déclaration, dont la beauté n'échappera à personne, à moins d'être totalement indifférent au martyre de l'intelligence dans sa nostalgique quête du schéma : *Ce n'est donc pas un hasard si, à l'exception de quelques situations particulières, nous ne trouvons pas de grandes manifestations littéraires de la conscience bourgeoise proprement dite.* Bon. Mais savez-vous quelle est une de ces *situations particulières?* Balzac. *Mamma mia!* Ni plus ni moins. Notre Sganarelle aux prises avec sa nostalgie de la Raison cachée et des constructions rigoureuses où tout se tient, et dont l'esthétique, le « jouir » conceptuel, de l'ordre d'une belle combinaison du jeu d'échecs, donne à l'angoisse de la liberté une merveilleuse parcelle d'assouvissement, établit sa théorie du roman bourgeois, ou du roman tout court, *introduisant Balzac comme une exception,* parmi d'autres non mentionnées. Devant un tel vagissement éhonté de l'intellect, l'intelligence ne peut que frémir : c'est à se la prendre, — l'intelligence — et à se la mordre. Autrement dit, la plus grande incarnation des valeurs bourgeoises stables dans une œuvre, que le roman ait donnée, qui obstrue le siècle, l'emplit, prend le plus clair de la vue, c'est une exception à la théorie du

357

roman appliquée à la bourgeoisie. *Il faut mentionner,* continue M. Goldmann, *à titre de suggestion tout à fait générale et hypothétique, l'éventualité selon laquelle l'œuvre de Balzac — dont il faudrait précisément, à partir de là, analyser la structure, — constituerait la seule grande expression littéraire de l'univers structuré par les valeurs conscientes de la bourgeoisie : individualisme, soif de puissance, argent, érotisme...* Non! Non! NON! Et je me retiens. Un roman picaresque moderne inspiré du XVIIe et du XVIIIe siècle espagnol trouverait dans M. Lucien Goldmann un de ces personnages secondaires de rencontre, classique du genre : le Dignitaire dont le sérieux est notre plus vieille source de comique, et que le personnage fait descendre de son trône à tous les gîtes d'étape de l'humanité, depuis la naissance de la première glose.

Il n'y a rien de plus pénible qu'un marxiste gêné. C'est tout juste si M. Goldmann ne rougit pas. Enfin, c'est une exception. Voilà le petit Balzac bien rangé tout de même, et même enveloppé. Au suivant.

Il n'y a jamais eu chez aucun génie romanesque de soumission à aucune valeur, aucune authenticité autre que son œuvre. Balzac accepte totalement les valeurs de sa société comme il accepterait n'importe quoi dans son magasin d'accessoires, dans son garde-manger romanesque. Il n'exprime pas les valeurs de son temps : il les bouffe, comme il bouffait tout, *absolument* tout : il fait de toute façon sa révolution. Il bouffe, il intériorise sa société. Tendrement, avec tout l'amour d'un grand appétit pour la chose bouffée. Il rivalise victorieusement avec la Puissance. La société est mâchée, avalée, avec ses valeurs. C'est un romancier.

Nous retrouverons notre Sganarelle un peu plus loin : certaines applications de sa théorie me rappellent joyeusement celles de certains pratiquants de la psychanalyse, notamment celle de M. Eric Fromm lorsqu'il pose — je cite d'après Nabokov — la question de savoir si la couleur rouge du bonnet du Petit Chaperon Rouge n'est pas le symbole de la menstruation qui lui pend au nez. Pardon : il ne pose pas la question de savoir si, il l'affirme tout simplement. Enfer et putréfaction. La couleur rouge a toujours été le symbole de la beauté, parce que c'est celle qui frappe le plus l'œil esthétiquement peu raffiné, et parce que c'est la couleur de ce que l'homme a toujours le plus désiré : la bonne viande rouge. « Rouge », en russe, veut dire « beau ». Mais le délire interprétatif freudien comme le délire interprétatif marxiste ne pourraient s'arrêter qu'après une possession intégrale du monde, dans la cohérence totale du Logos révélé. Nous avons vu que plus l'absurdité est grande, et plus elle est révélatrice du sens caché. Le messianisme moderne ne se contente plus de vouloir sauver le monde : il prouve le caractère absolu de sa Révélation par la bombe à hydrogène.

Notons encore en passant que M. Goldmann déclare que « le roman est le genre littéraire de la société individualiste moderne ». Je ne sais pas où commence à ses yeux la société individualiste moderne. Mais ce que je sais, c'est qu'il donne ainsi *déjà*, dans cette seule phrase, une définition restrictive à un genre qui n'en comporte aucune. Car il ne parle là que de l'étiquette *roman*, que la société, à un moment, a donnée à un genre, ce moment étant la naissance de l'Ordre bourgeois, lorsque se sont multipliés les tiroirs, les inventaires, les fiches et les étiquettes : ce n'est pas de la fiction que parle M. Goldmann, c'est d'une étiquette collée par besoin de classement du notariat intellectuel post-napoléonien sur le plus vieux besoin de l'homme, le besoin du fabuleux, de la fabulation. Autant décréter que les peintures de Lascaux ne sont pas de la peinture, parce que ce ne sont pas des tableaux. Que M. Goldmann analyse donc la naissance de l'étiquette « roman », mais non celle de la fiction, qui est la plus vieille compagne de l'homme, et de son imagination, à la fois insatisfaite et inspirée par le rêve, et qui est avant toute chose, comme tout art, ce qui n'est pas.

La fiction est un « n'est pas », une absence qui se tient aux côtés de l'homme depuis que sa première perception s'est muée en conscience. L'art était déjà là en puissance lorsque, pour la première fois, l'homme s'est senti *inaccompli*. Lorsqu'il a vu, et qu'il a regardé plus attentivement autour de ce qu'il voyait, *et qu'il n'a pas vu*.

La fiction accompagne l'Histoire à toutes ses péripéties. Il n'y a qu'à relire les mythologies : tout y est, la biographie des dieux, leurs caractères, leurs visages, leurs familles, les valeurs « conscientes » de la bourgeoisie de M. Goldmann : individualisme, soif de puissance, argent, érotisme... Toutes ces caractéristiques de la société et du roman bourgeois se trouvent déjà dans la société et dans le roman dominés par les dieux. Rien n'y manque : c'est le premier roman épique de « la famille », des rapports familiaux, du conflit entre enfants et parents, des cousinages balzaciens, du pouvoir et de la puissance. Les dieux jouaient alors les rôles de la bourgeoisie dont l'humanité était le prolétariat asservi. On y trouve même les premiers signes de la lutte des classes, Prométhée, le défi des hommes à leurs dieux. L'influence de ces dieux mythologiques de l'antiquité, de leur individualisme « bourgeois », n'a fait que descendre ensuite la pyramide sociale, et ce n'est pas par hasard que tous les personnages des romans picaresques d'après la Renaissance — et aussi du théâtre — suent par tous leurs pores la présence des dieux dégradés de l'antiquité. On a simplement volé à ces Dignitaires le respect dont ils étaient entourés : Arlequin, c'est Mercure réduit aux lazzis, Jupiter est devenu un prince de ce monde, Mars est parodié dans le Capitaine de la Commedia dell'arte, Bacchus est devenu Falstaff, et lorsque le Commandeur revient des enfers, ce sont des siècles de littérature mythologique qui lui ont ouvert le chemin. Et les Écritures, qu'est-ce donc sinon un roman vrai pour les uns, mythologique pour les autres, avec le même souci de la biographie, de la famille, du lien de parenté, de la péripétie, du personnage, du merveilleux ? Et les « valeurs » n'y sont-elles pas les mêmes que dans le roman « bourgeois » de M. Goldmann : individualisme, soif de puissance, argent, érotisme... Tout ce qu'on peut dire, c'est que sous l'influence du « une place pour chaque chose, chaque chose à sa place » de l'ordre bourgeois, le roman s'est labellisé, qu'il a pour la première fois cherché à se définir, à une époque où il a fallu prévenir le lecteur bien pensant, avec la plus grande honnêteté, qu'il s'agissait d'un mensonge de Sganarelle, et non de la vérité. Il a fallu le mettre en garde au nom des bonnes mœurs et de la vérité, en soulignant qu'il s'agissait d'une fiction, d'un « roman »; la bourgeoisie a exigé de Sganarelle qu'il mette une étoile jaune sur ses inventions, sur ses élucubrations mensongères, pour que celles-ci ne trompent pas les honnêtes gens.

Je n'ai aucun doute que le roman renouera ses liens avec la mythologie de l'homme et de ses péripéties. Il se gonflera de plus en plus d'Histoire, et donc d'histoires, peut-être supprimant le temps, laissant l'imagination poursuivre librement notre personnage picaresque à travers toutes les étapes de son aventure. Plus il touchera au merveilleux, et plus, sans doute, il se fera réaliste. On commence à apercevoir déjà les premières manifestations de ce roman dans la science-fiction. (Je me demande si je ne ferai pas du troisième volume de *Frère Océan*, une science-fiction. Mais pourquoi *trois* volumes ? Je crois que je commence à pressentir la raison profonde et nettement freudienne de ce besoin de trinité. J'en réserverai la Révélation aux lecteurs à la fin de cette préface, car elle est tout illuminée par la plus grande méthode de la connaissance de la profondeur de l'âme humaine que ce temps ait produite.)

LII

Pourquoi le roman « n'est plus possible ». — « Le cinéma a tué le roman. » — « La réalité dépasse la fiction », — ou « La télé et France-Soir ont tué le roman. » — « Le monde est devenu trop petit et trop connu. » — Quelques autres excuses. — Les Belles-Lettres sont caractérisées par une incompatibilité naturelle avec le roman.

Voyons maintenant quelques objections pratiques à la mode. La plus mignonne est celle de la « compétition du cinéma » qui assène au roman son coup de grâce. Ce qui explique sans doute, dans la bouleversante logique de nos penseurs, pourquoi les trois quarts des films produits proviennent de romans achetés à prix d'or. Allons un peu plus loin dans la « logique » : le cinéma joue le même rôle que le roman populaire; s'il triomphait du roman, il triompherait du roman populaire avant tout : on assisterait à l'extinction de ce genre. Or jamais dans l'histoire, le roman « populaire » n'a connu un tel succès. Jamais il n'a été une telle source de richesse pour les éditeurs, ses manifestations se multiplient dans une variété et dans une quantité qui relèvent du déluge, et le cinéma, loin de se substituer à lui, loin de le tuer, ne fait qu'accentuer sa pénétration dans les masses, et va humblement lui emprunter des sujets. Faisons un pas de plus dans la logique, on voit mal comment le cinéma, art populaire, art des « masses », menacerait le roman autre que le roman populaire, le roman-feuilleton. On ne voit vraiment pas par quel miracle cet art prendrait des lecteurs à James Joyce, à Proust, ou à Malraux. Art des minorités privilégiées ou art des masses ? Ou peut-être les deux ? Mais, art des masses, il n'a même pas freiné une seconde, bien au contraire, l'expansion du roman populaire, et, art des élites, art des privilégiés, il n'a même pas tué le théâtre qu'il était censé liquider. La théorie du « cinéma, assassin du roman » est une pure ânerie.

Personnellement le cinéma m'a infiniment aidé comme romancier : tout ce qui vit de l'imagination, vit du roman. Il a étendu mon expérience de la réalité comme base de départ, par le côté documentaire, par sa mobilité, par le loisir de me gorger à volonté de ma principale source d'inspiration : le visage humain. Je m'amuse énormément de voir, dans le cinéma, cette « crise » des sujets, équivalente à la « mort » du roman : c'est l'imagination qui manque et le « nouveau cinéma », comme le « nouveau roman », cherche donc à se définir à partir de ses moyens, c'est-à-dire à partir de leur absence.

Deuxième condamnation du roman, particulièrement bienvenue : le monde est devenu trop petit. Il est trop *connu* : il ne peut plus être imaginé, inventé librement, l'imagination est trop prisonnière de ce que le lecteur connaît déjà, si l'on ose s'exprimer ainsi « on ne la lui fait plus ». C'est le triomphe de l'authenticité.

Cette plainte de l'imagination affirmant que la réalité lui a planté un couteau dans le dos se présente assez bien.

Le monde est devenu trop petit, grâce au club Méditerranée, à la télé, au tourisme bon marché. On sait tout, on voit tout, on n'a plus besoin de nous en raconter. D'ailleurs, c'est connu, la réalité dépasse la fiction. Et d'ailleurs, la fiction, le cinéma est mieux équipé pour cela. Qui va encore lire des romans, alors qu'on peut voir l'assassinat du Président

Kennedy et celui d'Oswald, chez soi à la télé, de ses propres yeux ? Et comment voulez-vous que le romancier entre en compétition avec le drame de l'Histoire qui se déroule sous vos yeux ?

C'est un raisonnement extrêmement juste et qui me paraît ne présenter qu'un seul inconvénient : c'est le contraire qui est vrai.

Le monde, contrairement aux babillages à la mode, ne s'est pas rétréci, il n'est pas devenu plus petit : il a grandi hors de toutes proportions. Il est devenu immense, sans rapport avec ce qu'il pouvait offrir à notre curiosité il y a encore cinquante ans. L'avion a mis à notre portée des régions dont on connaissait à peine l'existence : ainsi, le champ de nos perceptions et des expériences possibles s'est étendu hors de toute accessibilité : car c'est le monde étroit d'hier qui était accessible, ce n'est pas le monde d'aujourd'hui. Lorsqu'on peut aller de plus en plus loin, et de plus en plus vite, la multiplicité des points accessibles les fait sortir aujourd'hui des possibilités d'une vie individuelle, ce qui n'était pas le cas hier. S'il fallait six semaines pour aller à Rio et qu'on y soit maintenant en dix heures, cela veut dire qu'il y a cinquante ans le monde était plus petit, on allait en Suisse, et maintenant il est grand, on va à Rio. C'est l'immensité du monde qu'il nous faut couvrir aujourd'hui, ce n'est plus seulement Paris et Barbizon. Les murs de l'expérience possible ont été infiniment repoussés. Appeler cela rétrécissement du monde, c'est à peu près comme si on disait que le monde était plus grand avant la découverte de l'Amérique.

En même temps que sa dimension, sa complexité n'a cessé de s'accentuer. Le passé craque partout, le présent fait eau de toutes parts, les structures croulent, changent à vue d'œil : des explosions créent des mondes nouveaux sous nos yeux. Tout est aventure, la péripétie s'accélère, le personnage rencontre partout des embûches et des situations inattendues : dire, dans ces conditions, que le roman ne peut plus se mesurer avec cette découverte sans cesse renouvelée du monde, d'un monde toujours en fuite, c'est aussi intelligent que de déclarer que l'abondance et la disponibilité du matériau empêchent l'élaboration des œuvres.

La contradiction, même chez les esprits, comme on dit, « les plus distingués », est cocasse et est une source d'inspiration pour Sganarelle, pour peu qu'il accepte de reprendre sa condition d'éternel *picaro*. On nous dit que l'actualité, l'événement, l'Histoire, nous bombardent, dans le suspense le plus dramatique, d'une telle vibration du vécu que le roman n'a plus de raison d'être, alors que de tout temps c'est de cette matière première historique qu'il s'est gorgé. On nous dit ensuite que notre sensibilité ébranlée par l'événement brut n'est plus en mesure de réagir devant les chocs imaginaires et les plus arbitraires que lui assène le romancier. Or, c'est le roman populaire et le cinéma, c'est-à-dire les modes d'expression qui vivent du « choc », qui connaissent un succès sans pareil, et l'événement, l'Histoire, le *de visu*, qui devraient les rendre inopérants n'ont fait, semble-t-il, que nous sensibiliser davantage, et nous rendre plus vulnérables, au lieu de rendre notre sensibilité amorphe. Merveilleuse logique qui parle à la fois de « l'angoisse » du monde moderne, et de la mort de la sensibilité. Ces faits indiscutables peuvent être partout vérifiés, et ceux qui en font des arguments contre la « possibilité » du roman, se cherchent des alibis mensongers. En quoi la connaissance visuelle d'un événement empêche-t-elle un romancier de partir de cet événement? En quoi la mort de la voisine sous le train qui a « déclenché » Tolstoï, a-t-elle empêché la naissance d'Anna Karénine? Depuis quand le document, le réel, enfin, est-il ennemi de l'imagination, de l'imaginaire? Pourquoi, si « l'événement » a abruti notre sensibilité par le suspense quotidien de l'Histoire, pourquoi le *Comte de Monte-Cristo*, *les Trois Mousquetaires*, continuent-ils à agir si puissamment sur des imaginations modernes qui ont connu Auschwitz, Hiroshima et Gagarine? Petit paradoxe supplémentaire des esprits distingués : en même temps que l'on nous dit que le roman est tué par la proximité, par la perceptibilité extraordinaire de l'Histoire, c'est-à-dire du renouvellement des péripéties, et par des personnages comme Lumumba, Tschombé, Oswald, Khrouchtchev et des centaines de figures incroyables surgies de cet âge, on nous affirme que le roman a déjà « tout donné » — comme si, justement, l'Histoire s'était arrêtée sous nos yeux ou était devenue invisible — il faut dire quand même, qu'une telle « logique » ne mérite même plus d'être discutée. Lorsqu'on songe aux lèvres augustes dont elles tombent, on ne peut évidemment se défendre que par la grimace, par la parodie, par une mimique mal intentionnée, ce que mon personnage fera dans *Frère Océan*, dans toute la mesure de mes moyens. Et n'oublions pas que ces cacophones nous expliquent en même temps que le cinéma a pris la suite du roman, parce qu'il est mieux à même de saisir, de suivre pas à pas, et de nous montrer le réel — alors que, justement, nom de Dieu, on vient de nous dire que le galop de l'événement et du réel gêne et paralyse le romancier, ce qui ou bien nie tout cinéma autre que documentaire ou actualités, ou n'explique en rien et d'aucune façon pourquoi l'auteur de scénarios peut continuer à inventer et à imaginer malgré la « concurrence » du réel, mais pas le romancier. Pourquoi, ce qui est censé tuer l'imagination de l'un fait au contraire prospérer l'imagination de l'autre ? Pourquoi, mes chers toutous, le drame de l'Histoire et l'impact de l'événement font prospérer l'imagination du scénariste mais stérilisent l'imagination du romancier ? *N'est-ce pas tout simplement parce que ce sont les Belles-Lettres qui se sont emparées du roman, et que le roman se fait* à partir *de la littérature, et non à partir d'aucune espèce de réalité communicable, et qu'il s'agit d'affirmer que l'imagination ne peut plus rien pour le roman, parce qu'on n'a plus d'imagination, ou que votre sensibilité est devenue si délicate et fragile qu'elle ne supporte plus que des chatouillements exquis ?* Cette Histoire qui concurrence et rend impossible le roman n'est-elle pas simplement, chez vous, une retraite précieuse devant la brutalité de l'Histoire, de l'événement, du roman, de l'histoire, dans ce domaine du Mot où aucune réalité ne peut accéder et vous déranger, si bien que le langage devient le seul lieu que vous consentez à habiter ?

Mais il y a mieux encore, beaucoup mieux. Puisque le roman populaire ne s'est jamais mieux porté, qu'il prolifère comme jamais auparavant, pourquoi donc le lecteur populaire, celui qui est, par définition, le plus exposé à l'actualité, au cinoche, à *France-Dimanche*, à la téloche, à la connaissance directe de l'événement le débarrassant par la puissance de son impact de tout besoin de rêve et d'imaginaire, *comment se fait-il que ce méchant cocu ose démentir votre rigoureuse démonstration et se précipite plus que jamais vers le roman, vers la fiction, sous toutes ses formes, même vers la bande dessinée, vers tout ce qui donne à imaginer, alors que le lecteur vraiment distingué, le lecteur « d'élite », le lecteur aux collections d'art abstrait, le lecteur d'ivoire, lecteur « raffiné », « éclairé », tout frémissant de porcelaine et pénétré du poème mallarméen, et donc le moins exposé à la téloche, au cinoche, et à* France-Dimanche, *pourquoi ce lecteur d'élite se détourne-t-il, lui, du roman, puisqu'il est de très loin le moins exposé à ce qui, d'après vous, détourne le lecteur du roman ?* Ainsi, dans cette logique des habiles, plus on est exposé à l'événement et à l'actualité, et plus on se détourne du roman, et moins on y est exposé et plus on se détourne du roman également, plus on sera exposé à l'événement et plus on ira au cinéma parce qu'il est plus adapté à l'événement, et moins on sera exposé à l'événement et plus on ira au cinéma, et devant la télé, pour se rapprocher de l'événement que l'on veut cependant éviter dans le roman, et plus on est « élite » détournée de la téloche, du cinoche et de *France-Dimanche*, et plus on devrait donc se tourner vers les œuvres littéraires d'imagination, à moins de dire contre toute évidence que tout ce monde étant saturé de l'événement, personne ne veut plus regarder la télé ou lire les mille *Jour le plus long* sous toutes les formes que le public s'arrache ; bref, ou bien on est dans l'ineptie de tous les côtés, ou bien il faut dire franchement que pour nous, élite sublime, tout ce qui se rapporte de près ou de loin à la réalité et s'en nourrit est une façon de s'encanailler avec le vulgaire, que notre délicatesse ne s'accommode plus d'aucun réalisme, et que nous exigeons un art du roman qui nous permette d'oublier. Que l'on nous annonce donc que ces élites cherchent une « connaissance » spirituelle hiératique et ésotérique des alchimistes, des cabalistes et des *gourous* qui leur procure le simulacre de l'initiation au Logos par un « matin des magiciens » du langage, ou par ce « signe » sur toile vide d'un certain art abstrait, ce « signe » pictural ou verbal qui fait exister si puissamment autour de lui l'invisible et l'incommunicable pour nos spirites. Bref, que ces élites veulent libérer les mots de la rigueur de leur sens, c'est-à-dire libérer le langage de sa « condition » uniquement par une mimique incantatoire dont le but n'est que trop évident. Qu'elles essaient de se libérer du Roman et du réalisme parce qu'ils puent l'Histoire et que celle-ci les refoule impitoyablement à l'intérieur de cette Sainte-Sophie des Belles-Lettres où, qui sait, un miracle va peut-être se manifester, forçant les hordes turques à reculer. Le Roman exige un colletage, une empoignade avec la Puissance sous toutes ses formes dont nos bellettristes ne sauraient même rêver. Le genre n'est pas compatible avec l'abstraction, il est *viscéral*, il est fait de chair, de visages, de M. de Charlus, de Fabrice del Dongo et du soldat Schwejk, de sang chaud et d'érection, de toute la vulgarité de l'être, alors que les bellettristes n'ont d'autre but dans la vie que d'éviter tout contact avec la vie. Le roman de la littérature essaie alors de se passer de sperme et d'accéder à une immaculée conception.

Que le roman ne puisse pas être toujours et entièrement concilié avec la sainte littérature, c'est peut-être un problème pour la littérature, ce n'est pas un problème pour le roman. Qu'il y ait symbiose, interpénétration, cela va sans dire : mais dès que le roman est soumis à la littérature, il ne s'agit

368

plus que de littérature. Lorsqu'il s'agit de fiction, la littérature doit servir la fiction. La question de « la marquise sortit à cinq heures » ne se pose pas pour le romancier. Elle ne se pose que pour ceux qui veulent faire sortir la phrase et non la marquise. Plus la présence du personnage est forte, plus il est vivant et moins on s'aperçoit de la technique de cette existence, des ficelles, et le langage n'est rien d'autre : un moyen de « faire exister », un machinisme de coulisses. Il n'entre en scène et ne l'occupe que lorsque le personnage la quitte ou ne parvient pas à la tenir : nous avons alors le roman de la littérature, où ne se trémousse que le mot, ce qui n'exclut certes ni la poésie, ni l'art, ni la valeur authentique, mais exclut bien le personnage et le roman. Cet aspect de la création peut être comparé aux rapports du médecin avec les hommes lorsqu'il ne les rencontre pas en tant que patients. C'est lorsque le personnage et le roman deviennent malades que le langage se fait symptôme clinique de l'affaiblissement, de la baisse de vitalité ou du délire, que ses articulations intérieures, les agencements, les moyens mis en œuvre pour « faire vivre » mais qui n'y parviennent pas, cessent de tourner rond, grincent, c'est alors seulement qu'ils se font apparents, passent au premier plan, posent des problèmes, créent des soucis sans fin. Lorsque le soin du style chez Flaubert devient dominant, obsessionnel, ce n'est plus *Madame Bovary*, c'est *Salammbô*. Ce qui reste du reproche de « mal écrire » adressé à Balzac, c'est Balzac, c'est-à-dire la puissance d'un monde romanesque qui n'est pas plus habité par les mots que le monde de la réalité. Les vierges vertueuses séduites et comblées retrouvent leur vertu et déposent une plainte pour viol de leur pureté. Il en est de même du rôle joué par les concepts dans le roman : dès que ceux-ci se font dominants, tyranniques et aspirent à régner sur l'œuvre, nous avons *Les Noyers de l'Altenburg* et ensuite le silence de Malraux romancier. Le roman exige la soumission de la Puissance du monde à celle de la fiction pendant toute la durée de la lecture dans une rivalité-mimique d'un réalisme rigoureux et le style ne saurait occuper dans l'invention une place plus importante, plus perceptible que dans la réalité. Le romancier à vocation totale n'a pas le choix des armes : pour vaincre, il est obligé d'accepter celles de l'ennemi. Dès qu'il adopte des armes que la Puissance récuse, il est vaincu d'avance ou se dérobe au combat. Voilà qui explique pourquoi, dès que le problème du langage, de l' « écriture » devient déterminant chez le romancier, nous versons dans le maniérisme, dans le fantastique ou l'irréalité : nous cessons de nous occuper de la réalité dans l'espoir que la réalité cessera de s'occuper de nous. Nous avons alors le roman de la littérature, c'est-à-dire de l'évasion, de l'oubli et du dos tourné à la Puissance dans une volonté de consolation et de refuge, de recherche d'un sanctuaire où l'on pourrait oublier et faire oublier au lecteur l'existence de l'ennemi, faire comme si l'Histoire n'était pas là. Dans le roman d'aujourd'hui, le souci extrême de l'écriture est un refus de faire face, une recherche de l'île déserte.

La plus admirable façon d'écrire, à mon avis, que l'histoire de la prose ait connue, celle de Chateaubriand dans *René*, ne nous donne pas René : elle nous donne Chateaubriand. Mais personne ne vient demander au père Goriot comment il écrit.

Ce n'est pas la question de la « fraîcheur » et du « renouvellement » du langage qui se pose en ce moment : c'est la question de la fraîcheur et du renouvellement des élites où se recrutent les romanciers.

Qu'il me soit enfin permis de glisser ici une note passionnelle, personnelle, pour parer à cet excès d'objectivité et de détachement que l'on aura remarqué dans ces pages, toujours dangereux chez Sganarelle au service de son Maître par toutes ses fibres et dans le parti pris le plus dépourvu de scrupules et le plus authentique.

De toute façon, on ne manquera pas de tirer de ce qui précède la conclusion qui s'impose : doutant de mes propres ressources stylistiques — d' « écriture », ainsi que le disent nos rénovateurs authentiques du langage dans leur découverte de l'originalité — je tourne ma hargne aussi bien contre les « progressistes » de la sémantique que contre la droite, c'est-à-dire, contre cette bonne vieille langue française qui se refuse à moi, si chère à Etiemble, défenseur — comme dans son *Enfant de chœur* — de la santé morale et de la pureté de la mère et de l'enfant. Rappel de mes origines ethniques, pour ne pas dire raciales, et tout le déploiement de cette courtoisie bien de chez nous à l'égard des étrangers qui viennent conchier le monument que nos ancêtres ont bâti à la sueur de leur front et qu'il nous faut ensuite nettoyer et protéger. Comme c'est curieux, tout de même, que ce soit toujours et uniquement les critiques d'extrême-droite qui me reprochent de maltraiter la langue française et de souiller ainsi la mémoire de nos morts. Ils sont naturellement de droit — le droit de cuissage — maîtres exclusifs et seigneurs de la langue et de son usage, cet usage à la *Gringoire* et à la *Je suis partout* qu'ils n'aiment pas parfois s'entendre rappeler et qui consiste à lécher autre chose que le style. Et il faut reconnaître qu'ils réussissent fort bien à conserver leur fiancée mystique pure, blanche, glacée et roide dans leur caveau de famille. La haine, celle de l'impuissance, est en eux, ce qui est naturel dans le nationalisme : le patriotisme, c'est d'abord l'amour, le nationalisme, c'est d'abord la haine, le patriotisme, c'est d'abord l'amour des siens, le nationalisme, c'est d'abord la haine des autres. Pour parler fleur de lys et *Aspects de la France*, pour leur parler comme ils nous parlent, j'ai « conchié » assez cette terre de mon sang pour ne pas avoir à respecter ses monuments plus que les autres pigeons.

C'est ainsi que m'étant un jour égaré dans ce cimetière littéraire, j'y ai rencontré un de ces préservatifs du corps embaumé et menacé de décomposition par ces porteurs naturels de décomposition que sont les métèques et les sans-patrie. Je dois avouer que M. Kléber Haedens m'était déjà antipathique *avant*, ayant eu l'occasion de le rencontrer pendant quelques minutes dans la vie également, à la Libération : je m'empresse de dire que la Libération n'y était pour rien. Depuis, ce dépositaire de notre langue ne cesse de m'informer que je ne sais pas le français : mon ignorance étant ce qu'il en dit, je m'excuse humblement auprès de M. Haedens si je manque le mot juste, et n'ayant pas de Littré sous la main au Pérou où je me trouve, je ne sais si c'est « dépositaire » de la langue ou « dépotoir » qu'il conviendrait d'utiliser ici dans un souci de correction. Quelque temps après, et à quelques jours d'intervalle, j'eus l'occasion de lire, sous la plume de M. de Boisdeffre, que j'écrivais comme un pied et sous celle de M. Pierre-Henri Simon que « si un écrivain, c'est avant tout un style, M. Romain Gary est un écrivain ». Annoncez la couleur. Je commençai à me poser certaines questions : elles n'avaient rien à voir avec mon style. Mais la plus belle expérience de ma vie de cosaque des Lettres fut la rencontre de l'incroyable docteur qui sévit sous le nom de M. René Georgin. Ce fut grâce à lui que je me rendis compte pour la première fois en lisant son *Pour un meilleur français*, d'une sorte d'incompatibilité entre le littéraliste de la défroque linguistique et le roman, et de l'incompréhension naturelle du personnage qui caractérise nos fétichistes de son linge littéraire. Écoutez, écoutez plutôt, bonnes gens : dans un de mes livres, *Le Grand Vestiaire*, écrit à la première personne, je faisais rêver un gosse de quatorze ans que la guerre avait empêché de faire le même genre d'études classiques que M. Georgin. Il imaginait sa petite amie victime d'un accident d'auto et se livrait à une sorte de surenchère dans le mélodrame, pour mieux jouir de son émotion. « Je la voyais gisant sur la route, mortellement... » Mais le mot « blessée » ne suffisait pas à son imagination surchauffée, et le voilà qui monte d'un cran : « Je la voyais... mortellement... *tuée*... » Le gosse se surpassait, quoi. Et savez-vous ce que remarque, à propos de cette *création* d'un personnage par l'auteur, de cette *caractérisation*, M. Georgin, cet être pour moi mythologique par sa compréhension du personnage et du roman? Il conclut que j'ignore qu'on ne saurait dire, en français, *mortellement tuée*. Voilà, mes amis. Voilà le rapport du puriste de la purée littéraire avec le roman. Et pourtant, connaissant la musique, j'avais pris mes précautions. A quelques lignes de là, en effet, mon petit, poursuivant toujours son mélo et se donnant la comédie, nous disait : « Et je lui lisais à *haute voix* le livre pour aveugles en écriture de Braille. » C'était clair, non? Le gosse avait entendu parler des livres pour aveugles en écriture de Braille mais n'avait pas la moindre idée de ce que cela voulait dire. M. Georgin n'a pas pipé. Faut-il que j'emploie la même méthode intellectuelle que lui et que j'en tire la conclusion que cet *ignoramus* ne sait pas que c'est l'aveugle lui-même qui lit avec ses doigts un livre en Braille?

Si l'on imagine un seul instant que je règle ici des comptes personnels, on aura raison. Mais chaque romancier à vocation totale règle des comptes personnels avec la Puissance dans toutes ses manifestations, même les plus microscopiques; l'indignation est même une de nos plus sûres sources d'inspiration, nos plaies et nos bosses sont nos plus fécondes valeurs « authentiques ».

Je voudrais faire ici une dernière remarque, plus générale, concernant les rapports du critique français sérieux avec le roman, avec la littérature, avec la peinture. Le Français demeure, Dieu soit loué, un des êtres les plus fortement personnalisés du monde. Lorsqu'il s'agit d'analyser une œuvre, il y a là cependant un inconvénient : le critique français — et il y a des exceptions, notamment M. Jacques Brenner, chez qui l'amour du roman est si réel qu'il lui interdit l'opération — le critique, donc, s'occupe moins de l'œuvre d'un autre que de son œuvre personnelle, il la subordonne à son propre besoin de créer, de s'affirmer, de marquer son originalité d'esprit personnelle, d'inventer. Il écrit donc souvent *sur* le roman, au sens matériel du terme, il s'en sert plus qu'il ne le sert. C'est son droit, mais on assiste ainsi à un phénomène curieux : le critique devient le ventriloque du livre, il « crée » l'œuvre, il peint le tableau, pour peu que le romancier ou le peintre s'y prêtent. Il suffit que le romancier accepte de jouer le jeu, que son roman se fasse « blanc », fermé, qu'il n'avoue pas son sens ou n'en ait pas, qu'il ne dise rien et laisse dire. Il est certain aussi que l'absence des œuvres romanesques suffisamment complexes, riches, variées, totales dans leur embrassement de la complexité du monde, bref, excitantes, pousse le critique à s'exciter ainsi lui-même. Et la prodigieuse — unique, dans ma connaissance des langues — richesse conceptuelle et analytique du français incite à une virtuosité sans autre but que son propre « jouir » et mène ainsi le critique à se livrer à un art en soi, le concept, l'interprétation jouant là exactement le même rôle tantôt poétique, tantôt pseudo-philosophique — ce qui revient souvent au même — que dans le roman de la littérature proprement dit. Dès que l'ouvrage s'exprime trop ouvertement, le critique tend à s'en désintéresser : on l'empêche de créer, on lui demande de servir à table. Ce qui nous vaut des analyses de tableaux modernes, de sculptures — là, c'est du délire — et de romans souvent plus intéressantes ou en tout cas plus étonnantes que leur objet-prétexte et institue tout un domaine de *critique-fiction* où l'originalité, le talent et l'imagination de l'exégète remplacent ceux du romancier, plus exactement, viennent combler leur absence.

Je signale le phénomène sans rendre le moins du monde la critique responsable de la santé précaire du roman en France : la raison de la pause est ailleurs. Sganarelle n'est pas fou : il sait d'où viennent les coups. Il est capable de certaines prudences, de certains ménagements. La seule chose qui compte pour lui, c'est son roman et tout ce qui l'encourage : il n'a aucune envie de se mettre toute la critique à dos.

LIII

Le règne des ventriloques. — Le « jouir » artistique dans l'intelligence conceptuelle. — Une perversion bergsonienne ? — Les œuvres « blanches ». — Le silence de Malraux romancier : que ne peut-on lui faire dire. — Où nous rencontrons avec plaisir une vieille connaissance.

Il convient donc d'examiner la montée au pouvoir d'une véritable caste littéraire qui se tient depuis quelque vingt-cinq ans aux commandes du roman et de la peinture : celle des ventriloques. C'est un des phénomènes picaresques les plus réjouissants de notre péripétie historique. Il conviendra de nous en emparer dans notre roman : ils occupent aujourd'hui la place que les « docteurs » tenaient sous Cervantes, Lazarillo et Molière, et méritent les mêmes égards.

On ne peut plus parler, à leur propos, de critique, car la critique n'a jamais cherché à se substituer à la peinture ou au roman; or, il suffit aujourd'hui, souvent, de lire l'analyse d'une exposition de peinture et ensuite, d'aller voir les tableaux, pour constater que ceux-ci sont créés plus par leur ventriloque « interpretator » que par l'artiste, cependant que parfois le peintre « dit » lui-même son non-tableau hors du cadre, la parole seule pouvant faire sentir ce qu'il a voulu communiquer. De même, dans le pseudo-roman, la « communication » n'est pas faite par l'œuvre, mais par son ventriloque, qui peut être le non-romancier ou l'anti-romancier, comme le non-peintre du non-tableau. Le rôle de ces mages révélateurs dans la création du « sens » des œuvres, et, en vérité, de l'œuvre elle-même, est devenu ahurissant, si bien que le personnage, je l'ai dit, ne peut manquer de le mimer et de le souligner par la parodie dans son roman. J'ai déjà parlé de la responsabilité — non, de l'utilisation, toujours abusive — de Freud dans l'accession de l'hermétisme, de l'inavoué, de l'inexprimé, de l'informe, de l'obscur, de l'irrationnel et du bizarre au rang de Source du sens, où gît la Clé : aussi bien dans la littérature que dans la peinture, l'hermétisme et le non-formulé sont devenus le critère de « valeur », en même temps que la plus sûre façon de susciter l'interprétation et l'intérêt. C'est à croire même qu'une sorte de bergsonisme vicieux agit là et que du fameux *l'intelligence est caractérisée par une incompréhension naturelle de la vie*, on tire aujourd'hui : *l'incompréhensible est caractérisé par une compréhension naturelle de la vie.*

Voyons brièvement les raisons d'être de ce phénomène, sans aller nous colleter avec tous ses aspects, puisque aussi bien il disparaîtra avec l'arrivée à l'air libre de romanciers nouveaux et la volatilisation des anémiés et des fleurs fanées, en même temps que d'un certain nombre de Gil Blas de la littérature qui frétillent dans son sillage : *a*) l'intelligence, au terme d'un grand bond scientifique, essoufflée et incapable de contrôler ses propres conflits intérieurs, les moyens de destruction qu'elle a elle-même trouvés, en fait, de contrôler ses propres enfants, tend à se replier sur elle-même, à se consoler avec elle-même, en jouant avec ses propres mécanismes, en devenant un véritable « l'art pour l'art », s'exerçant gratuitement, hors de toute mise à l'épreuve par la réalité, dans la « beauté » intérieure du raisonnement, ou, si l'on préfère, la beauté du chemin parcouru pour aller nulle part; *b*) elle devient ainsi de plus en plus mirandolisme, ou bien se met à mimer l'inintelligible où se cache le Logos vaso-freudien qu'elle se charge de « non exprimer » pour lui conserver son apparence de profondeur, aussi bien dans le non-roman que dans la philosophie du langage, mais seulement de le faire pressentir par une sorte de frôlement poétique prémonitoire du sens, où le concept compréhensible ne joue plus qu'un rôle de caution de tout ce qui échappe à la compréhension dans le texte, ce qui, en nous donnant le sentiment que nous comprenons *presque*, nous met en accusation par la part incompréhensible qui nous échappe et la dédouane en même temps. Tout, dans « l'œuvre » sonne alors la proximité de cette profondeur et de cette Révélation non révélée : le seul but de l'opération est de nous procurer l'excitation de la compréhension et une impression de profondeur sans nous y mener, l'excuse étant fournie par la barrière du langage historique mortellement frappé d'un sens traditionnel que l'on prétend ainsi transcender ; *c*) la cocasse excuse de l' « indétermination » de Heisenberg, permet à tout ce qui est confus, flou, « tu », en quelque sorte, ou d'apparence cryptique dans la formulation, de passer pour un sens « chiffré », le littérateur, le peintre ne s'occupant plus que de fournir des « signes extérieurs » de cette profondeur non exprimée ; *d*) dès que la pensée se trouve, soit pour des raisons sociales, comme au Moyen Age la pensée juive, soit par besoin métaphysique frustré et dévié, incapable de s'exercer sur la réalité, se met à jouer le phénomène « ghetto », c'est-à-dire l'enroulement talmudique et cabalistique de la pensée sur elle-même, caractérisé par une prolifération extraordinaire de symboles et de signes intégrés dans des constructions abstraites, rigoureusement articulés, purs comme un Mondrian dans leur équilibre, et rigoureusement sans aucun contact avec la réalité « ennemie », le but étant justement de créer une « réalité autre », entièrement à l'abri de toute mise à l'épreuve par la réalité historique devenue intolérable. Ce retrait des élites dans un univers d'abstractions inviolables est caractéristique de tous les états de siège de *l'intelligentsia ;* il aboutit à la formation d'un « rabbinat », maître absolu d'un Ordre abstrait et ésotérique de signes et de leur interprétation. Le « jouir » de la pensée devient le seul but de la pensée refoulée, une consolation, une esthétique de la pensée où la « beauté » de la combinaison conceptuelle se fait fin en elle-même dans une abstraction où toute confrontation avec les critères de la réalité, toute mise à l'épreuve est évitée par la nature même de cette construction « en soi » de l'intelligence conceptuelle. Cette situation se traduit par la prolifération de véritables « rébus », « puzzles » et jeux littéraires, et devient le facteur déterminant dans la création des œuvres « blanches », d'apparence fermées, qui permettent aux cabalistes de les « ouvrir », c'est-à-dire de les créer. On ne demande plus alors au romancier, au peintre, que de fournir une « métamécanique » dont toutes les articulations perceptibles peuvent être réarrangées à volonté, capable ainsi de se prêter à toutes les évasions de la pensée hors de son rôle traditionnel dans ses rapports avec le monde, et qui n'enferme plus la virtuosité conceptuelle de l'exégète dans un sens trop apparent, trop clairement exprimé, afin de lui permettre de faire acte de « création » et d'originalité. Ces pièces littéraires n'ont d'autre but que de donner à l'intelligence tournant à vide et incapable de résoudre les problèmes de la réalité qui l'assiège, l'impression de mordre sur quelque chose, en réarrangeant les éléments du puzzle jusqu'à l'apparition du « sens ». Le roman se met ainsi à nous parler d'une voix de ventriloque. Un tel roman, une telle peinture reçoivent plus qu'ils ne donnent. Leur voix vient entièrement de l'extérieur. Sa « valeur » est arbitrairement fixée comme le prix du tableau. Plus la voix du ventriloque est puissante et autoritaire, plus il a de « talent », et plus l'œuvre devient « importante ». Pour peu que Sganarelle se prête par son hermétisme, par son silence profond, par son habileté à ne rien dire, mais mystérieusement, à cette opération « profondeur », voilà que son œuvre se met à s'exprimer d'une voix pleine de sens, à « signifier » : plus elle sera fermée, et plus on inventera ce qu'elle « cache », plus elle sera blanche, et plus on écrira *sur* elle, au sens propre du mot, plus on *l'*écrira. Quelquefois, notre illusionniste se fera lui-même, hors de l'œuvre, ventriloque de son informulé ou de son informel, lui « surimposant » ainsi une profondeur, une dimension qu'il était incapable de communiquer par le roman ou par le tableau. C'est ainsi que les jeux esthétiques que j'ai trouvés stimulants de MM. Alain Resnais et Robbe-Grillet dans *L'Année dernière à Marienbad* reçoivent de leurs auteurs des interprétations totalement différentes et, pour finir, M. Robbe-Grillet annonce qu'il avait conçu son film de façon à laisser le spectateur maître du choix du sens. Faut-il en conclure qu'il s'agit d'une œuvre tellement immense qu'aucune interprétation ne saurait en épuiser le contenu, ou d'une auberge espagnole où l'on crèverait de faim si on n'apportait son manger ? Freud et l'irrationnel, source de conscience, l'obscurité de l'inconscient, mère de la clarté et de la conscience, sont, on l'a vu, une convention qui facilite et légitime ce numéro « Véritas » de notre éternel saltimbanque tombé sur du mauvais temps. Une œuvre ouverte qui dit tout devient gênante, inutilisable, elle vous limite : elle empêche son ventriloque de la créer. Tolstoï dit tout : on ne peut rien lui faire dire. Le Sganarelle-ventriloque ne peut plus faire son numéro. Il est marginal, quelle que soit sa perspicacité. Il est condamné à l'œuvre d'un autre. Le délire interprétatif n'y trouve plus son compte, l'abstraction ne peut plus tourner en roue libre : l'intelligence de son inventeur prospectif est mise en minorité, elle se sent gênée aux entournures, elle ne peut plus jouir d'elle-même, elle ne peut plus « créer ».

Le règne des ventriloques dans la peinture et dans la littérature — mais peut-on encore distinguer la peinture de la littérature, alors que le tableau tend de plus en plus à être dit par le peintre ou écrit par le critique ? — est depuis dix, quinze ans une véritable prise de pouvoir. De véritables féodalités se créent, surtout dans la peinture, où le peintre devient l'homme-lige de son ventriloque, qui lui offre sens

379

et protection. Les morts eux-mêmes sont « réactivés » et se mettent à servir cette Puissance « artistique » nouvelle : ce qu'on peut faire avouer à Hölderlin, par exemple, se fait création littéraire sans aucun rapport avec l'œuvre du malheureux poète, auquel c'est tout juste si on ne fait pas empapouiner son père. Sganarelle devient de plus en plus impudent : il est rare qu'un critique, confronté avec une œuvre « hermétique » et impénétrable ose proclamer que le roi est nu, ou plutôt qu'il n'y a pas de roi, rien qu'un vestiaire fétichiste qui vous permet d'adorer le sens absent. Le ventriloque aurait l'air de manquer de talent. Sganarelle se surpasse. Ayant beaucoup fréquenté jadis Cagliostro, notre bougre est tout à fait à son affaire : il devient son propre ventriloque, fait parler lui-même en dehors de « l'œuvre » d'une voix mystérieuse et toujours pleine de sous-entendus métaphysiques son machin inanimé.

Le résultat est que le « roman » — le phénomène est identique dans la peinture — tend de plus en plus à être écrit en vue de ce déchiffrement qui le fera naître. Il se fait blanc : il invite par cette blancheur à écrire sur lui. Il se fait hermétique : l'intelligence de l'exégète s'empresse de l'ouvrir. Il n'y aura plus de pensée formulée : on y verra une nouvelle originalité de la pensée. Il n'y aura plus d'action, plus d'intrigue, d'histoire perceptibles : cela limiterait singulièrement les possibilités d'envol interprétatif. Plus de personnages : si on parvient à les rendre vivants, à les faire parler, ils risquent de dire quelque chose qui ne serait ni original, ni profond. Dostoïevsky, Tolstoï, Balzac ne vous gênent plus : avec un culot sublime, on les a enterrés comme « omniprésents », « omniscients », c'est-à-dire menteurs, imposteurs. Et, avantage suprême, là où tout est ténèbres, où le mystère est absolu, où le sens échappe, c'est automatiquement que la métaphysique intervient, et la « situation de l'homme moderne », et « l'angoisse », et, bien sûr, « la condition humaine » : puisqu'on est dans les ténèbres. C'est un phénomène très divertissant, qui a lieu aujourd'hui un peu partout en Occident, sauf dans le roman américain qui a échappé à cette cuisine littéraire, parce que la couche sociale où se recrutent les romanciers aux États-Unis est différente de celle qui les fournit en France ou en Allemagne : elle n'est pas encore étiolée, en pleine fuite devant la réalité et « la foule horrible des hommes ». L'originalité est à bon prix : plus l'œuvre parvient à être obscure, et plus la moindre allumette devient clarté. Le roman « ouvert » enferme l'intelligence dans son monde, le roman « fermé » lui laisse au contraire toute liberté de « créer » l'œuvre et de substituer son originalité à celle du romancier, dans cette facilité totale que procure la certitude d'impunité, puisque l'absence d'un sens inhérent et l'obscurité font qu'il ne risque pas d'être pris en flagrant délit. On peut faire dire n'importe quoi au silence.

Il nous faut, dans ce contexte, examiner le cas de Malraux, et, justement, de son « silence », d'abord parce que c'est Malraux, c'est-à-dire peut-être la plus puissante pulsation de l'esprit que la vie littéraire ait connue, et ensuite, parce qu'une explication « profonde » vient de nous être donnée de cette rupture d'un grand romancier avec la fiction, une explication qui nous permettra de mieux mesurer la nature des rapports de l'œuvre avec, comme on dit, « les valeurs authentiques ». (Rappelons tout de suite, dans un souci immédiat de provocation à la « justification d'être », que ce qui inspire d'abord le créateur, ce n'est pas le besoin de défendre et d'illustrer des « valeurs », c'est le besoin dévorant, obsessionnel, prioritaire et exclusif dans son commandement, du poème, du tableau, de la symphonie, le besoin absolu d'art, du roman en tant que valeur en soi, non dérivée, et que les autres valeurs même sincèrement aimées, ne sont en fin de compte qu'une technique de la création, des moyens d'expression et d'assouvissement d'une vocation totale au service d'elle-même, qu'elles jouent les utilités, que la question de sincérité ou de simulation ne peut se poser qu'en cas d'échec de l'œuvre, de médiocrité, et que les concepts, la justice, la paix, la fraternité, l'argent, l'érotisme, l'idéologie, le frelaté ont là finalement le même rôle que la pédérastie chez Gide, la lumière chez Cézanne, la nature morte chez Braque, ou le cul et les seins de Gabrielle chez Renoir.)

Nous allons avoir la joie de rencontrer là une vieille connaissance, ce « docteur » qui avait élaboré une théorie du roman en posant Balzac comme exception, un de ces compagnons de route dont notre *picaro* ne saurait se passer sur son chemin et qui serait bien à sa place dans les *Histoires Exemplaires,* ou dans Le Sage, mais ferait surtout la joie de l'auteur inconnu de ce *Lazarillo de Tormès* où tous les ballonnements pieux du conformisme intellectuel et de la vertu d'école sont si sardoniquement dégonflés.

LIV

Le « véritable » sujet de la création romanesque : une prodigieuse révélation. — L'intention consciente et délibérée de l'auteur n'est pas son intention « véritable » : où l'on voit Marx coucher avec Freud dans le lit du Père retrouvé. — Le groupe social joue dans la « fabrication » de l'homme et donc du personnage un rôle plus décisif que le sperme, les gènes, l'immuable et le génie. Le groupe social : où l'on voit le pigeon tomber dans le panneau. — Comment un groupe social, plume en main, écrit « Guerre et Paix ». — La nostalgie de l'intégration de toutes choses dans l'unité paternelle retrouvée de la Raison cachée.

On l'a deviné : il s'agit de l'auteur de la *Sociologie du Roman*, M. Lucien Goldmann. Prenons, pour nous mettre en train, la bouleversante révélation qui figure dans l'analyse de l'ouvrage au dos du volume, et que notre docteur, je présume, a approuvée. *Qu'est-ce qui paraît aujourd'hui plus absurde que l'affirmation selon laquelle les véritables sujets de la création culturelle sont les groupes sociaux et non les individus isolés, alors que c'est une expérience immédiate et, en apparence, incontestable, que toute œuvre culturelle — littéraire, artistique ou philosophique —, a un individu pour auteur ?*

Aïe, aïe, aïe.

Une expérience, mes agneaux, *en apparence* incontestable

que toute œuvre culturelle a un individu pour auteur... Lisez : *Don Quichotte* a été écrit, et *Les Ménines* peint par des groupes sociaux. Je ne déforme rien : car la peinture, subrepticement, est glissée par notre astucieux faiseur dans sa définition : « ... une expérience *en apparence* incontestable que toute œuvre culturelle... artistique »... oui, *artistique* : qu'on ne vienne pas me dire que c'est moi qui triche. Sganarelle, serviteur aux gages des valeurs « authentiques », ajoute un nouveau chapitre au roman picaresque des imposteurs, charlatans, parasites et trompeurs de toutes sortes qui peuplent chacune de ses pages depuis Lazarillo de Tormès et constituent un des aspects typiques, et des plus attachants, de ce roman.

Ainsi, dès la couverture de M. Goldmann, nous nous heurtons à la mentalité totalitaire : un des aspects de la réalité généralisé, universalisé, érigé en loi et en absolu, devenu *tout*. Dire que les véritables sujets de la création romanesque ne sont pas des individus mais des groupes sociaux n'est ni plus ni moins vrai ou faux que de dire que c'est l'humanité qui fournit toujours le « véritable sujet ». La thèse de M. Goldmann ne devient totalement fausse que parce qu'elle se présente comme totalement vraie, et parce qu'elle utilise le mot « véritable », nous indiquant ainsi une priorité indépendante de l'intention de l'auteur. Dans cette merveille totalitaire, le romancier est entièrement le produit de la société, et son intention *délibérée*, celle de *ne pas faire du groupe social* le « véritable sujet » de son roman ne compte pas. Le marxisme de M. Goldmann rejoint ainsi Freud : ce n'est pas ce que le créateur *croit* vouloir faire en toute conscience qu'il fait vraiment, c'est son inconscient qui écrit, ce n'est pas Robinson Crusoé qui est le sujet véritable du roman de Defoe, c'est son groupe social — réduit, je le présume, en la circonstance, à un seul individu, faisant dans son île, sans le savoir, sans le vouloir, le récit des aspirations, rapports économiques et « valeurs » d'une société dont il est issu et qui est, malgré ce que croyaient faire Defoe ou Giraudoux, le *véritable* sujet de *Robinson Crusoé* ou de *Suzanne et le Pacifique.* Il n'y a donc qu'*un* véritable sujet dans le roman. De même que tout, chez Freud, suggère le Logos enfoui dans l'irrationnel et les ténèbres, tout, chez M. Goldmann freudo-marxiste suggère l'image du Père transférée dans celle de la société et dont les commandements sont impérieux au point d'être obéis organiquement et inconsciemment par le romancier : tu n'écris sur cette terre, nous dit M. Goldmann, que ce que Dieu veut que tu écrives, et tu ne peux être que le reflet de l'œuvre de Dieu, c'est-à-dire de la société et des « valeurs » authentiques qui en sont les saints et les signes annonçant la Venue. Nous retrouvons là le jéhovisme habituel du marxisme et de Freud, dont la vision est essentiellement totalitaire, mais ce qui m'intéresse dans le personnage de notre sociologue, c'est cette volonté d'en finir avec l'angoisse de notre liberté et de nous prouver que l'imagination, le génie romanesques reçoivent et exécutent sans le savoir les ordres du Logos caché. La thèse de M. Goldmann veut littéralement dire ceci : *tout est écrit,* inch' Allah, puisque le romancier ne saurait échapper à la fatalité du groupe social qui vient écrire son œuvre. Il ne lui reste plus qu'à s'embrasser avec Freud aux pieds de la Raison cachée : ce que l'œuvre révèle n'est pas du tout ce que le romancier croyait nous dire, son véritable intérêt est ailleurs, c'est un « document » où l'on peut, si on sait le lire, découvrir ce que l'auteur ignorait de lui-même, de ce qui l'a conditionné, le groupe social « véritable sujet de la création romanesque » n'étant là autre chose que le triomphe de l'inconscient sur l'intention artistique délibérée de l'auteur. Et lorsque M. Goldmann pose sa théorie, qu'il lui a fallu, dit-il, des années pour trouver : *La forme romanesque nous paraît être en effet la transposition sur le plan littéraire de la vie quotidienne dans la société individualiste née de la production pour le marché,* je voudrais simplement savoir comment il fait entrer un roman comme le *Livre de Genji,* cette merveille si moderne, dans son schéma,

385

ou va-t-il nous dire que la société féodale japonaise du IXe siècle était « née de la production pour le marché »? Négligeons pour l'instant cette utilisation arbitraire du « label » *roman* qui ne limite nullement ni ne définit la fiction, et qui fut collé sur la marchandise par la société-honnête homme afin de prévenir les gens sérieux qu'il s'agit de l'invention d'un « fantaisiste », de les mettre en garde contre l'imagination, et en même temps de chatouiller leur besoin d'évasion par la combinaison des termes « romance, romanesque », opération qui rappelle le « label », *pour adultes seulement*, collé jadis, en Pologne, par Boy-Zelenski sur sa traduction du *Discours de la Méthode* afin d'allécher la jeunesse des écoles. Mais il y a tout de même cette double évidence que la fiction et son schéma essentiel existent à travers les âges depuis la première tradition verbale et que le romancier est un personnage social, historique, qui part des situations et des identités historiques, et qu'il utilise le groupe social de son lecteur afin de lui faire passer la frontière de l'imaginaire sans qu'il s'aperçoive de la substitution : le groupe social tient là, on l'a vu, une place essentielle dans tous les abus de confiance, celle d'une part *vérifiable* d'authenticité. C'est un procédé de réalisme, de mise en scène du mensonge romanesque où l'authenticité du groupe social joue le rôle d'une caution de l'authenticité de l'imaginaire. Lorsque M. Goldmann vient ensuite le considérer comme le « véritable » sujet du roman, cela veut dire que le romancier, cet éternel *picaro*, a réussi son coup et que le pigeon est tombé dans le panneau. C'est le gastronome Curnonski, je crois, qui disait que le « véritable » sujet de toute l'œuvre de Balzac, c'est l'appétit.

Quant à la « production pour le marché », elle exclut du roman toute la tradition folklorique de la fabulation bien avant les *Mille et Une Nuits*, ou si, au contraire, la théorie de M. Goldmann s'applique à cette tradition, si c'est à l'histoire de l'humanité tout entière depuis l'apparition du premier mythe structuré dans le récit que s'applique sa définition, comment M. Goldmann inclut-il dans sa théorie *ce qui n'est pas*, qui est la caractéristique de toute œuvre d'imagination — alors que le monde *qui est*, la société *qui est* servent d'un simple procédé de réalisme, et sont tout à fait secondaires à la nature authentique de l'œuvre? La « production pour le marché » est un procédé de réalisme : le romancier la simule afin d'obtenir le lecteur, c'est-à-dire d'arracher un témoignage irréfutable, le seul possible, de la victoire de l'œuvre imaginaire sur la Puissance de la réalité. *Tous* les aspects du monde authentique sont délibérément volés. Le groupe social n'est là que comme le représentant de la Puissance de la réalité qui doit être vaincue et ne peut l'être que sur son propre terrain, et avec ses propres armes. Ce qu'il y a de bouleversant, c'est ce que la nostalgie de la Raison cachée peut donner comme amour du schéma.

Passons maintenant à Malraux : M. Goldmann se demande ce que tous les interprètes du silence romanesque de Malraux se demandent depuis vingt-cinq ans : n'est-il pas dû à une rupture avec les valeurs, lorsqu'il apparut à Malraux qu'il ne pouvait plus sauvegarder — et je cite — *l'existence de certaines valeurs universelles authentiques.* La rupture avec le marxisme aurait donc joué là un rôle déterminant. Voilà qui mérite un chapitre à part, d'abord, parce que c'est Malraux, et ensuite parce que je vais m'en donner à cœur joie.

LV

Le silence de Malraux romancier (suite). — Valeurs artistiques et valeurs « authentiques ». — Roman, valeur dérivée? — La fiction est-elle compatible avec le besoin total d'authenticité, de vérité, de réalité? — Sganarelle éternel serviteur aux gages des « autres », ou le roman-récompense et prix de vertu. — La simulation du romancier. — Une question de précédence. — Roman total, vocation totale. — Lorsqu'on vous regarde...

Il serait tout de même temps d'en finir avec ce fétichisme des valeurs non artistiques si rigoureusement associé à la création artistique par tous les défenseurs marxistes ou non, de la morale de la vérité. Pour qu'il y ait valeur artistique, pour qu'il y ait œuvre, beauté et « jouir », pour que l'œuvre se jette dans la culture, faut-il vraiment qu'elle soit indissolublement liée à une valeur extérieure authentique et louable, à un étalon-or de valeur autre que celui de l'art? On sous-entend par là que l'éthique est la source de l'esthétique. De toute façon, le contenu « jouir » de l'art est considéré là comme gênant, toujours honteusement passé sous silence, comme si le bonheur des hommes n'avait que faire d'une telle cochonnerie. Comme si ce bonheur en Suisse n'était capable d'aucune fécondation du bonheur humain. Autrement dit encore, comme si la culture se créait uniquement à partir des valeurs déjà existantes, ou en puissance dans la réalité, et que l'art ne jouât là qu'un rôle d'intermédiaire, d'honnête commis. Comme si l'art n'était susceptible d'aucun apport propre à la culture et ne lui rendait, après les avoir ornées, que les valeurs empruntées à la réalité, *comme si l'art n'avait aucune valeur spécifique.* Si bien que ce rôle décisif dans la « validité » — on se demande ce que cela peut bien vouloir dire, en dehors d'un bonheur ressenti, d'un moment de vie plus intense et plus stimulant — de la création artistique attribué aux « valeurs » extérieures à l'art est tout entier pénétré de la conception petit-bourgeoise de l'art en tant que non-valeur, distinction ou domesticité. L'héritage marxiste de la convention bourgeoise exige donc de la « fiction » comme de la peinture, une justification d'être, un mariage légitime, où le mari, romancier ou peintre, s'engage devant l'autorité à subvenir aux besoins de son épouse, la société, et œuvrer à augmenter le cours de ses valeurs-investissements. Mais la perversion, le vice triste de cette théorie de l'art-valeur dérivée et domestiquée, ou du roman, « recherche de valeurs authentiques » autres que le roman — et « dans un monde dégradé », alors que seule l'imagination peut le « dégrader » et uniquement en lui opposant, justement, l'art et l'imagination, posant ainsi une question d'antériorité et de supériorité et lançant un appel à la culture — va beaucoup plus loin encore. Elle méconnaît pour ainsi dire naturellement, par conditionnement par la Puissance, l'aspect fondamental de l'aventure romanesque. Car Sganarelle ne recherche pas votre « jouir » en lui-même, pour vous procurer du plaisir, bien qu'il ait été profondément marqué par cette indignité des siècles qui n'ont cessé de lui assigner ce rôle de putain que pour lui assigner aujourd'hui celui de cireur des bottes de nos valeurs domestiques. Il vous procure ce « jouir » parce qu'il ne dispose d'aucun autre moyen de vous faire passer, dans cette adhésion qu'obtient toujours la délectation pendant qu'elle dure, la frontière de l'imaginaire, vous arrachant ainsi votre témoignage, celui qui scelle l'authenticité de l'œuvre, signe et reconnaît la victoire du créateur sur la Puissance de la réalité qui vous tient, que vous représentez, à laquelle il vous soustrait et à laquelle, la lecture terminée, il vous renverra victorieusement en son propre nom, contaminés par *ce qui n'est pas,* c'est-à-dire transformés en censeurs de ce qui est. La puissance artistique ne parvient certes pas à la perfection, mais combien il lui est facile de rivaliser avec la laideur, avec la misère, la servitude et l'injustice, ce qu'elle fait toujours, qu'elle les exploite sans merci comme Gorki dans *Les Bas-Fonds,* Dickens ou Céline, ou qu'elle ne s'en occupe même pas, comme *Le Bateau Ivre,* Proust, Flaubert, Stendhal ou le *Cimetière Marin!* C'est une des raisons pour lesquelles la création romanesque choisit toujours plutôt comme source d'inspiration le malheur que le bonheur, la tare de la réalité que sa beauté. Sganarelle ne peut, s'il veut rivaliser avec la Puissance de ce qui est, servir délibérément et en priorité absolue, authentique et non simulée aucune des valeurs de votre réalité, comme il ne peut se vouer dans la même priorité à les combattre en elles-mêmes, parce qu'il est par sa nature, par le caractère de son aspiration, en rivalité, en lutte avec tout ce qui est, avec la totalité de l'existant dans un but d'intériorisation, de possession et de transcendance par l'œuvre. Qu'il n'y parvienne jamais, dans l'absolu, ne peut être qu'un échec de l'œuvre, mais ce n'est jamais un échec de la culture, ce qui assure indirectement une victoire de l'art sur la réalité et la soumission de la Puissance à un changement, au changement. Il n'est donc par vocation que le serviteur d'un seul Maître, d'une seule valeur, qui est le Roman. Il peut accepter toutes les valeurs ou les rejeter toutes, en inventer d'autres, parfaitement arbitraires, comme les éléphants dans *Les Racines du Ciel,* par exemple, mais ces arrangements, acceptations ou refus, simulacres ou approbations sincères ne peuvent fournir aucun critère d'authenticité et de valeur à l'œuvre, parce qu'il est matériellement impossible, quelle que soit la source d'inspiration, que la quasi-totalité de son être, de ses ressources, soit vouée à autre chose qu'à sa vocation aussi proche que possible de l'absolu, aussi totale que peut l'être une absorption d'un être humain dans ce qui l'obsède entièrement. On ne voit pas quelles discussions théoriques on peut engager avec la compulsion. Dès que les valeurs extérieures obtiennent de lui la soumission, dès qu'elles passent en priorité, il échoue artistiquement dans l'authenticité de sa poursuite, *et ainsi cesse de nourrir les valeurs authentiques qui se nourrissent de lui, de son œuvre, quoi qu'il fasse.* Il ne peut s'agir alors que d'un roman totalitaire, et même là, la priorité à la valeur ou à la non-valeur, son acceptation ou son rejet ne sont que simulacre, que le romancier en soit conscient ou non : la passion et le labeur mis dans l'écriture, dans l'organisation, dans la composition et la systématisation contredisent la priorité exclusive et le caractère absolu attribué dans l'œuvre à la « valeur » ou à la situation. Chaque paragraphe de Camus est en contradiction avec la Puissance de l'absurde.

Mais tout le marxisme de M. Goldmann — je ne m'occupe de lui que parce qu'il est représentatif — est pénétré de cette notion de capital sacré qui investit ses valeurs-or dans l'art et le roman, lesquels sont censés lui rapporter des revenus fixes. Malraux n'aurait donc pas pu continuer à écrire des romans parce qu'il ne disposait plus de valeurs marxistes sûres, de père de famille, dans lesquelles il aurait pu investir son œuvre : il les avait perdues dans une banqueroute éthique et idéologique, ce qui ne pouvait que mener à une banqueroute romanesque. Voilà ce que peut donner la psychologie vaso-marxiste dans ses rapports avec l'imaginaire.

Ce qui m'intéresse — deuxième point — dans cette remise marxiste de Sganarelle à la place de serviteur à gages que la société sûre de ses cours en bourse des valeurs lui a toujours assignée, ce n'est pas seulement la méconnaissance absolue de la nature dynamique de l'énergie créatrice, indifférenciée, comme toute énergie première, de la culture, que les civilisations, les sociétés et les individus transforment selon le besoin historique du moment en actions et applications spécifiques, c'est la méconnaissance de la passion absolue, obsessionnelle et totale du romancier. Elle peut être subsidiairement autre chose, *et ce qu'elle veut*, sans aucun souci de morale et d'authenticité, mais elle est avant tout besoin dévorant de création romanesque. Il n'est pas possible d'imaginer un grand romancier, un grand peintre ou un grand musicien qui ne soient dans la quasi-totalité de leur être dévorés par ce besoin tout-puissant et que l'on peut qualifier de monstrueux par son caractère exclusif. *C'est un état obsessionnel monomaniaque et compulsif.* Ce fait est confirmé par tout ce que nous savons de l'Histoire des chefs-d'œuvre et de leurs auteurs. La valeur en laquelle Van Gogh croit par-dessus tout, c'est la peinture, Proust, c'est le roman, et souvent, dès que le besoin des valeurs « authentiques » autres que l'art ou le besoin d'authenticité en lui-même devient dominant, il devient à son tour exclusif : le romancier ou bien renonce à la fiction comme Sartre, ou son œuvre se fait médiocre sous-produit des valeurs servies. Le paradoxe étant que les valeurs extérieures au roman ne paraissent *bien servies* que lorsque le romancier s'en sert en ne servant que son art : mais alors, autant dire que Cézanne ou Renoir étaient au service de la Provence. Que des raisons psychologiques, que nous avons déjà suffisamment examinées, le poussent ensuite parfois à *légitimer* cette activité enfantine dans son essence, qu'il se cherche des excuses, ou qu'il veuille vraiment changer le monde ou l'épouser, d'accord, mais je ne vois pas comment on peut changer la priorité quasi exclusive que la compulsion créatrice attribue à l'œuvre en tant que valeur aussi proche que possible d'un absolu. A partir de là, qu'il écrive son roman dans l'amour de sa maîtresse, dans la pédérastie, dans le narcissisme, dans l'anarchie, dans la dérision, ou dans l'utilisation d'une idéologie n'intervient que d'une manière tout à fait secondaire comme une technique facilitant la composition, comme un moyen d'expression. Les valeurs dans lesquelles il croit, feint de croire ou qu'il veut renverser, ne sont là que comme commodités, comme moyens, comme convention, comme procédé de réalisme, comme choix d'un terrain commun qui favorise l'entente avec le lecteur — Dickens — ou comme source de passion, d'indignation, de colère favorable à la « noblesse » de l'expression et à l' « élévation » de la pensée — et cela, quelle que soit l'importance pieuse que le romancier authentique, c'est-à-dire à vocation totale, leur accorde ou feint d'accorder. La sincérité est elle-même *utilisée* dans un but d'œuvre. C'est la *volonté du roman*, la barbarie créatrice, qui est la valeur décisive, et, en ce sens, on peut parfois se demander, et l'histoire littéraire a souvent posé cette question, s'il existe des consciences moins réellement touchées par la « condition humaine » que celles des grands romanciers dont elle a inspiré les chants les plus beaux. Il ne s'agit pas de mauvaise foi : il s'agit d'une anomalie inhérente, et, pour revenir à mon exemple préféré, si c'était la conscience ensanglantée de Picasso qui avait inspiré son *Guernica*, si c'était sa conscience sociale et humaine qui était à l'origine de tous ses chefs-d'œuvre, Picasso n'aurait jamais été capable de peindre une nature morte avec la même puissance, avec la même conviction. Je propose donc l'affreux soupçon que, dans les œuvres majeures, toutes les bouleversantes indignations devant Rome qui brûle dans le roman, dans le poème, dans le tableau, dans la symphonie, choisissent Rome qui brûle comme la Renaissance acceptait la commande et sa convention, comme thème, je dirais même : comme *mécénat*, et que les malheurs de l'homme jouent là à peu près le même rôle que le potiron ou le saladier : *celui d'une source de beauté*. La sincérité, l'authenticité de l'indignation, du sentiment, la conviction ne changent rien à l'affaire : la sincérité de la conviction est elle-même immédiatement *utilisée*.

Poursuivons un peu plus cette scandaleuse calomnie : les « valeurs » attaquées ou choisies, selon la nature du talent

et du psychisme, le talent étant parfois en pleine contradiction avec l'attachement aux « valeurs » que l'on vénère,
mais qu'on ne peut pas s'empêcher, par la nature satirique
de son génie d'attaquer, comme chez Gogol, qui se lamentait
devant ses propres audaces, ces « valeurs » permettent au
romancier : a) d'utiliser les éléments de référence du
lecteur pour l'entraîner à partir de son monde dans le
monde inventé par le romancier, et que les valeurs du
lecteur authentifient, dont elles facilitent ainsi l'acceptation; b) selon la nature du tempérament du romancier, de
choisir délibérément des sources d'indignation, d'irritation,
de dénonciation, d'anathème, qui créent les meilleures conditions d'expression au talent donné, les tempéraments « indignés » cherchant toujours des motifs d'indignation, des
irritants stimulants, ou au contraire d'exalter par son « chant »,
si la nature du talent porte l'auteur vers les formes épiques,
héroïques, lyriques d'approbation et d'exaltation, des aspects
labellisés « positifs » par la société, Sganarelle devenant là
« poète de cour » de la réalité capitaliste ou socialiste, un
de ses rôles traditionnels; c) de réconcilier la morale courante
et le caractère inné de son besoin d'inventer, d'affubler,
persistance de l'enfance dans l'adulte, qui lui donne un
sentiment de culpabilité lorsqu'il ne le sent pas légitimé par
la société; d) de plaire; e) de trouver un cadre, un canevas, une
action, des personnages, un milieu, ce que les « valeurs »
facilitent toujours; f) de dédouaner son talent de mythomane,
de « fantaisiste », de « menteur » qu'une morale de biens
de consommation concrets met toujours en accusation;
g) d'enrichir, par la puissance de sa conviction, la puissance
tout court de l'œuvre; h) de profiter de l'importance infiniment
plus grande accordée par la majorité des hommes à autre
chose que la littérature pour augmenter ainsi l'importance de
la littérature; i) de devenir une « figure spirituelle », opération
qui vise presque toujours au début à faire sonner haut la
grandeur et la noblesse de l'œuvre littéraire, mais se tourne
contre cette dernière dès que Sganarelle, comme c'est presque

394

toujours le cas, oublie son imposture et se prend au sérieux;
j) de lutter de toutes ses forces et avec la puissance de son
génie contre l'injustice, contre des aspects hideux, intolérables de la réalité qui l'emplissent sincèrement d'indignation et de colère, dans le but d'enrichir, d'ennoblir, d'élever
très haut son roman.

La question à poser se présente de la façon suivante : à
l'inventaire des valeurs « bourgeoises », esquissé par M. Goldmann à propos de Balzac, ou à la liste des valeurs non bourgeoises — je présume qu'on entend par là des valeurs « authentiques », et je suis profondément convaincu, de tout mon
cœur, pieusement, purement, que les valeurs « bourgeoises »
de M. Goldmann, telles que l'érotisme, la puissance, l'argent,
ne jouent aucun rôle, mais aucun, dans la vie des sociétés
marxistes comme vient de le prouver la réintroduction de
la notion de profit dans l'économie soviétique — bref, à la
liste des *valeurs* tout court, faut-il, oui ou non, ajouter l'art
comme une valeur en soi, et aux yeux de son créateur dans
ses rapports avec lui-même, prioritaire ? Ou faut-il considérer
jusqu'à la fin des temps l'art comme une sous-valeur, une
valeur dérivée, une valeur de service d'un Sganarelle-domes-
tique aux gages des valeurs « authentiques », lesquelles le
récompensent par l'œuvre, ce prix de vertu ?

Je dis que le romancier à vocation totale est par rapport
aux valeurs extérieures à l'œuvre dans la position d'un acteur
qui joue son rôle avec conviction pendant la durée de la
représentation. Le rôle est parfois si profondément assumé
et vécu que l'acteur continue à s'identifier au personnage
et à le jouer dans la vie. Son souci de *réalisme* devient tel que
l' « honnête homme » en lui peut tantôt renoncer au roman,
ne pouvant supporter la part d'inauthenticité, de mytho-
manie, de ce qui n'est pas et ne sera jamais, la part de supercherie, de monstruosité, tantôt pousser son souci de réalisme
jusqu'à se faire tuer pour son roman, c'est-à-dire, pour faire
la soudure entre la fiction et la réalité. Il meurt alors pour
l'authenticité de son œuvre littéraire.

Je ne sais s'il s'agit d' « authenticité » ou non, mais je vois mal ce qu'on peut demander d'autre et de plus à l'inauthenticité.

C'est méconnaître singulièrement la nature complexe des rapports du créateur avec lui-même que d'imaginer une authenticité libre de toutes feintes et de toutes ruses à l'origine de la création. Lorsqu'un chef-d'œuvre immortel peut être tantôt saint Sébastien, tantôt un bœuf écorché, tantôt un nu, tantôt le Christ sur la Croix, tantôt une fille de bordel, il faut tout de même se demander si les « valeurs » peuvent être pour l'artiste autre chose qu'un prétexte, si toutes les attitudes vertueuses de Sganarelle sont autre chose que crainte de l'opprobre social, de l'ostracisme et si elles ne cachent pas en réalité une indifférence coupable, et plus ou moins à soi-même avouée envers toutes les vertus, si les « valeurs » sont choisies pour des raisons autres qu'entièrement artistiques, c'est-à-dire intéressées, et si elles ne jouent pas dans la création le même rôle que la commande à la Renaissance, le mécénat, la sincérité de la foi en Dieu ne jouant dans la beauté du chef-d'œuvre qu'un rôle qui n'a finalement aucun rapport avec la sincérité de la foi en Dieu de l'artiste. On verra pourtant le tableau entièrement illuminé par cette foi : un des miracles de l'art qui prête le plus à l'incompréhension, aux malentendus et à la confusion que Sganarelle entretient souvent lui-même par souci d'intégrité, « d'authenticité », quand ce n'est pas par goût de puissance sociale.

N'a-t-on pas été frappé par le fait que Gogol ou Dickens, et tous les grands romanciers, miment dans leurs œuvres avec la même sincérité les personnages les plus contradictoires, les plus opposés comme les plus attachés aux « valeurs » dont leur créateur se réclame pieusement? Si celles-ci étaient déterminantes en tant que critères de valeurs artistiques, si l'œuvre devenait impossible ou creuse par absence soudaine de « valeurs universelles » écroulées, si le ralliement sincère sans aucune feinte de l'auteur était la condition de validité et de puissance du chef-d'œuvre, comment le réconcilier avec l'authenticité de Dostoïevsky-Smerdiakoff, en même temps que Dostoïevsky-Aliocha Karamazov? Avec Malraux-Clappique, en même temps que Malraux-Tchen? Comment expliquer que, chez Dickens, les personnages les plus « négatifs », dans l'optique des conventions vertueusement adorées par le plus grand romancier de l'âge victorien, paraissent toujours plus « sentis », plus puissants, mieux venus, et plus authentiques que les innombrables personnages complètement identifiés avec les « valeurs » vénérées? Si l'authenticité joue là le rôle qu'on lui attribue, comment expliquer que Dickens fasse la putain tantôt avec la petite Dorritt, tantôt avec Faggin, comme Picasso fait la putain, tantôt avec Guernica, tantôt avec un compotier? Je voudrais qu'on m'explique là mon erreur évidente, qu'on me démontre mon cynisme, et la pureté profonde de l'attachement aux « valeurs » de Dickens ou de Picasso, *lorsqu'il s'agit de ce qui les inspire comme peintre ou romancier.* Lorsque *la Chèvre* est aussi profondément sentie par le génie catalan qu'un massacre des enfants, quel rôle peut bien jouer, dans l'acte de création, le rapport entre le besoin de créer et la valeur-prétexte? Lorsque nous suivons avec plaisir Tolstoï sur le champ de bataille de Borodino, quel rôle y joue exactement, chez Tolstoï ou chez nous, l'horreur de la guerre? Ne se présente-t-elle pas avant tout à nous comme un pittoresque et une excitation bien rendus, condamnés aussitôt après utilisation, comme Mauriac et Graham Greene nous font savourer le fruit défendu pour se couvrir ensuite de piété chrétienne? Comment expliquer autrement le *plaisir* que nous prenons à relire Waterloo chez Stendhal et Borodino chez Tolstoï? Relisons-nous ces passages pour mieux nous rappeler l'horreur de la guerre ou pour jouir de la puissance d'évocation, du génie descriptif de faire vivre, de faire tuer, de faire vibrer? N'y a-t-il pas là, au fond de tout art, un élément premier de barbarie irréductible et en lui-même totalement dépourvu de couverture éthique? Comment expliquerait-on autrement que les romanciers épousent avec une authenticité aussi totale les personnages les plus opposés à leur piété proclamée, et peut-on dire qu'il existe une différence quelconque, lorsqu'il s'agit de création romanesque, et du point de vue de l'effet heureux de la réalisation artistique, entre ce que le romancier croit et ce qu'il feint de croire, entre ce à quoi il ne croit pas du tout et ce qui semble lui inspirer l'attachement le plus pieux? Il n'y a pas de vocation autre que la rivalité avec la Puissance à l'origine du besoin d'expression romanesque, et à partir de là, tout devient art. Que la morale en prenne un bon coup, que Sganarelle y perde une fois de plus son honorabilité, sa « respectabilité », si laborieusement acquises, je veux bien, mais lorsqu'il s'agit de ses rapports avec la société, il faut bien reconnaître que la façon dont il se nourrit de « valeurs » est infiniment moins une faim de « valeurs » qu'une faim de roman. La situation de l'artiste se rapproche en cela singulièrement de la situation type du *picaro* par rapport à la société, la seule différence, mais essentielle, est que le parasitisme du *picaro* ne s'exerce qu'au seul profit de ce dernier, tandis que celui du romancier est un profit qui enrichit le patrimoine de l'humanité, qui donne, qui crée et qui contribue à la puissance, au changement ou à la victoire des valeurs dont il s'occupe ou ne s'occupe pas mais toujours d'une façon « monstrueusement » intéressée. Le romancier picaresque traditionnel s'arrange toujours avec les « valeurs » à la fin, soit en faisant faire à son personnage une fin édifiante, en obligeant Don Quichotte à se rallier aux valeurs « authentiques » de l'Inquisition, soit en assurant par d'autres moyens la défaite du personnage impénitent, et en se posant pieusement contre lui, procédé du reste classique de toute la littérature jusqu'au XXe siècle et même aujourd'hui. Sganarelle, après s'être libéré de toute contrainte, revient ainsi s'asseoir à la droite du Père, et condamne ses compagnons de débauche et de larcénie. Le roman picaresque moderne peut se dispenser de cette palinodie : à moins de manquer de moyens, toute œuvre d'art de qualité ne peut être autre chose qu'une lutte pour l'avenir de l'homme, quelles que soient les « valeurs » dont elle se réclame ou ne se réclame pas, puisqu'elle devient culture. Au xviie siècle espagnol, le rapport du romancier avec la société ne pouvait être qu'individualiste, en l'absence de toute conscience du collectif culturel, lequel n'existait alors, justement, que sous forme de « valeurs » individualisées, charité, dogme religieux, respect des puissants, et le rattachement des œuvres aux valeurs spécifiques autres que la culture, qu'il soit pratiqué par la bourgeoisie ou le marxisme, procède de cette même optique individualiste. L'assujettissement de la création artistique à des « tâches » est une attitude strictement individualiste à la fois par son exagération de l'importance de l'apport individuel et par une méconnaissance du rôle essentiel joué par le collectif culturel dans le développement de la conscience, le progrès, et l'élaboration, la défense et la victoire des valeurs qui créent des conditions matérielles de vie favorables au partage culturel et au changement des identités historiques de l'homme et des sociétés. A moins de le reconnaître enfin, à moins de laisser Sganarelle à sa nature profonde, il n'y a qu'un moyen de le libérer du soupçon qui pèsera toujours sur lui, et de le réconcilier avec l' « authenticité » : le fusiller. Ce Valet du Roman ne peut être le domestique aux gages d'aucune valeur et il le sait si bien, ou si instinctivement, qu'il se sert en faisant mine de servir.

Et comment pourrait-il en être autrement ? Cette époque si imbue de théories abyssales et qui va chercher dans tous les pipis de l'enfance l'explication du comportement d'Einstein, devrait tout de même réfléchir sur une simple question de priorité dans la formation du psychisme. Si cette particularité qu'est le don, le talent, le génie n'est pas une qualité innée, c'est tout de même très tôt dans l'enfance que le germe se détermine, que le besoin surgit, comme une sorte de sexualité, et se fait compulsion, et l'on est frappé par la précocité des premiers essais littéraires, de la spontanéité du premier balbutiement de la création. A dix ans, Picasso faisait déjà des dessins remarquables, Rimbaud, à quinze ans, écrivait *Le Bateau Ivre*, Pouchkine, à treize ans, était une légende parmi ses camarades et ses professeurs, Gorki était possédé par le besoin d'écrire sachant à peine écrire, il n'est pratiquement pas d'exemple de poète, de peintre, d'écrivain, qui n'ait ressenti le besoin de libérer quelque chose en lui, c'est-à-dire de sortir d'une sorte de soumission anonyme — à qui? à quoi? — si on le savait, il n'y aurait peut-être plus de besoin d'art — mais il est indéniable que la vocation appelle avant toute prise de conscience cohérente ou même approximative du monde, et donc, indépendamment de tout rapport avec les valeurs extérieures, avec la société et que la vocation ne perd ce caractère antérieur, prioritaire et dominant que si elle diminue, soit par déclin du besoin, par « maturité », soit par contrôle de plus en plus grand de la conscience morale, de l'intelligence, par refoulement. Plus la vocation est totale, et moins elle discrimine, plus elle utilise tout à son profit : toute l'histoire du génie romanesque, toutes les études biographiques sont là pour le prouver. La volonté de « sauver le monde » ne s'installe qu'avec les premiers signes d'épuisement des forces créatrices. Tant qu'elles durent, le romancier qu'il soit Balzac ou Proust, Dostoïevsky, Dickens ou Gogol, n'est le valet que de son œuvre et de rien d'autre délibérément. Ce n'est pas lorsque le malheur du monde vient frapper à sa porte que Tolstoï tombe malade, fait une dépression : c'est lorsqu'il ne peut pas écrire. Le caractère de la compulsion est absolu, monomaniaque, exclusif : qualifiez donc notre bonhomme de monstre et allez vous coucher.

Maudite soit votre hypocrisie lâche, votre bondieuserie, le Saint-Sulpice de votre Mutualité, le confort de votre Cérémonial qui veut faire de l'art la merde de votre Vertu, et que les siècles de Puissance, de mépris, d'opprobre, de ridicule que vous avez fait peser sur le Valet de la culture et dont ses nouveaux maîtres petit-marxistes se font aujourd'hui les singes fidèles, que ces siècles vous débarrassent enfin du jean-foutre et vous réduisent au réalisme « authentique » d'une réalité sans Sganarelle, sans ses mensonges, sans ses fourberies, sans sa « monstruosité »; que ce vieux serviteur malgré lui de ce qui fera de nous un jour des hommes quitte donc votre service et vous laisse à l' « authenticité » de votre perfection vécue, de votre beauté « authentique », de vos valeurs authentissimes, que vous vous retrouviez enfin tout seuls sur le chemin « authentique » de votre « Authenticité » idéologique éclairée par cette lumière plus forte que cent mille soleils dont les premiers rayons illuminent déjà votre Vertu, votre Cérémonial de la Vérité, vos « certitudes » intronisées dans votre Escurial, cet arrêt-buffet, pulvérisez-vous et pétrifiez-vous à l'abri du « révisionnisme » dans vos temples-cimetières de Suprême Arrivée.

Sganarelle est sans honneur, sans dignité, sans vérité, sans réalité, sans vertu, sans authenticité personnels, et son œuvre est avant tout *ce qui n'est pas*, et certainement, lorsqu'on vous regarde, lorsqu'on regarde le monde sur lequel règne votre Puissance, ce qui n'est pas est bien le seul espoir de ce qui est.

LVI

Malraux (suite et fin). — Les Voix du Silence, *la seule épopée de la création artistique que la littérature nous ait donnée.* — *Malraux et le roman sans personnages.* — *Le romancier et le rêve de la Solution.* — *La tragédie de l'intelligence dans la fiction : les concepts dans le roman deviennent des poissons exotiques.* — *Le refus du fictif.* — *Le renoncement : l'intelligence en conflit avec la nature même de la fiction.*

Je dis donc que le silence de Malraux romancier ne saurait être expliqué par cet « effondrement des valeurs » dans son esprit, dont nous parle le vertueux M. Goldmann. Rien ne l'aurait empêché, du reste, de faire de cet « effondrement des valeurs » un sujet de roman. Je ne l'attribue pas non plus, comme le font tant de spécialistes du génie, à « une fin du génie », de Malraux romancier : *Les Voix du Silence* sont avant tout une toile de fond romanesque où les grandes œuvres de l'art tendent à devenir des personnages et des sujets-objets. Ce qu'il y a de plaisant, c'est que M. Goldmann médite dans le même ouvrage, en même temps que sur Malraux, sur le roman « blanc », celui où l'homme ayant déjà eu lieu, l'objet devient le personnage, et sans faire le moindre rapprochement, sans s'apercevoir que Malraux a esquissé une fresque épique romanesque où les œuvres-objets occupent toute la place, ont une puissance d'existence hallucinante et jamais vue dans la littérature, et que l'homme y est entièrement dominé par ce qu'il a créé et par les rapports qui se nouent entre les objets de sa création. Que M. Goldmann consacre dans le même volume une étude fort détaillée à Malraux, une autre, fort pénétrante, à M. Robbe-Grillet, père de l'objet dans le roman, et à Mme Nathalie Sarraute, mère de la mort du personnage, et qu'il ne s'aperçoive à aucun moment de ce que *Les Voix du Silence* signifient là en termes d'expression du même désespoir et de retrait devant le personnage et devant la fiction, voilà bien pour mon picaro une source de joie qu'il ne laissera pas lui échapper. On peut tenir *Les Voix du Silence* pour la première épopée de l'objet créée par l'homme, la première épopée historique où les choses ont une vie plus puissante et plus agissante que celle de leurs créateurs, où des rapports se créent entre eux que leurs « inventeurs » n'avaient ni prévus ni prémédités : c'est la soudaine indépendance, la soudaine puissance d'un Golem bénéfique. La confrontation extraordinaire de beauté de Malraux avec la beauté de l'inanimé, de l'objet-art, et avec tout ce qu'elle ne parvient pas à saisir, ce battement d'ailes d'une intelligence qui se heurte douloureusement à l'impénétrable, ce drame de l'incompréhension dans le déploiement d'une virtuosité et d'une puissance conceptuelle unique mais qui n'aboutit qu'à l'art et à une implacable satellitisation par l'insaisissable du rôdeur éternel autour du puits de la Vérité, comme Grabot dans *La Voie Royale*, enchaîné et tournant en rond autour d'une meule, cette spirale de plus en plus rapprochée à la pointe mais qui ne perce jamais le secret, nous valent la seule épopée romanesque sans personnages que la littérature nous ait donnée. Je me permets de suggérer à M. Goldmann que dans une prochaine édition de son œuvre il tente tout de même quelques vagues rapprochements entre Malraux, romancier de l'objet-art, et le roman du monde inanimé et sans personnages qu'il analyse à quelques pages de là, après avoir « labellisé » Malraux parmi les terminés. Lorsqu'il dit que l'œuvre de Malraux « s'est éloignée » — je ne parle pas de mon ami Jean-François Revel qui annonce avec une méprisante assurance qui sent le *wishful thinking* que, dans cinquante ans, Malraux, on n'en parlera plus, ce qui est impensable pour une simple raison de logique : il est absurde d'affirmer que ceux qui s'occuperont encore de littérature dans cinquante ans ne parleront plus de ce dont on n'a cessé de parler pendant trente-cinq années de ce siècle — lorsqu'on dit que cette œuvre n'exerce plus d'influence, allez donc au cinéma voir *La 317e Section :* le cinéaste a pris les deux personnages de *La Voie royale,* Claude et Perken, leurs rapports, leur cadre « colonialiste », l'érotisme, l'opium, leur physique même, et a restitué, intacte, l'actualité tragique et « occidentale » du roman.

Quant aux œuvres de Malraux antérieures, celles sur lesquelles il ne semble plus vouloir revenir, quant à son « silence », je me permets de suggérer à M. Goldmann une explication que l'on aura déjà comprise. *Malraux a renoncé au roman non point lorsque les valeurs du marxisme se sont écroulées à ses yeux, mais lorsque le roman s'est écroulé à ses yeux en tant que moyen d'exploration abyssale de la situation de l'homme,* autrement dit, lorsque le besoin d'authenticité est devenu plus fort que le besoin du roman. Lorsqu'il s'est rendu compte que la « profondeur » de ses personnages restait la profondeur des personnages *inventés,* qu'elle était pour une part artistique et pour une autre non susceptible de révélation métaphysique, de Solution à notre situation, il s'est tu comme auteur de *fiction.* Lorsqu'il lui est apparu qu'il n'était pas possible de trouver une réponse à la question dans et par le roman, et que le roman a cessé de l'intéresser parce que ce qui l'obsédait par-dessus tout, n'était plus la fiction, mais la recherche d'une réponse à la tragédie, c'est-à-dire *la* Solution. Autrement dit, qu'il ne pouvait répondre à la question essentielle qui le hantait, que le besoin de valeur était devenu un besoin d'absolu, et que la fiction ne pouvait que lui paraître futile, enfantine, dans une telle volonté d'authenticité, de Valeur authentique, de Solution, et sans doute aussi de grandeur personnelle dans l'histoire non du roman, *mais de la pensée authentique*. Malraux a peut-être renoncé au roman en partie par orgueil, mais sûrement, en tout cas, lorsque le besoin de comprendre, de se répondre et de résoudre est devenu chez lui beaucoup plus puissant que le besoin d'affabuler. L'imagination ne faisait que l'éloigner davantage de la Réalité, et l'emplissait d'impatience et de frustration, face à un tel échec de sa pensée pure de tout imaginaire. Il ne pouvait plus se *contenter* du roman. Un des drames du romancier assoiffé d'authenticité est que sa pensée, dans l'œuvre, demeure un facteur artistique. Souvent, la phrase pleine de sens que prononce un personnage, dès qu'on la « sort », dès qu'on en fait un aphorisme hors du roman, perd quelque chose, elle change, comme les couleurs de ces poissons exotiques que l'on retire de l'océan. C'est qu'elle tenait sa vérité du contexte, du milieu romanesque, du personnage, elle n'avait pas de vérité objective, c'était une pensée qui dessinait le personnage, qui le signifiait, qui n'était authentique que dans le rapport du personnage avec son monde artistique. Mais une des plus fulgurantes et des plus orgueilleuses intelligences de ce temps ne pouvait se contenter d'exercer sa puissance autrement que dans l'authenticité rigoureuse, se résigner à l'impossibilité de changer l'Histoire de la pensée, se résigner à ne pas pouvoir accomplir sa révolution. Malraux a renoncé au roman comme Sartre a renoncé à sa « névrose » : par besoin de réalisme et d'authenticité, par volonté de Création. La rupture de Malraux avec le roman est une rupture avec le *fictif*, et *Les Voix du Silence* recèlent cette volonté d'accéder à une révélation authentique — et originale — de la solution secrète et profonde de l'homme dans la réalité, et à un espoir authentique. Il s'est tu par souci d'originalité et d'authenticité d'une pensée non romanesque. L'imagination elle-même devenait une blessure et une frustration pour une intelligence qui cherchait et voulait se situer hors de l'imaginaire et affirmer sa puissance dans la réalité. La rupture avec le personnage devient déjà apparente dans *Les Noyers de l'Altenburg* : l'abstraction gagne, chaque geste, chaque action cherchent une portée hors de leur contexte, universelle, tout devient signification ou volonté de signifier ; chaque phrase est tendue vers le dépassement, témoigne d'une volonté d'aller plus loin et plus haut, vers quelque chose qui n'est pas la situation, qui n'est pas là, vers un refus du quotidien, du banal, — de ce qui constitue la quasi-totalité de l'existence humaine — une volonté de tout remplir de sens, un désir de pénétration abyssale, mais seule la beauté littéraire de la pensée sortait de cette exploration. La fiction devenait ainsi impossible, puisque l'obsession était celle de l'unique et de l'universel, de l'original et du profond, ce qui est incompatible avec toute description de la vie des hommes, avec sa simplicité, sa banalité, son humilité, avec, précisément, ce qui constitue son universalité. Chaque mouvement de pensée des personnages devait aller plus loin que la circonstance, dire plus que ce qu'on pouvait dire, toute situation devait avoir un sens, une portée hors du contingent ; à chaque instant, le « ton » cherchait à monter si haut et à porter si loin que les personnages se désincarnaient, sortaient du roman sans entrer nulle part. Malraux n'aurait pu se contenter du roman que s'il avait pu non seulement faire de l'humanité entière son personnage central, unique, hors de toute identité simplement individuelle et éphémère, mais encore s'il avait pu répondre à la question métaphysique que l'homme se pose depuis qu'il existe. C'est un cas unique où le besoin d'un roman total — c'est-à-dire qui posséderait totalement le monde de la réalité dans une authenticité absolue de puissance, — devenant incompatible avec le roman, c'est le monde lui-même qu'il eût fallu pouvoir créer là. La fiction, le *fictif* n'étaient plus compatibles avec cette orgueilleuse volonté d'originalité et d'authenticité. Le personnage devenait une gêne et une irritation, il avait trop de banalité organique intrinsèque, son côté physique, viscéral, son inévitable côté « comme tout le monde » exaspérait le besoin d'originalité absolue. *Les Noyers de l'Altenburg*, déjà, ne sont plus dominés par les personnages, ou même dominés par quelque chose : ils sont dominés par une absence, par une réponse qui n'est pas là.

On ne saurait dire que le « musée imaginaire » soit une recherche d'un corps mystique, mais c'est tout de même encore, et clairement, une absence qui domine l'œuvre; l'effort de répondre par l'art à cette absence, de la compenser entièrement, y sonne d'un accent tragique : *Les Voix du Silence*, c'est le roman de l'absence poussé jusqu'à l'absence de roman.

Reprenons maintenant l'hypothèse valoriste et valeureuse de M. Goldmann : Malraux a renoncé au roman parce qu'il ne pouvait plus sauvegarder dans le *roman* « l'existence de certaines valeurs universelles authentiques ». Pour moi, le silence de Malraux en tant que romancier est précisément dû à la rupture, dans son esprit, avec le roman en tant que valeur en soi. Ce n'est pas tout : j'aboutis ainsi à une hypothèse qui donne froid dans le dos, lorsqu'on est bien pensant et « valeureux ».

Car c'est alors *par attachement aux valeurs universelles authentiques, parce qu'il ne pouvait se contenter d'autre chose que d'une authenticité dans un monde authentique, que Malraux a rompu avec la fiction.* Il fut victime d'un besoin qui ne permet plus de se contenter de la fiction romanesque comme valeur en soi. C'est donc son attachement aux valeurs universelles « vraies », c'est-à-dire une raison exactement opposée à celle que propose notre sociologue, qui l'a poussé vers la politique et l'a forcé à renoncer au roman. C'est un des exemples les plus intéressants du conflit entre le besoin d'authenticité et le roman.

La volonté de puissance dans les rapports avec l'univers veut toucher le fond du problème et joue ici évidemment un rôle tout aussi intéressant par son souci d'originalité absolue. Une grande intelligence, comme celle de Malraux, de Sartre, est avant tout volonté acharnée de *découvrir*, c'est-à-dire de révéler. Dès qu'ils cessent de mettre les valeurs en doute pour découvrir des valeurs nouvelles, dès qu'ils acceptent les valeurs authentiques existantes, leur besoin de « percer » la profondeur les réduit au silence : ils ne sauraient accepter de bâtir une œuvre romanesque autour de ces « connues ». Ne pouvant se contenter de superstructures, ils ne peuvent plus se contenter du roman. On peut en conclure que Malraux, « aventurier », « charlatan », « imposteur », bref, romancier authentique et total, n'avait jamais cru au marxisme et qu'il l'avait seulement saisi comme chance d'une originalité romanesque, puisqu'il fut le premier — le seul — grand romancier à profiter de cette occasion *nouvelle*, et qu'il avait pu utiliser le marxisme pour faire une œuvre *artistique* révolutionnaire. On ne peut parler ici d'opportunisme que si on refuse à l'œuvre toute priorité naturelle, obsessionnelle, et que si on lui refuse aussi tout pouvoir de servir ce que je ne cesserai d'appeler sans aucune crainte de simplicité le bonheur des hommes. Il y a toujours un conflit entre le besoin d'originalité artistique absolue, et l'acceptation des valeurs déjà identifiées et authentifiées, mais lorsque la volonté de puissance de l'intelligence, la volonté de trouver une réponse à notre question éternelle se met de la partie, on ne peut que renoncer au roman, ou se résigner à sa nature profonde, même si l'on est un génie.

LVII

La matière, une nouvelle Puissance ? — Un fantastique vieux comme le monde. — Les élites et leur « Golem » : le peuple ? — Les objets, cette « foule horrible des hommes ». — Notre époque est-elle bien celle des « choses » ? — « La fin de l'individu », une idée reçue en retard d'une guerre.

Nous ne saurions nous séparer de M. Goldmann, que nous risquons de ne plus jamais rencontrer dans le roman, sans nous pencher avec sollicitude sur l'explication sociologique qu'il donne du roman de l'objet et sans personnages, c'est-à-dire de la *réifaction*, laquelle offrirait la clé, d'après lui, de *la disparition plus ou moins radicale du personnage et des renforcements corrélatifs non moins considérables de l'autonomie de l'objet.* Ainsi que de *la suppression de toute importance essentielle de l'individu et de la vie individuelle à l'intérieur des structures économiques et, à partir de là, dans l'ensemble de la vie sociale.*

On ne peut que sentir ses dents se creuser devant un tel exemple d'esprit systématique cherchant à plaquer son Cérémonial miteux sur tout ce qui risquerait sans cela d'échapper à l'Escurial de la Vérité intronisée. Car : *a)* le thème de l' « autonomie » de l'objet, allant jusqu'à la révolte de la chose inanimée est un des plus anciens de l'histoire de la fiction, depuis les premiers contes russes de l'époque Rurik jusqu'aux

409

légendes juives — *Le Golem* — et aux contes fantastiques allemands — *Le Joueur d'Échecs* — faut-il rappeler aussi que ce que notre homme évoque si doctoralement est le mythe de *L'Apprenti sorcier*. L'arbre, le rocher, l'objet « manufacturé », — le balai, la cuiller, le sabre — et plus tard, l'automate, la « chose », en agression contre l'homme, et le chassant du monde, semblent rejoindre la première angoisse de l'homme, ce « roi de la création » toujours menacé de la perte de son trône. L'objet menaçant, devenu indépendant après sa sortie des mains de son créateur, c'est-à-dire la « réifaction » marxiste de M. Goldmann — le rapport des objets entre eux devenant d'abord une conspiration, ensuite une prise de pouvoir — est aussi vieux dans le folklore que le premier outil, ou la première fronde. Dans les légendes, toutes les armes de guerre se révèlent habitées par une puissance magique, et les dessins animés de Walt Disney rejoignent spontanément ou délibérément « la révolte des objets » des récits scandinaves et slaves, qui trouve sans doute son « animation » la plus effrayante dans *Le Joueur d'Échecs* déjà mentionné où les pièces se retournent soudain contre leur Maître. Dans ce contexte, introduire la « réifaction » marxiste et la « désintégration moderne de l'individu » dans l'analyse de la plus vieille hantise de l'homme est un exemple type du délire interprétatif totalitaire. Ce thème littéraire de l'innocence perdue, du « fruit empoisonné de la science », de *L'Apprenti sorcier* ne trouve guère dans l'automation ou dans le cerveau électronique d'expression plus révélatrice ou simplement significative que dans l'histoire du violon jouant tout seul aux obsèques du virtuose, ou dans le *Golem*, l'homme fabriqué dans la glaise par le rabbin et qui devient son maître. Les variantes sur le thème de Frankenstein doivent plus aux terreurs primitives de l'homme qu'à la « réifaction » de M. Goldmann. M. Robbe-Grillet arrête délibérément son fantastique de l'objet *avant* l'animation, pour en augmenter la menace latente et « réaliste », et pour ne pas avouer son fantastique, et le caractère traditionnel de celui-ci. La chose devient *la chose* sans nom, plus exactement, le romancier l'empêche au dernier moment de devenir cette chose sans nom pour ne pas verser dans le fantastique-cliché et... avouer. Lorsque notre sociologue possesseur du secret du roman moderne dit que tout a changé dans la fiction parce que *les sentiments humains expriment maintenant des relations dans lesquelles les objets ont une permanence et une autonomie que perdent progressivement les personnages*, il se réfère non seulement au fantastique d'Hoffmann, mais aussi aux premiers soucis de l'être face à l'inanimé, incarnés, par exemple, dans le *Domovoï* invisible du Moyen Age russe, ce dieu familier de l'isba, maître des objets domestiques et jouant les tours les plus pendables au paysan et à sa famille, lorsqu'il ne reçoit pas d'offrandes et n'est pas traité avec le respect qui lui est dû. Le *roman classique*, dit notre savant, *est un roman où les objets ont une importance primordiale mais où ils n'existent que par leur relation avec les individus*. Mais ceci est précisément la situation tout aussi « classique » des objets dans le roman fantastique réeliste d'aujourd'hui : leur rapport est entièrement avec le « regard », c'est-à-dire avec l'individu-auteur. Il n'y a jamais eu et il n'y aura jamais de roman sans personnages; la seule question est de savoir si l'auteur va sortir des coulisses et tout envahir ou non, s'il va s'exprimer par des objets ou par d'autres personnages, qu'ils soient chaise ou Bezukhov, et un roman où les objets n'entretiendraient des rapports qu'entre eux et non avec le personnage-auteur n'est pas concevable. Le rapport entre objets est un rapport avec l'auteur-personnage terrorisé par les rapports entre eux des personnages-objets, comme dans les contes. La seule question est de savoir si l'auteur penche vers le fantastique des objets, ou le fantastique des personnages, un fantastique de la matière, ou un fantastique de l'au-delà. S'il existe un fantastique dont l'influence est plus discernable dans le roman de M. Robbe-Grillet, en dehors de Kafka, et en mettant de côté Simenon, et son fantastique social, c'est Edgar Poe : la terreur est beaucoup plus celle de ce qui va se passer et ne se passe pas que de ce qui arrive. Jamais l'individu n'a occupé une place plus importante et plus envahissante que dans ce roman-là. Il s'agit d'une sorte d'impérialisme de la conscience de l'auteur, d'une colonisation par cette conscience totalitaire. Que M. Goldmann proclame, dans ce contexte, la fin de l' « individu », le règne d'un monde des objets, « univers autonome en sa propre structuration qui seul permet encore quelquefois, et difficilement, à l'humain de s'exprimer », alors qu'on assiste à une véritable cancérisation individualiste — on peut, du reste, prétendre aussi bien que l'individu, créateur de l'objet, tend maintenant à exagérer et à magnifier l'importance de ce qu'il a fabriqué, au point de le douer d'une vie propre, et que l'individu exalte ainsi sa puissance créatrice comme ces peintres des contes qui voient les visages s'animer sur la toile et les objets sortir du cadre — voilà qui en dit long sur sa nostalgie de la Révélation. Lorsque M. Goldmann parle d'une période littéraire qui « commence seulement à trouver son expression littéraire », celle qui marque « l'apparition d'un univers autonome d'objets, ayant sa propre structure et ses propres lois, et à travers lequel seule peut encore s'exprimer dans une certaine mesure la réalité humaine », il parle d'un fantastique traditionnel, avec cette différence que ce n'est plus une puissance surnaturelle qui anime l'inanimé, mais l'homme, que ce n'est plus une surpuissance que l'homme craint dans les objets, mais la puissance des autres hommes, la puissance des hommes qui ont manufacturé ces objets. Il s'agit bien d'un individualisme monstrueux qui voit et redoute dans les objets envahissants, ou derrière eux, la masse redoutable des hommes qui les ont manufacturés, et qui menacent maintenant l'autonomie et le règne de son Royaume du Je. *Toute dénonciation de l'objet manufacturé en tant que puissance maléfique est une plainte individualiste forcenée*, face à la « levée en masse » qui se prépare ou ne se prépare pas. Il s'agit là d'un rot à la Gobineau de l'individu-élite menacé par la multitude, et toutes ces « choses » anonymes, agressives, nous entourent de toutes parts, nous regardant, en quelque sorte, se refermant sur nous de tous côtés ;

tout cet *état de siège*, c'est la position type de l'individu de « qualité » devant les foules anonymes, incompréhensibles et lourdement *présentes*, aux éléments interchangeables, et que l'on ne peut qu'énumérer, sans identités, face à l'identité unique, précieuse et menacée de l'auteur : voilà ces objets, voilà cet inanimé, voilà ce *Golem*-humanité, voilà cette menace. Je crains aussi que M. Goldmann ne soit en retard sur son temps. Cette époque n'est pas celle de la « chose », de la matière inanimée : elle est celle de l'énergie secrète ou connue de la matière. Jusqu'à présent la seule désintégration à laquelle nous avons assisté est celle de la matière, ce n'est pas celle de l'individu. Ce n'est pas la réifaction marxiste et les objets manufacturés que M. Goldmann va chercher au xixe siècle auquel il appartient, qui terrorisent aujourd'hui l'humanité, qu'elle soit marxiste, capitaliste, ou zappiste : c'est l'énergie fantastique et explosive qui dort au cœur de la matière, et qui fait que l'inanimé acquiert une puissance hallucinatoire par le soupçon de ces soleils enfermés. Qu'il s'agisse d'un objet manufacturé, ou d'une pierre, l'inanimé est sorti de sa nature, de sa dimension traditionnelles : sa puissance explosive n'est pas à la mesure des révolutions sociales, mais de celles qui créent et détruisent les galaxies et les univers. Au plus vieux thème de toutes les littératures du monde la science de l'atome a apporté une effrayante confirmation.

Tout, dans le raisonnement de M. Goldmann, tient pour acquis la disparition de l'individu en tant que force agissante, au moment même où le monde entier, après avoir spéculé sur ce que cache le psychisme de Staline, spécule maintenant sur la psychologie « texane » de M. Lyndon Johnson — il n'y a qu'à lire les journaux américains — pour expliquer Saint-Domingue ou pour essayer de deviner si nous allons tous sauter ou pas. C'est une façon de penser dont le moins qu'on puisse dire est qu'elle est vieillotte, et qu'elle est en pleine contradiction avec les trente dernières années du siècle, avec Staline, Castro, de Gaulle, Hitler, Mao, et l'Afrique, avec l'ère des grands savants dont chacun tient par le privilège d'une connaissance exclusive des pouvoirs inouïs. C'est sous le couvert de cette « fin de l'individualisme » proclamée un peu partout que s'effectue dans tous les domaines la rentrée en scène d'un individualisme effrayant. Hitler nous a aveuglés. Comme il proclamait constamment sa volonté de puissance, nous avons pris l'habitude d'identifier cette menace avec son aveu à ciel ouvert. Tout ce qu'on peut dire, c'est que l'individualisme a compris qu'il doit passer, à ces stades préliminaires, par un certain rituel démocratique afin de pouvoir ensuite opérer hors de tout contrôle. La spécialisation extrême de la connaissance, le privilège-monopole du génie scientifique par la vertu même de son génie, la nécessité de réponse foudroyante et quasi instantanée dans les conflits nucléaires, ainsi que le caractère de plus en plus diversifié et complexe de la civilisation, offrent à tous les échelons de la pyramide sociale de véritables primes à l'individualisme, ainsi que des possibilités de puissance pratiquement illimitées et incontrôlables à « tout individu de génie » en situation. Il n'existe pas aujourd'hui de secteur où l'individu « exceptionnel » ne soit pas ardemment recherché, où des possibilités toujours grandissantes ne soient offertes au talent, à l'habileté, au génie, à l'imagination, à la valeur personnelle, à l'unicité, et, en plus, le culte de l'individu exceptionnel n'a jamais été autant pratiqué par les masses, qu'il soit Mao ou un Tarzan du stade. Nous assistons à une prolifération des situations de « monopole » par la spécialisation au plus haut niveau de la connaissance et par la diversification de la civilisation qui multiplient dans les sociétés des positions-clés incontrôlables : qui peut dire aujourd'hui que ce sont vraiment les hommes politiques qui contrôlent les savants, alors que leurs « privilèges » scientifiques rendent ces derniers maîtres de l'explication et donc de l'action ? Lorsqu'il suffit de quinze minutes pour détruire la civilisation, le moins qu'on puisse dire, c'est que la « direction collégiale » n'aura pas le temps de se réunir. Il tombe du reste sous le sens que plus les chances sont égales au départ, plus les voies de passage vers en haut sont accessibles à tous, et plus l'individu est favorisé, l'individu unique aux qualités exceptionnelles, qualités qui l'élèvent automatiquement au-dessus de ceux qui ont eu, au départ, les mêmes chances que lui. Ce qui change, ce n'est pas l'individualisme, c'est la base de recrutement de l'individu. Parce qu'elle s'élargit hors de toute mesure avec ce qu'elle était dans le passé, les chances statistiques de l'individu exceptionnel sont multipliées — et les civilisations modernes donnent à l'individu exceptionnel des moyens d'action exceptionnels, limités seulement par ses capacités. Voilà l'âge de la « désintégration de l'individu » dont parle avec une rare *hutzpe* — qu'on m'excuse d'employer un mot français archaïque, celui de mes ancêtres — notre savant M. Goldmann.

LVIII

Sganarelle et son Maître face aux années-lumière.

Il n'y a pas de roman non historique : il nous raconte toujours son histoire, explicitement ou par aveu. La sensibilité concentrée à son extrême dans les consciences individuelles d'élite, sans autres interlocuteurs que leurs homonymes, tend dans ses flaques de conscience à une putréfaction dans la stagnation — on ne porte ici aucun jugement moral, on cherche seulement à expliquer le repli sur soi-même — qui ne permet pas à ce roman de la littérature d'aller dans une autre direction que celle du retrait intimiste et maniériste, dans un narcissisme qui confère, par le rayonnement douloureux du Moi, une importance extraordinaire à tout ce qui le touche de près, à l'immédiat, au moindre geste, au moindre détail du réel dans sa proximité absolue. Lorsque Claude Simon — dont j'admire le talent — étire chaque seconde et chaque phrase jusqu'à faire du rapport temps-espace romanesque une simple durée de lecture par le nombre de pages consacrées à chaque frémissement de sa conscience, il fait du roman historique : il raconte la fuite désespérée d'un homme de ce temps devant l'agrandissement infini de toutes les mesures de la connaissance, devant la complexité de l'univers, il défend sa petitesse contre le changement radical de la notion du temps, contre les années-lumière : depuis l'époque de Balzac, lorsque, croyait-on, le monde n'avait que six mille ans, une révolution de la notion du temps a bouleversé tout ce que l'homme croyait de son Histoire et de sa situation dans l'univers. Cette obsession du microcosme, cette volonté de s'y absorber, cet effort de faire durer chaque seconde, de magnifier chaque détail, caractéristique aussi bien du talent de Butor, de Robbe-Grillet, de Mme Nathalie Sarraute, de Claude Simon, et de tous les autres romanciers du fantastique d'être, raconte l'histoire de la lutte pour l'importance de l'individu éphémère qui se trouve en même temps à l'apogée de sa puissance et de ses moyens d'action et de destruction, et « réduit », pulvérisé par les nouvelles dimensions et les nouvelles notions de durée. L'individu cherche à retrouver sa mesure humaniste traditionnelle, son gigantisme, son sentiment d'importance, son règne, son trône rationaliste de « roi de la création » en changeant d'échelle d'observation : tentative d'autodéfense d'un individualisme plus farouche parce que plus exaspéré et plus menacé que celui de Balzac. La « réalité », c'est-à-dire la proximité, remplace ici la réalité, c'est-à-dire la totalité, cette dernière échappant de plus en plus à toute tentative de mesure et de compréhension, et à la notion du temps; le romancier cherche à toucher, à sentir autour de lui une pelure rassurante, à sa mesure, une « donnée immédiate » de la réalité, que l'on peut apprivoiser en se familiarisant avec elle, et dont la proximité abordable est amoureusement caressée parce qu'elle est à la mesure du Moi blessé par la dimension nouvelle de l'univers-totalité qui semble confiner le Royaume du Je dans l'insignifiance absolue. « Je » pulvérisé choisit ainsi un microcosme, une réalité insignifiante, à sa mesure, et abordable, cependant qu'une confuse menace de la totalité récusée continue à planer sur les choses. Tous ces romanciers font ainsi le récit d'une péripétie historique

417

de la conscience-poursuite en repli sur elle-même devant la fuite de l'univers échappant provisoirement à sa compréhension, de la fin d'une étape d'expansion culturelle et avant l'aube d'un départ, d'un élan nouveau de pionniers. Si Sganarelle pouvait être ainsi transformé en pou, plus ou moins à la manière de la *Métamorphose* de Kafka, c'est à un tel roman descriptif du poil auquel il s'est accroché et dans lequel il vit qu'il se livrerait, pour tenter d'oublier ce que la jungle infinie des poils qui l'entoure peut avoir d'effrayant. Il est tout à fait curieux de s'entendre dire par un de vos fraternels minimes, enfoui comme vous-même dans l'épaisseur des poils de l'inconnu, qu'il refuse l' « anecdote », l'histoire, alors qu'il ne cesse de vous *raconter* son poil, ses rapports kafkaesques avec le poil, sa conscience du poil-objet, c'est-à-dire du poil-personnage, et de vous saturer de cette proximité de son poil-univers jusqu'à ce que votre écœurement du velu finisse par faire du rasoir révolutionnaire le seul moyen de libération d'énergies, de courage, des imaginations et des voracités nouvelles. Plus un roman veut renoncer à l'anecdote, c'est-à-dire à l'Histoire, et plus il devient simplement anecdotique sur le chemin de l'Histoire, plus il devient historique, doué d'un sens historique, nous racontant une pénible étape de l'aventure de Sganarelle et de son Maître jetés dans une péripétie où tout change soudain à une vitesse telle que, dans sa frousse, notre bonhomme se voudrait pierre, objet, fin de mouvement, fin d'Histoire, fin d'anecdote, fin de Roman, fin d'angoisse, inanimé. Étant bien entendu que ces signes avant-coureurs ne sont malheureusement pas une certitude de changement. Ils autorisent tout de même l'espoir.

LIX

*Encore un peu d'eau bénite de Sganarelle. — La soupe se met à
exister lorsqu'elle est mangée. — Le lecteur, mon semblable,
mon frère : comment le gruger. — Comment endormir ses soup-
çons, sa vigilance : bref, le réalisme. — Où l'on voit le lecteur
collaborer bien malgré lui à cette larcénie qui force sa crédulité,
lui prend son univers, mais l'enrichit au lieu de le dépouiller. —
Ce qui n'est pas et sa caution de réalité. — Où l'auteur se voit
dans l'obligation de faire une œuvre pornographique.*

Il est enfin chez nous, fermement établi, ce pieux mensonge qui satisfait les objecteurs de conscience et pardonne
au Roman d'exister. Ceux qui rêvent de libérer Sganarelle
de l'opprobre de son « jouir » et de le faire asseoir à la droite
de la Réalité dans la bienséance et la respectabilité, font
de ce fraternalisme les délices de la jeunesse des écoles qu'ils
invitent à disserter sur cet éloge de la vertu. Ce bon appel
du pied aux « autres » proclame — voir Sartre, à la Mutualité,
dans *Que peut la littérature ?* — que le roman ne se met à
exister qu'avec la collaboration du lecteur *au moment de
la lecture*, lorsque s'institue la « communication ». Il faut
vraiment beaucoup d'eau bénite pour arriver à cette conception « collective » de la création romanesque. C'est une de
ces bondieuseries où Dieu lui-même — dans ce cas, « les

autres » — ne reconnaîtrait que Sa vente au rabais dans une image sainte. Elle a l'immense avantage de réconcilier ceux qui, depuis des siècles, demandent à Sganarelle d'un ton protecteur, dans les salons, avant de lui servir à bouffer : « Alors, que *nous* préparez-vous ? » « Qu'allez-vous *nous* donner ? », avec ses patrons nouveaux qui lui demandent, avec le même froncement de sourcils lourd de sous-entendus : « Comment allez-vous, dans votre œuvre, nous aider à bâtir le socialisme ? » La Puissance : toujours le même ennemi.

Car il se trouve que Sganarelle ne vous prépare rien, si ce n'est quelque mauvais coup à votre « réalité », quelle que soit sa radieuse beauté. Ce qui me fait penser soudain que vous avez laissé crever Van Gogh et Gauguin de faim, et comme mon personnage, je le prends à Tahiti, voilà que je vois soudain dans les moindres détails, au moment où j'écris ces mots, comment mon personnage, en passant, va régler les comptes de Gauguin avec la postérité et de Sganarelle avec ses « maîtres ». Mais revenons à nos moutons de Saint-Sulpice : on nous dit donc que le lecteur « accomplit le roman », lequel ne viendrait ainsi vraiment au monde qu'au moment de la lecture. Nous retrouvons là la coopérative, le Moi, c'est les « autres », l'effort de construction collectif, louable, le fraternalisme de service, la « solidarité », une plâtreuse convention d'un socialisme de pacotille qui revient en réalité à remettre Sganarelle aux gages de ses maîtres de toujours, princes et protecteurs, seigneurs de tout poil et de toutes conditions, lesquels insistent à nouveau, et avec tous les droits que cette « collaboration » leur confère : « Qu'est-ce que vous *nous* préparez ? » Ainsi, le prince, le maître, le bourgeois, le militant n'est plus seulement le protecteur, l'acheteur, le lecteur, l'employeur, il est le collaborateur, il est un authentique créateur, sans qui l'œuvre de Sganarelle n'existerait pas. C'est annoncer à M. Jourdain que non seulement il fait de la prose, mais qu'il est aussi Tolstoï et Cervantes, qu'il fait naître l'œuvre, qu'il

420

l'accomplit. Ce n'est donc pas seulement le cuisinier qui fait la soupe, c'est aussi celui qui la mange. La soupe ne commence à exister que quand elle est mangée. Tout cela veut dire quoi, exactement? Que sans l'homme, les valeurs humaines n'existeraient pas dans le monde, ne seraient pas discernables? C'est vrai. Concluons : Notre-Dame n'est achevée, ne se met à exister vraiment que lorsqu'on la voit, le tableau est peint par celui qui le regarde, une femme ne commence à exister que lorsqu'un monsieur la... Autrement dit, dans le monde des hommes, ce que les hommes accomplissent n'existerait pas sans eux. Voilà la cacophonie logique du sophisme en plein fraternalisme de service.

Ce qu'il y a d'écœurant là-dedans, c'est cette volonté de faire copains — copains avec les bons sentiments à la sauce du jour —, afin de refaire un honneur à la littérature, la ramener au bercail du moralisme et de la « bonne conscience », le scoutisme genre « réarmement moral », l'escroquerie à la fraternité, pour se justifier, se faire légitimer, se faire pardonner sa vocation « monstrueuse ».

Le lecteur n'apporte aucune collaboration à l'œuvre lorsque celle-ci est terminée, pas plus qu'il ne termine la construction d'une chaise lorsqu'il s'assoit dessus. Aussi bien dans la construction de la chaise, que dans l'élaboration du roman, il intervient *bien avant*. L'image de son derrière est déjà dans l'esprit du fabricant lorsqu'il dessine et fabrique la chaise. Il y a, entre le derrière et la chaise, une fraternité profonde, antérieure au moment où les deux se rencontrent. La forme anatomique du derrière étant donnée et respectée, le créateur élabore tout le reste selon son imagination et sans aucun collaborateur. Idéaliser le lecteur de l'œuvre terminée, faire de lui le collaborateur de l'œuvre, c'est assumer le rôle du chien de garde de la bourgeoisie ou du caniche de luxe flatteur du « prolétaire ».

L'intervention du lecteur pendant la lecture a une importance tout autre, et ce n'est pas une « collaboration », bien au contraire. Rappelons d'abord que le romancier utilise la collaboration involontaire du lecteur antérieurement à la lecture, pendant qu'il écrit, pour mieux le tromper lorsqu'il ouvre enfin le livre, pour endormir son soupçon et sa vigilance, pour commettre son abus de confiance avec toute l'apparence, avec toute la force convaincante de la bonne foi. Il emprunte ainsi au lecteur tout ce que celui-ci connaît du monde « authentique » qu'il habite et qui le tient, et de lui-même, pour le saisir et le prendre avec lui, pour l'entraîner dans la fiction, le faire changer imperceptiblement de planète, pour lui faire passer une des frontières de *ce* monde les mieux gardées par la Puissance : celle de l'imaginaire. Dès que le lecteur s'aperçoit de la frontière, l'œuvre échoue, perd son pouvoir de convaincre et le passage ne peut plus se faire.

Le romancier ne saurait donc se passer de l'adhésion du lecteur au moment de la lecture, lorsque s'effectue la tentative du passage au nez et à la barbe de la réalité : seul le lecteur peut confirmer ou démentir la réussite du roman, l'échec ou le succès de la lutte, qui est une lutte contre la Puissance et toutes ses petites filles-puissances des réalités qui règnent sur l'homme, en vue de libération, de transcendance, de maîtrise, de possession, bref, de civilisation. Le romancier recherche cette « collaboration » du lecteur — le terme est faux, car il s'agit de vaincre une résistance, une censure et un préjugé au départ toujours défavorable — non par besoin de « communiquer » fraternellement avec lui, pour sortir, comme le répète le jargon à la mode, de « l'aliénation », mais toujours dans le but de lui arracher un témoignage : celui du pouvoir de l'œuvre, de son pouvoir de convaincre et d'exister. Le lecteur tire son importance extraordinaire aux yeux du romancier du fait qu'il est là le représentant, le seul imaginable, le seul accessible, de l'ennemi : il représente la Puissance de ce qui est, à laquelle il est totalement soumis, dont il fait intimement partie, à laquelle il est entièrement *asservi*. Le romancier est mû par une volonté absolue de transcendance et de libération, de substitution et de possession victorieuse de l'univers : il joue Dieu, comme tout homme qui tente de se rendre maître de son destin. Il se livre ainsi à une mimique qui signifie l'aspiration la plus authentique de l'homme depuis qu'il existe et que l'œuvre, dans son deuxième temps éternel à l'échelle du temps humain, celui de la culture, aide à tenter, à traduire en action et à réussir par le progrès, par le « révisionnisme », par le changement continu, dans toute la mesure du remédiable. C'est ainsi que s'accomplit le retour de l'œuvre et du lecteur dans la réalité et la poursuite de la lutte authentique avec la Puissance.

On voit là toute l'importance du lecteur, hors de tout « fraternalisme » de coopération petit-marxiste ou petit-lyrique. Si le lecteur asservi, jamais — au grand jamais —, *libre*, si ce représentant organique de l'ennemi accepte l'authenticité du monde de la fiction, s'il y croit pendant toute la durée de la lecture, le romancier dispose d'un témoignage irrécusable de sa réussite, de sa maîtrise, de sa victoire. Le voilà, dans son aspect essentiel — on ne parle pas ici de petites vanités de séducteur —, ce besoin absolu du lecteur : il n'y a pas d'autre moyen de posséder la Puissance, de rivaliser victorieusement avec elle que de la vaincre en la personne de son agent, qu'en obtenant l'adhésion, la conversion, la soumission et donc le témoignage de son seul représentant concevable, en emportant sa conviction, en lui imposant la réalité de l'œuvre, en obtenant son ralliement. Le lecteur témoigne au romancier de la réalité de l'univers fictif qu'il a créé dans sa révolution contre la Puissance. Il n'y a pas de chef-d'œuvre romanesque qui ne soit pas une révolution.

Le « jouir » artistique tient évidemment une place déterminante dans cette possession, cette séduction du lecteur par l'œuvre : il réduit sa capacité de défense, diminue sa résistance, lui ferme les yeux, finit par obtenir sa complicité. Ce « jouir » du lecteur procuré et partagé n'intervient là que subsidiairement, comme un moyen, car le véritable

« jouir », en dehors de celui, déjà prodigieusement satisfaisant, que procure la création, la lutte en elle-même pour une réalité autre, est celui que procure l'œuvre accomplie lorsque le lecteur vient lui faire sa soumission et lui apporte son témoignage d'authenticité. Le romancier de vocation obéit à une compulsion, il ne travaille pas pour le lecteur dont il n'a besoin que comme d'une prise qui vient témoigner par sa libération de l'empire de l'œuvre sur la Puissance. L'œuvre n'est donc pas un don délibéré, elle est même, dans ce qui la fait naître, exactement le contraire : une prise et une emprise. Le « jouir » de l'autre n'est pas recherché en soi : ce jouir partagé est à la fois un moyen de possession et une plus-value. L'enjeu est celui que disputent à la Puissance toutes les civilisations. Qu'on ne vienne donc pas nous ânonner quelque bla-bla-bla nietzschéen : la lutte contre la Puissance est la vocation unique de l'homme, c'est une volonté de nous libérer de la préhistoire que reflète, assume et signifie ainsi le roman. Le moralisme ne peut être introduit ici qu'au nom d'une éthique strictement individualiste, celle qui ne s'occupe que de l'individu, de son « for intérieur », de son rapport pur ou blâmable avec lui-même, celle qui fait passer l'impératif des valeurs éthiques avant ce qu'elles sont censées servir, et qui exagère hors de tout souci du patrimoine collectif le rôle de l'individu-auteur : car tout ici, encore une fois, parle de la culture, de ce qui va vers elle et la nourrit, et le psychisme individuel et ses mobiles personnels intimes, conscients ou non, ne nous intéressent là qu'au point de vue zoologique, autant et aussi peu que celui d'une abeille. Ce n'est pas la nature du romancier qui devrait être jugée là selon un critère moral : la seule question que la morale peut poser ici est celle de savoir si ses malformations ou monstruosités intérieures, son cynisme réel ou apparent, sa manie obsessionnelle, qu'on les qualifie d'aberration ou de génie, apportent quelque chose aux hommes, à leur progrès matériel, à leur développement éthique, *à leur bonheur*. Personne, à ma connaissance, n'a demandé à Leonardo s'il avait fait du visage de l'adolescent qui partageait son lit, celui de la Joconde ; personne n'a demandé à Bellini, avant de juger son œuvre, si le corps et la figure de ses Vierges étaient ceux de sa servante-maîtresse. Que Villon ait été pendu, que Dostoïevsky se vantât à Tourgueniev d'avoir violé une petite fille, que Toulouse-Lautrec cherchât son inspiration au bordel et Verlaine dans l'absinthe ne saurait constituer un critère éthique ou autre de ce qu'ils ont accompli. La culture ne demande des comptes qu'à l'œuvre et pas au secret honteux ou non qui l'a inspirée.

Le lecteur est le représentant de la censure qu'exerce sur le monde de la fiction le monde de la réalité. Lui seul peut témoigner au romancier de l'échec ou de la réussite de son entreprise de libération et de soumission. L'adhésion du lecteur témoigne de l'autorité de l'œuvre, de l'authenticité-existence de la réalité romanesque. C'est exactement le contraire d'une collaboration : c'est un passage inquiétant et redouté, parfois même haï, devant la censure de la réalité. Si l'on veut parler ici de collaboration, ce serait alors celle de la victime d'un abus de confiance avec l'escroc, lequel endort le soupçon en utilisant le monde de la victime et les papiers d'identité qu'il lui a dérobés comme preuve de sa bonne foi. Ainsi, le lecteur confirme au romancier l'autorité et le pouvoir de l'univers fictif qu'il a créé dans son effort pour se libérer de la Puissance d'une réalité qui l'assujettit, dont il redoute ou ne connaît pas le maître. Réaffirmons qu'il signifie ainsi, mime et incarne l'aspiration la plus authentique de l'homme. Rappelons enfin que le lecteur ne rentre pas ensuite dans l'Ordre, c'est-à-dire dans la réalité, assouvi et apaisé, consolé, réconcilié avec sa situation, mais au contraire le regard changé, la conscience avivée et « réactivée », inspiré et encouragé à la rébellion et à la lutte par cette maîtrise révolutionnaire de l'art à manier la Puissance, à lui prendre et à pétrir à sa guise son monde, cette victime soumise, ce matériau, et ainsi creusé d'une insatisfaction, d'une frustration plus grandes encore qui créent les conditions mêmes du dynamisme par aspiration, du changement et du progrès. *Le rapport devient ainsi inversé : c'est l'œuvre d'art, maintenant, qui exerce la censure sur la réalité, par l'intermédiaire du lecteur dont elle a obtenu le ralliement.* Ainsi, le lecteur retourne dans son habitat naturel plus conscient de sa situation, de la dictature inconditionnelle qu'exerce sur lui la Puissance, plus acharné à réduire son emprise, à découvrir ce qui peut l'aider à s'organiser pour lutter contre elle, à la refouler et à se substituer peu à peu à elle dans ses rapports mortels avec la réalité.

Notre Valet ne sert que le Roman et il est ainsi, malgré lui et quoi qu'il fasse, quels que soient son nihilisme ou sa misanthropie, son cynisme ou son indifférence, au service du bonheur des hommes par toutes les fibres de sa nature véritable; il ne choisit pas de servir les autres, bien qu'il le croie parfois sincèrement, en raison de l'importance même qu'il accorde à ce qu'il fait et aime par-dessus tout; mais en faire une question de morale, de vertu, de cynisme ou de pureté ne peut relever que d'une terreur individualiste. Cela revient aussi à s'occuper davantage de clinique, des accessoires du magasin psychanalytique que du résultat d'abord culturel et ensuite social de cette « monstruosité », de cette « manie », laquelle n'est en fin de compte que le plus vieux rêve de l'humanité. Les objections de conscience et les sommations à la justification d'être sont du reste une perversion du même rêve, de ce même désir qui n'ose pas dire son nom, vit d'expédients, tout comme l'Histoire et comme le créateur lui-même, mais se voile pudiquement la face devant le romancier qui « joue Dieu », chaque fois qu'on pose la question : « que peut faire la littérature? », et quand on se met aussitôt à parler du roman pour élaborer un « doit », un « ne doit pas », on oublie ce fait élémentaire et pourtant décisif que le romancier de vocation *ne peut pas ne pas écrire*, et qu'il ne peut écrire que ce qu'il est, et à partir de là, quelle question peut-on lui poser? Tout, alors, devient cruauté envers l'animal.

L'erreur paradoxale du marxisme est de croire, fort justement, que le milieu social contribue à déterminer l'homme, et de formuler en même temps des exigences envers le romancier au lieu de les adresser uniquement à lui-même, car il est alors totalement absurde et anti-marxiste de dicter au créateur une directive quelconque : on ne peut écrire que ce qu'on est, et si la société ne retrouve pas son bien dans ce que vous êtes, c'est-à-dire dans ce qu'elle a fait de vous et dans ce que vous écrivez, c'est qu'elle vous a mal formé, ou malformé et qu'elle n'est pas ce qu'elle se croyait. Le réalisme et la réalisation de l'homme incombent aux sociétés engendrées par la culture, et lorsque les œuvres réfléchissent le « ce que je suis et ne veux plus être » du romancier, lorsqu'elles n'y trouvent pas leur compte, c'est à elles-mêmes qu'elles devraient adresser leurs directives, en remerciant le roman de leur avoir fourni ce renseignement involontaire sur elles, leur permettant ainsi de mieux s'orienter et de se « réviser ». Une société qui adresse des directives à l'art ne le fait plus en son propre nom mais au nom de la Puissance, une Puissance autre qu'elle-même, à laquelle elle est asservie. Elle cesse de *se* servir.

Lorsque la compulsion créatrice existe, ce que le romancier utilise pour la libérer, ce qu'il sert ou feint de servir, ce qu'il est ou n'est pas passe au magasin d'accessoires : c'est une question qui pose toujours, finalement, celle de la censure et qui y mène fatalement. Censure policière, censure moraliste, censure psychanalytique : toutes visent le même but, qui est de défendre la Puissance du Père, son autorité. La morale de Savonarole, perpétuée par la bourgeoisie, singée par le marxisme nous a infectés de ce pus de culpabilité que l'on est censé éprouver dès qu'on cesse de servir, dès qu'on se livre à son vice, c'est-à-dire à son art, et nous pousse à nous justifier perpétuellement aux yeux de tous, à commencer souvent par nous-mêmes, et les poètes en savent long, eux qui sont les plus difficiles à posséder et à réduire, et les plus « inutiles » — « A quoi bon les poètes? » se demande Gœbbels-Heidegger — eux qui ne cessent de se faire traiter de « poètes », avec quels sourires tantôt méprisants, tantôt indulgents! Si je parle, ici, avec tant d'exaspération et de regret de Sartre, c'est que je n'arrive pas à concevoir comment un des témoins les plus intelligents et les plus significatifs de ce temps, continuellement aux aguets, et qui ne cesse de se réclamer du progrès et de la conscience, c'est-à-dire de la culture, puisse se prêter avec un tel empressement à la perpétuation de l'obscurantisme médiéval. Mais, en fait, il ne serait justement pas significatif, ce témoin, s'il ne trichait pas, ne mentait pas, ne pirouettait pas, s'il n'incarnait pas, dans ses rapports avec le roman, une des aberrations les plus réactionnaires, les plus viles mais parmi les plus typiques de ce temps. Sa vocation semble être de subir.

Qu'on n'imagine pas que je défends dans ces pages quelque sublime autorité, priorité ou supériorité absolues du romancier, que je ne lui connais pas, que je ne lui reconnais pas lorsqu'il s'agit de l'ordre des valeurs immédiat et quotidien du monde où vivent et luttent les hommes. Je ne lui reconnais aucune obligation, aucune autorité, aucune autre priorité, *dans l'œuvre*, ce qui est tout autre chose. Je reconnais, au contraire, un ordre de priorité immédiat dans lequel Sganarelle tient une place très modeste. Il existe des valeurs pour lesquelles je suis prêt à me faire fusiller — on a essayé — mais je n'accepte pas que ces mêmes valeurs me commandent de les servir en tant que romancier : je me ferais plutôt fusiller. Du reste, se soumettre serait les trahir. Dès que les valeurs commencent à exiger, à commander, elles posent immédiatement la question de leur authenticité et exigent leur révision : elles se remettent elles-mêmes en question. Elles commencent alors à représenter la Puissance, et à vouloir imposer leur Cérémonial qu'il convient de combattre aussitôt. Résumons : je suis prêt à me faire tuer pour une société qui assure aux hommes un partage juste de la culture, c'est-à-dire d'abord la justice tout court, mais je me ferais plutôt tuer que d'écrire uniquement selon ses directives, car dès que la question est posée, il ne peut s'agir que d'une seule réponse : la remise à l'épreuve des valeurs durcies et pétrifiées, puisqu'elles exigent la soumission. Il se pose d'ailleurs, en dehors de toute liberté de penser ou d'écrire, une simple et saine horreur d'être emmerdé inutilement, mère de toutes les sagesses. Est-ce assez clair ? Est-ce assez « scandaleux » ? Est-ce assez « cynique » ? N'est-ce pas là un outrage à « la vallée de larmes », à « tout ce qui souffre », à la « condition humaine », cette notion pénétrée de plaies suppurantes et de ténèbres d'une convention pervertie et perpétuée par ceux qui s'étaient levés victorieusement contre elle, une perversion qui ne garde du Christ que les épines, la croix et les clous, et qui est devenue la pire convention littéraire de l'homme, celle qui met complètement à l'écart l'expérience la plus communément ressentie de l'être, de la vie ?

Sans aucune hésitation, reconnaissant l'ordre des priorités, j'accepte dans un état d'urgence de renoncer à publier, de renoncer à être lu : mais je n'accepte pas qu'on me dise quoi et comment écrire. Le partage de la culture est, si l'on introduit abusivement le temps immédiat, individuel, c'est-à-dire, le malthusianisme culturel par la suppression continue de l'expression artistique ou littéraire, plus important que la contribution même d'un Tolstoï à la culture, et ce partage exige en premier lieu des conditions de bien-être matériel et d'éducation qui ouvrent des perspectives culturelles infiniment plus grandes et plus fécondes que l'apport d'un Tolstoï, d'un Stendhal, d'un Dostoïevsky, ou de tous les trois. L'Océan culturel ne connaît pas de « trou » : l'absence de quelques chefs-d'œuvre n'y est pas reconnaissable. La Russie et la Chine ont tenté quelque chose de plus important que l'apport artistique d'une ou deux générations littéraires, qu'elles échouent ou non. Il est totalement démentiel de vouloir les condamner au nom

de la seule Sainte Littérature. La culture viendra les interpeller : si elles continuent à se prendre pour elle, la question qui se posera ne sera vraiment pas celle du roman.
J'ignore complètement quelle est la société qui produirait
Guerre et Paix, et quelle est la société qui rendrait cette création impossible; on peut même supposer que ce que la directive
du réalisme socialiste exige de Sganarelle, ce n'est pas l'obéis-
sance : c'est le génie. Le génie de l'imposture, le génie du
roman. La question de savoir si les sociétés dites marxistes
continueront à vénérer les dépouilles des sociétés bourgeoises dans leur attitude envers l'art est une question qui
ne m'intéresse que modérément parce que je ne vis pas
dans une société marxiste. Ce qui menace le personnage
et le roman d'arrêt, de catastrophe ou de destruction, ce
ne sont pas les idéologies : c'est le pourrissement intérieur
des idéologies élaborées en Cérémonial abstrait, en absolu
sans marge, dont la carapace éthique et militaire se durcit
d'autant plus que la vérité intérieure intronisée disparaît
dans l'abstraction et le formalisme et pourrit davantage.
La bombe à hydrogène devient ainsi une péripétie du roman
picaresque que le personnage ne peut éviter d'aborder.

Le deuxième volume de *Frère Océan* sera donc pornographique : plus exactement, il traitera de la pornographie.
Sartre a fort bien expliqué pourquoi on ne peut pas parler
de la bombe directement. A ses arguments, j'ajouterai ceci :
d'abord, un excès de sérieux est emmerdant, et puis, le
sérieux de Barbusse, de Remarque et de tous les romans
contre la guerre, on a vu ce que cela a donné. Il n'y a pas
de roman capable de changer le monde : seule l'action
de la culture peut obtenir et obtient toujours, par le progrès
ou par les révolutions, ce résultat. Je m'attaque simplement
à une Puissance qui menace le Roman et je la saisis comme
source d'inspiration.

Le deuxième volume sera donc pornographique. (En
écrivant les mots « deuxième volume », je m'aperçois que
je n'ai pas encore expliqué au lecteur assez curieux pour

me suivre jusque-là dans ma recherche, pourquoi *Frère Océan* aura trois volumes. C'est pourtant évident. Ne manquons pas de faire plaisir aux « pornographes » du freudisme, à ceux qui n'hésitent devant aucune « position » de la pensée. Faisons plaisir à ces jouisseurs. Je pense que, par exemple, le docteur Lacan en France et le professeur Fromm en Amérique m'applaudiront lorsque je révélerai ici le secret de ce besoin de Trinité si profond et persistant chez l'homme : *c'est le complexe de castration qui joue.* Étonnés ? C'est que vous n'avez pas assez pratiqué les disciples du Maître. Mais si, voyons, mais si : je rêve, sans trop savoir pourquoi, de *trois* volumes à mon roman, parce que je suis secrètement obsédé par le désir de posséder *trois* testicules, c'est-à-dire d'en avoir un de rechange au cas où j'en laisserais un sur le tapis.

Je vais traiter de la bombe à hydrogène par le biais de la pornographie sexuelle parce que cette époque très éclairée continue à faire de la pornographie et de la perversion une notion exclusivement confinée dans le domaine de la sexualité. Qu'il y ait une pornographie de la science, de la pensée conceptuelle, de la logique, de l'idéologie ne nous vient pas à l'esprit. N'est pornographique, c'est-à-dire inacceptable pour la morale, que ce que vous faites avec votre cul. Voilà. Montrer « ça » en public est une obscénité, faire « ça » en public, un immondice pornographique, « penser » la bombe, la destruction du monde, l'organiser, la préparer, ne l'est absolument pas, du moment que vous ne vous déculottez pas. Une putain est méprisable parce qu'elle vend son truc, le savant qui fait la même chose, le truc étant son cerveau, et le risque, la destruction de cent millions d'hommes, n'est pas une prostituée. Je n'y peux rien : c'est comme ça. Mais puisqu'on se refuse à penser à la pornographie autrement qu'en images et termes sexuels, je vais faire ceci : mes personnages vont mimer, exprimer la bombe en termes de pornographie sexuelle, conventionnelle. Il y a là des possibilités tout à fait intéressantes et dont mon cœur de *picaro* se réjouit déjà.

LX

Les romanciers et les valeurs. — Il n'y a qu'une valeur qui compte, et c'est toujours la même : tout le reste est littérature. — Où l'on voit le monstre dans toute son horreur. — Sganarelle-Don Juan. — Que peut la littérature, ou Sganarelle s'enrôle dans la brigade des mœurs. — Le poème empoisonné et la masturbation. — Le paternalisme de Sartre ou l'ouvrier mineur à part entière. — Le transfert de compétence : où l'on voit Sganarelle fonder un parti politique et même s'y rallier. — Encore la séduction. — Lénine avait-il raison de se méfier de notre bonhomme ?

Lorsqu'on se penche sur le passé de l'art on est frappé de constater avec quel engouement ou quelle indifférence les romanciers, poètes et peintres acceptaient ou saisissaient les thèmes du jour pour les atteler à leur œuvre en faisant mine de les chanter, glorifier ou célébrer ; l'amour pur, la religion, l'âme, les sentiments nobles, le succès dans le monde, la patrie, le fraternalisme, le progrès, chacun, si on se fiait aux apparences, semble bérangériser sur n'importe quel thème en cour ou en cours à qui mieux mieux. Il suffit de prendre l'œuvre de n'importe quel génie romanesque pour constater que le souci d'originalité ne semble jamais peser dans le choix ou l'acceptation des valeurs, encore moins dans l'élaboration des valeurs nouvelles. Tout se passe parfois comme si

432

on prenait ce qu'on ne peut éviter de prendre, ou ce qui convient le mieux à *la conception du roman* que se fait le romancier. Tantôt c'est le public qui commande totalement — Dickens — tantôt la convention du jour — aussi bien dans *Anna Karénine* que dans *Guerre et Paix*, tout est « louable », l' « erreur » d'Anna est expiée — tantôt la rancune de l'auteur, hors de toute préoccupation d'une « poursuite » quelconque de « valeurs authentiques », se traduit par un véritable règlement de comptes personnel et donne une œuvre géniale — l'impuissance du vieux Cervantes pauvre et ayant tout raté, le mène à se venger par une attaque moqueuse de la Puissance du monde, de ce qu'on aime, de ce qu'on hait comme de ce qu'on est, de ce en quoi on a cru et peut-être croit encore, de ses propres illusions, comme des valeurs offertes au respect universel, Don Quichotte et Sancho étant mis dans le même panier et couverts de même dérision, par simple chagrin personnel et besoin dénué de tout scrupule d'élever l'œuvre vengeresse au-dessus de toute autre Puissance rivale, cependant qu'on fait mine de se rallier, en fin de parcours romanesque, aux « valeurs » bafouées, dans une pieuse grimace de soumission qui est un véritable rictus de haine, d'ironie et de mépris. De quelle autre « valeur authentique » peut-on parler ici, si ce n'est de celle de l'œuvre au service de rien d'autre que de sa propre supériorité ? Chez Swift, la vengeance personnelle contre tout et tous est encore plus noire, plus extrémiste, meurtrière et quasi monstrueuse : c'est un Céline bien mis. Acceptation, soumission, choix, dans tous ces cas, il est vraiment difficile de ne pas sentir que les « valeurs » jouent un rôle d'expédients, de « moyens de faire », que le romancier est capable de s'arranger avec n'importe quoi dans sa certitude de pouvoir toujours réduire et transcender dans son œuvre la Puissance de ce avec quoi on fait mine de s'arranger, qu'il se sent capable de faire sa cuisine avec n'importe quelle « valeur », *pourvu qu'on lui permette de faire passer le reste.* L'amoralisme fondamental d'une telle position n'est ni cynisme, ni préméditation, et il est

433

rarement avoué ou même conscient de lui-même : il découle de la nature prioritaire, tyrannique et obsessionnelle « à part entière » de l'obsession romanesque, et de la mise en minorité inévitable et impitoyable de toute sincérité autre qu'artistique par les conditions mêmes de travail, de composition, d'écriture, de technique, dont l'aspect acharné est en lui-même trop dominant et exige trop de concentration sur lui-même pour laisser, dans cette possession totale du romancier par son labeur, une place dominante à ce que de toute façon il cherche à dominer. On peut affirmer que les chefs-d'œuvre romanesques ne sont pas plus à la merci de leurs sujets que des valeurs qu'ils utilisent : les sujets choisis ne font pas plus la grandeur de l'œuvre que les valeurs dont elle s'inspire ou ne s'inspire pas. Le romancier fait toujours passer une contrebande autre que la valeur qu'il déclare. Qu'il soit Tolstoï, Proust, Cervantes ou Dickens, aristocrate, homme du monde, aventurier ou bourgeois respectueux, le romancier se trouve ainsi toujours, plus ou moins consciemment, avec plus ou moins de remords ou d'absence de scrupules, face au monde et à ses valeurs, dans la situation type du picaro toujours prêt à saisir et à profiter de toute occasion qui se présente de s'enrichir — d'enrichir son œuvre — d'exploiter toute situation et toute valeur à son profit, *si bien que l'on peut dire que si la première grande explosion de la fiction en Occident fut le roman picaresque, c'est que ce fut une manifestation naturelle, spontanée, non inhibée et correspondant ouvertement et librement, sans aucun souci de justification d'être, à la nature profonde du Roman, de tout roman et de tout romancier.* C'est plus qu'une lutte avec la Puissance : une irréconciliable rivalité dans un but de domination, de possession, d'exploitation, d'utilisation et de profit, *les vaincus étant toujours le monde et l'auteur* — puisqu'il en fait, quoi qu'il fasse, partie — *et le vainqueur, l'œuvre.*

Il en résulte que « les vagues de conscience », le temps et la mémoire, la « psychologie » chez Proust jouent le même rôle que le communisme et la couleur locale chez Malraux, l'Espagne, la Chine, l'opium se mélangeant à l'idéologie pour servir le même but et de la même façon que l'argent, la haine, la famille chez Balzac, c'est-à-dire que la mer chez Conrad ou les idées chez Dostoïevsky, Gogol, Dickens, Céline et Shakespeare visent le même résultat, qui est la création d'un univers original, puissant, convaincant, envoûtant et irréfutable dans son existence, dans sa « vérité »; la source d'inspiration-valeur n'est jamais servie mais toujours utilisée et exploitée dans un but d'œuvre, seule valeur authentique dont se préoccupe le créateur : à des siècles de distance, Shakespeare et Balzac et Tolstoï et Malraux exploitent sans scrupules et sans critique toutes les couleurs du jour; le sang, la souffrance, l'espoir et le malheur des hommes sont pour eux une « source d'inspiration » au sens le plus terrible du mot. On conçoit que le puritanisme et le moralisme, l'objection de conscience et la « justification d'être » ne pouvaient manquer de venir fourrer leur museau dans cette affaire, en oubliant dans leur limpide et généreuse indignation que la culture exploite Sganarelle exactement comme celui-ci exploite la peine des hommes et que notre valet restitue donc au centuple à son Maître et à travers lui au monde ce qu'il ne leur a du reste jamais pris et que seule la sale vertu de « la vallée de larmes » petit-chrétienne, bourgeoise ou marxiste peut avoir l'imbécillité de condamner.

Ainsi, quelle que soit la valeur « servie », le roman rend au monde une valeur tout autre, et qui est sa propre valeur-puissance, la valeur-art du roman. Tout le reste est littérature, que ce soit le réalisme-socialiste, feu « l'engagement », la notion que le roman doit « dégager des valeurs nouvelles », toutes ces justifications d'être ne sont que figures de style, art pour art de la bondieuserie, formalisme, toute volonté de « faire servir » le roman ne pouvant être que jeu littéraire, flaubertisme de la réalité et dos tourné à la culture et au progrès. Les seuls romanciers qui « servent », qui acceptent une Puissance irrémédiable, qui se soumettent à elle et collaborent ainsi avec l'ennemi sont les romanciers totalitaires, ceux qui érigent un des aspects des rapports de l'homme avec le monde en totalité, en « essentiel », depuis Kafka : ils sont en effet forcés, par la nature même de leur entreprise et de leur volonté, de prouver, d'exalter, d'accentuer le caractère universel de ce « dominant » absolu, d'être les premiers à s'incliner devant lui, à se soumettre : s'il en était autrement, si leur roman était dominant, plus nourri, plus complexe, plus varié, plus complet, plus riche d'oppositions, de contradictions, de contrastes que leur définition exclusive, s'il la subordonnait et reflétait une plus grande, une infinie complexité, bref, *s'il était plus réaliste*, il serait en lui-même un démenti de sa propre vision et ambition, un démenti au caractère tout-puissant et essentiel, typique, unique et dominant attribué par l'auteur à la situation absolue et paralysée dans une unicité à laquelle, en lui subordonnant « la condition humaine », il est obligé de subordonner son mensonge. Le roman totalitaire ne peut être réaliste, quels que soient les airs techniques qu'il se donne, parce qu'il ne peut être réaliste de prétendre que le rapport de l'homme avec sa réalité peut être réduit à un seul aspect dominant, ce qui explique pourquoi un tel roman ne parle finalement que de la mort. Le roman totalitaire ne s'intéresse même pas au monde, il est entièrement intériorisé à un seul rapport défini comme essentiel de l'homme avec la réalité, ce qui interdit le réalisme ; le roman total est réaliste parce qu'il se nourrit de toute la variété, de toute la complexité de la vie qu'il ne cesse de poursuivre sans évidemment jamais parvenir à la posséder, à l'enfermer complètement, ce qui est caractéristique de la richesse de la vie et assure la pérennité, l'immortalité du roman, dans une poursuite sans fin concevable. Si Kafka était un romancier total et non un fils à la fois soumis et de Père inconnu, il infligerait lui-même à chaque pas un démenti à sa propre œuvre, il ne pourrait enfermer l'homme dans l'angoisse et l'incompréhension, il libérerait aussitôt dans et par son propre roman, le Christ de l'incompréhension de la croix à laquelle il l'a épinglé. Le roman totalitaire qui règne dans l'ombre du génie de Kafka et ne règne que sur l'ombre est, du reste, le moins « roman » concevable, il est plus poésie philosophique que roman, un « qu'ai-je fait, pourquoi cela m'arrive-t-il? » de désarroi historique sans cesse répété sur tous les tons, et finit dans le bellettrisme parce que « l'incompréhension » ne pouvait mener qu'à une empoignade avec le langage « traditionnel », ce pelé, ce galeux d'où vient tout le mal, c'est-à-dire, l'impossibilité de comprendre, dont on rend responsable l'instrument de la compréhension. On voudrait, au fond — n'est-ce pas, M. Barthes, M. Badiou? — demander au langage de créer le cerveau.

On voit donc pourquoi les rapports du chef-d'œuvre avec « les valeurs » prêtent tellement à malentendu, aux indignations, aux accusations ou à l'approbation par erreur : le romancier ne se préoccupe d'une manière authentique que d'une seule valeur, même lorsqu'il se préoccupe pieusement de toutes les autres. L'acceptation par Dickens des valeurs de la société victorienne, y compris de ses indignations, est pratiquement une façon qu'a le *picaro* d'aller chercher l'argent dans les poches de son protecteur de rencontre. On ne saurait même dire que Balzac accepte les valeurs de la société dont il se gave : il ne se pose même pas la question. Dostoïevsky court plus vite à reculons que le Tsar lui-même, dans une acceptation abjecte et exaltée du pope, de la sainteté de la Russie, de l'obscurantisme; Gogol est abasourdi, effrayé, détruit par la découverte surprenante que son œuvre est jugée comme une attaque au vitriol contre l'ordre établi qu'il vénère sincèrement, alors qu'il croyait faire seulement du roman et se laisser aller à son tempérament comique, à son sens et goût du grotesque sans la moindre intention « malveillante ». Proust, comme Balzac, comme Stendhal, comme tout le roman anglais, ne se pose aucune question : il jouit, il profite, il absorbe, il boit, il saisit, et l'idée d'une responsabilité quelconque dans ses rapports avec la société est le cadet de ses soucis. Flaubert, un monstre authentique, celui-là, attaque et foudroie les bourgeois, mais verbalement, si je puis dire, dans la gratuité absolue, par chic moral d'individu d'élite, d'individu- « Pléiade » à la Gobineau ; il attaque toujours le bourgeois hors du roman, en tant que « façon de penser bassement », c'est-à-dire par souci de style, de style de vie, mais sans jamais mettre en cause les fondements de sa société ou proposer, suggérer autre chose. Toute recherche de valeurs dans le roman, même lorsqu'elle constitue la trame même de l'œuvre, comme dans *Pères et Fils* de Tourgueniev, est une recherche de la valeur-roman, ce qui explique pourquoi l'œuvre continue à agir et à porter alors que son prétexte-valeur ne nous concerne plus.

Mais, justement, le reconnaître ouvertement, surtout aujourd'hui, c'est aller contre ce caractère même, commun à tous les grands romanciers, qui est précisément de faire mine d'accepter, ou d'accepter sincèrement, toutes les valeurs en cours pour se livrer tranquillement à sa passion essentielle, et comme, depuis cinquante ans, on lui demande plus que jamais « de montrer patte blanche », de produire sa « justification d'être », notre Sganarelle, toujours hanté, d'une part par l'opprobre des siècles, par sa bassesse de « menteur », de « fantaisiste », d' « inventeur », de « lunaire », et d'autre part, très tenté, pour la même raison, par cette offre de réhabilitation et d'importance sociale qui lui saute soudain dessus, toujours prêt, d'ailleurs, à bouffer au râtelier du jour pourvu qu'on lui permette de continuer, fut le premier à opiner du bonnet en 1965 lorsque Lucaks, en 1910, je crois, l'eut informé que le roman était « *une recherche de valeurs authentiques — au pluriel, si ma traduction est exacte — dans un monde dégradé* ». Le voilà rentré dans, et accueilli à bras ouverts par le « positif » et les intentions sociales louables, quitte à se ruer aussitôt sur ces « valeurs » dans le but de les « servir », c'est-à-dire, comme toujours pour leur faire les poches, tricher et exploiter au profit de son roman le cours des valeurs du jour, la liberté, le droit du peuple à... *et caetera*, le réalisme socialiste, le réalisme capitaliste, l' « engagement », l'impérialisme yankee, prêt, comme toujours, à laisser crever de faim sa femme et ses enfants et à se tuer lui-même pour faire un beau tableau, ne cessant jamais de vendre son âme dans l'espoir d'être payé par un chef-d'œuvre, ou n'y laissant que sa peau, comme Balzac et Gogol. Enfin pardonné, hautement vanté dans ses efforts louables en vue de libérer, vêtir et nourrir les peuples, social enfin jusqu'au trognon, enfin honnête homme, enfin légitimé, il se trouve pris au piège de cette « importance », c'est-à-dire tantôt bâillonné, tantôt fusillé, toujours cocu, toujours battu, tantôt enchaîné, tantôt utilisé, rentré dans l'Ordre moral d'extrême-gauche et d'extrême-droite, réduit à l'état de domestique à tout faire des « valeurs » et de leur bonne société, alors qu'il ne voulait que devenir Valet fidèle de son Maître unique, le Roman, ayant commencé par donner le change pour mieux le servir, mais finissant par prendre au sérieux son importance, la tête enflée, grosse comme ça, passant d'abord de la galerie aux premières loges pour se trouver soudain sans trop savoir comment, et complètement désorienté, au pupitre de chef d'orchestre de la réalité.

La première victime de ce transfert d'autorité, de puissance et de compétence, c'est évidemment la liberté de créer. Si Sganarelle exerce vraiment par son art une action réelle sur les situations sociales spécifiques, s'il peut, par son œuvre, pétrir la réalité « authentique » et lui donner des formes nouvelles, la société a toutes les raisons du monde de vouloir le contrôler. S'il veut sortir de son « indignité », se faire légitimer, la société a le droit de lui dicter son prix, de lui faire payer cher son tampon « lu et approuvé ». S'il peut influencer personnellement le cours de l'Histoire, il est normal qu'il soit rigoureusement supervisé par ceux dont il n'a aucun droit privilégié de modifier le sort ou de mettre en péril la vie sans leur consentement. Sganarelle se trouve dans un méchant cas : il faut qu'il choisisse entre sa liberté et ses prétentions, entre son authenticité véritable et son « rôle social ». Il se trouve aujourd'hui dans la situation comique type où, après avoir volé les vêtements de Don Juan, il est pris pour lui, et le voilà forcé d'avouer son imposture, ou de payer pour les péchés du *burlador*. Le roman paye le prix : ou bien c'est la soumission plate, Sganarelle cirant dans son « œuvre » de domestique les bottes des valeurs en cours pour faire reluire la beauté de la « réalité socialiste », ou bien, en Occident, incapable d'honorer cette « justification d'être », de résoudre quoi que ce soit, de dégager des « valeurs authentiques nouvelles », de renverser de Gaulle ou d'unifier la gauche, de tirer la « Solution » de ses profondeurs, il ne lui reste plus qu'à coiffer le chapeau étoilé de Nostradamus et à se réfugier dans le mystère, dans les airs significatifs sans signification, ce qui nous vaut ce roman « blanc » auquel on peut tout vouloir faire dire, dans l'hermétisme du dépit, et dans l' « originalité » de l'informel, de l'informe et de l'informulé, que des voix de ventriloques complices viendront ensuite faire parler, ces voix elles-mêmes ne faisant le plus souvent qu'accentuer le mystère.

Voilà donc notre *picaro* proclamé Combattant Suprême, Guide de la Voirie, Père de la Désignation et du Choix, Grand Maître de l'Index Pointeur, Directeur des Consciences et va donc, eh! Conscience toi-même, Montreur de Vérités au Théâtre de la Mutualité, alors que, depuis qu'il existe, il ne faisait que séduire par son art, enchanter, dans les deux sens du mot, alors qu'il n'emportait la conviction que par ce qui dans son œuvre n'était ni démonstration, ni preuve, ni objectivité, ni fidélité, mais constante métamorphose, mais invention, imagination, transformation, détournement, transposition, subjectivisme, arrangement, préméditation et déformation dans un but d'art, un pouvoir de convaincre qui tirait le plus clair de son action d'un envoûtement, d'un mélange à ce point spécifique et inextricable de vérité et de mensonge qu'il n'était plus ni vérité ni mensonge, mais un tiers-monde, rendu vivant, présent et authentique par ce réalisme qui nous « fait croire » — voilà bien des mots qui avouent tout — aussi bien à Gil Blas, à Lady Macbeth qu'à Madame Bovary. C'est ainsi que Sganarelle passait avec armes et accessoires — qu'il se gardait bien, comme tous les illusionnistes, de montrer au public — du réalisme à la réalité et faisait de sa voix convaincante à la Callas celle de l'administrateur, de l'ordonnateur et du directeur de tous les théâtres de *ce* monde.

Les numéros de corde raide et de trapèze volant, les acrobaties et tours de passe-passe qu'exécutent sur le thème « Que peut la littérature? » aussi bien la brigade des mœurs de M. Frey que Sartre et consorts, sont parmi les plus sinistres plaisanteries de ce temps. J'ai à peine besoin de dire que Sartre a là exactement les mêmes « idées » que les « protecteurs de la jeunesse » du Quai des Orfèvres. Lorsque le père de *La Nausée* va bondieuser à un Congrès de Moscou sur la nécessité de protéger « l'ouvrier », cet éternel mineur, contre le « poème empoisonné », pour l'empêcher de compromettre sa santé morale et idéologique, nous avons là exactement la même « protection » que celle que nous accorde M. le Ministre de l'Intérieur lorsqu'il fait saisir un quelconque ouvrage « empoisonné » susceptible d'induire la jeunesse à gaspiller la substance dont le pays a besoin et à compromettre sa santé morale et physique en compagnie de la veuve Poignet. J'informe Sartre, comme M. Frey, qu'une enquête récente des spécialistes prouve que la jeunesse des écoles, lorsqu'elle se livre sur elle-même à ces excès de pouvoir, ferme presque toujours les yeux, n'a besoin d'aucune aide audio-visuelle, est en général couchée dans le noir et ne fait appel ni à des souvenirs de lecture, ni de cinéma, ni à des magazines « porno », mais uniquement à ses ressources intérieures débordantes, auxquelles vient s'ajouter parfois l'image des fesses de Tante Sophie. Les médecins ajoutent que ce qu'il peut y avoir de nuisible, de fatigant dans la masturbation, ce sont justement les efforts d'imagination, et que les images pornographiques épargnent ces abus « cérébraux », ce qui les rendrait donc plutôt recommandables. Du reste, avant de faire saisir les « poèmes empoisonnés », M. le Ministre de l'Intérieur devrait faire saisir les dessous appétissants dans les vitrines, les mannequins de cire, les bâtons de rouge à lèvres des dames qui imitent à s'y tromper le phallus de chien en rut que je m'étonne de voir mettre entre les mains de nos vraies jeunes filles ; il devrait saisir aussi le printemps, empêcher le balancement des hanches, les nénés bourgeonnant sous pull-over, les talons hauts, les bâtons blancs des agents de la circulation qui scandalisent depuis longtemps les femmes honnêtes par leur forme suggestive et leur fière dimension, ainsi qu'interdire les voitures Ford du modèle Edsel, dont l'avant offre une image ouverte de l'organe féminin : je suis sûr qu'il pourra nous dire que des jeunes gens ont été tués par ces voitures alors qu'ils étaient mesmérisés. Il faudrait quand même qu'en 1965, après des siècles d'imbécillités sur les « poisons » littéraires, quelque vague rayon de bon sens vienne nous tirer de la plus vieille perversion d'une vertu des obsédés. Sade ne peut toucher que des sadiques, lesquels le trouveront du reste trop « cérébral » — sait-on que ce « monstre » nommé procureur par la Révolution, refusait de signer les arrêts de mort ? — l'adolescent qui se masturbe n'a littéralement besoin de personne, ni de *Lui*, ni d'elle ; le poème « empoisonné » — ah, les salauds ! — contre lequel Sartre veut protéger les ouvriers « impubères », afin d'empêcher que cette pernicieuse lecture ne les mène au dévergondage et au vice idéologique, ces ouvriers mineurs à part éternelle, il faut vraiment que leur frustration, leur insatisfaction, leur « besoin », leur « envie » soient bien puissants pour que le malheureux poème se mette à jouer le même rôle provocant que la vue d'une paire de bas noirs chez un adolescent frappé de privation. Ce que Sganarelle « protège » alors contre le « poison », ce n'est pas l'ouvrier, c'est le régime, c'est-à-dire peut-être le poison. Dire que Sartre « corrompt les esprits », « égare la jeunesse en semant la confusion », bref, que c'est un « empoisonneur », c'est dire que Gide pouvait convertir à la pédérastie les égarés qui aiment les femmes. La crétinerie des « œuvres empoisonnées » est totale, absolue et, de toute façon, — l'Église le savait fort bien et le sait souvent encore, — l'art a un rapport si étroit avec la jouissance qu'il ne sera jamais réconciliable avec la vertu des punaises de toutes les sacristies. Si Schopenhauer a « poussé » des jeunes gens au suicide, c'est que les ambulances qui roulent au secours des blessés et des malades tuent aussi des passants, mais, dans le cas de ce philosophe et de toutes les « accusations » analogues, c'est même encore plus dépourvu de sens : la « roulette russe » n'a attendu ni Schopenhauer ni l'existentialisme, mais une imbécillité qui se passe de collaborateurs. Il n'est pas d'œuvre qui ait « tué », « détruit », « fait perdre la raison », « perverti » : l'étudiant qui s'est fait sauter la cervelle parce qu'il ne pouvait plus vivre sans savoir ce que cachait le sourire « mystérieux » de la Joconde, voilà le « poème empoisonné » du Révérend Père Sartre. C'est, du reste, presque toujours hors de son œuvre, mais en utilisant le prestige qu'elle lui confère, transformant son génie littéraire ou artistique en « rayonnement » spirituel personnel à la Tolstoï en fin de parcours, que Sganarelle réussit le mieux son coup de « corrupteur » ou « d'inspirateur », selon le point de vue auquel on se place; j'y reviendrai, mais je dis tout de suite qu'il n'y a là qu'un phénomène marginal dans ses effets, de l'ordre de la séduction, finissant plus souvent dans les revues littéraires ou au lit qu'aux abattoirs. C'est hors de son œuvre, mais monté sur elle, que notre Valet sévit avec une autorité qui tire sa source de ce qui lui donne le moins d'autorité lorsqu'il s'agit de la seule réalité : l'imagination, une vision personnelle particulière, c'est-à-dire *à part*, l'art de déformer dans un but d'art, d'inventer, d'arranger, d'éclairer, de tirer des effets, de viser un but qui n'est pas celui de vivre et cela sans aucun scrupule d'objectivité, tous les moyens *artistiques* mis en œuvre étant valables, un charlatanisme qui est entièrement justifié par la réussite de l'œuvre d'art, par le pouvoir qu'a la chose créée de faire croire en son existence, et par le chemin qu'elle prend ensuite, celui de la culture. Mais en quoi, messieurs, cela vous conférerait-il un *jugement sûr*, la mesure, la rigueur dépourvue de toute coloration, de toute inclinaison, de déformation dans la recherche d'un effet, en quoi le génie qui mena Sartre à *La Chambre*, ce chef-d'œuvre étonnant, une des plus émouvantes créations inspirées par la folie, ou *L'Être et le Néant*, ou *La Nausée* donnent-ils une caution réaliste aux rapports de leurs auteurs avec la réalité ? Certes, il peut se dépouiller de sa vision unique lorsqu'il affronte le monde quotidien, changer de regard, aborder autrement, mais peut-il vraiment sortir de sa singularité ? Et même s'il y parvient, lorsqu'il laisse ainsi de côté la particularité de son génie, il ne peut plus se réclamer à la tribune de l'autorité et du prestige que lui confère son œuvre, il ne saurait prétendre à une autorité plus grande que celle de n'importe quel citoyen, plutôt moindre, même, parce que l'habitude de surcharger, de « pousser » par souci d'effet, d'arranger, de dramatiser, de « mettre en scène » finit quand même par devenir sa véritable nature, surtout lorsque la vocation est puissante, et qu'il serait donc obligé de rompre avec ce qu'il y a en lui de plus profond et de plus authentique pour ne pas céder à la déformation professionnelle.

L'abus de conscience est chez le romancier un mécanisme fécond de mobilisation de ses moyens artistiques, il est à la source du poème, c'est un déclenchement recherché et exagéré à partir de ce qu'on éprouve vraiment, ou qu'on provoque délibérément, mais que le génie fait vibrer d'une tout autre intensité que celle du « ressenti » authentique. Transposez ce mécanisme dans le domaine idéologique, social, politique, et l'abus de conscience devient abus de confiance. Irritant, certes, charlatanesque, frauduleux dans une bonne mesure, mais dangereux ? Il suffit d'étudier les statistiques de la « décision » pour voir que notre camelot ne joue qu'un rôle insignifiant dans l'achat de l'article. Il ne sort pas de la marge et il n'agit que marginalement, et sur des terrains préparés d'avance. Sartre a beau se rapprocher, puis se « désapprocher » du parti communiste, affirmer, après Budapest, qu'il ne serrera plus jamais la main d'un communiste, puis serrer tout, le « désarroi » qu'il cause, le « mal » ou le « bien » qu'il fait au communisme est à peu près celui que leur ferait le Petit Poucet. Qu'il le veuille ou non, il travaille uniquement à son personnage, à son théâtre, et lorsqu'il refuse d'aller « dialoguer » avec les Américains *because* Vietnam et les 80 % de voix aux États-Unis qui approuvent cette sale guerre, il semble bien prouver que le peu de « bien » qu'il pourrait faire là-bas est hors de proportion avec l'approbation que ce geste lui vaut auprès de son public habituel, lequel est déjà convaincu. Alors, ce n'est même plus un geste contre la guerre au Vietnam : c'est un petit signe de la main aux amis. On observe ces attitudes, ces positions, ces situations; elles stimulent, elles intéressent, elles tiennent l'attention, mais quant à venir nous dire qu'elles exercent une influence réelle, qu'il s'agit là d'un « danger », ou d'une « contribution », autant interdire les merveilleuses marionnettes russes aux Parisiens sous prétexte que ce grand art risque de rallier les foules à leur patrie communiste. Et Drieu La Rochelle ? Ah non, il n'a pas « entraîné » la jeunesse chez Hitler : la jeunesse fasciste l'a entraîné avec elle, et puis même pas : ils ne faisaient qu'un. Céline a-t-il fait tuer des Juifs ? Non : il justifiait la chasse aux « youtres » pour renouer avec la « féerie », pour se montrer « social », « positif », pour prouver qu'il ne pensait pas du tout que tout et tous étaient de la merde, qu'il savait faire des *distinguo*, et qu'il y avait tout de même, putain! de belles choses dans la vie auxquelles il croyait. Qu'il y eût quelques « victimes » dans ces séductions, c'est fort probable, mais pour qu'on puisse parler sérieusement de la « responsabilité » de Sartre, de Céline, de Malraux ou de Drieu, il faut tout de même autre chose que quelques cocus de vocation à la recherche d'une paire de cornes. Si Schopenhauer a « causé » vingt suicides, si Malraux a donné cinquante membres au Parti, si Sartre a « dépolitisé » cinq cents étudiants à force de pirouettes, autant raser Notre-Dame ou la tour Eiffel en raison des facilités qu'elles offrent aux candidats au suicide, supprimer le métro pour la même raison, interdire l'automobile à cause des accidents et j'invite même M. le Ministre de l'Intérieur à interdire l'usage des radiateurs de chauffage central dans les appartements : un interne à l'hôpital Cochin que je suis prêt à lui faire rencontrer, si cela l'intéresse, a soigné un cas de brûlure chez un gosse qui avait introduit sa verge entre les tubes du radiateur dans un but précis et, l'objet ayant grandi, ne pouvait plus le retirer sans se couper et se brûler. Qu'on puisse nous parler, en 1965, du péril de la « pornographie » et de « poème empoisonné », voilà qui prouve bien l'impuissance non seulement des œuvres d'art mais même celle de l'imbécillité, puisque le poème et la lutte continuent, après des siècles de censure : j'affirme que si on exhibait le derrière charmant de Mlle Bardot à la télévision, la masturbation enregistrerait une hausse aussi insignifiante que l'opposition à de Gaulle après une apparition de Sartre à la même place.

Il va sans dire que ce qui m'intéresse dans tout cela, ce sont les possibilités romanesques : j'adore ce personnage de Sganarelle-Don Juan, cette façon qu'il a de chercher à « légitimer », à « revaloriser » sa situation dans la littérature, depuis que les punaises des « valeurs » bourgeoises et aujourd'hui celles des sacristies petit-marxistes le somment de se trouver une justification d'être et qu'il se rue en avant pour jouer les utilités. Son transfert de compétence est d'une rare effronterie : séduisant toujours par son talent, par la beauté, la grandeur, la puissance de son œuvre, et par le prestige qu'elle lui confère, par le pouvoir d'attraction de son art et de son nom, après des années de don-juanisme, voilà notre Sganarelle en train d'inviter le monde à rompre avec le roman au nom d'une abjection de conscience qui définit l'art, la joie, le roman comme une insulte à tout ce qui souffre, se forgeant ainsi, à bon compte, un piédestal schweitzeriste de beauté morale et de rayonnement spirituel, appelé à remplacer discrètement l'autre, lorsque le déclin de ses forces créatrices lui fait condamner le roman au nom de son état général : c'est Tolstoï à soixante-dix ans récusant la sexualité et ne cherchant plus à séduire que par la « spiritualité ». Et continuant encore à donner des concerts, avec un professionnalisme de virtuose dialectique, comme ces pianistes qui se réfugient dans la technique lorsque l'inspiration authentique les a quittés.

Sganarelle n'a « corrompu » ou « engagé » que des victimes : j'entends par ce terme une vocation. Mais toutes ces caracolades sans aller nulle part ont tout de même fini par donner au jemenfoutisme et à la dépolitisation une certaine apparence de réalisme, une trace de justification par l'écœurement, et il est difficile de nier que l'existentialisme, par exemple, a fini par mener plus de jeunes gens à l'abstention qu'à l'engagement, à *France-Dimanche* qu'à *L'Humanité*. Toutes ces « vacances », ces « disponibilités » et ces « engagements » ne pouvaient que mener au Club Méditerranée.

Il paraît que *La Condition Humaine* et *L'Espoir* avaient rallié des jeunes gens au parti communiste : peut-on prétendre que c'est le contenu marxiste du livre qui les avait convertis au marxisme ? Non : ils furent séduits par l'univers romanesque de Malraux. Le romancier les avait saisis par autre chose que son idéologie, mais vers quoi pouvaient-ils aller, si ce n'est à l'idéologie, la seule chose, dans cet univers fictif, qu'ils pouvaient *vivre ?* C'était un malentendu : *ils se ralliaient au roman*. Le seul ralliement valable, là, aurait été à la culture, c'est-à-dire à tout ce qui exigeait son partage, le partage de l'art et l'accessibilité du roman, ce qui suppose la justice sociale. A partir de là, et à partir de là seulement, ils pouvaient choisir le marxisme, ou le justicialisme pragmatique. Mais lorsque Malraux-romancier venait parler ensuite à la Mutualité de lutte révolutionnaire, il laissait derrière lui *sa* vérité, son authenticité, l'essentiel de sa légitimité. Lorsque les barricades de Budapest ou Guernica passent à travers le roman ou le tableau, elles ne saisissent plus le lecteur ou le spectateur en tant que situations historiques, mais par leur expression artistique et si les œuvres qui s'en inspirent obtiennent un ralliement idéologique, celui-ci a beau être en soi

447

valable, il est obtenu par séduction, et l'engagement qu'il recueille va en réalité à l'œuvre; c'est une abdication, ce n'est pas un choix, les cartes, les moyens de persuasion sont truqués. Il est hors de question, pour moi, de ne pas plonger tout ce que je peux saisir de l'Histoire dans mon roman, ou de ne pas interpréter mon temps comme il me convient : il est dit ici que l'engagement du lecteur, lorsqu'il est ainsi obtenu, ce qui est très rare, l'est toujours par une puissance, un pouvoir de convaincre qui n'est pas celui de l'idéologie et qui n'est pas *librement consenti*. Qu'on me pardonne l'expression, mais on est là toujours baisé. L'œuvre fera toujours des *victimes*, pas nécessairement au sens tragique du mot, et peut-être comblées, mais des victimes quand même, comme dans toute séduction : c'est une soumission après que les moyens de défense ont été diminués. Il y a là toute la différence entre celui qui se fait tuer pour défendre la Liberté, l'Égalité et la Fraternité et celui qui va se faire tuer parce qu'il a été enivré et exalté par la beauté de *la Marseillaise*. Ce n'est pas l'idéologie, chez Hitler, qui avait le pouvoir de convaincre et de mener : c'était Hitler, et la puissance contagieuse de sa folie. Sganarelle est maître de son orchestre intérieur et il n'y a ni œuvre, ni beauté empoisonnées : il suffit de mettre en balance *L'Espoir*, *La Condition Humaine*, avec ce qu'ils ont fait pour le parti communiste, *Les Possédés*, avec ce qu'ils ont accompli contre la liberté et le progrès, et ensuite avec ce qu'ils ont donné à la culture pour s'apercevoir qu'il n'y a là aucune commune mesure, que le poison ou la « valeur authentique » ne passent pas dans la société, qu'ils ne forment ou ne déforment personne, que le parti communiste se méfiait et se méfie comme de la peste des ralliés littéraires, qu'il n'y a tout simplement aucune commune mesure entre l'influence de l'œuvre sur des lecteurs individuels et sa contribution à la culture, et qu'interdire une œuvre d'art en raison de son contenu « dangereux » est une imbécillité. Et d'autant plus monstrueuse que si l'on accepte ce que je viens de dire pour Malraux ou Dostoïevsky, ce n'est précisément pas le contenu idéologique qui est en quoi que ce soit agissant en et par lui-même, mais justement et très exactement, ce qui n'est pas lui dans l'œuvre, c'est-à-dire une puissance, une valeur qui est l'art et qui n'a rien à voir avec le marxisme, le fascisme, le slavo-popisme, avec l'idéologie, et serait tout aussi « dangereuse » si elle appelait au meurtre sans raison, au suicide sans raison, et qui peut aussi bien mener à jeter les bombes au nom de la liberté qu'au nom de rien. Toute marchandise autre que lui-même que l'art prétend vendre n'est pas, n'est jamais ce qu'il vend vraiment.

Il est donc dit ici que lorsque le romancier préside à la tribune un débat idéologique, s'il le fait comme créateur, *il n'est pas là*. Ce n'est pas notre homme, c'est un imposteur : Sganarelle est là divorcé de sa vérité, de son authenticité, de ce qu'il est dans sa totalité. Il séduit au nom d'un autre, de *l'autre*. Il se dresse sur le piédestal d'une autorité usurpée. Il ment. Qu'il se mette dans la salle, dans les rangs et il a tous les droits. Là-haut, sur cette estrade, c'est un charlatan *authentique*. Il a laissé derrière lui ce qui fait son authenticité, sa totalité, son visage véritable, sa nature profonde, et il se dresse ainsi sur l'œuvre d'un autre pour parler en son nom avec une autorité privilégiée à laquelle il n'a nul droit.

La pratique de la fiction et du mythe, le conditionnement d'un psychisme par l'habitude de l'infinie variante littéraire, la recherche constante d'originalité, de retournement, de vision personnelle, ce que le style, la virtuosité de la forme peuvent conférer comme force frappante et convaincante à l'expression, font de Sganarelle, de tous les hommes aux prises avec le quotidien et le non-imaginaire, avec le non-original, avec le plus humble et le plus mortel, celui qui a peut-être le moins de vocation à se prononcer avec autorité sur ce qui a le moins d'irréalité et le moins d'abstraction, sur ce qui nécessite le plus de sens pratique, de prudence et de jugement, sur ce qui exige de la pensée le moins de

449

ce qui fait le génie et la puissance d'un Dostoïevsky, d'un Tolstoï, d'un Cervantes, d'un Balzac, d'un Céline ou d'un Sartre.

Lorsqu'il sort de son univers romanesque tout en s'en réclamant pour trancher avec une *autorité autre* les problèmes de vie ou de mort qui touchent à la réalité la plus banale et la moins imaginaire du monde, on commence à comprendre pourquoi Lénine avait une telle phobie de notre homme.

LXI

Frère Océan (suite sans fin).

Il y a dans *L'Espoir* de Malraux un paragraphe que cite Claude Roy dans *L'Amour de la Peinture*.

— « Dans les églises du Sud où l'on s'est battu, j'ai vu en face des tableaux de grandes taches de sang... L'art est peu de chose en face de la douleur, et, malheureusement, aucun tableau ne tient en face de taches de sang. »

— « Il faudrait d'autres toiles, c'est tout, dit Alvear. »

Vain souhait, pieux mensonge. De telles toiles n'existeront jamais. Les hommes ne « peindront » jamais les taches de sang hors d'existence, le romancier n' « écrira » jamais la guerre, le sadisme, la bêtise et l'injustice hors de ce monde : tant que le génie de l'art existera, il n'agira jamais par ce qu'il prend à la réalité mais par ce qu'aucune réalité ne saurait lui donner. *La Condition Humaine* ne donne pas le communisme, elle le prend, et ce qu'elle restitue à la culture n'a plus qu'un rapport très lointain avec lui. Le communisme était « bouffé » par le roman : ce n'était pas un roman totalitaire, mais total. Ce que *L'Espoir* finira par faire pour la liberté populaire sera exactement ce que la guerre civile espagnole n'a pu faire pour le peuple d'Espagne : l'œuvre se jette dans une Puissance qui ne pardonne pas. Qu'une œuvre d'art puisse mener directement à un choix politique, obtenir un engagement, influencer le jugement est seulement une apparence, et j'y reviendrai dans deux lignes d'ici, mais de toute façon, il s'agit d'un rapport individuel marginal sans aucune influence lorsqu'on parle de ce qui change le monde. Hitler n'a pas été « inspiré » par Nietzsche et Wagner : il s'en est orné après coup. Une idéologie qui agit par la séduction artistique et par la beauté de l'œuvre qui s'en inspire perd là son action propre, son authenticité et jusqu'à son identité : le communisme peut jouer là le même rôle que Nietzsche, la fraternité que le nationalisme, les cadavres qu'un potiron, Barrès devient aussi « authentique » et « vrai » que Barbusse, et agissant de la même façon, par le même biais, les Juifs écorchés de Céline veulent dire autant que la justice, le marxisme devient une figure de style, le *Horst Wessel Lied* prend aux tripes et pousse l'individu à l'aventure exactement comme *l'Internationale*, *God save the King* ou *La Condition Humaine*. Il y a là un dynamisme en soi, un moteur qui fait voler n'importe quel corbillard. C'est ainsi et pas autrement que l'œuvre d'art obtient « l'engagement ». Il est entièrement abusif de parler là de « poison » ou de « valeurs authentiques », puisque les valeurs « authentiques » agissent là, lorsqu'elles agissent, exactement comme les « poisons », *par ce qui n'est pas leur vérité*, leur authenticité, leur nocivité, leur valeur, *par ce qui n'est pas eux dans l'œuvre*, mais par une valeur autre, une valeur-art qui n'a plus aucun rapport avec le critère d'authenticité ou de nocivité idéologiques. C'est alors toujours une autre dimension, le critère artistique, le « mensonge » artistique qui agissent et déterminent — mais on verra sous quelle réserve essentielle — le choix : ni ce qu'il y a de « vrai », ni ce qu'il y a de « faux », mais ce qu'il y a de tout autre. Et prouvons enfin que ce qu'il y a de déterminant dans ce « choix » individuel d'une action à partir de l'œuvre d'art, ce n'est pas le rapport de l'individu avec l'œuvre, *c'est son rapport et le rapport de l'œuvre avec la culture*. *Bagatelles pour un Massacre* ne convertit que des anti-

452

sémites, *Les Possédés* confirment les slavophiles obscurantistes dans ce qu'ils étaient déjà ou poussent au contraire la jeunesse russe *évoluée*, cultivée, vers le libéralisme et le socialisme, Malraux arrache des étudiants à *L'Action Française* pour les mener au parti communiste, lequel les perdra ensuite au profit de Doriot ou de l'existentialisme non par la nature du rapport de l'œuvre avec l'individu, mais par le rapport déjà établi de l'individu avec ce qui l'a formé ou déformé, par le rapport d'un psychisme, pour le bien ou le mal, avec son milieu ambiant nourricier, avec la race, la classe, la nation, ou la culture. Ce sont ses rapports fraternels ou ennemis avec l'Océan qui sont déterminants. C'est encore à partir de, et à travers la culture, rencontrant ce que cette dernière a déjà obtenu, fécondé ou ce qu'elle n'a pas encore changé, accompli dans le psychisme que l'œuvre d'art agit par la place qu'elle prend dans la conscience de l'individu qui l'annexe, et son rôle individuel ne semble ici déterminant que parce que l'œuvre est *apparente*, alors que tous les facteurs qui ont joué dans le ralliement sont submergés. Barbusse ne parvient pas plus à « convertir » ceux que « convertit » Barrès que Céline à « endoctriner » ceux qu' « endoctrine » Malraux, Camus ne peut rien contre l' « adhérent » de Mauriac, tous les « engagements », insignifiants aussi bien au point de vue statistique qu'au point de vue authenticité et action, furent en réalité déterminés par des rapports culturels ou aculturels déjà existants et dans lesquels l'œuvre venait elle-même « s'engager ». Ce sont les psychismes déjà directionnalisés qui « engageaient » en eux l'œuvre, mais comme seule l'œuvre était apparente, visible et discutée, on dira que Claude Roy a été converti au communisme par *La Condition Humaine*, simplement parce que rien de l'univers psychique de l'étudiant Roy n'était visible, alors que tout l'était souverainement dans une œuvre retentissante. Et il est sans doute des individus qu'une œuvre a « révélés » à eux-mêmes, ce qui *a*) met déjà tout le poids du côté de l'acquis culturel dans le psychisme; *b*) met encore

453

plus fortement en lumière ce que la séduction par « la beauté du chant » peut accomplir hors de toute authenticité idéologique, puisque l'idéologie, antérieurement, était incapable d'emporter la conviction : on ne se soucie plus alors que de savoir si le livret va bien avec la musique; *c*) met encore une fois tout le poids d'action du côté de la culture qui avait formé une conscience tellement ouverte et sensible à l'art.

Je dis donc qu'il n'y a pas d'œuvre d'art qui ait converti qui que ce soit par des valeurs autres qu'elle-même, et qui ait obtenu un « engagement » autre que d'essence esthétique, artistique, littéraire, ce qui explique les oscillations, ruptures et retours de ces ralliés-là. Tous les rapports authentiques de l'œuvre avec l'individu sont des rapports déterminants de l'individu avec la culture, de l'individu déjà fortement « déterminé ». Et dans la mesure où l'œuvre peut exercer une influence personnelle déterminante, toujours marginale, ce rapport se situe strictement en dehors de tout critère de vérité et d'authenticité autre que celui du pouvoir d'envoûtement artistique. Quant au rôle des valeurs extérieures, autant parler du rôle de la vertu dans la beauté d'une femme et dans les passions qu'elle éveille. Le pouvoir de convaincre propre à la « valeur » intériorisée par l'œuvre, à son contenu « déclaré », est strictement marginal, sinon nul, la séduction artistique jouant là un rôle décisif, le rapport de l'œuvre avec l' « authenticité » de l'idéologie ayant à peu près le même caractère que celui du pouvoir persuasif d'un « génie » de la publicité avec la valeur objective du produit insinué dans les consciences.

Du reste, lorsqu'il s'agit de « se donner complètement », il est douteux que Sganarelle ait jamais possédé autre chose que des nymphomanes. Les « dons de soi » qu'il obtient sont presque toujours suivis d'autres coucheries. Son don-juanisme personnel va tout naturellement de pair avec cette nymphomanie. Le trait dominant des « engagements » qu'il détermine, c'est le drame de la rupture. C'est que l'on se méprend toujours sur lui, sur ce qu'il propose et sur ce

qu'il offre réellement, sur ce à quoi on se rallie. On se soumet
à un roman, à un art, et on se retrouve soudain à Budapest,
à Saint-Domingue, ou devant Hitler. Du point de vue de
l'importance historique, ces dégâts sont individuels, rares
et proprement insignifiants, parfois réduits à la clientèle
de quelques cafés. Et on ne peut pas en vouloir à notre
jean-foutre : il ne trompe personne délibérément. Il passe
son temps à se tromper sur lui-même et à se tromper. Les
ravages qu'il cause ne s'exercent que sur des ravagés. La
plupart du temps, cela se passe plus souvent au lit que sur
des barricades, dans les salles de rédaction et les comités
de lecture plus que sur les champs de bataille. Et lorsqu'on
l'accuse d'avoir détourné « la jeunesse », on ne parle que d'un
minusculissime groupicule d'une fraction d'élite qui était
déjà détournée, ou ne savait plus où se tourner. On comprend
qu'il ait prodigieusement irrité Lénine, mais il s'agit là
surtout de l'irritabilité de Lénine. Dans des circonstances
historiques dont le moins qu'on puisse dire est qu'elles
excusaient certains énervements.

On ne peut cependant s'abstenir de reprocher à Sganarelle
son mensonge *vécu*, lorsqu'il vient nous parler, comme il
ne cesse de le faire, de l'intégrité intellectuelle, lorsqu'il
laisse loin derrière lui son authenticité artistique tout en
continuant à se prévaloir de cette autorité *autre* pour tenter
de « faire » dans la réalité, de peindre dans la réalité avec
le génie de Picasso ou d'écrire la réalité selon les canons de
ce qui n'est plus l'art dans *La Nausée*. Encore faut-il dire
qu'il n'y parvient jamais : il ne parvient qu'à être *utilisé* et
il ne peut même savoir au juste par qui, au profit de quoi ou
contre quoi, et il n'est nullement rare que ce soit contre ce
qu'il croit défendre. Il ne restera alors à notre Don Juan
qu'à sauter dans un autre lit, en prétendant d'ailleurs que
c'est le lit qui a brusquement changé sous lui.

Les taches de sang, les guerres et l'oppression ne condam-
nent donc pas nos chefs-d'œuvre, mais si le génie de l'art
avait avec la réalité les rapports que la vertu ou l'imposture

de Sganarelle leur prête, elles devraient les condamner sans appel. La culture en tant que prise de pouvoir n'a commencé à se manifester dans les consciences qu'il y a un demi-siècle à peine : jusque-là, il n'y avait que des œuvres, des domaines, des genres, des sources, un « adoucissement des mœurs », la « sagesse », des valeurs culturelles en ordre dispersé, une lente élaboration de quelque chose dont le caractère « en soi » n'était pas apparent et dont la puissance naissante était attribuée — lorsqu'elle n'était pas ignorée — aux œuvres qui la créaient, dans une exagération très individualiste de l'apport personnel. Valéry est pour moi le premier écrivain pensant le monde exclusivement à partir de la culture, et la poésie a joué chez lui, dans ce rôle de sensibilisation de l'intelligence, un rôle merveilleux et extraordinairement encourageant. Il était d'un autre temps, mais c'est une véritable méthode culturelle qui se dégage de ses écrits, quelle que soit la limite de ses propositions spécifiques. Il s'orientait exclusivement à partir de la culture.

Ce que nous sommes en train de créer est infiniment plus que toutes les sources individuelles qui nourrissent cette lente, cette presque silencieuse marée. Les œuvres agissent sur la réalité par ce qu'elles ne peuvent directement pour ou contre elle. La beauté la plus abstraite comme la plus représentative est dans son essence quelque chose qui ne peut être vécu ; elle agit en mobilisant les consciences profondément troublées par cette impossibilité et qui refusent de l'accepter. La course de la conscience-poursuite est de plus en plus activée par cette présence dans l'art de ce qui n'est pas et appelle, de ce qu'elle ne peut atteindre, mais seulement poursuivre dans un changement, un « révisionnisme », un progrès constant. Les œuvres d'art ne cessent de lui révéler ce qui n'est pas dans la réalité, ce que le monde n'est pas, ce que l'homme historique ne peut encore accomplir, mais pour la conscience touchée par le partage de la culture, ce « n'est pas » de l'art devient une volonté de faire naître, de « faire être ». Je ne saurais exprimer plus complètement ce qu'est pour moi le roman et toutes les formes de création artistique en tant que sources d'insatisfaction, de provocation, de scandale, de défi, d'invitation, de galvanisation, d'inspiration à la lutte, à l'action, à la « réalisation », et quel espoir je place pour changer *ce* monde en ce qui ne semble guère, parfois, s'en occuper, en ce qui, dans les œuvres, nous ignore, mais obtient de *nous* le changement de toutes les situations spécifiques, en ce que la peinture religieuse et l'art précolombien et l'art abstrait accomplissent lorsqu'ils deviennent conscience sociale.

Qui donc peut nier que ce qui forme, creuse, développe, enrichit la sensibilité et bouleverse, renouvelle la conscience, détermine la forme que prendront les sociétés ?

Je ne vois guère par quelle dialectique on pourrait faire de ce qui crée le sens même des valeurs une valeur dérivée.

On ne voit guère davantage de quoi, si ce n'est d'un rêve mythologique d'unité, d'un Tout, d'une humanité encore hantée par l'unicité supposée du germe premier de sa souche originelle ou par la nostalgie du Père perdu, pourrait se réclamer ce besoin d'intégration et de convergence, ce rêve d'un Point de Suprême Arrivée. Je conçois plus facilement, comme romancier — puisqu'il y a Roman — un épanouissement et une diversification continus de la gerbe dans une dispersion de plus en plus grande et conquérante, aux péripéties sans fin, sans aboutissement, allant peut-être jusqu'à la création d'autres espèces dans d'autres contrées de l'univers, qu'une convergence finale à la Teilhard de Chardin dans une Unité qui ne saurait être que celle du Père retrouvé. Je vous parle de Roman.

A ceux qui me reprochent, comme le professeur Jaeger, de faire de la culture un corps mystique, je dirai que s'il y a là « adoration » ou « culte », c'est seulement de ce qui, rigoureusement, n'est créé que par les œuvres humaines. Transcendance par la culture ne veut pas dire métaphysique ou mystique, mais progrès, ou révolution. Création par l'homme d'une dimension où il se rend peu à peu maître de son destin remédiable n'est pas création d'un « corps mystique » : la culture ne pose la question de Dieu que comme un artichaut ou une truite la pose ou ne la pose pas.

Je ne verse donc dans aucune adoration : le personnage du roman picaresque n'est pas capable de vénération, même s'il est capable d'amour. Son aspiration à ce qui n'est pas, son impatience ne peuvent se fixer dans aucun culte d'un « ce qui est » historique. La culture est une Puissance favorable, mais une Puissance tout de même : il la met à l'épreuve de l'irrespect, il se moque de ce qu'elle est encore si peu. Il s'impatiente et enrage devant les calmes plats de l'Océan. C'est une garce, parce qu'elle sait attendre. Je laisse donc ici, brièvement, la parole à mon personnage, pour faire entendre clairement sa voix et l'accent d'un roman picaresque d'aujourd'hui : « Les Allemands avaient Schiller, Gœthe, Beethoven, les Simbas du Congo ne les avaient pas. La différence entre les Allemands héritiers d'une « immense » culture et les Simbas incultes, c'est que les Simbas mangeaient leurs victimes, tandis que les Allemands les transformaient en savon. *Ce besoin de propreté, c'est la culture.* »

L'héritage de l'homme est antérieur de plusieurs centaines de milliers d'années à son acquis culturel tout récent, beaucoup plus récent même que les œuvres dont il est issu. Ce qui ne change pas encore en nous est infiniment plus puissant que ce qui change. Mais l'homme libre du *diktat* de sa barbarie première se formera de plus en plus à partir de ses superstructures, dans un rapport progressivement inversé de la verticale du psychisme, inversant le vecteur directionnel, au sens freudien, de son rapport avec l'inconscient et les instincts, créateur de sa propre profondeur qui sera ainsi un « à partir d'en haut » de la conscience, agissant sur la « profondeur » traditionnelle, celle des théories abyssales. Tout ce qui est civilisation aspire à ce déplacement du centre agissant. La profondeur authentique de l'homme ne peut être que sa propre œuvre : il n'est pas en mesure, pour le moment, de se réclamer d'aucune profondeur autre que celle de l'univers. Que la culture ne soit encore qu'un faible murmure de l'Océan à son réveil premier — et qu'on me reprochera donc cette « métaphore »! — que le balbutiement d'une naissance, ne peut rien contre cette raison d'espérer que l'on ressent dans toute jouissance culturelle. Il ne s'agit donc d'aucun « corps mystique », n'en déplaise au professeur Jaeger, et s'il s'agit bien de transcendance, celle-ci, ici, veut dire progrès, et elle est entièrement notre œuvre : je ne vois dans la culture que ce que nous faisons pour nous-mêmes. Et le romancier est certainement le dernier homme à ne pas croire à un acte de création.

En attendant, Sganarelle devrait en finir avec son complexe social, sa recherche d'un pardon, d'une excuse, d'une légitimation d'une «justification d'être» autre que son œuvre, avec ses soumissions, ses bassesses, ses lèche-bottes de la Puissance, ce prix qu'il paie pour son rang exalté de « faiseur de réalité ». Dès qu'il s'affirme frauduleusement « auteur » de la réalité et maître-artisan de *ce* monde, il est légitime que la société s'inquiète et veuille le contrôler comme auteur tout court.

Je rappelle qu'il ne saurait non plus faire de la liberté artistique le critère de valeur d'une société, simplement parce que le malthusianisme culturel ne suffit pas à signifier, à exprimer toute la société; il peut être le délire d'une poussée de fièvre, d'une crise de croissance, et non un signe de maladie congénitale. Un socialisme n'est pas le socialisme, une mentalité petit-marxiste ne définit pas le marxisme, le capitalisme peut être Kennedy, de Gaulle ou au contraire Salazar, le christianisme n'est pas le cardinal Spellman, le Christ n'est pas plus responsable de l'Église que Marx de Staline, la Chine a sept cents millions d'habitants et ses rapports actuels avec l'homme sont ceux de l'inflation. Le rapport du capitalisme avec la culture est un facteur plus déterminant de son évolution et de son avenir que la critique qu'en fait le marxisme.

Malheureusement — heureusement, plutôt — pour les sociétés qui se sentent à l'abri derrière leurs musées et croient

459

montrer ainsi patte blanche, aucune communauté ne peut se donner impunément la culture pour alibi. L' « habileté », l' « astuce » des milliardaires américains — dans la mesure où elle est consciente, ce qu'elle n'est pas, la convention de la culture étant acceptée là aveuglément, — par snobisme et vide — est vaine : on n'ouvre pas les portes des musées sans les ouvrir à l'avenir. Il n'y a pas de société réactionnaire à contenu culturel. Les œuvres d'art peuvent crever d'impatience sur les murs : ce ne sont pas des considérations idéologiques qui imposeront la paix au Vietnam, c'est ce qui ne saurait coexister avec les villages pulvérisés dans la conscience américaine touchée par la culture ou par sa convention. Les dix-huit mille étudiants qui ont marché sur Washington pour protester ne sortaient pas des meetings politiques : ils sortaient des plus beaux musées, des plus beaux ensembles architecturaux et du plus grand effort de décentralisation et d'expansion de la « convention » culturelle que le monde ait connu. La société petit-marxiste terrifiée, dans la rigidité de son Cérémonial frigorifié par le « révisionnisme », a raison de vouloir enchaîner Sganarelle comme un chien de garde à la porte de son Escurial : il ne saurait la menacer lui-même, mais il porte en lui *ce qui n'est pas,* ce virus d'espoir qui menace de catastrophe tous les Temples de Suprême Arrivée.

La Chine vient de faire à cet égard un aveu historique, par la voix officielle du *Quotidien du Peuple.* L'aveu est d'apparence simpliste et symboliquement « concentré », mais que cela ne nous cache pas sa vérité essentielle. Écoutons-le : je cite ici cette annonce de la capitulation future sans conditions d'après l'agence *France-Presse.* On retrouve là d'ailleurs d'une manière bouleversante l'accent même et presque les mots de la conversion *in extremis* de Don Quichotte sur son lit de mort.

« *Ayant trop écouté la musique classique bourgeoise occidentale* », écrit un bactériologiste dans l'organe du parti communiste chinois, « *j'ai acquis progressivement un point de vue de classe... Après avoir goûté de nombreuses fois la 9ᵉ Symphonie de Beethoven,* j'ai commencé à avoir d'étranges illusions sur les idées d'amour universel, d'humanitarisme bourgeois dont la partie chorale de la symphonie chantait les louanges... J'ai été contaminé. »

Ridicule? Atroce? Relisez donc l' « autocritique » finale de Don Quichotte : « *Je possède à cette heure le jugement libre et clair, et qui n'est plus couvert des ombres épaisses de l'ignorance que la lecture triste et continuelle des détestables livres de chevalerie avait mises sur moi... Je reconnais leur extravagance et leur duperie. Je n'ai qu'un regret, c'est que cette désillusion soit venue si tard et qu'elle ne me donne pas le loisir de réparer ma faute par la lecture que je ferais d'autres livres* (inspirés par la lutte des classes et le réalisme socialiste) *qui serviraient de lumière à mon âme...* »

Il est difficile de ne pas comprendre ce que cache et signifie cet « aveu » du bactériologiste chinois. Il reconnaît la Toute-Puissance et la naissance de la culture et reconnaît ce qui menace, « révise », fait naître mais aussi fait mourir et contrôle les idéologies. Le virus de l'avenir est en lui. Je ne sais si cet homme crève d'ironie, de haine, comme le Cervantes de cette « conversion » aux valeurs « authentiques » de la Puissance, de l'Inquisition, et si l'on peut aller plus loin dans le terrorisme de la dérision, mais que nul ne soit dupe de la « naïveté » ou de la « sottise » de son aveu : il est profondément vrai, profondément réaliste, à mon avis décisif, et il nous annonce que l'Escurial chinois va pourrir ou s'ouvrir, changer ou s'écrouler. L'art des siècles se mettra soudain, se met déjà, — on en doute aussi peu que les vieux mandarins glacés et pétrifiés qui craignent à si juste titre la poussée de cette éternelle jeunesse, — à menacer d'un étrange « révisionnisme » le Cérémonial de la Vérité, cette reine morte et pourrissante sur son trône. Aucune société ne peut coexister fixement avec la culture.

LXII

*A pied d'œuvre. — Tout est prêt pour l'aventure. — L'auteur vérifie
nerveusement encore une fois son équipement. — « Il ne manque
pas un bouton de guêtre » oui, mais tout le reste ? — L'auteur,
saisi par le trac, se répète des bribes de son credo avant de s'élancer.
— Pris de sueurs froides, il décide de tout oublier et d'improviser.
— Il efface le schéma. — Il se lève. — Il se crache dans les mains.
— Il annonce qu'on va voir ce qu'on va voir. — Il regarde autour
de lui et devient fou furieux, c'est-à-dire inspiré. — Un rictus
rageur et sarcastique lui tord le visage : il commence à prendre la
gueule de son personnage. — Il utilise astucieusement son indignation comme source d'inspiration littéraire et se fait mobiliser
par elle. — Il embrasse sa femme qui pleure, sa maîtresse et ses
dix enfants. — Il respire profondément, baisse le front, frappe
le sol du pied, ses naseaux émettent un sifflement fiévreux. — Il
bombe le torse, ferme les poings, gueule « Ah, les vaches ! » et se
rue en avant. — A propos, vous ai-je dit un mot d'un tout autre
roman possible ?*

Je sens que je n'ai plus que peu de chose à me dire, avant
de tenter l'aventure. Je la sens déjà en moi, autour de moi,
et mon personnage s'impatiente, mais il est quatre heures du
matin, et déjà cinq mois de poursuite : nous repartirons
demain. J'ai le trac : je m'accroche encore à ces pages, avant

de m'élancer. Encore un mot, pour me donner du courage, pour me rassurer. Sganarelle ne peut pas se passer de bravade, de fanfaronnade : il se sent seul, il fait nuit, il a peur.

Sincérité, d'abord, puisque je vais *inventer*, c'est-à-dire mentir. La « sincérité » du romancier, cela veut dire que l'on ne voit pas les ficelles, le schéma, le « voulu », que cela ne sent pas le procédé, et ensuite, que l'auteur s'identifie bien avec son personnage, qu'il y croit pendant qu'il le simule, le mime, le joue comme l'acteur « véritable » s'identifie avec le personnage qu'il interprète. Cette « sincérité » a pour but de communiquer un sentiment d' « authenticité », c'est-à-dire de « faire authentique », de faire « senti », *vrai*. Il s'agit de « saisir » le lecteur, c'est-à-dire de le convaincre par des moyens artistiques, tous les moyens étant *bons*. Revenons donc, dans cet esprit, et uniquement pour en jouir, à la merveilleuse objection de conscience formulée naguère contre le personnage dans le roman par Mme Nathalie Sarraute dans *L'Ère du Soupçon*. Rien de tel pour me donner du courage que de me délecter de cette merveille. Car il paraît qu'un affreux « soupçon », on l'a vu, s'est glissé irrémédiablement entre le lecteur affranchi par la culture, et surtout par Freud, et le personnage. Catastrophe, horreur et capitulation, faillite irrémédiable du charlatan Sganarelle et fin de son imposture : le lecteur ne parvient plus à croire au personnage : il est devenu trop malin et a fini par comprendre qu'il a toujours affaire à l'auteur, qu'il ne s'agit que d'un bal costumé où l'auteur parade sous divers déguisements. Ne pouvant me résoudre, à l'époque où ce « soupçon » s'était manifesté, à entamer une polémique avec une des plus grandes dames de notre littérature, j'avais demandé à un de mes petits cousins, âgé alors de quinze ans, et élève de seconde dans un lycée de province, de m'exposer ses idées sur cette proposition de Mme Sarraute qui m'inquiétait follement. Voici ce qu'il m'écrivit : « Si tel était le cas, le même soupçon se serait glissé également entre ce nouveau lecteur averti et les personnages des grands romans du passé; ce lecteur moderne ne pourrait donc plus du tout croire à d'Artagnan, Fabrice del Dongo, Madame Bovary, Rastignac, Sherlock Holmes, etc. Or, c'est le contraire qui est vrai : ces personnages sont toujours très « crus », si je puis dire, ainsi d'ailleurs que des milliers de personnages contemporains, Scarlett O'Hara, par exemple, ou Maigret, et tous les innombrables James Bond, et même les personnages des bandes dessinées. Alors, le « soupçon » ne les touche pas? Pourquoi le lecteur croit-il à certains personnages et ne croit pas à d'autres? Parce que les uns sont, et les autres ne sont pas *convaincants*? Les uns ont ce qu'il faut « pour se faire croire », les autres pas. C'est une affaire de talent, non? Ne serait-ce pas simplement que le roman en ce moment essaie de se tirer des pattes des Belles-lettres et même de la littérature, parce que celle-ci est tombée aux mains des précieux dont le langage lui-même est devenu incompatible avec des personnages vivants — chair, viscères et sang, cette « vulgarité », cette « banalité »? Ce « fi donc! » des merveilleux et des raffinés, des précieuses et des exquis jeté au personnage, c'est l'histoire des vieilles filles qui n'ont pas trouvé preneur et qui sont toujours pour la virginité. Mme Nathalie Sarraute écrit vraiment merveilleusement bien, alors, évidemment, le personnage, ça doit gêner son style. C'est toujours un peu trop « physique », c'est toujours vulgaire, plein de gros machins. C'est sûrement une très grande dame de lettres. Seulement, il y a la culture, et puis, comme l'a dit si bien Sartre, il y a les « encultivés », qui ne sont plus ni auteurs ni lecteurs de romans et exigent même un cinéma abstrait pour ne pas se heurter à quelque sale réalité. Une de mes tantes, ambassadrice, m'expliquait un jour que Molière était vulgaire. J'imagine finalement que tout ce que Mme Sarraute veut dire, c'est qu'un nouveau soupçon s'est glissé dans l'esprit du lecteur moderne : il ne croit plus que ces romanciers-là soient vraiment des romanciers et comme ils ne cessent de lui répéter que le roman, c'est eux, il en vient à se demander si le roman est encore un genre littéraire, depuis que le rapport s'est inversé, depuis que l' « écriture », comme ils disent, est devenue le patron, au lieu d'être un serviteur : le langage est devenu le vrai personnage du non-roman. C'est quand même dommage pour la littérature : finir comme ça, dans la porcelaine! »

C'est un bon petit.

Avouez donc. Avouez que vous voulez faire de la nature particulière de votre talent et de la limite de vos moyens un règne littéraire, la règle du jeu qui vous permettrait d'échapper au critère de valeur de la puissance créatrice, de la dimension romanesque, des hauts sommets atteints par le génie dans la fiction et qui s'élèvent si haut au-dessus de votre tête, vous noient d'ombre et vous paralysent, si bien que vous refusez de grimper et annoncez la fin des sommets et le règne de la plaine. Ce n'est pas parce que le « soupçon » s'est glissé entre le lecteur et le personnage que la création des identités historiques nouvelles du personnage vous paraît impossible, c'est parce que, pénétrés de littérature, paralysés par l'érudition, vous êtes trop conscients de ce que le roman et le personnage exigent de vous. Cette façon d'inventer une règle du jeu nouvelle n'est qu'une façon de tricher, c'est une définition du roman qui vous permet de l'éviter, qui transforme ce que vous *pouvez* faire en ce qui doit être fait. Aucun « soupçon » ne s'est glissé entre le lecteur et Bardamu, entre le lecteur et Clappique, et Roquentin, et Maigret, entre le lecteur nouveau âgé de vingt ans aujourd'hui, éclairé tout autant que Mme Sarraute par la psychanalyse, Marx et la culture, et Don Quichotte, et Anna Karénine, et Fabrice del Dongo : ce soupçon, Madame, s'est glissé entre vous et ce que vous vous sentez capable de faire, entre *vous* et le roman. Ce n'est pas ce qui « a déjà été dit » dans l'histoire du roman, qui vous pousse à déclarer que le personnage a déjà eu lieu et qu'il ne peut donc plus habiter une œuvre *nouvelle*, c'est le défaitisme face aux génies qu'il vous faut égaler. Ne venez donc pas nous faire du « il n'y a rien de nouveau sous le soleil » de l'Ecclésiaste : toute la littérature est née depuis.

Enfin, le « sens » du roman : une conception du roman,

une idée que se fait le romancier du Roman et qu'il illustre par des personnages, des situations, une histoire, une action, ne peut en aucun cas vouloir dire « sens » de la vie, au sens pseudo-objectif, hors-roman, vécu et scientiste du terme. La Vie n'est pas susceptible de « sens » ou de « non-sens », mais seulement de bonheur et de malheur. La culture ne saurait être le « sens » de la vie : elle aide seulement à la poursuite du bonheur au sein des sociétés qu'elle force à changer, d'une perfection vécue, qui serait la fin du besoin d'art et de la fiction, la seule « mort » du Roman concevable. Le « sens » du roman étant, dans une grande partie, obtenu, appuyé et servi par des moyens artistiques, ne peut être sorti intact du roman et transféré tel quel dans la vie, dans les rapports quotidiens de l'homme avec la réalité de tous les jours sans donner une déformation totalitaire. C'est ainsi que la situation de K. dans le *Procès* ne saurait caractériser, contenir et définir les quatre-vingt-dix-neuf virgule neuf pour cent des rapports des quatre-vingt-dix-neuf virgule neuf pour cent des hommes avec leurs réalités, avec la réalité, et leurs soucis dominants. Le roman totalitaire n'est pas capable d'aborder cette totalité, seul le roman total peut tenter l'aventure de cette plénitude, chaque réussite relative étant un échec heureux que seuls les dévorés d'absolu peuvent lui reprocher.

La vérité romanesque, faut-il le rappeler, ne saurait avoir un caractère quelconque d'objectivité. C'est, toujours, une déformation du monde dans le but d'une reformation, c'est, toujours, une vérité « contaminée » par l'art, sa puissance de conviction est celle des moyens artistiques du romancier. C'est beaucoup plus une conception du roman qu'une conception de la vie. Il n'existe, dans l'histoire du roman, aucune œuvre dont la « philosophie » eût survécu en tant que telle, cependant que cette philosophie continue toujours à servir pendant la lecture, à l'intérieur de l'œuvre, en tant que structure et source d'action romanesque, et parce qu'elle assure, comme une intrigue, les rapports du personnage avec le roman, joue le rôle d'une péripétie et fait partie du ou des personnages en tant que mobile, explication « psycho-logique » intérieure, couleur, éclairage, réacteur, vie : elle fait partie de la mise en œuvre de l'imagination. Les « pro-blèmes » de Tourgueniev sont complètement démodés : dans le roman, ils passionnent, ils reviennent à la vie parce qu'ils mènent les personnages vivants, et c'est cette vie qui nous intéresse. Le « sens » du roman, l'idéologie, la philo-sophie font partie de la vie des personnages, servent la « vérité » de ceux-ci, mais aucune vérité permanente, universelle, définitive dans le monde des réalités quotidiennes. Idéologie « vraie » ou « fausse », « positive » ou « négative », « authen-tique » ou non, toute valeur est toujours valable lorsqu'elle est une source d'inspiration de la création et qu'elle parvient à ses fins, ce qui est sa seule légitimité ou sa légitimation. Un roman peut donc, devrait même, de préférence, avoir plusieurs « vérités » intérieures contradictoires, en conflit. Le roman sans personnages, c'est-à-dire le roman de l'auteur-personnage-unique est forcé d'être totalitaire, à moins que l'auteur se fasse constamment son propre contradicteur ou réussisse à se réfugier dans la neutralité d'apparence com-plète de la description, mais cette abstention elle-même a un caractère totalitaire, puisqu'elle exprime un point de vue d'absence, de non-participation et de non-compréhension délibérée qui prend un caractère exclusif de parti pris, d'*a priori*. Le roman total ne saurait prétendre à faire de son « sens » dominant celui de la vie hors du roman : si la vie avait vraiment un sens exclusif, ou si elle n'en avait aucun, ni bonheur, ni malheur, il n'y aurait qu'*un* roman possible.

Le personnage devant donc avant tout être vivant, rien de ce qui fait la complexité et la variété de la vie ne peut être méprisé et écarté. On ne peut rien négliger de ce qui rend le personnage « vrai », c'est-à-dire perceptible, présent, et intéressant. Le but du roman total étant de se nourrir de tout ce qui peut augmenter sa puissance et sa plénitude, aussi bien l'Histoire que les histoires, les « sens » que les identités, et ce roman total cherchant à se remplir toujours plus de vie et de monde plutôt qu'à s'intérioriser, à se fixer dans un de leurs aspects, on voit mal comment il peut être autre chose qu'optimiste, c'est-à-dire dominant sa matière, son matériau. Le roman picaresque est une traversée : ses rapports avec les valeurs, les vérités, avec les identités individuelles ou celles des sociétés sont ceux d'un voyageur avec des gîtes d'étape. Il ne peut « communiquer » aucune vérité finale, s'embourber dans aucune « situation » définitive, dans aucun « mot de la fin », il ne peut se fixer dans aucun Escurial de l'irrémédiable, tâche que le roman total laisse au roman totalitaire. Il ne peut s'unir : il ne peut que diverger, se ramifier, dépasser, contourner, refuser tout aboutissement toute convergence vers un Point Final d'Heureuse Arrivée.

Toutes les exigences directionnelles dictées au roman relèvent d'une vision du point terminal de l'Histoire, d'une identité finale et unique de l'homme, d'un Point de convergence absolu. En dehors même du roman, la volonté d'intégration directionnelle de toutes les activités humaines créatrices, aujourd'hui si tyrannique, vise finalement à une essence des choses, un principe unique, une concentration-abstraction des consciences en une seule identité sans assise matérielle individuelle, aléatoire et périssable, qui serait, dans cette coïncidence de toutes les identités de la conscience avec ce Point terminal de l'absolu atteint et possédé, une certitude d'éternité. Rien d'étonnant donc à ce que Teilhard de Chardin regardât avec un si bon sourire le marxisme, dont le rêve concentrationnaire de libération finale rejoint celui de « l'expérience libératrice » des *gourous*, tous les ying, yong et gong du bouddhisme, tous les transferts-repêchages du Moi mortel, c'est-à-dire le Salut. Tout, dans cette volonté d'intégration, de concentration et de convergence aspire à un principe unique, à la fin de la mortalité dans une essence de vie absolue, à « l'expérience libératrice » finale, hors de cette difformité, de cette préhistoire, de cette angoisse que représente une identité non transférable, irrémédiablement condamnée.

La poursuite de l'utopie du Point terminal, cette fin authentique du Roman dans une identité finale du personnage-humanité, même si les étapes intermédiaires pouvaient réaliser une perfection du vécu qui rendrait l'art inutile, ne saurait intéresser le roman, comme la mort du soleil et le refroidissement de la terre ne sauraient vraiment poser de problème pour l'agriculture : il s'agit d'un événement à une tout autre dimension. Tout ce qu'on peut dire, en ce qui concerne notre péripétie et son personnage historique, c'est que la théorie de convergence qui suppose une intégration de plus en plus absolue des activités humaines, dicte, dans sa rigueur organisatrice directionnelle, ses conditions à la création artistique et fait de l'art une valeur dérivée qu'il faut ramener au bercail, ne me paraît pas plus plausible que celle, radicalement opposée, de la divergence dans l'infini, de l'épanouissement de l'humanité dans l'Histoire en une gerbe de plus en plus ouverte et sans fin, allant jusqu'à la dispersion dans l'oubli de la souche première, dans une *diaspora* féconde, jusqu'à la création d'espèces nouvelles sans souvenir terrestre et peuplant l'univers, après avoir découvert et réalisé les conditions scientifiques de cette propagation du virus humain.

Lorsque M. Goldmann dit, après Lukacs, que le roman est une recherche de valeurs authentiques, « dans un monde de valeurs dégradées », c'est d'une nostalgie messianique de l'intégration finale de l'homme en une identité finale, celle du Point d'absolue arrivée, fort peu différente du « salut de l'âme », comme on le disait jadis, que procède sa sociologie du roman. Il y a là un rêve métaphysique de convergence concentrationnaire de l'Histoire vers une identité unique de l'homme qui ne peut être que celle de Dieu vécu. Mais ce qui nous intéresse ici, du point de vue de la création romanesque, c'est que l'emploi du pluriel dans les mots « valeurs authentiques » est une négation sous-entendue du roman et de l'art en tant que valeurs en soi, non dérivées, et que seule la culture peut priver et prive toujours de leur indépendance. Toutes les orthodoxies imposées à la création romanesque sont aculturelles, elles signifient que la culture est combattue. Il n'existe aucune exigence concevable qu'on puisse adresser à l'art et au roman au nom de la culture : la culture retient, ou ne retient pas, bénéficie ou ignore. La seule valeur authentique que poursuit le roman est la Puissance-roman, et ce qui se passe en dehors est une heureuse plus-value. Le passage direct dans une société, dans la réalité d'une œuvre romanesque est inconcevable : ce qui passe, ce qui agit, c'est ce que la culture transforme en organisation du monde à partir des consciences sensibilisées, creusées, de plus en plus ouvertes, de plus en plus exigeantes envers la réalité. Les arrangements intérieurs de l'œuvre, la technique, le choix des moyens, sont des arrangements de l'auteur avec lui-même et la nature de ses moyens et ne concernent que l'historien. Les « valeurs authentiques » peuvent être là une simulation, une absence d'authenticité du romancier-acteur, mime de l'authenticité, une identification avec le personnage de l'auteur jouant sa conviction, une absence de scrupules du romancier dans ses rapports avec les valeurs assumées par souci d'art : celles-ci peuvent fort bien jouer là indifféremment le rôle du compotier et de Guernica chez Picasso, du communisme chez Malraux, de la perversion chez Choderlos de Laclos, et leur « authenticité » peut être la même que chez Proust lorsque celui-ci transforme le vigoureux chauffeur Albert, dont il était amoureux, en l'exquise et si « authentique » Albertine. La question de savoir si Byron est mort pour l'indépendance du peuple grec, ou pour la beauté poétique de l'indépendance de la Grèce n'est pas un critère de l' « authenticité » de son œuvre. Peut-être même faut-il aller plus loin; ainsi que je l'ai dit pour Malraux, c'est lorsque le besoin de l'authenticité des valeurs se fait *authentique*, lorsque ces valeurs cessent de jouer les utilités que le romancier risque de se condamner au silence en tant que créateur de valeurs authentiques non dérivées : c'est lorsque Sartre et Malraux font passer leur propre authenticité, le refus du simulacre et du jeu, du charlatanisme artistique de Sganarelle, leur besoin de réponse authentique, de Solution, avant tout autre besoin, qu'ils se sont détournés de la fiction. La fiction ne cessera jamais d'exiger la soumission de toutes les valeurs authentiques à ce qui ne saurait être une authenticité, c'est-à-dire la fiction. Une aliénation, dit Sartre. Allons donc : c'est une *vocation*. Et qui se trouve servir le bonheur des hommes. Dès qu'on cesse de reconnaître à l'artifice de l'art, et à cette puissance d'appel de ce qui n'est pas, un caractère de valeur en soi, de poursuite en soi, sans remords ni culpabilité, sans complexe de « jeu », dans la confiance totale, dès qu'apparaît le scrupule dans les rapports du romancier avec la réalité, il ne reste plus de l' « authenticité » de l'œuvre qu'un goût de mensonge, d'impuissance et de supercherie, et quelle que soit la situation que l'on évoque alors dans le roman, quelle que soit l'élévation du fond et la générosité de la pensée, le créateur ne pourra plus jamais se défendre contre une sensation d'effet littéraire, de détournement du tragique au profit du jeu, de l'impression que non seulement il ne se soucie guère des problèmes de l'homme, mais encore qu'il exploite sa tragédie.

Quelque part à la dernière minute, ou dès le début, à la touche finale ou tout le long du chemin, secrètement ou franchement, ce n'est plus la guerre et la paix, ou le salut de l'humanité qui concernent le romancier : c'est la perfection artistique de l'œuvre.

Il n'y a pas d'excuse possible à la beauté de *Guernica*, au souci extrême de délectation esthétique dans la composition du tableau et la recherche de proportions dans la disposition des cadavres mutilés : Picasso ne peut alors que rejoindre le parti communiste pour compenser, pour donner au tableau une justification d'être, pour expier son péché d'esthétisme, son viol de Guernica. A moins que ce soit chez ce charlatan de génie une astucieuse compréhension de ce que la justification d'être, qu'il évite résolument dans son œuvre, peut apporter comme « authenticité » à Sganarelle dans ses rapports avec l'extérieur. On reste alors un « monstre sacré » dans la seule réalité qui compte pour vous vraiment, c'est-à-dire la peinture, mais on s'arrange en dehors de son art avec la justification d'être, avec l'objection de conscience, avec son temps.

Encore une petite mise en garde, en ce qui concerne mon « authenticité », mon « honnêteté » de Sganarelle, mon « intégrité » artistique : cette madone, mère du Sauveur, à laquelle Fra Filippo Lippi croyait avec tant de vénération dans l'authenticité de sa foi, il lui a donné le visage de sa servante, avec laquelle il couchait à ses moments perdus et qui lui a fait beaucoup d'enfants. Il n'y a pas, il n'y aura jamais d'art-honnête homme.

Je relis, pour me donner du courage, ces lignes de Hossémine, dans *Les Nuits* : « Le roman crée ce qui ne peut être *fait*. L'art est le seul moyen dont nous disposons pour nous rapprocher de ce qui échappe provisoirement à notre compréhension : c'est un *senti* de ce qui ne peut être encore compris. Il est ainsi l'expression de tout ce qui, en nous, n'accepte pas, conteste, remet en cause, et pousse ainsi vers l'avenir, de tout ce qui en nous ne peut se contenter et cherche une plénitude que l'homme ne pourrait réaliser que s'il était sa propre création. Il ne peut se concilier avec aucune Puissance. »

Le « jouir » de l'art nous rappelle ce dont il s'agit à chaque seconde de vie, dans toute notre aventure. Il maintient ainsi une permanence souriante, et ne cesse d'encourager. Les défaillances, la lassitude, le défaitisme de notre étape historique sont pour le roman picaresque une source d'inspiration comique qu'il se refuse à négliger.

Enfin, je ne publie pas ces pages pour convaincre, pour réclamer des autres un roman plus préoccupé de se servir que de servir, et servant ainsi infiniment mieux et d'une manière plus féconde, hors de toute préméditation spécifique. Il ne s'agit pas ici d'élaborer une « théorie » du roman total, ou de définir les termes d'un picaresque moderne à l'usage des autres, de fonder une famille littéraire, avoir des petits, justifier, par une théorie, ce que je suis, ce que je ne suis pas, ce que je ne suis pas capable de faire, élaborer mon tempérament en étalon-or de la création romancsquc, mais uniquement de faire partager par ceux qu'intéressent les aventures, le bonheur, la volupté et l'espoir que j'éprouve à penser l'avenir infini du roman et du personnage, et de serrer de plus près les conditions les plus favorables à ma propre tentative. Il va sans dire que si ma confiance illimitée dans l'avenir de notre Roman se trouve être partagée par quelques-uns, je me sentirai moins seul dans cette solitude sans appel qui est le propre de tout romancier qui n'est capable que de *son* œuvre, que de ce qu'il est. Cette exploration de ce que je pense et de ce que je suis ne saurait prétendre à jeter des bases à l'œuvre des autres, commander à ce que *sont* les autres. La seule chose qui compte ici, c'est que j'ai trouvé *mon* roman, *mon* thème, et *mon* personnage : ils sont sortis de ce mouvement de la pensée qui ne s'arrête depuis cinq mois que par un acte de volonté, et c'est vers mon roman que je me dirige maintenant, la peur au ventre et l'amour au cœur. Et qu'il soit bien entendu que c'est justement parce que je ne reconnais pas à Sganarelle cette puissance d'action personnelle sur la réalité, parce que je reconnais franchement ce que je ne peux accomplir que je me refuse à faire de l'œuvre et de la liberté artistique un sacré devant lequel devraient s'incliner avec respect l'immense majorité des hommes qu'elle ne concerne pas encore. Le roman ne peut pas être recruté. Il ne peut non plus, et pour les mêmes raisons, exercer de commandement, se poser en autorité, dicter ses conditions à la société : maîtresse d'elle-même, l'œuvre artistique ne peut l'être que de cela. Quant au malthusianisme culturel, il suffit de regarder l'Histoire pour constater que les temps blancs de la culture tendent à donner des temps noirs. Le contrôle culturel, quelle que soit la valeur de l'idéologie au nom de laquelle il s'accomplit, est toujours le signe clinique du Cérémonial d'une société figée, qui se veut « arrivée », et qui refuse tout « révisionnisme », c'est-à-dire tout progrès, parce que tout changement. Il ne s'agit plus alors de culture, ou d'art, mais de cadavres.

Reconnaissons enfin que toute forme d'expression artistique, depuis la première peinture sur la paroi d'une grotte, naît toujours et continuera à naître, d'une frustration, d'un besoin, qui n'est pas, à l'origine, un besoin d'art, et que ni l'art ni la fiction ne sauraient assouvir. Tromper la faim, peut-être est-ce tout ce dont il s'agit; tromper la faim, c'est-à-dire tromper la fin. Nullement *ma* finitude, dont je me fous bien : mais celle de cette beauté qui va s'éteindre et que Bonnard saisit, de cette péripétie historique, qui va bouger, changer, me glisser entre les doigts, de toutes les richesses, des beautés, des manifestations étonnantes de ce moment de notre aventure, qui vont me filer entre les doigts, si je ne m'en saisis pas, si je ne m'en gorge pas, si je n'en fais pas mon profit et ma joie. Cette faim absolument dévorante qui ne me quitte pas une seconde, sauf pendant l'amour, ni le roman, ni la beauté des chefs-d'œuvre accomplis, ni aucun épanouissement de la culture ne peuvent *finalement* l'assouvir : ils ne peuvent, au contraire, qu'aviver, entretenir, par chaque manifestation, cette plaie, ce manque, ce vide, ce besoin d'autre chose que l'art, que le roman, creuser davantage cette impérieuse obsession du progrès vers ce qui n'est pas. Des bornes, des bornes et toujours des bornes. Si par quelque miracle de science, de civilisation ou d'intervention surnaturelle cette plaie d'absence pouvait être refermée, si ce « néant au fond de l'homme » pouvait être comblé, les musées et les littératures ne nous parleraient plus de rien, si ce n'est d'un lointain balbutiement de l'enfance de l'espèce, un murmure de barbarie.

Il ne me reste donc maintenant qu'à écrire *Frère Océan*. Je n'ai pas eu la vieille astuce de Sganarelle de composer d'abord le roman et puis, dans une préface de cinq cents pages, d'exposer le critère auquel l'œuvre déjà écrite devra obéir, dont elle devra naître. Car c'est ainsi que naissent la plupart des théories littéraires : elles sont une défense et une illustration de la nature et des limites de ce que chacun peut accomplir. Mais cette fois Sganarelle n'a vraiment rien dans les manches. Mon roman n'existe pas encore, mais je n'ai aucune crainte : je ne manquerai jamais d'inspiration aussi longtemps que je ne manquerai pas de réalité, c'est-à-dire de passion et d'envie; tant que l'homme sentira peser sur lui une Puissance qui l'ignore ou qui prétend l'asservir, ou lui faire peur, il y aura toujours un Roman. Je vais commencer par oublier cette préface, tout ce que j'ai dit, pour ne pas être tenu, gêné aux entournures, pour ne pas risquer de faire passer le schéma et le concept avant l'œuvre romanesque, pour me livrer à ma passion sans aucun souci d'honnêteté, de contrat signé. Les conclusions auxquelles j'ai abouti ici font maintenant si profondément partie de moi-même — je n'ai d'ailleurs trouvé *que* moi-même — que je n'ai plus à m'y référer. Ai-je besoin d'ajouter que je ne vais guère me soucier de « technique », que je vais me livrer entièrement à mon tempérament : l'intendance suivra. J'écris ce que je suis — ou ce que je ne veux pas être, ce qui revient au même. Je ne me soucierai ni de « roman nouveau », ni de « roman traditionnel » : on ne peut parler de roman « nouveau » que lorsqu'on écrit à partir du roman « traditionnel », à partir de l'œuvre d'un autre, et non à partir de soi-même.

Je vais donc publier cette préface pour mieux m'en éloigner, et aussi pour me compromettre, cependant que l'espoir de me trouver soudain moins seul, après cette publication, ne m'est pas tout à fait étranger. Deux ans, dix-huit mois, plus? Je n'en sais rien. Je vais leur donner d'abord les deux romans déjà presque prêts de ma *Comédie Américaine*, peut-être qu'ils leur procureront quelque jouir, ce qui est quand même préférable en amour.

Je vis mon personnage, je sens déjà en moi sa passion tumultueuse, son amour de la vie, sa dérision, sa volonté de se jeter contre tous les rivages pétrifiés de la réalité. Bien entendu, comme tant de romanciers, je rêve d'un roman dont le « je » ou le « il » ne serait plus simplement *un* homme, mais une identité plus vaste, en devenir constant, une communauté d'espoir, de dépassement sans fin et de bonheur, qui serait le véritable et unique personnage central de l'épopée... Sans blague, et puis quoi encore? Pourquoi pas jouer Dieu le Père, pendant que tu y es? Je sais, je le dis seulement comme ça, en passant. Et puis pourquoi pas, en vérité? Je vais me gêner, tiens. Mais les déchirements intérieurs de l'espèce, ses querelles intestines préhistoriques, ne nous permettent pas encore d'aborder ce personnage-humanité, cette étape lointaine du roman... C'est tout de même diablement tentant. On peut nettement pressentir l'absence de toute limite de cette épopée, peut-être même prévoir la voie triomphale qu'empruntera un jour ce roman latent, ce roman authentique de l'espèce, et même l'étape suivante, celle de la dispersion de la gerbe dans l'univers, dans la création d'espèces et de personnages, de Romans nouveaux, sans rapport avec cette souche première que nous sommes, une exploration-peuplement de l'infini. Il y a là des possibilités romanesques qui commencent à m'intriguer sérieusement. Ce qu'on pourrait tenter, c'est... Allons bon! Si l'art me prête vie, ce sera, comme on dit, et éternellement, « pour une autre fois ».

Lima, décembre 1964 — Paris, juin 1965.

*Cet ouvrage
a été achevé d'imprimer
sur les presses de l'Imprimerie Floch
à Mayenne le 27 septembre 1965.
Dépôt légal : 4ᵉ trimestre 1965.
Nᵒ d'édition : 11214.
(6622)*